D0586937

Z MAJOWYMI
KWIATKAMI

30130502357582

Ze szwedzkiego przełożyła
Grażyna Jabłońska

Świat Książki

Tytuł oryginału
FLICKAN MED MAJBLOMMORNA

Wydawca
Paulina Martela

Redaktor prowadzący
Katarzyna Krawczyk

Redakcja
Jerzy Lewiński

Redakcja techniczna
Lidia Lamparska

Korekta
Alicja Chylińska
Olimpia Sieradzka

Świat Książki
Warszawa 2012

Weltbild Polska Sp. z o.o.
02-103 Warszawa, ul. Hankiewicza 2

Księgarnia internetowa: Weltbild.pl

Skład i łamanie
Akces, Warszawa

Druk i oprawa
CPI Moravia Books s.r.o.
Brnenská 1024
CZ – 69123 Pohorelice

ISBN 978-83-7799-582-2
Nr 90081456

Prolog

Zadrżała, gdy opatulił ją troskliwie kocem z żółtego, dość cienkiego, bawełnianego materiału przypominającego szpitalną derkę. Poczuła, jakby mężczyzna rozpostarł nad nią swoje opiekuńcze skrzydła.

Owinęła się ciaśniej kocem i powoli opadła na krzesło. Siedząc bez ruchu, walczyła z obrzydliwymi obrazami pojawiającymi się gwałtownie w jej głowie niczym uderzenia błyskawicy. Nie mogła ich powstrzymać. Z czasem pewnie przeminą, jednak w tej chwili postanowiła skorzystać z okazji i nacieszyć się tym, jakże miłym, faktem, że jej towarzysz czekał, aż ona dojdzie do siebie.

Najgorzej wspominała bezradnie wpatrzone w nią oczy. Ze strachem pomyślała, że mogło paść na nią, że to ją ktoś mógłby pobić prawie na śmierć! Jak długo może człowiekowi dopisywać szczęście? Niedawno niemal potrącił ją samochód, kiedy wracała rowerem ulicą Ringvägen z pracy – kierowca nie zauważył jej o zmroku. Przypomniało jej się to zdarzenie, chociaż nie miało nic wspólnego z horrorem, do którego doszło w piwnicy jej własnego domu.

Przypadek sprawił, że znalazła się tam wkrótce po wszystkim. Czemu akurat ona?

– Możliwe, że wskutek zbiegu okoliczności – zasugerował miły policjant.

Czy tak właśnie było?

W tamtej chwili najpierw śmiertelnie przeraziła ją myśl, że w okolicy grasuje szaleniec. Tak wielu narkomanów czy chorych osobników znajdowało się na wolności. Czaili się w ciemnościach, w ukryciu. Strach przyszpilił ją do podłogi, sprawił, że nie była w stanie ruszyć się z miejsca.

Z podłogi bez mrugnięcia powieki wpijało się w nią przerażone spojrzenie. Zadrżała na samo wspomnienie. W nabiegłych krwią oczach czaiło się oskarżenie; jakby to ona była bezlitosnym katem. Taki tchórz jak ona!

Krwista maź sączyła się wąskimi strumyczkami z potylicy na betonową posadzkę. Zemdliło ją z obrzydzenia – nawet teraz, gdy w towarzystwie miłego i troszczącego się o nią inspektora kryminalnego była bezpieczna na posterunku policji. Przykazał jej spokojnie oddychać i poczekać, aż się uspokoi.

Ona i on. Sami.

Inspektor nie rozpocznie zadawać pytań, dopóki ona nie dojdzie do siebie. Za chwilę pewnie będzie już gotowa, a wtedy jej wysłucha. Nie musiał mówić, że każde wypowiedziane przez nią słowo jest ważne.

Ciekawe, ile ma lat? Jest może o kilka lat od niej starszy. Z pewnością żonaty. Albo z kimś mieszka. Najlepsi zawsze szli na pierwszy ogień. Mężczyzna nie był wprawdzie diabelnie przystojny, ale cudownie ją traktował. I nie miał obrączki.

W zamieszaniu nie pamięta, czy się przedstawił. Do tego wszystko działo się tak szybko! Rzuciła mu się niemal w ramiona, instynktownie wyczuwając, że przybywa jej z odsieczą. Przyjechał radiowozem w tym samym czasie co karetka. Nagle w budynku zaroiło się od ludzi. Wkrótce nakazał innemu policjantowi zabrać ją stamtąd, a sam niedługo potem ruszył za nimi.

Tępy ból, spowodowany zapewne tym, że częściowo zeszło z niej napięcie, rozlał się z tyłu głowy. Do tego dawno nie miała nic w ustach, ale nie czuła głodu. Rytmiczny łomot w czaszce niemiłosiernie zlewał się ze wspomnieniem dochodzących z podłogi rzężących, mozolnych oddechów sąsiadki, łapczywego łapania przez nią powietrza, walki ze śmiercią od uduszenia czy z czymkolwiek innym, co zabijało. Przeszedł ją dreszcz.

Po raz pierwszy widziała kogoś bliskiego śmierci. Nie było to miłe czy przepełnione spokojem, a wręcz przeciwnie: przerażające i podszyte paniką.

Zdążyła się już ogrzać, a jednak wciąż lekko drżała. Jakże ciekawe są ludzkie reakcje! Pozbawiona władzy nad ciałem i wolną wolą była jak liść niesiony na wietrze – rządził nią obcy, nieuchwytny mechanizm. Blady policjant z pewnością zdawał sobie z tego sprawę, nawet jeśli przeważnie milczał. Nie była to dla niego pierwszyzna.

– Kawę czy herbatę? – zapytał.

Co? – pomyślała, nie pragnąc żadnej z tych dwóch rzeczy.

– Nie wiem – odpowiedziała słabo.

Koc grzał ją w ramiona. Policjant był blady i chudy, wyglądał niemal tak, jakby miał się przewrócić. Przypominał bardziej urzędnika niż chodzącego na patrole stróża prawa. Nie uszło to jej uwagi, a jednak zdążyła go już polubić. Zgasił górne oświetlenie, pozostawiając jedynie zapaloną lampkę na biurku. Otulił ich kojący półmrok. Po raz pierwszy znalazła się na komisariacie w innym celu niż wyrobienie sobie paszportu.

Cel jak cel – przecież nie miała takiego zamiaru.

Spojrzała na buty. Z mieszaniną ciekawości i wstrętu szukała na nich śladów krwi, po której chodziła, trudno było jednak coś dojrzeć w przygaszonym świetle. Na myśl, że ciemne gumowe podeszwy ubrudziły się krwią, poczuła metaliczny smak w ustach. Miała wrażenie, że jest brudna, i zapragnęła ściągnąć z nóg obuwie – włożyć nową parę butów, a tę wyrzucić do kosza.

– W szoku dobrze jest się napić czegoś ciepłego – stwierdził ze spokojem policjant.

Przytaknęła. Zniknął, a po chwili wrócił z kubkiem parującej herbaty. Postawił go przed nią na stole.

– Cukru?

Nachylając się, położył rękę na żółtym kocu pomiędzy jej łopatkami.

Potrząsnęła głową, rzucając szybkie spojrzenie w górę na bezbarwną twarz mężczyzny. Wyprostował się i zabrał rękę, która uspokajająco spoczywała na jej plecach. Nie za dużo ani zbyt blisko. Lękała się, gdy czegoś było zbyt wiele – czuła się wtedy jak w potrzasku. Policjant najwyraźniej zdawał sobie sprawę, że ludzie są różni; że niektórzy lubią wylewną serdeczność, podczas gdy inni jej nie znoszą, chociaż także tęsknią za odrobiną ciepła – nawet jeśli nie mają odwagi tego pokazać. Tylko nieliczni potrafią to dostrzec. Siedząc w dalszym ciągu spokojnie na krześle, dała się wciągnąć w emanujący z policjanta skoncentrowany spokój, niezmącone poczucie bezpieczeństwa wypełniające biuro.

W jakiś zadziwiający sposób czas stanął w miejscu. W pokoju znajdowały się jedynie biurko, komputer i tablica ogłoszeń. Biuro stanowiło wolną strefę.

W oddali rozległ się dźwięk telefonu. Na korytarzu słychać było głosy i czyjś – zupełnie nie na miejscu – śmiech. Za oknem z piskiem opon ruszył samochód. Jej to jednak nie dotyczyło. Poczuła się śpiąca, powieki zaczęły ciążyć.

– Astrid Hård. Czy tak się pani nazywa?

Wzdrygnęła się. Mężczyzna usiadł za biurkiem. Wsparłszy ciężko ręce o blat, spojrzał na nią przeciągle, wyczekująco. Przytaknęła. Zdawało się, że jej nazwisko, krótkie i jakby nieme, wpłynęło na zachowanie. Hård*.

– A pan?

– Berg – odpowiedział. – Inspektor kryminalny Peter Berg.

---

* Hård znaczy po szwedzku: twardy, surowy (wszystkie przypisy pochodzą od tłumaczki).

1

Piątek, 5 kwietnia

Dwie dziesięciolatki: Viktoria i Lina. Niedługo skończą jedenaście lat. Są najlepszymi przyjaciółkami. Drżą teraz w przeciągu, stojąc na zewnątrz automatycznie zamykanych drzwi do supermarketu Kvantum. Przyszły tu po szkole i tkwiły w tym samym miejscu już od niemal dwóch godzin. Na szyjach zawiesiły pudełka z niebieskiej tektury. Tulą je do siebie niespokojnie, bojąc się upuścić ich zawartość. Sprzedają majowe kwiatki*, które w tym roku noszą różne odcienie różu; zewnętrzne płatki kwiatu mają ciemny kolor czerwonego wina, wewnętrzne jasnoróżowy, pośrodku zaś tkwi biała kropka, pod którą umocowana jest szpilka, służąca do przypięcia kwiatu. Większe, samochodowe kwiaty są pośrodku żółte. Viktoria i Lina uważają, że to jednak wieńce są najpiękniejsze. I najdroższe. Lina sprzedała ich cztery, po jednym każdej z sióstr ojca. Viktorii, która nie miała krewnych, nie udało się jednak sprzedać żadnego.

Viktoria ma na sobie nową wiosenną kurteczkę z jas-

---

* Tradycja sprzedawania co roku w kwietniu przez dzieci w wieku dziewięciu–dwunastu lat majowych kwiatków w celu zwrócenia uwagi na biedę wśród nich i przeciwstawienia się jej w Szwecji i Finlandii sięga 1907 roku, kiedy to w Göteborgu powstało Stowarzyszenie Majowego Kwiatka.

nobrązowego dżinsu. Kurtka jest zbyt cienka na zmienną pogodę początku kwietnia. Typowa kwietniowa pogoda – stwierdziła mama. W zeszły weekend wyszło słońce i zrobiło się nagle ciepło, tak że Viktoria zrzuciła zimową kurtkę i chodziła z krótkim rękawem. Mama zabrała ją wtedy do H&M.

W sklepie Viktoria podeszła wprost do stoiska z kurtkami, które były tak nowe, że wciąż nosiły ślady po zgięciach, wzdłuż których leżały złożone w kartonie. Dziewczynka nie szukała ani nie przymierzała; zrobiła to już poprzedniego dnia, gdy z Liną odwiedziła sklep, kiedy pozwolono im pojechać autobusem do miasta. Chwyciła więc teraz od razu za wieszak z upragnioną kurtką, unosząc ją przed sobą. Nie miała odwagi spojrzeć na matkę, tak bardzo nastawiła się, że ją dostanie. Co prawda wiedziała, że kolor może nie przypaść matce do gustu. Mogłaby stwierdzić, że jest zbyt mdły w zestawieniu z jasnymi włosami i bladą twarzą dziewczynki. Viktoria jednak chciała ją mieć. Naprawdę jej pragnęła! Dlatego przygotowała już wszelkie argumenty, którymi planowała przekonać matkę.

Matka jednak od razu się zgodziła. Viktoria poczuła się wręcz oszukana, że tak łatwo to poszło. Cały opór matki zupełnie nietypowo ograniczył się jedynie do zmęczonego spojrzenia, jakim obrzuciła dziewczynkę. Viktorię zbiło to z tropu.

To pewnie z powodu rozstania. Mama nie miała na nic siły. Całymi dniami tylko płakała.

– Jestem skończona jako człowiek – wzdychała, rozmawiając przez telefon z Evą.

Ciągle rozmawiała z Evą, podczas gdy Viktoria, zachowując ciszę i koncentrując uwagę, nie opuszczała swojego pokoju. Nic jednak nie mogła poradzić na to, że słyszała każde słowo matki. Oczywiście, mogła zatkać uszy albo wyjść z domu, lecz tego nie robiła. Nie przymykała też oczu. Tliła się w niej cicha nadzieja, że może nagle znów wszystko się zmieni i – czary-mary – będzie jak kiedyś. Co prawda Viktoria nie była ani dziecinnie naiwna, ani głupia – niedługo skończy jedenaście lat – i rozumiała, że powrót do poprzedniego stanu rzeczy prawdopodobnie jest niemożliwy. Nie mogła jednak nic na to poradzić, że pragnęła, aby wszystko wróciło do normy, nawet jeśli nie zawsze było wtedy fajnie.

Mama, skończona jako człowiek – co można na to poradzić?

– Dam sobie radę, naprawdę – zapewniła potem matka. Wypowiedziała to jednak piskliwym, wysokim głosem, który teraz rzadko kiedy brzmiał normalnie. Viktoria uważała jednak, że matka wmawiała sobie zmianę, bo jej stosunek do niej w ogóle się nie zmienił. – Naprawdę wezmę się w garść – obiecała przez telefon Evie. Powtórzyła to wielokrotnie, niemal ze złością.

Viktoria miała nadzieję, że to branie się w garść nie zajmie mamie zbyt dużo czasu. Nie wiedziała tylko, czy potrwa to kilka dni, tygodni, czy – jeszcze gorzej – miesiący. Dziewczynka nie potrafiła wybiec dalej w przyszłość. Nie miała kogo się poradzić. Lina popatrzyłaby tylko na nią niepewnie i podstawiła jej pod nos jedzenie – paczkę chipsów albo słodyczy czy czegokolwiek innego, co mogłoby odegnać zmartwienie. Nie należało też mieszać w to obcych matek. Spojrzałyby wtedy na dziewczynkę przepełnionymi współczuciem oczami i na pewno miałyby swoje opinie na ten temat. Jakiekolwiek by one były, Viktorii z góry się nie podobały. Okropne, że matki wyrażają swoje sądy na głos i biadolą, rozmawiając o kimś za czyimiś plecami.

Jednak teraz stojąc przed Kvantumem, Viktoria nie poświęca zbyt wiele uwagi przemianie matki i podobnym sprawom. Marznie i tęskni za zimową kurtką. Ale tylko siebie mogła winić za dzisiejszy wybór cienkiej kurteczki, więc stara się odegnać myśli o starej, ciepłej, ale dość brzydkiej i zniszczonej puchowej kurtce. W nowej przynajmniej ładnie wygląda.

Nie brakowało jej Gunnara. Natomiast matce tak. Wiedziała, że tak było, nawet jeśli matka narzekała, jaki to kawał drania, i używała w stosunku do niego różnych innych niepochlebnych określeń. Były one prawdziwe.

Po jego wyprowadzce zrobiło się w domu trochę pusto. Do tego zabrał samochód, przez co przestali tworzyć normalną rodzinę. W razie potrzeby nie miał już jej kto podwozić autem, jak robili to ojcowie, a w każdym razie tata Liny. Przyjeżdżał po dzieci fordem. Dlatego są takie grube, przydałoby im się trochę ruchu dla ich własnego dobra – skwitowała kwaśno matka, kiedy Viktoria jej o tym opowiedziała. Nie było więc co się uskarżać, a w każdym razie nie wtedy, kiedy i tak nie można było nic zrobić w związku z brakiem samochodu.

Nagle zawiał lodowaty wiatr; wciskał się pod krótką kurteczkę Viktorii, zataczał koło wokół jej gołego pępka i dostał się głęboko pod sweter. Dziewczynka zastanawiała się już od dobrej chwili, jakby tu przekonać Linę, aby przeniosły sprzedaż majowych kwiatków w cieplejsze i mniej wietrzne miejsce albo nawet żeby wróciły do domu, sprzedaż kontynuowały jutro, chociaż istniało wtedy ryzyko, że koledzy i koleżanki z klasy je wyprzedzą. Obu dziewczynkom zostało jeszcze sporo niesprzedanych kwiatków, choć miejsce pod Kvantum jest dobre. Chodziły już po sąsiadach, a dzielnice obok obeszli inni koledzy i koleżanki z klasy. Przyjazd rowerami aż tutaj był pomysłem Liny i Viktoria zdawała sobie sprawę, że koleżanka nie podda się tak łatwo.

Viktoria silnie zaciska na pudełeczku zsiniałe z zimna palce. Unosi duży samochodowy kwiat, pokazując go starszej pani, która zbliża się do nich, ciągnąc za sobą kraciastą torbę na kółkach.

– Może majowego kwiatka? – proponuje Viktoria, z całych sił siląc się na dziarski uśmiech.

Kobieta patrzy nieobecnym wzrokiem i pochylona mija dziewczynki. Viktoria, zła i zrezygnowana, myśli, że nie ma sensu tu dłużej tkwić. Nikogo nie obchodzą ani one, ani ich kwiatki – doprawdy, nawet Lina powinna to zrozumieć!

Viktoria już ma to powiedzieć Linie, gdy starsza pani zatrzymuje się i powoli cofa o kilka kroków, ciągnąc za sobą wózek.

– Czemu nie, chyba zdecyduję się na kwiatek.

Mówi równie wolno, jak idzie. Zagląda miłymi, wodnistymi oczami do pudełka.

– Wystarczy mi jednak taki – dodaje, drżącym palcem wskazując na pojedynczy kwiatek. – Mamy już prawie wiosnę, choć trudno w to dzisiaj uwierzyć. – Mruga do Viktorii.

Viktoria czeka, gdy kobieta długo wyciąga portmonetkę. Na białych włosach starszej pani widnieje krzywo włożony ciemnobrązowy, kosmaty beret. Pani przygląda się dziewczynce, gdy ta pomaga jej przypiąć kwiatek do kołnierzyka. Viktorię zbija to trochę z tropu.

– Maleństwa – odzywa się pani, choć dziewczynki nie są przecież takie małe, a w każdym razie nie Lina. – Nie jest wam tu za zimno?

Starsza pani chwyta Viktorię za cienki materiał kurtki. Dziewczynka przyłapana na gorącym uczynku myśli, że ze wstydu zapadnie się pod ziemię. Zanim jednak zdążyła zapewnić, że nie jest wcale tak źle, automatyczne szklane drzwi już się zamknęły, połykając kobietę.

Mija kolejne pół godziny – może dłużej, może krócej. Wieje nadal przenikliwy wiatr, niebo nabiera szarofioletowej barwy, a ręce sinieją dziewczynkom jak u nieboszczyków. Stoją bez rękawiczek, bo jakby inaczej miały liczyć pieniądze i wydawać resztę? Poza tym w ogóle nie pomyślały, aby wziąć je ze sobą – przecież jest wiosna!

Zaglądają do pudełeczek. Zostało pięć kwiatów samochodowych, cztery wieńce i pojedyncze, szeleszczące kwiatki na dnie pudełka Viktorii. Tak więc większość sprzedały. Pieniądze, które nie pójdą na potrzebujące dzieci, trafią do puli na klasową wycieczkę. Viktoria i Lina rozmawiały, że miło będzie gdzieś razem wyjechać. Większość zysków ze sprzedaży zostanie jednak przeznaczona na potrzebujące dzieci. Dziewczynki nie wiedziały, co to za dzieci, ale czuły, że dobrze, że dostaną pieniądze. Może potrzebujące dzieci nieustannie marzły?

Zaczyna padać deszcz ze śniegiem. Sypie dużymi płatkami, które topią się, na wyasfaltowanym parkingu. Tego piątkowego popołudnia nie powstrzymuje to jednak ludzi od robienia zakupów na weekend. Nie mogły wybrać lepszego miejsca.

– Wybrałyśmy najlepsze miejsce – stwierdza z zadowoleniem Lina, jakby czytała w myślach koleżanki.

Viktoria czuje, że teraz jeszcze trudniej będzie jej zaproponować, aby już sobie poszły.

Po płatkach śniegu przychodzi grad. Gdy przestaje padać, wiatr oziębia się jeszcze bardziej. Parking powoli pokrywa roztapiająca się cienka warstwa białych, twardych ziarenek. Nastaje późne popołudnie i kupującym zaczyna się spieszyć. Raczej nie mają już czasu na majowe kwiatki.

– Może wrócimy do domu? – mamrocze w końcu Lina, choć nie ma na sobie cienkiej, letniej kurteczki, lecz starą, zimową, która opina ją tak, że dziewczynka przypomina w niej pękaty serdelek. Viktoria oczywiście jej tego nie mówi, bo sprawiłaby Linie przykrość, a przyjaciółka jest miła. Trochę krągła. A tak naprawdę – wręcz gruba.

– No! – piszczy Viktoria. – Spadamy!

Zesztywniała z zimna, z trudem wdrapuje się na rower. Palce przypominają sople lodu; ma wrażenie, że mogłyby odpaść. Ledwo jest w stanie chwycić za kierownicę. Mnie też ciężko ją utrzymać – stwierdza Lina.

Na światłach za parkiem Folket rozdzielają się. Wprawdzie Viktoria mogłaby popedałować jeszcze kawałek z Liną, ale miałaby wtedy dłuższą drogę do domu. Wprawdzie są najlepszymi przyjaciółkami, ale Lina rozumie, że Viktoria nie ma na to ochoty – nie w taki dotkliwy ziąb, kiedy obie pragną jak najszybciej powrócić do domu.

Viktoria pedałuje co sił w nogach. Dobrze, że mama na nią nie czeka; ma wrócić dopiero koło dwudziestej drugiej i do tego czasu Viktoria może robić, co jej się żywnie podoba. Mama nawet się nie domyśla, że córka lubi przebywać w domu sama, więc trapią ją z tego powodu okropne wyrzuty sumienia, tak że niemal nie wie, co ze sobą począć. Dziewczynka jest tego świadoma, a jednak sprawia jej to przyjemność. No, w każdym razie troszkę. Oznacza to bowiem, że dla matki nie tylko Gunnar jest najważniejszy na świecie. Viktoria nigdy nie dała matce wyraźnie odczuć, że nie jest dla niej problemem samotne rysowanie, siedzenie przed telewizorem czy komputerem. Albo przy telefonie. Cieszy się też, że nie ma Gunnara, który przysiadał się blisko niej na kanapie, klepał ją i robił inne rzeczy, od których trudno się było wykręcić.

Dziewczynka kuli się za kierownicą, zmniejszając w ten sposób opór powietrza. Przyspiesza. Z prawej strony mija opustoszałe korty tenisowe ogrodzone wysokim, stalowym płotem. Jedzie wąską uliczką prowadzącą na boisko do piłki nożnej. Dochodzą ją stamtąd głosy, widzi zaparkowane przy boisku samochody i dostrzega grających piłkarzy. Mają na sobie krótkie spodenki! Biegają jak szaleni, więc domyśla się, że nie marzną.

Powrót do domu jak zawsze wydaje się nieskończenie dłużyć. Dziś jest gorzej niż zwykle, ponieważ pojechały z Liną tak daleko. Viktoria zamyka szczelnie przykrywkę jasnoniebieskiego pudełka, aby nie wypadły stamtąd kwiatki czy pieniądze. Przyciska pudełko do brzucha lewą ręką, a prawą trzyma kierownicę. Oczywiście, nie jest to za wygodne. Rower byłby stabilniejszy, gdyby kierowała go obiema rękoma – wtedy mogłaby pojechać jeszcze szybciej, choć potrafi jeździć bez trzymanki. Teraz jednak jedzie ostrożniej, ponieważ spieszy się do domu, a wokół niej panuje większy ruch niż na uliczce dojazdowej.

Nagle stało się coś okropnego. Obok niej huknęło – nie zdążyła się nawet obejrzeć czy zareagować. Grzmiący, ogromny, czarny motocykl wyskoczył nie wiadomo skąd i wywołał silny podmuch, od którego śmiertelnie przestraszona dziewczynka zachwiała się na rowerze. To koniec – pomyślała. Gdy to sobie uświadomiła, przeraziła się jeszcze bardziej i w panice zahamowała pedałami na tyle, na ile się to dało, gdy jedną ręką trzymała kierownicę. Drugą przyciskała do siebie pudełko, którego zamierzała bronić do samego końca.

Motocykl znika w oddali, a dziewczynka nadal walczy o zachowanie równowagi, rozpaczliwie unikając uderzenia o krawężnik. Przednie koło roweru wije się niczym wąż, by w końcu silnie uderzyć o kamienny kant, wydając z siebie przy tym ostry zgrzyt. Ciałem Viktorii szarpie ostry wstrząs, pudełko wysuwa jej się z ręki i upadek staje się nieuchronny.

Dziewczynka zaciska powieki i przez ułamek sekundy myśli o majowych kwiatkach i pieniądzach, które miała oddać – co się z nimi stanie? Potem czuje ukłucie kierownicą w brzuch, aż ją mdli i kręci się jej w głowie od piekącego bólu. Głowa gwałtownie odskakuje, a kask głucho uderza o asfalt.

Viktoria czuje eksplozję okropnego bólu. Świat wiruje, a jej serce wali jak bęben.

Leży na ulicy, nie mogąc się poruszyć. Ku jej zaskoczeniu pojawia się pozytywna myśl – niczym promyk światła padający na obraz na ołtarzu w kościele podczas zakończenia roku. Nie mogło stać się to najgorsze, nie nadeszła jeszcze jej ostatnia chwila, bo wtedy nie miałaby czucia – nie odczuwałaby ani bólu, ani walenia serca. Martwy człowiek nic nie czuje – powiedziała matka, gdy umarł jej ojciec, dziadek Victorii. Dziwnie wtedy wyglądał, jak odlany z wosku. Leżał na białym prześcieradle z ustami ściągniętymi w czarną kreskę.

A może miała najpierw doświadczyć bólu i cierpienia jak wszystkie dzieci, ofiary wypadków, na skutek których doznają paraliżu lub miesza im się w głowach? Widziała w telewizji i czytała o tym w tygodnikach.

Leży bez ruchu na zimnym, szorstkim asfalcie, czując się jak najbardziej samotne dziecko na świecie. Czemu nie nadchodzi pomoc? Jakiś dorosły. Albo anioł. Choćby dziecko, takie jak ona. Od biedy wystarczyłoby małe dziecko. Ktokolwiek, byleby tylko się pojawił!

Odchrząka na próbę, sprawdzając, czy uda jej się wydobyć z siebie krzyk. Bezskutecznie. W ustach czuje wstrętny posmak krwi i opuchnięty, pulsujący język. Parska i spluwa. Ciepła breja spływa jej po policzku. Dziewczynka krzywi się i potrząsa głową, aby pozbyć się nieprzyjemnego uczucia. Wzbiera w niej płacz.

Mamo, gdzie jesteś?!

A jeśli do końca życia zostanie kaleką? Bez władzy w nogach, przykuta do wózka? Pomoc nie nadchodzi.

Mama pożałuje. Powinna być tu przy niej, a nie w pracy u staruszków. W tej chwili ucieszyłaby się nawet z towarzystwa Gunnara. Tak, nawet z niego, bo zabrałby ją do samochodu, włączyłby ogrzewanie i zawiózł do domu.

Kaleka! Zakręciło jej się w głowie ze strachu. Przerażona, dotyka swojego ciała. Przygniata je rower, zakleszczając się na niej niczym pułapka na myszy. Dziewczynka chwyta za ramę, szarpiąc i potrząsając, usiłując ją zrzucić, lecz bezskutecznie. Powracające na chwilę siły znów ją opuszczają. Zrezygnowana, kładzie głowę, przymyka oczy i próbuje pomyśleć o czymś innym, a nie o zachmurzonym niebie, szorstkiej drodze, bolącym brzuchu i kolanie. I o tym, że jest sama, samiutka jak palec.

A może będzie pięknie? Zagrają wzniosłą muzykę, spotka sympatycznych dorosłych i zyska wielu kolegów i wiele koleżanek w krainie wiecznego słońca, gdzie będzie basen, a ona stanie się właścicielką pony. Śmierć nie może być taka straszna. Ludzie ciągle umierają. Wszystkim zrobi się jej żal. Mamie, Linie, pani w szkole i całej klasie. Może i Gunnarowi, choć nie obchodziło jej to, ponieważ właściwie był niedobry. Możliwe, że i jej tacie zrobi się smutno, kimkolwiek on był. Może spotka go pod palmą, nad zielononiebieską taflą wody basenu? Tata obejmie ją i zapewni, że przeogromnie za nią tęsknił. Będzie o niebo milszy od Gunnara, taki jak ojciec Liny. A nawet lepszy.

Wszyscy będą jej okropnie, strasznie żałować!

Na myśl o tym załkała. Ławki na pogrzebie będą przepełnione, a woźny na dziedzińcu szkolnym wciągnie flagę do połowy masztu, jak wtedy, gdy nauczyciel wuefu zginął w Alpach pod lawiną. Wszystkim zrobiło się bardzo smutno i płakali. Teraz będzie jeszcze smutniej.

Jęknąwszy, pociągnęła nosem, a z oczu wytrysnął strumień łez.

Kiedy starała się je wytrzeć, poczuła, że przygniatający ją ciężar zniknął. Ktoś podniósł rower, uwalniając spod niego dziewczynkę. Na Viktorię padł cień i zamajaczyła jej przed oczami rozmyta twarz dorosłego.

– Kochanie!

Ponad jej głową poszybował niespokojny głos. Czyżby niebiański? Jego dźwięk podejrzanie przypominał jednak głos kobiecy.

– Jak się czujesz? – pyta pani i nie czekając na odpowiedź Viktorii, sprawdza dotykiem, czy dziewczynka jest cała. Potem pomaga jej wstać. – Możesz chodzić?

Głos kobiety nie różni się niczym od głosu pani w szkole tuż przed wybuchem niepohamowanej złości.

– Spróbuj! – zachęca kobieta i Viktoria posłusznie unosi prawą nogę, choć kolana ma jak z waty. – Kierowcy to idioci! – wykrzykuje nieznajoma, przyglądając się chwiejnym próbom dziewczynki utrzymania się na nogach.

Powoli dociera do Viktorii, że to nie anioł ją uratował. Z mamą przeprawa będzie znacznie gorsza – myśli. Wścieknie się, gdy usłyszy, co się stało. Jej niepokój przepełni wszystko – mama będzie nerwowo krążyć w kółko po mieszkaniu i wybuchnie, niepowstrzymanie krzycząc i łając córkę.

– Ech! – wzdycha Viktoria, zaciskając oczy.

– Miałaś anioła stróża – stwierdza łagodniejszym tonem kobieta.

Ma niemal czarne oczy i zielonkawe kręgi pod nimi, jakby była bardzo stara – starucha, wiedźma, o wiele starsza, niż mogłoby wskazywać ciało czy ubiór. Dżinsy i kurtka. Oczywiście nie jest wiedźmą, a Viktoria jest już za duża, żeby rozmyślać o czarownicach i takich tam dziecinnych głupotach.

Kobieta zdecydowanym ruchem wyciera ślady łez na policzkach dziewczynki, jakby czyściła kuchenny stół. Ma szorstką dłoń, ale to miły gest i Viktoria czuje, że pani jest sympatyczna. Co prawda matka wmawiała jej, że należy uważać na obcych. Kobieta nie jest o wiele starsza od mamy – dokładnie w średnim wieku, choć ma siateczkę bruzd wokół oczu.

W tej samej chwili Viktoria przypomina sobie o majowych kwiatkach. Co powie pani w szkole? Dziewczynka dostanie burę przed całą klasą.

– Moje majowe kwiatki! – jęknęła.

Tymczasem kobieta podniosła już jasnoniebieskie pudełko z drogi i wyciera je z brudu. Viktoria zerka ponuro do środka. Pani zapewnia ją, że pudełko również miało szczęście – wszystko ocalało. Zdaniem Viktorii pudełko wygląda brzydko – jest porysowane i brudne. Zmarznięta dziewczynka znów myśli, że dobrze byłoby, gdyby była tu mama, nawet jeśliby się pokłóciły.

– Gdzie mieszkasz? – pyta pani.

Viktoria odpowiada, że mieszka na Solvägen 34, daleko, przy nowej wieży ciśnień.

– Zadzwońmy do twoich rodziców, żeby cię zabrali – proponuje kobieta, spoglądając na zegarek.

Z a b r a l i – nie będzie to takie proste. A pani na pewno się spieszy – myśli nie bez przykrości dziewczynka. Dorosłym zawsze się spieszy – w każdym razie tak twierdzili. Może pojedzie rowerem? Wprawdzie ciało stawiało sprzeciw, ale cóż – siła wyższa. Matka zawsze jej to powtarza, gdy Viktoria nie ma ochoty czegoś zrobić albo gdy matka nie daje sobie z czymś rady. Najczęściej chodzi wtedy o pieniądze. S i ł a w y ż s z a – trzeba zjeść, choć jedzenie jest niesmaczne. Musisz zapamiętać, że życie nie jest usłane różami – mówiła mama. Dodawała też, że kiedyś dzieci ciągle jadły owsiankę. I były szczęśliwe, gdy ją dostały, bo inaczej nic nie jadły, aż siniały z głodu, ich ciałem wstrząsały dreszcze, i kładły się w jakimś głębokim rowie, żeby umrzeć w samotności. Do tego brnęły boso wiele kilometrów po śniegu, aby dostać się do szkoły. Nie to co współczesne rozpieszczone dzieciaki.

Głos kobiety wyrywa ją z ponurych rozmyślań:

– Masz komórkę? – pyta.

Viktoria potrząsa głową. Mama nie chciała kupić jej telefonu. Dzwonienie jest za drogie – powiedziała. Doprawdy, teraz jednak się dowie, jakie to było głupie. Dziewczynka otarła się o śmierć, a nie ma ze sobą nawet komórki, tak jak wszyscy. Wprawdzie nie jak Lina, ale jak większość klasy.

– To chodź ze mną. Mam niedaleko warsztat. Zadzwonimy stamtąd – mówi kobieta i podnosząc nóżkę roweru, powoli rusza, prowadząc go po chodniku, a Viktoria kuśtyka obok.

Osłona łańcucha wydaje z siebie zgrzytliwy dźwięk. Na dworze wciąż jest jasno.

2

Kjell E. Johansson zmrużył oczy przed niemiłosiernie ostrym światłem padającym z nieosłoniętej żarówki, którą właśnie wkręcił w porcelanowy uchwyt w łazience na ścianie nad lustrem. Resztki stłuczonego kulistego klosza z mlecznobiałego szkła zostały zamiecione do papierowej torebki i leżały teraz na korytarzu. Wyśliznął się Kjellowi z rąk, kiedy próbował założyć go z powrotem po dość pracochłonnym wypucowaniu z kurzu, tłuszczu i zdechłych muszek, a więc z brudu, który narósł na nim przez lata. Zanim grube szkło rozbiło się o zlew, który na szczęście wytrzymał uderzenie, Kjellowi wyrwał się krótki, nieopanowany skowyt. Odruchowo zacisnął oczy, aby ochronić je przed odłamkami szkła. Po chwili, mając się na baczności, otworzył je powoli, szacując zniszczenia. Oniemiały gapił się na podłogę, mieląc szczęką. Wystarczyła chwila. Powstrzymał odruch, aby walnąć pięścią w ścianę, zerwać zasłonkę od prysznica czy kopnąć w plastikowy, biały kosz na pranie, prezent od matki.

Gdy tłukł się klosz, z oddali dobiegł go dźwięk dzwonka. Sygnał nie przebił się wtedy do świadomości Kjella, który był kompletnie zdezorientowany. Ktoś dzwonił do drzwi. Teraz Kjell zastanowił się, kto też to mógł być.

Mężczyzna miał porywczy charakter, uspokajał się jednak równie szybko, jak wpadał w złość. Gdy opuściło go zdenerwowanie, uświadomił sobie, że jak zwykle znowu będzie musiał ponieść skutki braku cierpliwości i tego, że nie potrafił dać sobie na wstrzymanie. Że – krótko mówiąc – nie potrafił wyluzować. Gdyby tylko poświęcił chwilę na wytarcie ręcznikiem klosza do sucha, nie wyślizgnąłby mu się z rąk i nie doszłoby do katastrofy. Teraz będzie musiał wyruszyć na poszukiwanie nowego klosza!

Przykleił już cztery plastry do gołych palców u nóg, aby nie zabrudzić krwią wszystkiego, po czym stąpał. Prawy kciuk okleił również plastrem Salvekvicka. Pomniejsze draśnięcia zostawił nieopatrzone. I tak był z siebie dumny, że w ogóle miał w domu plastry i że niemal od razu odnalazł je w szafce w łazience.

Przejechał maszynką do golenia po policzku. Źrenice zwęziły się od silnego światła. Cholera, ale się postarzałem – pomyślał. Z ostrością, na jaką nie był przygotowany, zobaczył jak na dłoni każdą bruzdę, zmarszczkę czy obwisłą, nieelastyczną skórę. Może nie chciał tego wcześniej dostrzegać. Obraz był bezlitosny. Przede wszystkim uderzyły go powieki. I kąciki ust. Przybliżył twarz do lustra, aż dotknął nosem zimnego szkła. Pory na skórze zrobiły się szersze, pogłębiły się i ściemniały. Siwiejący zarost kiełkujący z podrażnionej i zaczerwienionej po gorącym prysznicu powierzchni skóry z bliska sprawiał niemal groteskowe wrażenie. Jakby oglądało się go pod mikroskopem. Cofnął się i poczuł ulgę, że z większej odległości nadal prezentował się jako tako.

Kjell E. Johansson miał niebieskie oczy. Fakt ten chętnie wykorzystywał. Miał niewinne, jasnoniebieskie spojrzenie, skore do uśmiechu. Kobiety go lubiły. Wpadały, często bez zastanowienia, wprost w jego otwarte, silne ramiona.

Teraz jednak Kjell się nie uśmiechał ani nie rozjaśniał na widok własnego odbicia w lustrze. Otworzył natomiast usta i krytycznie zlustrował zęby. Wzdrygnął się od oddechu o delikatnym odorze rozkładającej się ryby. Był to kolejny dowód na to, że chylił się ku upadkowi, świadectwo tego, że starość dopadła i jego. Wstrzymując oddech, poddał twarz gimnastyce. Zmarszczył nos, rozszerzył jego płatki, uniósł górną wargę i wysunął dolną, a wszystko po to, aby odsłonić oba rzędy zębów. Ponownie nachylił się do lustra, niezwykle uważnie im się przyglądając. Stwierdził z goryczą, że skurczyły mu się dziąsła, obnażając szyjki zębów, i że szkliwo zdecydowanie zyskało antyczny charakter.

Po raz pierwszy uświadomił sobie, że połowa życia minęła i że nosił na sobie jej ślady.

Może lepiej założyć okulary? – pomyślał, wyciskając więcej pianki do golenia na policzki. Wystarczy już zacięć. Nie wiedział jednak, gdzie je położył. Może w samochodzie, w schowku deski rozdzielczej? Rzadko kiedy ich używał, właściwie tylko wtedy, gdy musiał przejrzeć rachunki firmy, dzięki której od kilku lat ledwie wiązał koniec z końcem. Mycie okien. Papierkowa robota, polegająca na kontroli wydatków w firmie, nie była zbyt trudna. Kjell przyjmował zapłatę głównie gotówką, bez paragonu. Było to rozwiązanie zadowalające wszystkich. Gdyby nie prowadził firmy na czarno, nie udałoby mu się jej utrzymać, a jaki pożytek z kolejnego bezrobotnego miałaby – już i tak ostro nadszarpnięta – państwowa gospodarka?

Golił się maszynką od dołu do góry policzków, tworząc ścieżki w pianie niczym pług odśnieżający zimową drogę. Niedługo piąta. Nie musi się spieszyć. Lubił być na luzie, robić wszystko powoli. Przerwał na chwilę golenie, sięgnął po stojącą na zlewie puszkę piwa, którą otworzył, aby w ogóle poradzić sobie ze sprzątaniem odłamków szkła. Wypił do końca. Zaburczało mu w brzuchu i beknął.

Zastanowiło go, że ostatnio powracało do niego sporo spraw z przeszłości, do których musiał się odnieść – chodziło nie tylko o finanse. Znów do niego zadzwoniła ta kobieta i cholernie marudziła.

Opłukał maszynkę w gorącej wodzie. Kjell E. Johansson miał czterdzieści osiem lat. Wolałby być o dwadzieścia lat młodszy. Tego piątkowego wieczoru zamierzał wyjść z Alicią, prawdziwą petardą. Zapalał się na samą myśl o niej. Od dawna nie natknął się na kogoś takiego. Mieszkała w klatce schodowej obok i wyłowił ją swoim czujnym okiem dwa tygodnie temu, akurat kiedy wychodziła z taksówki i potrzebowała pomocy przy dźwiganiu dwóch ciężkich walizek. Ze wszystkich durnych pomysłów wybrali bal przebierańców. Chociaż brzmiało to żenująco dziecinnie – wato było zapłacić tę cenę za przebywanie z kobietą, której ciału niczego nie brakowało: talii, jędrnych cycków czy smukłych nóg. Dziewczyna nie okazywała śladu goryczy i sfrustrowania, ogólnie nie była też roszczeniowa czy zgorzkniała. Zero bachorów. Oboje wyrazili chęć wspólnego zabawienia się, nic więcej. Alicia niemal od razu zastrzegła, że chciałaby jeszcze przez kilka lat być wolna – bez dzieciaków i tego całego bałaganu. Wierzył jej na tyle, na ile zawierzał innym kobietom w podobnych sytuacjach – czyli w ogóle. Wiedział, że może się to w każdej chwili zmienić. I to dotkliwie szybko.

Ściągnął brwi i chlupnął na policzki wodą po goleniu. Alicia przekonała go do wspólnego wyjścia na imprezę, na której prawdopodobnie będzie się czuł głupio i niezręcznie. Strzeli sobie jednak jeszcze kilka piw i jakoś to pójdzie. Poradził już sobie jako tako z najbardziej naglącym problemem, czyli z przebraniem. Zupełnie bez sensu pomyślał o stroju Tarzana, Supermana czy Elvisa. Spowodowało to jednak, że musiał włożyć sporo wysiłku w wyszukanie ubioru oraz dodatków. Z reguły robił wszystko na ostatnią chwilę, żeby nie powiedzieć – sekundę. Do tego żałował, że się zgodził; uważał całe wyjście za skrajnie żenujące i wolałby spędzić wieczór z kilkoma browarami przed telewizorem.

Niechętnie pospieszył więc tego popołudnia do galerii Magasinet i szybko przejrzał cały asortyment kilku sklepów, mając nadzieję na znalezienie gotowych strojów nadających się dla takich jak on. Oczywiście nic takiego nie mieli, a przynajmniej on nic nie znalazł. Nie pytał obsługi z obawy, że wyjdzie na głupka. Spodziewał się drwiącego uśmieszku w kącikach ust, kiedy już wyartykułuje swoją prośbę.

W sklepie z zabawkami znalazł jedynie maskę na oczy. Mieli dwie: różową i białą. Kupił białą.

Rzeczywistość zawsze wyciągnie po człowieka swoje macki – naszła go filozoficzna myśl. Wytarł ręce w niezupełnie świeży frotowy ręcznik. A właściwie czemu? Zauważył zakrzepłą krew na bawełnianych pętelkach ręcznika, lecz nie zdjął go do prania.

Kjella interesowała tylko przyszłość. Grać na loterii można było jedynie z panią Fortuną – jakby powiedział jego ojciec alkoholik na lekkim rauszu. Na wszystko inne było już za późno. Teraz czekała go tylko prosta maskarada. Potem się pomyśli.

Niedobrze, że kobieta zaczęła do niego dzwonić, a jeszcze gorsze były listy, które przychodziły regularnie. Wrzucane przez otwór w drzwiach, uderzały o podłogę w holu. Koperta z okienkiem od adwokata pojawiła się akurat wtedy, kiedy miał trochę spokoju! Najprawdopodobniej sprawa jednak jakoś się ułoży, tak jak to się działo z innymi rzeczami. Kjell znany był z umiejętności przetrwania. Zresztą mógłby się wszystkiego wyprzeć. Zazwyczaj mu to wychodziło, podobnie jak udawały mu się wszystkie kłamstwa. Najlepsza strategia to użyć własnego czaru – pomyślał jak zwykle, po czym zmienił zdanie co do zakrwawionego ręcznika i zerwawszy go z wieszaka, rzucił nim triumfalnie do kosza na pranie z taką siłą, że ten omal się nie wywrócił.

Zadzwonił telefon. Właściwie mężczyzna nie miał czasu, aby odebrać, szczególnie gdyby to znów ktoś prosił go o przysługę. Jak ta stara sąsiadka. Gdy dziś po południu wrócił z zakupów, pomógł jej przymocować półkę na korytarzu. Nie miał nic przeciwko temu, ale potem musiał usiąść z nią przy kawie w kuchni i zjeść kawał świeżutkiego migdałowego ciasta tosca, które z pewnością kupiła specjalnie dla niego. Kobieta była samotna. Reprezentowała ten rodzaj samotności, który wydaje z siebie zapach. Jeśli dobrze zrozumiał, jej syn miał dwie lewe ręce: taki wykształcony, bezużyteczny typ, który nie potrafił nawet sam przybić zakupionych przez siebie za grube pieniądze obrazów, tylko zatrudniał do tego robotnika.

Telefon wciąż dzwonił, więc Kjell skierował się do ciemnego holu i bez zapalania światła podniósł słuchawkę. Słabe wieczorne światło, dochodzące z okna salonu, kładło się na podłodze z linoleum.

– Cześć, dobrze, że cię złapałam.

Głos Alicii. Może bal został odwołany? – pomyślał z nadzieją.

– Mogę cię poprosić o drobną przysługę? – zapytała, mrucząc jak kot. Stłumił w sobie jęk, jednocześnie wyobrażając sobie, jak Alicia niewinnie i prosząco wydyma wargi, aby się zgodził.

Z reguły chętnie wyświadczał przysługi, ale nawet on miał swoje granice. Wiedział, czemu się zjeżył. Alicia zarzucała już rodzinną pętlę – dla niego o wiele za szybko – dlatego odruchowo się cofnął.

– Zależy jaką – odpowiedział wymijająco, aby zyskać na czasie.

– Jestem u fryca i trochę się to przeciągnęło.

Czemu, na Boga, tak bardzo się wysilała na bal maskowy?! – pomyślał lekko spanikowany. Wizja wieczoru teraz jeszcze bardziej go przerażała niż dotychczas.

– Aha – udało mu się wydobyć z siebie.

– Zanim tu przyszłam, nastawiłam pralkę w pralni – kontynuowała Alicia.

Czyżby się przesłyszał? Pralkę?

– No, ale się spóźnię i zastanawiam się, czy byłbyś tak miły, by zejść do piwnicy i przerzucić moje pranie do suszarki.

Absolutnie nie. Sygnały ostrzegawcze dosłownie grzmiały mu w głowie.

– Proszę. – Wpiła się w niego błagalnym głosem idącym wprost do jąder.

Po prostu nie mógł odmówić. Gdyby się teraz wycofał, zamknąłby sobie drogę do ciała Alicii, a w każdym razie tej nocy, a do tego na pewno się pokłócą. Nie miał dziś siły na kłótnie. Następnym, kurwa, razem od razu odmówię – postanowił i odchrząknął.

– Okej – usłyszał swój niewyraźny głos, a jego wolna ręka podążyła ku kroczu.

■

Veronika Lundborg stanęła pośrodku korytarza, wzdłuż którego po jednej stronie wznosiły się wieże konserw, przypraw i sosów, a po drugiej kawy, herbaty i kakao. Wyprostowała się, tym samym sprawiając wrażenie wyższej niż metr siedemdziesiąt osiem bez butów. Wpatrzyła się w półki z towarami, w myślach powtarzając sobie, co miała kupić. Listy zakupów nie miała. Myśli biegły w różnych kierunkach. Nastało piątkowe popołudnie. Głęboko odetchnęła i zajrzała do wózka.

Pamiętała w każdym razie o kawie, oregano i o papierze kuchennym, którego załadowała potężną pakę. Czy w domu był papier toaletowy? Zmrużyła oczy, marszcząc czoło: chyba pamięta kilka opakowań ułożonych w stos na podłodze schowka, ruszyła więc wózkiem dalej.

Zazwyczaj gdy przekraczała próg automatycznych drzwi do supermarketu, natychmiast traciła rezon, a jednak tu przyjeżdżała. Było to proste: w jednym miejscu znajdował się ogromny wybór produktów, czasami nawet tańszych niż gdzie indziej, jeśli człowiek był czujny. Po prostu: coś za coś. W tej chwili wypatrywała półki z dezodorantami. Z wielu powodów męczyły ją supermarkety: z powodu braku dziennego światła, z powodu wysokich sufitów, które sprawiały, że budynek przywodził raczej na myśl magazyn niż sklep. Do tego nieskończenie długie półki ze zbyt wielkim wyborem towarów; niezmiernie trudno było je ogarnąć wzrokiem, co z kolei prowadziło do konieczności przebycia zbyt długich odcinków pieszo. Veronika zdawała sobie sprawę, że – krótko mówiąc – zakupy tutaj sprowadzały się do krążenia w tę i z powrotem, aby wziąć to, co się zaplanowało i – na tyle, na ile się dało – uniknąć kupna niepotrzebnych rzeczy. Dodatkową konsekwencją zakupów była nie bez znaczenia kolejna praca: przytachanie torebek z zakupami do samochodu, z samochodu do domu, następnie rozpakowanie i ustawienie wszystkiego w składziku na półkach, które też nie zawsze były puste i na to przygotowane. Krótko mówiąc, chodziło o wielogodzinną pracę, choć Veronika nie miała siły wybiegać myślami tak daleko do przodu.

Znalazła artykuły kosmetyczne i przypomniała sobie o paście do zębów. Rozbieganym wzrokiem szukała pasty łagodnej dla dziąseł, gdy zdała sobie sprawę, że nie powinna się zatrzymywać, tylko iść dalej.

W domu miała chorą córeczkę. Poza tym w każdej chwili mogła zadzwonić znajdująca się w kieszeni kurtki komórka i w trybie natychmiastowym wezwać ją do pracy. Prawdopodobieństwo, że będzie musiała w te pędy pobiec do kliniki, nie było duże – z reguły dostawała trochę czasu na stawienie się. Nigdy jednak nie wiadomo.

Pomidory w puszce i tagliatelle – tym samym miała z głowy kolację – akurat na poziomie, na jaki pozwalała jej wyobraźnia. Popędziła do mrożonek i szybko chwyciła kilka torebek mieszanych warzyw na patelnię – zawsze dobrze było mieć takie w domu – może już na jutro? W szafce leżał ryż, tego była pewna. No, prawie.

Przystanęła w alejce prowadzącej do napojów gazowanych, piwa oraz wody i się zawahała. Czy miała siłę tachać do domu napoje, czy Claes kupi je kiedy indziej? Zrobiło jej się gorąco i poczuła się spocona. Ciemnoniebieski golf ściśle przylegał do szyi. Włożyła palec za kołnierz, poluzowując ucisk, jednocześnie zrzucając z siebie – także niebieską – wiatrówkę z grubą, zimową podpinką i wyszarpując z dżinsów białą bawełnianą koszulkę, którą włożyła pod sweter. Poczuła nieznaczną ulgę. Kiedy się ubierała, nie zauważyła, że nastała już wiosna.

W ten weekend pełniła dyżur pod telefonem. Ledwie godzinę temu przebrała się w swoim pokoju w klinice chirurgii, po obchodzie z lekarzem dyżurnym, w czasie którego stwierdzili, że na poszczególnych oddziałach wszystko jest pod kontrolą. Żadnych problemów. Lekarzem pełniącym dzisiaj dyżur w szpitalu była wschodząca gwiazda medycyny o imieniu Rheza. Został zatrudniony podczas jej urlopu macierzyńskiego i Veronika, nie mając okazji go jeszcze poznać, nie była pewna jego umiejętności. W milczeniu szedł u jej boku. Nie zadał żadnego pytania. Trochę jej to przeszkadzało – nie wiedziała, jak go ocenić.

Po powrocie do domu zadzwonię i sprawdzę, co u Rhezy – postanowiła. Nie mogła nic więcej zrobić.

Nie pracowała dokładnie rok – okres, który z początku zdawał się jej wiecznością, minął, jak z bicza trzasł. Od pięciu dni, od poniedziałku do piątku, wstawała wcześnie z łóżka i wracała późno do domu. Właściwie nie czuła się zmęczona, raczej rozemocjowana od nagłego bogactwa zewnętrznych bodźców, od których zdążyła się odzwyczaić. Pracowała na najwyższych obrotach. Wkrótce jednak wszystko powróci do normy. Lubiła, jak coś się działo.

– Fajnie cię znowu widzieć – powitał ją pierwszego poranka Petrén, poklepując po plecach. Przez chwilę poczuła się wniebowzięta z powodu powrotu. Lubiła szefa, docenta Petréna. Nauczyła się doceniać jego solidność dwa lata temu, kiedy jeden z lekarzy umarł, a inny popadł w tarapaty.

Veronika czytała tabliczki wiszące na sklepowych korytarzach. Białe napisy na czarnym tle. Przestawiono produkty! – stwierdziła zirytowana. I po co?!

Skręciła do napojów, konfitur, dżemów i zdjęła z półki słoik marmolady z pomarańczy. To głównie Claes ją jadł. Zastanowiła się, czy nie poeksperymentować i nie wypróbować czegoś nowego, ale w końcu wzięła tę, którą Claes lubił najbardziej.

Ścierpły jej łydki. Czarne kozaki na niskim obcasie nie miały elastycznych podeszew. Na domiar złego, pomimo wysokiego sufitu, lekarka poczuła brak tlenu. Była głodna, jej ruchy się spowolniły, zrobiła się ociężała i pomyślała, czy nie powinna zrezygnować i wrócić do domu. Nagle jej rozmyślania przerwał irytująco energiczny menuet Mozarta, którego metaliczne brzmienie dobiegło z lewej kieszeni kurtki. Veronika znajdowała się na samym końcu sklepu przy nabiale. Powinnam zmienić dzwonek – pomyślała. W tej chwili odczuwała jednak przede wszystkim wdzięczność za to, że dzwoniła jej własna komórka, a nie szpitalna. Ujrzała na wyświetlaczu, że telefon był z domu.

– Cześć – odezwał się Claes. – Mogłabyś kupić ryż, już nic nie mamy...

– Okej – odpowiedziała zdziwiona. Była przekonana, że w szafce leżała duża plastikowa torba ryżu basmati.

– I papier toaletowy.

Do diabła! Będzie musiała wrócić na sam początek. Westchnęła.

– Coś nie tak? – zapytał Claes i zamilkł.

– Nie – odpowiedziała. – A czy na razie mógłby wystarczyć papier kuchenny?

– Jasne, tylko żebyśmy mieli coś w domu. Ale płyn do zmywarki... – kontynuował.

– Oczywiście.

– I lody waniliowe dla Klary. Nic nie je.

Skręciło ją z niepokoju. Nie może zapomnieć o lodach waniliowych, ale powinna je zabrać na końcu, aby nie zdążyły się roztopić, zanim załaduje je do samochodu.

– Coś jeszcze? – zapytała.

Chwila ciszy. Veronice się zdawało, że po drugiej stronie słuchawki słyszy szybki oddech córki. Cichutkie, rzężące pojękiwanie.

– Nie, chyba nie.

– Jak coś, to dzwoń.

Już miała się rozłączyć, gdy strach sprawił, że zastygła z komórką przy uchu. Nasłuchiwała, próbując wyłapać dźwięki, które świadczyłyby, że Klara nie była ciężko chora.

– Co z nią? – zapytała ostrożnie, jakby oswajała się z ewentualną odpowiedzią, że stan córki się pogorszył. Jednocześnie była przygotowana, aby poprzez działanie odegnać niepokój. Poprosiłaby znajomego lekarza o zbadanie małej. Pediatrę. W myślach zastanowiła się, kogo darzyła zaufaniem.

– Klara czuje się dobrze. Próbuję dać jej coś do picia – powiedział Claes z jakimś niepokojem w głosie. – Poza tym podałem jej alvedon – uprzedził następne pytanie Veroniki.

– To dobrze! Niedługo będę.

Poczuła natychmiastową chęć powrotu do domu. Żałowała, że robiła zakupy pośród piątkowych klientów powoli pchających przepełnione wózki po zbyt dużej powierzchni sklepu Kvantum. Czemu zamiast tego nie pojechała do spożywczego Egona? Nie mieli takiego wyboru, ale sprawniej robiło się tam zakupy. Do tego przyjemniej.

Nie tak jak w tym bezosobowym magazynie, w którym właśnie utknęła.

Pochylona niczym wieża w Pizie pchała przed sobą wózek, bezskutecznie szukając płynu do zmywarki. Chwyciła za rękaw mężczyznę w czerwonej nylonowej kurtce.

– Gdzie schowaliście płyn do zmywarki? – zapytała opryskliwie.

– Nie ma problemu – odpowiedział młodzian o imieniu Jocke.

Jego imię było wyszyte białymi nićmi na kurtce. Uśmiechnął się szeroko i Veronika pomyślała, że był szkolony do radzenia sobie z kwaśnymi paniusiami robiącymi weekendowe zakupy. Uśmiechnęła się przepraszająco i zniknęła we wskazanym kierunku, idąc ku środkom czystości.

Zostały jedynie lody.

Nareszcie mogła ruszyć do kas, przed którymi ludzie czekali z załadowanymi do pełna wózkami. Kiedy znalazła się zaledwie o dwa wózki od kasy, przesuwająca się i tak stosunkowo wolno kolejka całkowicie stanęła. Wywiązała się cicha dyskusja pomiędzy kasjerką a mającą właśnie płacić schludną parą w średnim wieku. Veronika zapatrzyła się na nich, podobnie jak lekko chwiejąca się na nogach para bezpośrednio przed nią. Sądząc po zawartości wózka, para ta zamierzała urządzić przyjęcie. Były tam: papierowe czapeczki, piszczałki, kolorowe serwetki, napoje, piwo, chipsy i inne zbytki. Kobieta miała owiniętą ciasno wokół szyi niczym bandaż chustkę w pasy zebry. W ręku mocno ściskała portfel z jaskraworóżowego plastiku, podczas gdy mężczyzna kurczowo trzymał się wózka, aby móc utrzymać się w ogóle w pionie. Był, delikatnie rzecz ujmując, zawiany.

Kasjerka gwałtownie wstała, zatrzasnęła kasę i przekręciła w niej klucz, po czym zniknęła, biegnąc truchtem wśród półek z zakupami. Wśród ludzi w kolejce zapanował mały niepokój.

– Kurwa, nie może chyba sobie tak po prostu zniknąć! – odezwał się wstawiony mężczyzna.

Nie zaszczycono go nawet jednym spojrzeniem.

– Do diabła, nie mamy na to czasu! – kontynuował zwrócony w kierunku młodej kobiety z chustką w pasy zebry.

Nie odpowiedziała, ignorując towarzysza.

Czas mijał, a kasjerka nie wracała.

Wtedy pojawił się przyjazny klientom Jocke i triumfalnie zasiadł przy kasie, ponowie puszczając w ruch taśmę z produktami. Veronika przysunęła wózek bliżej kasy. W myślach była już w domu, kładąc plasterki jajka i kawior na kromce chrupkiego pieczywa oraz popijając to wszystko niskoalkoholowym piwem.

Podskoczyła, gdy energiczna piosenka wyrwała ją z zamyślenia. Z lewej kieszeni kurtki ponownie wydobywała się melodia, i tym razem z pewnością nie był to Mozart, lecz coś bardziej alarmującego, choć nie wiedziała dokładnie co. Wyjęła szpitalną komórkę. Przykładając ją do ucha, uświadomiła sobie, że jeśli dzwonili z nagłym wypadkiem, to raczej nie da rady wybiec teraz ze sklepu, pozostawiając cały kram z lodami i resztą zakupów.

■

Viktoria przestała już odczuwać pulsujący w całym ciele ból. Ogarniający ją paniczny strach również zelżał. Wciąż jednak lekko drżała. Gdy uciskała palcami brzuch, czuła ból. Jednak jeszcze bardziej bolało, kiedy go wciągała, wstrzymując przy tym oddech. Spróbowała kilkakrotnie, aby oswoić się z bólem. Raz za razem wciągała i rozluźniała brzuch. Bolało. Nie było jednak tak źle, żeby się miała rozpłakać. Sprawa miała się gorzej z prawym kolanem, które spuchło. Zginając je, czuła, jak coś w nim przeskakuje. Dziewczynka mogła jednak chodzić, więc na pewno od tego nie umrze.

Viktoria ogrzewała się teraz w cieple warsztatu. Siedząc na krześle, sączyła małymi łyczkami silnie słodzoną, gorącą herbatę. Do tego została poczęstowana dwoma sucharkami, które natychmiast zjadła. Była bardzo głodna. Mogłaby bez problemu połknąć całą ich puszkę, ale nie miała odwagi powiedzieć o tym Ricie.

Tak bowiem miała na imię kobieta: Rita Olsson. Jej imię brzmiało obco, ale zarazem swojsko, do tego łatwo się je wymawiało. Viktoria cichutko się nim bawiła: Rita, Rita, Rita. Jak po szwedzku „rysować", choć oczywiście nie było co porównywać.

Viktoria lubiła rysować. Potrafiła godzinami siedzieć nad dużymi, białymi arkuszami papieru. Najczęściej malowała parki, w których zwierzęta uwielbiały się bawić. Nie tylko pospolite zwierzaki, takie jak psy czy koty, ale wszystkie, jakiekolwiek sobie w danej chwili wymyśliła. Na papierze powstawały więc zjeżdżalnie dla słoni, huśtawki dla kaczek, baseny dla niedźwiedzi czy dziecięce uczty w McDonaldzie dla krokodyli. Zdawała sobie sprawę, jak bardzo było to dziecinne, ale kto by się tym przejmował? Poza tym oprócz Liny nikt o tym nie wiedział.

Następną ukochaną maskotkę nazwie Rita, jeśli tylko to imię będzie oczywiście do niej pasowało. Na przykład na pewno nie mogła tak nazwać krokodyla. Krokodyl Rita. Co prawda nie brzmiało to gorzej od mrówkojada Brassego, którego straciła już jakiś czas temu.

Na myśl o Brassem zrobiło jej się smutno. Ciekawe, jak mu się wiodło? Czy spał na dworze, porzucony pod drzewem, czy leżał może w koszu na śmieci wśród starych bananowych skórek, czy też zamieszkał u innego dziecka, które go odnalazło? Dziecka, które o niego dbało, które było miłe. Tak z pewnością się stało – pocieszała się Viktoria. Brasse miał się dobrze, równie dobrze jak u niej.

Wszystkie maskotki Viktorii były zwierzętami. Cały pokój był nimi przepełniony. Były tam: świnki, owieczki, misie, koniki, pieski, małe kotki, kurczaki, żyrafa i hipopotam, dwa słonie, a nawet tapir. Szkoda mi jednak pieniędzy na krokodyla – pomyślała, ostrożnie dmuchając na gorącą herbatę. Oczywiście, zależało to od tego, czy krokodyl będzie słodki, czy do niej przemówi, pragnąc być jej własnością. Nie miała też lwa – może jego mogłaby kupić? W takim razie lwicę. Choć do lwicy również nie pasowało imię Rita, źle brzmiało. Lwica poczułaby się tym urażona. A może jeż? Jeż Rita.

Takimi torami podążały myśli Viktorii, gdy rozglądała się po warsztacie. Wszędzie stały połamane, odrapane i zakurzone meble. Krzesło bez oparcia, lustro z niekompletną ramą, kulejąca komoda o trzech nogach. Same starocie. Viktoria wiedziała, że stare przedmioty, choć stosunkowo brudne i często pachnące stęchlizną, były lepsze od nowych. W każdym razie niekiedy. W domu poza toaletką nie miały zbyt wielu starych rzeczy. Wiedziała, że tak to się nazywało. Matka odziedziczyła mebel. Viktoria nie miała prawa go dotknąć, ale wiedziała, że kiedyś toaletka będzie należała do niej. Gdy mama umrze.

Warsztat był przytulny: miał niski sufit, a okna składały się z wielu małych kwadracików. Pomieszczenie wypełniały delikatne zapachy trocin, kurzu i lakieru. Dziwne, że kobieta posiada prawdziwy warsztat – pomyślała Viktoria. – Koniecznie opowiem o tym Linie, choć pewno mi nie uwierzy. Skoro jednak Rita potrafi skręcać krzesła, naprawiać stare komody i lustra, pokrywać lakierem odrapane stoły, przywracając im dawne piękno, może i ona mogłaby się tym zająć, gdy dorośnie? Zamiast zostać weterynarzem. W każdym razie można było rozważyć taką możliwość.

Rita, pochylona nad ozdobnym, drewnianym krzesłem, polerowała je krótkimi ruchami. Dokładnie, nie omijając żadnych wijących się wzorów na jego oparciu. Następnie pędzelkiem nałożyła przezroczystą maź, od której drewno ściemniało. Viktoria przyglądała się jej pracy. Rita pokazała jej, jak rozrabiać lakier: polała znajdujące się w puszce cienkie płatki przypominające łuszczącą się skórę pachnącym chemicznie płynem. Ale ładnie pachnie – pomyślała Viktoria. Trochę szczypie w nosie, ostry, ale miły zapach. Czy właśnie to wąchały nieszczęśliwe dzieci? Te, które Viktoria widziała w telewizji: żyły na ulicy, zamieszkując kanały kanalizacyjne w Moskwie czy w Paryżu, i nikt się o nie nie troszczył.

Nad stołem stolarskim była zapalona świetlówka. Na ścianie ciasno, bardzo ciasno wisiały narzędzia. Rita wskazała jej śrubokręty, szpachle, dłuta, obcęgi i inne akcesoria stolarskie. Natomiast przy przeciwległej ścianie zamocowane były różne imadła. Rita powiedziała, że nazywały się one imadłami lub szczękami, ponieważ przyciskały klejone nogi do krzeseł i mocowały inne luźne przedmioty. Do tego były tam przeróżnych wielkości i modeli młotki, heble i piły.

I pomyśleć, że można było mieć tyle narzędzi!

– Spróbuję znowu zadzwonić – odezwała się nagle Rita, prostując plecy. Nim odłożyła pędzel, zerknęła na zegarek i rzuciła szybkie spojrzenie przez okno.

Viktoria poczuła skurcz w żołądku. Rita dzwoniła już wielokrotnie. Od czasu do czasu patrzyła też przez okno, jakby się spodziewając, że w każdej chwili zjawi się ktoś, kto odbierze dziewczynkę.

Mamo, odbierz telefon – błagała w duchu Viktoria. Może Rita musi gdzieś wyjść – najwyraźniej była niespokojna.

Ale matka nie odebrała.

– No nic, jeszcze trochę poczekamy – powiedziała Rita, przystając przy jednym z niskich okien i wyglądając przez nie na podwórze.

Viktoria siedziała w milczeniu. Z obawy nadal ściskało ją w brzuchu.

Nagle Rita rozjaśniła się, jakby wpadła na dobry pomysł.

– Skoro i tak czekamy, mogłabyś wykorzystać okazję i sprzedać więcej majowych kwiatków w domu obok – zaproponowała tak energicznie, że Viktoria poczuła, iż nie nie ma co protestować.

Właściwie nie miała na to ochoty. Czuła, że już więcej tego dnia nie sprzeda. Była powolna i obolała, do tego zmęczona i głodna – nie miała jednak odwagi sprzeciwić się Ricie, która okazała się dla niej taka miła.

Viktoria ześliznęła się z krzesła, ostrożnie sprawdzając, czy nie ugną się pod nią kolana, a potem zabrała pudełko z pieniędzmi i majowymi kwiatkami. Aby wzmocnić się przed czekającym ją zadaniem, pomyślała sobie, że był to *naprawdę dobry* pomysł, aby wykorzystać czas i przejść się po mieszkaniach, skoro i tak tu tylko czekała. Nawet jeśli czuła wewnętrzny opór przed opuszczeniem ciepła i miłych zapachów warsztatu.

Drzwi zatrzasnęły się za Viktorią. Na dworze wciąż było dżdżysto i zapadał zmrok. Warsztat znajdował się przy podłużnym i wybrukowanym tylnym dziedzińcu. Pośrodku niego wznosiło się ogromne drzewo, szeleszcząc nagimi gałęziami o pełnych pąkach, które lada chwila miały się rozwinąć. Wilgotny bruk odbijał światło padające z okien. Maleńka piaskownica przylegała do jednej ze ścian; ziarenka piasku wysypały się na kamienie, chrzęszcząc pod podeszwami butów. W piaskownicy leżały zabawki, które dzieci zapomniały zabrać. Nie było jednak wśród nich nic ważnego – skonstatowała dziewczynka.

Do budynku z ciemnoczerwonej cegły prowadziły dwa wejścia znajdujące się w dwóch narożnikach. Lampy nad pomalowanymi na zielono drzwiami zostały już zapalone.

Słychać było płynącą w rurach wodę, krzyki dzieci i grającą w mieszkaniach muzykę. Viktoria poczuła zapach smażonego mięsa, który na powrót przypomniał jej o głodzie. Nagle dopadło ją uczucie, jakby była najbardziej samotnym dzieckiem na świecie. Poczuła się jak szczur poszukujący schronienia, kiedy wszyscy inni na Ziemi mieli swoje domy.

Pchnęła ramieniem ciężkie drzwi, aby je otworzyć. Budynek był stary, o wiele starszy niż dom, w którym mieszkała z mamą. A jednak był piękniejszy, nawet jeśli na klatce trochę nieprzyjemnie pachniało starzyzną. Zauważyła, że wchodziła do domu od tyłu, od strony kuchni. Dużymi krokami wspięła się na wyślizgane kamienne schody.

Pierwsze drzwi, do których zadzwoniła, pozostały zamknięte. W mieszkaniu panowała całkowita cisza, więc zadzwoniła do następnych. Dźwięk dzwonka natychmiast przerodził się w płacz dziecka. Viktoria przestraszyła się i już zamierzała uciec po schodach na wyższe piętro, gdy drzwi otworzyły się i stanęła w nich młoda matka z włosami spiętymi w kitkę i krzyczącym na cały głos niemowlęciem na ramieniu. Matka patrzyła ze złością na Viktorię. Lampa na klatce zgasła, a dziecko darło się wniebogłosy, tak że propozycja Viktorii, aby kupić majowego kwiatka w celu uczynienia dobrego uczynku dla potrzebujących dzieci, zginęła w roznoszącej echo klatce schodowej.

– Nie, dziękuję – odpowiedziała młoda matka, gwałtownie potrząsając głową, aż podskoczyła jej kitka.

Drzwi zamknęły się z trzaskiem.

Zniechęcona Viktoria zapaliła światło i ruszyła po schodach do góry. Zadzwoniła do kolejnego mieszkania. Usłyszała przez drzwi dźwięk tłuczonego naczynia – było to jednak o wiele głośniejsze, niż gdyby rozbiła się o podłogę szklanka. Potem urwany krzyk. Zabrzmiało to okropnie, więc Viktoria pospiesznie zadzwoniła do następnych drzwi, mając nadzieję, że od razu się otworzą. Dla dobra sprawy przywołała na twarz energiczny, radosny uśmiech.

W drzwiach stanął starszy mężczyzna ubrany w prążkowaną koszulę i ze zdziwieniem spojrzał na dziewczynkę. Miał okrągły brzuch i nosił szelki, tak samo jak dziadek Liny ze strony matki.

– A więc znowu nastał czas na majowe kwiatki, oj, oj, oj, jak ten czas leci!

Trajkotał, tak jak to robią starsi ludzie. Powiedział, że na pewno weźmie majowy kwiatek. Viktoria przestąpiła więc przez próg i czekała, gdy staruszek zniknął w głębi mieszkania w poszukiwaniu portfela. W międzyczasie do dziewczynki podeszła żona mężczyzny.

– Skarbie, chodzisz po domach w taką okropną pogodę – powiedziała, przyglądając się uważnie różnorodnym majowym kwiatkom. – Birger, jak sądzisz, weźmiemy jeden kwiat do samochodu?! – krzyknęła w głąb mieszkania.

Viktoria sprzedała kwiatek do samochodu i wieniec. Starsi państwo byli bardzo mili: poczęstowali ją ciasteczkami. Do tego były one smaczne i z pewnością domowej roboty. Do tego porozmawiali chwilę z dziewczynką, wypytując o postępy w nauce, czy dzieci w klasie są miłe i dobrze wychowane oraz zadając temu podobne pytania, charakterystyczne dla starszych ludzi. Wystarczyło potakiwać. W szkole Viktorii szło dobrze, a większość dzieci jest miła. Chociaż nie była to prawda – ani jedno, ani drugie.

Dziewczynka, pomimo bólu w kolanie, niemal w podskokach wbiegła na kolejne schody, ponieważ sprzedaż wprawiła ją w dobry nastrój. Nagle zgasło światło na klatce schodowej i zrobiło się ciemno jak w grobie. Viktoria utknęła na półpiętrze, nie mogąc się zdecydować, w którym kierunku ruszyć. Wtedy z góry usłyszała odgłos kroków, zapaliło się światło i zobaczyła zbiegającą po schodach szczupłą kobietę. Viktoria przytrzymała w pogotowiu pudełko.

– Ojej! – przestraszyła się kobieta, wpatrując się w dziewczynkę, jakby była zjawą.

Tak bardzo jej się spieszyło, że niemal zepchnęła Viktorię ze schodów. Nie było więc nawet sensu zapytać, czy chciałaby kupić majowy kwiatek. Na najwyższym piętrze sprzedaż jednak poszła dobrze, więc dziewczynce dopisywał doby humor. Kiedy potem zeszła do warsztatu, ujrzała wychodzącą z niego kobietę, która ją potrąciła. A więc znała Ritę.

Rita była zadowolona.

– Nareszcie udało mi się złapać twoją mamę. Przyśle po ciebie samochodem swojego kolegę – powiedziała do Viktorii.

Na pewno Rita się ucieszyła, że się jej pozbędzie. Kobieta wyglądała na okropnie zmęczoną i trochę nieobecną duchem, jak matka po nocnej zmianie.

Kiedy Viktoria wyszła na ulicę, zobaczyła, do kogo należał samochód. Nie miała odwagi zapytać, jak to się stało.

– Co słychać? – zapytał Gunnar, obejmując ramieniem dziewczynkę.

■

Inspektor kryminalny Louise Jasinski obróciła się na bok w podwójnym łóżku, aby dosięgnąć telefonu stojącego na nocnym stoliku. Było dopiero kwadrans po osiemnastej. Myliłam się – pomyślała. Nie sądziła, że tak szybko jej przeszkodzą.

Gdy odebrała telefon, łóżko się zakołysało. To wstał Janos – mężczyzna, który kiedyś był, a obecnie nie do końca, jej mężem. W każdym razie nie na tę chwilę. W łóżku zrobiło się chłodniej. Naga Louise przewróciła się na brzuch, opierając brodę na dłoni, a w drugiej ręce trzymając słuchawkę. Policjantka słuchała z uwagą, zakłóconą obecnością ubierającego się za nią na stojąco Janosa. Poczuła narastającą niechęć przebijającą się przez nawał informacji docierających do niej z drugiego końca słuchawki. Nie widziała go, a jednak wyobrażała sobie, że przygląda się jej, powoli wkładając ubrania. Mogła się oczywiście mylić, ale poczuła się – jeśli to w ogóle możliwe – bardziej niż naga. Wolną ręką naciągnęła na siebie kołdrę, zasłaniając przynajmniej pośladki i kawałek ciała nad pupą, jakby chciała, aby należało ono tylko do niej, kiedy Janos najwyraźniej nie zamierzał u niej zostać. Nie odezwał się słowem. W powietrzu unosiła się doprowadzająca ją do szaleństwa cisza. Niewypowiedziane decyzje. Albo niezdolność do ich podjęcia, granie na zwłokę. Dręczenie jej zwlekaniem z odpowiedzią. Na takie traktowanie najwyraźniej sama dobrowolnie się zgodziła.

Jednak tego popołudnia Janos przybył do niej całkowicie z własnej inicjatywy, pokonując pieszo krótki odcinek drogi do drzwi wejściowych i naciskając dzwonek. Nie miał już klucza, którego zwrotu Louise zażądała od niego wcześniej. Skoro mieli się rozwieść, nie należało tego odwlekać. To przecież nie ona wprawiła w ruch całą tę karuzelę, tylko on. I nowa kobieta.

Louise pomyślała, jak bardzo znajome zdawały się jego ciche ruchy za jej plecami. Boleśnie wyuczyła się ich na pamięć, stały się oczywistością do tego stopnia, że zanim Janos się wyprowadził, były dla niej niemal niezauważalne. Teraz jednak bielmo przyzwyczajenia zeszło z jej oczu i Louise nie tylko zauważała ruchy Janosa, ona je odczuwała. Powoli włożył bokserki i T-shirt. Długimi palcami podniósł czarne dżinsy z podłogi, delikatnie nimi potrząsnął, prostując nogawki. Najstarsza córka odziedziczyła po Janosie lekko spowolniony i ostrożny sposób poruszania się – pomyślała Louise. Gabriella i Janos pod wieloma względami byli do siebie podobni.

Zapowiadało się, że każde z nich pójdzie swoją drogą.

Statystycznie rzecz biorąc, nie było w tym nic dziwnego. Pary tak postępowały. A jednak okazało się to tak okropnie trudne.

Rozpad związku. Rozbicie. Rozłam.

Nazw było wiele – wszystkie jednakowo dramatyczne i smutne.

Teraz wiedli życie na terenie pogranicznym, na obrzeżach związku. Ciągłe zbliżanie się i oddalanie – pomyślała, wyciągając rękę po długopis i notes. Skupiła uwagę na rozmowie, kiedy usłyszała, że będzie musiała natychmiast wyjechać w teren.

Pralnia!

– Ulica Friluftsgatan 10 – powtórzyła, kątem oka dostrzegając, że Janos nieznacznie przyspieszył ruchy rąk, zapinając rozporek i zaciągając pasek. Wykonywał je energicznie, jakby nagle chciał jak najszybciej stąd wyjść.

Odłożyła słuchawkę, przewróciła się na plecy i podkładając ręce pod głowę, na ułamek sekundy zawiesiła na mężczyźnie wzrok, prześwidrowując go. Janos obrócił ku niej twarz, zaciskając wargi, i odwzajemnił jej spojrzenie. Wyglądał, jakby miał jej coś do powiedzenia, ale Louise nie chciała słuchać.

– Muszę iść – wyrzuciła z siebie, przerzucając nogi przez kant łóżka.

Uniosła się z pogniecionej pościeli i zniknęła za drzwiami łazienki.

Drzwi pozostawiła szeroko otwarte. Kiedy wypowiedziała słowa: „muszę iść", zauważyła, że w zadziwiający sposób przejęła nagle inicjatywę, wymykając się mu, a nie odwrotnie. To nie on ją porzucał. Tym samym rozdzielający ich dystans stracił dla niej na swej dramaturgii, jednocześnie stając się wyraźniejszy. Powstała szczelina, w której dało się zaczerpnąć oddech.

– To ja sobie pójdę – powiedział krótko.

– Okej – odrzekła, tłumiąc w sobie impuls, który pojawiał się u niej wcześniej, aby poprosić go, żeby od niej nie wybiegał. Mogłaby zapytać, czy nie zostanie jeszcze chwilkę, w każdym razie do momentu, gdy sama będzie wychodzić. Mogliby wyjść razem, wspólnie zamknąć dom. Może chciałby, żeby Louise go podrzuciła? Albo mógłby zaczekać na powrót dziewczynek.

Po raz pierwszy jednak poczuła, że naprawdę wolałaby, żeby sobie już poszedł, zostawiając ją samą. Nie chciała nawet żebrać o przytulenie. Żadnego wieszania się na sobie nawzajem, żadnego poniżenia. Najmilej będzie samemu zamknąć dom. Teraz to ona przejęła stery. Miała odpowiedzialną pracę, lubiła wyzwania.

Stopniowo przyzwyczaiła się do ambiwalentnych przyjść i odejść Janosa. Był tak blisko niej, a zarazem coraz bardziej się od niej oddalał. Znalazła się w trudnym położeniu, nie mając siły wcześniej się bronić. Powstał pomiędzy nimi dystans, który przerażał ją i sprawiał, że czuła się żałośnie. Teraz dał jej jednak poczucie wolności, a nawet był trochę wygodny. Mogła pójść do pracy, nie przejmując się cichym dąsaniem Janosa.

Kilka minut temu – jak dzieci – próbowali znaleźć w sobie nawzajem pocieszenie. W ich ciałach, ale także i w całym ich człowieczeństwie zostało wyryte piętnaście wspólnie przeżytych lat. W pamięci, w duszy, a nawet i w smutku. Tego późnego piątkowego popołudnia Louise nie zdołała się przeciwstawić. Była tylko człowiekiem. Oczywiście, zdarzyło się to już wcześniej. Mieli za sobą podobne pojedyncze wyskoki, kiedy nie mogli się powstrzymać. Turlali się wtedy po łóżku albo na dywanie w salonie, pieprząc się jak opętani. Jakby każdy kolejny raz miał być tym ostatnim. I zawsze potem Janos pozostawiał ją z mdłymi atakami lęku, niemal w stanie rozpadu. Czy właśnie nie ją kochał jednak najbardziej?

Wstydziła się swojej słabości, tego, że nie potrafiła znaleźć w sobie siły, aby się sprzeciwić. To, że Janos uwierzył, iż może zarówno zjeść ciastko, jak i mieć ciastko, stało się wyłącznie z jej winy. Wstydziła się tego tak bardzo, że nawet wzbraniała się przed opowiedzeniem o tym najlepszej przyjaciółce, która poza tym ją wspierała. Kiedy przechodziło się przez separację, zawsze można było liczyć na wsparcie przyjaciółek. Ale jej przyjaciółka była wykonana z twardszego materiału. Zaatakowałaby Louise bez litości i byłaby nieugięta. Zdenerwowana stwierdziłaby, że koniec już z tymi głupotami i że Janos tylko ją wykorzystuje. Powie też, że najwyższy czas, aby Louise wyznaczyła granice. Jakby ona sama tego nie wiedziała. Ale właśnie wyznaczanie granic było trudne. W przeciwnym wypadku ich bolesna historia dobiegłaby końca już wcześniej, choć może nie zakończyłaby się lepiej. Janos potrzebuje tylko więcej czasu – myślała. – Jeśli starczy mi cierpliwości, to pewnego pięknego dnia powróci.

Tęsknota za ciepłem czyjegoś ciała, przytuleniem, pragnienie, aby ktoś obdarzył ją chociaż odrobiną sympatii, były o wiele silniejsze od nieuniknionej świadomości bycia niewystarczająco dobrą dla mężczyzny.

Louise skonstatowała z pewną ulgą, że najtrudniejsze uczucia myśli: wyniszczająca nienawiść, płomienna wściekłość i bolesna zazdrość, z czasem uległy przytłumieniu. Wyczerpała się im energia, jak w zużytej baterii. W okresie ich największej eksplozji była w stanie przyjąć Janosa w każdej chwili z powrotem. Teraz by się wahała.

Człowiek umie się przyzwyczaić zarówno do dobrego, jak i do złego. Czyżby teraz odzwyczajała się od Janosa?

To był ostatni raz – obiecała sobie po cichu, przystając w pełni ubrana w sypialni. Miała na sobie ciemnoniebieską bawełnianą koszulę z grubego materiału i długie spodnie w tym samym odcieniu. Był to jej strój służbowy. Przeciągnęła szczotką po włosach i spróbowała nadać kształt grzywce. Nigdy więcej! – postanowiła. Ale tydzień temu tak samo się zarzekała. I jeszcze tydzień wcześniej.

Tym razem zamierzała jednak dotrzymać słowa.

Odrzuciła energicznie szczotkę na komodę. Zresztą Janos nie powinien odczuwać potrzeby powrotu do Louise, jeśli było mu tak fantastycznie z tą drugą. Choć nawet i o tym przestała myśleć jako o czymś specjalnie dziwnym. Jakby zatarły się granice pomiędzy dobrem a złem albo raczej tym, co wypadało, a co nie. Wyszedłszy z domu, Janos z niej zrezygnował. Wmaszerował wprost w ramiona innej kobiety. Jego decyzja nie oznaczała jednak, że wyparł się Louise w c a ł o ś c i.

Człowiek dokonuje swoich wyborów. Nawet ja – pomyślała Louise, wracając do łazienki po szczoteczkę do zębów.

Zeszła sosnowymi schodami ich szeregowego domku i ujrzała, że Janos wciąż stoi w holu. A więc jeszcze sobie nie poszedł. Grał na zwłokę. Odwlekał odejście. Sądziła, że bardziej zwlekał, niż się wahał. Nie włożył jeszcze kurtki.

Louise zbiło to trochę z tropu i poczuła nagłą ochotę wypchnąć go za drzwi. Choć przecież tego nie zrobi – z jakiegoś niewypowiedzianego powodu nie chciała wypaść obcesowo. Nie miała odwagi zbytnio go ranić. Z drugiej strony wolałaby krótkie, a nie przeciągające się w nieskończoność pożegnanie.

– Pewnie długo cię nie będzie? – zapytał badawczo, a oczy mu zalśniły.

Spojrzała na niego z namysłem. Czy jego opieszałość była oznaką dokonującej się w nim przemiany? Może chciałby powrócić do niej na poważnie?

Cholernie ciężko jest odciąć się od kogoś w związku – pomyślała, zbierając rozproszone myśli. Zbyt trudno balansuje się na ostrzu noża, miota pomiędzy nadzieją a rozpaczą.

W miłości liczy się wszystko albo nic.

– Tak, pewnie długo – odpowiedziała, wkładając do ust szczoteczkę, którą przyniosła ze sobą z piętra, i wyszła do kuchni.

– To ja sobie pójdę – powtórzył.

Usłyszała jego słowa, przepłukując usta i wypluwając wodę do kuchennego zlewu.

Głos Janosa zdawał się ochrypły i pozbawiony energii. Kiwnęła głową w milczeniu, kiedy wyśliznął się drzwiami. Do nowej kobiety o imieniu Pia.

3

Benny Grahn w stanowczy sposób dyrygował pracą dwóch kryminologów. Zadziwiający spokój rozpościerał się ponad miejscem zbrodni – całkowicie zwyczajnej pralni dla mieszkańców w starej kamienicy czynszowej z początku dwudziestego wieku.

– Cześć, jak leci? – zapytała Louise, wkładając ręce do kieszeni kurtki, żeby przypadkiem nie zacząć w czymś grzebać i nie dostać za to ochrzanu.

– Cześć – odpowiedział Benny, kiwając głową na powitanie i mierząc Louise spojrzeniem. – Zostałaś sama.

– Myślisz, że sobie z tym nie poradzimy? – Uśmiechnęła się. – Wcale nie będę całkiem sama. Mam przecież ciebie.

Uśmiechnęła się szeroko i zachęcająco. Claesson wziął bardzo, bardzo długi urlop rodzicielski, a w każdym razie w powszechnym odczuciu był on długi. Nowa tendencja wśród policjantów mężczyzn, będących na stanowisku podobnym jak Claesson, nie przeszła oczywiście bez komentarza. Przyzwyczają się jednak: zarówno do tego, że komisarz będzie niedostępny, jak i do tego, że przejęłam jego obowiązki – skonstatowała z olimpijskim spokojem Louise.

– Dopiero zacząłem – powiedział Benny.

– Osobliwe miejsce – rzuciła Louise, rozglądając się wokół z progu.

– Trudno stwierdzić – usłyszała dobrze znajomy głos. Janne Lundin bezgłośnie podszedł do niej z tyłu.

– Cześć! Jak dobrze, że przyszedłeś – przywitała go, unosząc głowę.

Twarz Janne Lundina, aktualnie nieogolona, unosiła się na wysokości około dwóch metrów nad ziemią.

– Właściwie to jestem tu już jakiś czas – odpowiedział.

Louise pospiesznie zamrugała powiekami, zastanawiając się, czy powinna czuć się winna, że aż tak się nie spieszyła.

– To dobrze – powiedziała.

– Berg i ja przyjechaliśmy jako pierwsi, ale Peter pojechał na komisariat ze świadkiem, który odnalazł wykrwawiającą się kobietę tu, na podłodze – złożył raport Lundin ze wzrokiem wbitym w cementową posadzkę. – Ofiara ma na imię Doris.

– Aha.

– Doris Västlund. Jest około siedemdziesiątki i mieszka w tym domu – uściślił.

Louise nie ruszyła się z progu, gdzie ponad nią wznosiło się strzeliste ciało Lundina. W normalnych okolicznościach mogłoby to ją zdenerwować, ale nie teraz. Mimo że Lundin był starszy, nie będzie jej zwalczał ani próbował jej zastąpić – coś, czego w większości doświadczały ze strony kolegów z pracy wszystkie kobiety w dochodzeniówce, a niektóre z nich nawet często. Oczywiście, mężczyźni robili to całkowicie nieświadomie, z rozpędu, odruchowo. Kiedyś Louise często się buntowała, co pasowało do jej wybuchowego temperamentu, a także do jej wyczucia sprawiedliwości. Ponieważ jednak niewielu ludzi znosi karcenie, wytrenowała w sobie łagodniejsze nastawienie i coraz częściej milczała. Uważała, że wyćwiczyła się w tym tak dobrze, że stała się wręcz mistrzynią świata w trzymaniu buzi na kłódkę. W każdym razie zmądrzała na tyle, żeby umieć wybrać okazję, kiedy zwrócić komuś uwagę, a kiedy coś przemilczeć. Nie wiedziała, czy to najlepsza metoda, ale na tyle było ją stać.

Bolesny skurcz chwycił ją za przeponę, ale go opanowała. Napięcie nie było tylko nieprzyjemne, ale dodawało również energii. Wyprostowała się i rozejrzała po lokalu. Janne Lundin dawał jej znaki, żeby cofnęła się w stronę korytarza, który akurat w tym miejscu się rozszerzał, tworząc prostokątną przestrzeń, na której znajdowały się liczne drzwi: do suszarni, pomieszczenia rekreacyjnego, ciemni, sauny i pralni, w której teraz się znajdowali. Na przeciwległym krańcu korytarza usytuowane były drzwi, które prowadziły bezpośrednio na wewnętrzny dziedziniec. Lundin je wskazał, a Louise przytaknęła.

– Możliwa droga ucieczki – odezwała się.

– Jedna z wielu – wymamrotał Lundin.

– Dokładnie.

Poza tym Lundin nie przyjął szefostwa, tłumacząc się wiekiem i chęcią wypełniania życia czymś więcej niż śledztwami. Pragnął, na ile to możliwe, trzymać się stałych godzin pracy, ale ponieważ każdy z nich był mniej lub bardziej chorobliwie zakochany w tym, co robi, istniało i tak duże ryzyko przemęczenia się. Wielu pracownikom co jakiś czas przypadł w udziale taki los w rozpowszechnionym obecnie trendzie, ale nie w ich drużynie. Zawsze udawało im się znaleźć jakieś wyjście. Nie analizowali dokładnie powodu, dlaczego tak było, ale Louise uważała, że chodziło o łączącą ich więź. Leżąca u podstawy ich stosunków koleżeńskość trzymała od nich z dala lekarzy oraz zwolnienia lekarskie. Wiedziała, że w epoce indywidualizmu brzmiało to przestarzale. Niemniej jednak się sprawdzało.

Ustawiono dwa reflektory w przepastnej i – sądząc po lśniących maszynach oraz bieli ścian – niedawno urządzonej pralni. Ostre światło gryzło w oczy.

– Na pewno poszło o to, kto kiedy będzie prał – stwierdził lakonicznie kryminolog Benny. – Ofiara nosi nazwisko Västlund – przypomniał, wskazując na wiszącą na ścianie listę rezerwacji pralni.

– Wiem – odpowiedziała Louise, spoglądając na listę.

Janne Lundin przytaknął, jednocześnie zakładając okulary, aby lepiej widzieć grafik.

– Wiadomo, jak niektóre baby potrafią się wkurzyć – kontynuował Benny.

Louise przełknęła ślinę.

– Ta, która przyłożyła ofierze, nazywa się Hård – rozkręcał się kryminolog.

– Ach tak, to znaczy, że wszystko już wiemy? – skomentowała Louise, starając się, aby jej głos nie zabrzmiał zbyt zjadliwie.

– Jej nazwisko figuruje na liście po Västlund – wyjaśnił Benny. – To ona zadzwoniła, zgłaszając pobicie, a przecież wiadomo... niewyczyszczony filtr w suszarce... brudny podajnik na proszek w pralce i inne istotne sprawy, z których powodu można się wściec.

Louise i Lundin przytaknęli. Większość policjantów podejrzewała świadków zgłaszających zbrodnię, że są ewentualnymi sprawcami albo sprawczyniami. W każdym razie dopóki nie ustalono ich niewinności. Ten prosty sposób myślenia opierał się na doświadczeniu. Poza tym sprawy miały się tak, że niektóre osoby, a mianowicie policjanci prowadzący śledztwo, odruchowo dzielili ludzkość na dwie kategorie: zatrzymanych i tych, których jeszcze nie zatrzymano.

– Jedna lampa na suficie jest rozbita – zauważył Benny, przechodząc na bardziej neutralny temat rozmowy.

Louise ujrzała porozrzucane na podłodze odłamki szkła. Rozbita lampa na suficie sterczała niczym obnażony szkielet.

– Druga jednak działa – kontynuował. – A w każdym razie jedna ze świetlówek.

– A co się stało z kobietą? – zapytała Louise Lundina.

– Którą? – chciał wiedzieć.

– A jak sądzisz? Z ofiarą, z Doris.

– Przypuszczam, że jest na pogotowiu. Chyba że w kostnicy.

Louise pokiwała głową.

– Jak ciężki był jej stan?

– Nie wiem dokładnie. Nie było jej już, kiedy tu dotarłem. Właśnie odjeżdżała karetka. Ale zapytaj Grena, bo on przybył pierwszy. Zrozumiałem, że jej stan był bardzo ciężki.

– A gdzie jest teraz Jesper Gren?

Janne Lundin wzruszył ramionami. Zajmę się tym później – pomyślała Louise, ponownie kierując wzrok na pralnię.

Na podłodze leżał przewrócony pleciony kosz, z którego wysypał się stos prania. Obok stała ławeczka z nierdzewnej stali. Na niej Louise zauważyła torebkę z częściowo rozrzuconą zawartością, a poprzez krawędź wielkiego drucianego kosza przerzuconą dość grubą, pikowaną kurtkę. Benny uważał, że zna wytłumaczenie.

– Prawdopodobnie kobieta przyszła wprost z dworu, aby opróżnić pralkę i załadować nowe pranie, kiedy ją zaskoczono. Świadczy o tym kurtka. Możliwe, że ją zdjęła, aby nie zamoczyć.

– Albo dlatego, że było jej gorąco – dodała Louise.

– Aha. Założę się o dwadzieścia koron, że chodzi o kłótnię przy rezerwacji czasu prania. A jeśli nie, pewnie był to rabunek. Raczej nic ciekawszego. – Benny westchnął mało entuzjastycznie.

– Ee – odezwała się Louise, ledwie go słuchając.

– Może narkomani, którzy wślizgnęli się tu, żeby zdobyć trochę gotówki – dalej spekulował Benny, krzyżując ramiona na piersi.

Wydął dolną wargę, sprawiając wrażenie chwilowo nieobecnego myślami.

– Tak więc skończmy robotę i spadajmy do domu – powiedział jakby do siebie.

– A znalazłeś pusty portfel? – zapytała go Louise.

– Niee.

– Ach nie?

– W torebce nie było portfela.

– Nie? Czy brakowało czegoś jeszcze?

– Nie wiem. Nie mam pojęcia, co miała w torebce.

– Nie, oczywiście – odpowiedziała Louise słabo. – A więc nie wiesz, czy miała ze sobą pieniądze?

– Nie, to tylko hipoteza. Stary, sprawdzony motyw. Na dnie torebki leżało kilka monet, ale nic więcej.

– Pralnie są częstymi miejscami zarzewia konfliktów. Jeśli dobrze pamiętam, w zeszłym roku zgłoszono ponad pięćdziesiąt przypadków aktów przemocy w pralniach – odezwał się Janne Lundin.

– Niesamowite.

Benny wyraźnie się ożywił.

– Naprawdę aż tyle? – zdziwiła się Louise z nutą powątpiewania w głosie.

– Oczywiście w całym kraju. Możliwe, że trochę przesadziłem, ale było ich całkiem dużo. Nie trzeba doszukiwać się innych motywów, skoro ten mamy jak na tacy. Najczęściej powody są zwyczajne – zaznaczył Lundin, a kryminolog Benny przytaknął.

– Możliwe. – Nawet Louise była gotowa się zgodzić, choć jej głos zabrzmiał pusto i mechanicznie; najwyraźniej przeszła już do bardziej konkretnych rozważań. – Co jeszcze znalazłeś?

– Plamy krwi, jak widzisz – wskazał Benny. – Krew sięgnęła daleko, bryznęła nawet na ścianę, tak więc musiały to być potężne uderzenia zadane z dużą siłą.

Zamachnął się.

– A czym?

– Nie mam pojęcia. Oczywiście nie zdążyliśmy jeszcze tak dokładnie poszukać. Niewykluczone, że lampa została zbita przy zamachnięciu.

Benny nachylił się nad pomalowaną na szaro betonową podłogą, przy ustawionej w głębi pralce. Drzwiczki stały otworem, jak w pralce obok, przy której leżał wywrócony pleciony kosz na pranie.

– Czy jest tam czyste pranie? – Jannie Lundin wskazał ruchem głowy kosz.

– Nie, brudne. Prawdopodobnie należy do świadka, a więc do kobiety, która znalazła ofiarę. Stwierdziła, że wypuściła wszystko z rąk i pospieszyła wszcząć alarm. Tak w każdym razie powiedziała, ale kto ją tam wie. Może tak było – stwierdził Benny, najwyraźniej zmieniając nagle zdanie. Stał z opuszczonymi rękami, próbując ponownie zrekonstruować przebieg zdarzeń, o którym niewiele wiedzieli.

– Tak – odpowiedziała Louise, nie czepiając się, że Benny nagle przeskoczył z podejrzeń skierowanych na świadka do wykreślenia świadka z listy podejrzanych. Każdemu z nich się to czasem zdarzało.

Obie pralki stały na betonowych podestach. Na oko mieściły co najmniej pięć kilo każda. Po drugiej stronie pomieszczenia, w odległości dwóch metrów, stała wciąż pracująca suszarka bębnowa.

– Niech ktoś się zajmie brudnym praniem – powiedziała Louise. – Czy w pralkach są rzeczy?

– Tak – odrzekł Benny. – Ofiara musiała właśnie opróżniać tę pralkę, kiedy została zaskoczona – dodał, wskazując na ustawiony w głębi automat Miele. – Część mokrego prania leży tu – kontynuował, wskazując na biały kosz. – Prawdopodobnie zdążyła już wrzucić pranie z drugiej pralki do suszarki.

– Musimy wyjaśnić, które pranie należy do kogo – odezwała się Louise do Jannego Lundina.

– Kto prał czyje brudy – powiedział, odsłaniając w uśmiechu rząd zębów z wybrakowaną emalią nazębną.

– Ty to masz puentę! – stwierdziła z uśmiechem Louise.

– Poproszę Erikę Ljung, aby to sprawdziła – zaproponował Lundin w myśl prostej zasady, że każdy pomocnik ma z kolei swojego pomocnika.

– Erika jest tutaj? – zdziwiła się Louise, ponieważ jej nie widziała.

– Nie, ale przyjdzie. Zadzwoniłem po nią, więc pewno niedługo się pojawi – powiedział Lundin. – Pomyślałem, że powinna wziąć w tym udział – wymamrotał, z zażenowaniem odwracając głowę.

Louise przytaknęła.

– Super. Każdy się przyda.

Lundin zawsze pilnował, by w miarę możliwości Erika Ljung była z nimi. Louise nie miała nic przeciwko temu. Im szybciej Erika się wciągnie, tym lepiej. Ponosząc jednak odpowiedzialność za przestrzeganie czasu pracy, musiała mieć oko na to, aby nadgodziny Eriki nie przekroczyły dopuszczalnej liczby. Louise szczególnie na początku swojego szefowania nie chciała, aby jej wytknięto, że szuka sobie niewolników. Wolała też nie podpaść osobom odpowiedzialnym w policji za płace.

Lundin, którego zadaniem było przyuczanie Eriki Ljung – pięknej, ciemnoskórej policjantki – niezwykle dobrze wywiązywał się ze swojego obowiązku. Louise nie musiała się o to martwić. Zazwyczaj z trudem znajdowano na komisariatach dobrych mentorów dla policjantek. Starsi mężczyźni odruchowo wybierali młodych policjantów – przypominających im siebie samych, choć w nowszym wydaniu. Damskie wzorce wśród starszych policjantek były trudne, jeśli nie wręcz niemożliwe do odnalezienia, ponieważ właściwie ich nie było.

Benny ciągle tkwił pośrodku pralni, jakby nie mógł się zdobyć na to, aby ruszyć dalej z pracą.

– Wierzcie mi, musiało być gorąco. Plamy krwi są nawet na suszarce. Jak powiedziałem wcześniej, doszło tu do zażartej bitwy.

Usłyszeli spuszczaną wodę w rurach na suficie. Poprzez dwa okna w pralni dochodziły z chodnika ludzkie głosy. Przejeżdżały pojedyncze auta. Prostokątne, niskie, ale szerokie okna były umiejscowione wysoko pod sufitem. Mogłaby się przez nie przecisnąć jedynie wyjątkowo drobna osoba. Takie istniały – wszyscy znali Vesslę, chudego i niewyrośniętego mężczyznę. Obecnie nie przebywał jednak na wolności. Poza tym z tego, co wiedzieli, jego specjalnością nie były pralnie, lecz wille, które to, kierując się wyrafinowanym smakiem, z niezwykłą zręcznością co jakiś czas plądrował, łupiąc je z biżuterii i innych drobnych dóbr.

– Czy okna były zamknięte? – zapytała Louise, spoglądając w górę ku jasnym zasłonkom w duże zielone i niebieskie kropki.

– Tak. Wszystkie skoble są zahaczone. Zresztą nie jest to dobra droga, aby się tędy wydostać, ponieważ okna wychodzą wprost na chodnik.

Louise i Lundin wyszli, pozostawiając Benny'go w pralni.

– Zdążyłem się już rozejrzeć – powiedział Lundin. – Przybyłem w końcu trochę szybciej od ciebie. Nieruchomość jest niezwykle zadbana, powstała na przełomie wieków. To znaczy poprzednich, czyli na początku dwudziestego wieku. Najpierw mieściły się tu tylko kawalerki i mieszkania dwupokojowe, które zbudowano dla tak zwanej ludności robotniczej.

– Aha, ale dużo wiesz.

– Znam ludzi, którzy tu mieszkali – wyjaśnił Lundin. – Nieruchomość została wyremontowana ileś lat temu. Zrobiono to z takim pietyzmem, że opisano to nawet w gazecie. Śledzono stopniowy przebieg remontu, powstał o tym felieton. Wspaniały przykład dbałości o zachowanie architektury, a zarazem dostosowania jej do nowocześniejszych standardów. Nie pamiętasz tego?

Louise próbowała sobie przypomnieć artykuły, ale przez lata różnie bywało u niej z porannym czytaniem gazet. Poranki z reguły wypełniał lekki chaos. Składały się z poszukiwań strojów do ćwiczeń, zagubionych podręczników i innych trywialnych spraw wpisujących się w rodzinną egzystencję.

– Nie – zaprzeczyła, raczej przekonana, że i tak przeskoczyłaby przez artykuł o czymś tak nudnym jak renowacja domu.

– Zachowano tyle, ile się dało: drzwi, listwy, piece kaflowe, ale przy okazji połączono mieszkania. Dobudowano też nowe na starym strychu-suszarni. Dość drogie, jak sądzę – powiedział Lundin tonem podkreślającym, że „drogie" to za mało powiedziane. – Do tego wydzielono pokój rekreacyjny z sauną i prysznicem obok, które może już widziałaś. I jeszcze pomieszczenie klubowe. Tu, w przejściu, są piwnice. Przewodniczący rady mieszkańców powinien udostępnić nam plany budynku.

Szli powoli w dół piwnicznego korytarza. Louise odczuwała niemal zmysłowe bezpieczeństwo emanujące z kołyszącego się chodu Lundina, który podążał obok niej. Uczucie to jednak nie przytłumiło świadomości, którą nie bez rozterki odczuwała, że to właśnie ona i tylko ona będzie tym razem musiała rozdysponować pracę i przydzielić każdemu zadania. Innymi słowy, dawać rozkazy. Najlepiej mądre.

Jednocześnie uświadomiła sobie, że powinna zadzwonić i się upewnić, czy dziewczynki wróciły do domu. Wieczorami dawały sobie bez niej radę, ale nie chciała zostawiać ich samych na noc. Najstarsza córka, Gabriella, dopiero co skończyła czternaście lat, chodziła do siódmej klasy i zostało jej tylko kilka nużących miesięcy wiosennego semestru. Dziewczynka była już znudzona szkołą. Louise miała nadzieję, że zmieni się to po wakacjach. Gabriella obiecała, że nie wymknie się z domu i nie zostawi o dwa lata od niej młodszej siostry, Sofii, samej. Właściwie Sofia dałaby sobie radę – teraz z tej dwójki to ona była bardziej rozważna – ale Louise nie chciała, by któraś z jej córek poczuła się samotnie. Co prawda Sofia niedawno stanowczo zakomunikowała, że fajnie jest czasami mieć święty spokój. Pewnych spraw człowiek i tak nie przeskoczy – pomyślała Louise.

W następny weekend dziewczynki miały „poprzebywać" z Janosem. To bezbarwne, zdawałoby się neutralne sformułowanie, miało jednak dla niej negatywny wydźwięk. Poprzebywać. Ustalona z wyprzedzeniem aktywność rodziców z dziećmi. Dziewczynki stawiały oczywiście rutynowy opór, jednak dość łagodny. Nie chciały siedzieć u Pii w domu i prowadzić z nią grzecznościowych konwersacji. Wolałyby mieć tatę tylko dla siebie, żeby wszystko było jak dawniej. Nie miały oporów, aby o tym mówić. Louise najmniej ze wszystkich wiedziała, co będzie dalej. Starała się uciec od wszystkiego. Paliła ją zazdrość, kiedy dziewczynki przebywały u ojca, ale zaciskała zęby i cierpiała w milczeniu. Niedawno uświadomiła sobie, że dziewczynkom było żal Janosa. Współczuły mu. To była jawna niesprawiedliwość – to przecież on je zostawił na pastwę losu, porzucił.

– Piwnica jest sucha i utrzymana we wzorowym porządku – odezwała się, aby cokolwiek powiedzieć i przestać myśleć o swojej rozbitej rodzinie. – Dobija mnie myśl, ile dróg do niej prowadzi – kontynuowała. – Sprawca mógł uciec przez dwie klatki schodowe i przez drzwi, które wychodzą bezpośrednio na podwórze – dodała.

W tej samej chwili drzwi nagle się otworzyły i stanęła w nich Erika Ljung.

– Dużo tu kryjówek – zakończyła Louise, choć Lundin już jej nie słuchał.

– To mało powiedziane – rzucił w przestrzeń, uśmiechając się do Eriki.

Stanęli pośród kabli i walizek zawierających sprzęt kryminologów i podzielili się pracą, na którą składało się przede wszystkim przesłuchanie sąsiadów. Lundin otrzymał od Benny'go klucze do mieszkania Doris Västlund. Kryminolog znalazł je w pozostawionej w pralni kurtce. Lundin i Louise zamierzali najpierw szybko zajrzeć do mieszkania.

Było ono dwupokojowe, przestronne, o wysokim suficie i pomalowanych na biało drewnianych drzwiach. Sprawiało jednak wrażenie mniejszego z powodu znajdującej się w nim dużej liczby przedmiotów.

– Jakby przeprowadziła się z dworku i próbowała wcisnąć do mieszkania całe jego umeblowanie – wymamrotał Lundin.

– Uważaj, żebyś niczego nie strącił – ostrzegła go Louise, ponieważ policjant przeciskał się obok małego, okrągłego stolika, zastawionego porcelanowymi figurkami, głównie psów.

– To chyba duńska porcelana – powiedział, przyglądając się uśmiechniętym zwierzętom.

– Duńska królewska porcelana – odrzekła z duńskim akcentem.

Najpierw weszli wprost do kuchni. Na kraciastym obrusie stały dwie filiżanki po kawie i pusty półmisek do ciasta. Lundin otworzył szafkę pod zlewem i zajrzał do kosza na śmieci, w którym znalazł papierową torebkę z logo znanej wszystkim cukierni Nilssona.

– Ciasto nie było pieczone dziś w domu – zauważył Lundin.

– Co?

– Starsza pani nie upiekła ciasta sama, ale kupiła u Nilssona.

– Sprytnie – powiedziała z uznaniem Louise, przystanąwszy na plecionym dywanie w cętki, który leżał na podłodze w przylegającym do kuchni pokoju, służącym za salon.

– Powiem Benny'emu, aby zabrał filiżanki.

– Tak. Może się dowiemy, kto przyszedł z niespodziewaną wizytą.

Pokoje były ustawione jeden za drugim. Do tak zwanego wejścia dla państwa, znajdującego się na drugim krańcu mieszkania, prowadził maleńki korytarz z szafą wypełnioną wierzchnią odzieżą, przytwierdzonym do ściany wieszakiem na płaszcze, rokokowym krzesłem z siedzeniem obitym pluszem w kolorze czerwonego wina i lustrem w wyblakłej, złoconej ramie. Ścianę pokrywała granatowa tapeta w szerokie złote pasy.

W milczeniu przeszli przez sypialnię i salon. Nie zauważyli żadnych rozbitych, połamanych czy przewróconych przedmiotów. Wszystkie szuflady były zamknięte. Ponad kanapą wisiały, w większości podobne do siebie, obrazy w złoconych ramach, przedstawiające motywy przyrodnicze.

Łóżko przykrywała narzuta w żółte róże na czarnym tle. Niedługo znów stanie się modna – pomyślała Louise. Trzy poduszki w różnych odcieniach żółci tworzyły ozdobny stosik mniej więcej pośrodku łóżka. Louise najbardziej zafascynowała toaletka, która stała przy ścianie w nogach posłania. Pochylone lustro z wbudowanymi lampami opierało się o porysowany ze starości szklany blat, na którym upchane były szczotki do włosów, puderniczki, flakoniki perfum i koszyczek ze szminkami. Z krawędzi stolika opadała ułożona w fałdy tkanina – tym razem w czerwone i różowe róże na białym tle. Całości dopełniał taboret obity sztucznym, białym futerkiem. Louise poczuła się całkowicie oczarowana tym przepychem kobiecej próżności, a przede wszystkim faktem, że znaleźli to w domu starszej pani. Jak na starym filmie. Louise poczuła nawet lekkie ukłucie zazdrości, jednak daleka była od wyruszenia na poszukiwanie podobnego mebla w sklepach z antykami albo na pchlich targach. Na drugim końcu pokoju, pod oknem, stało stare dębowe biurko z zamkniętymi szufladkami.

– Sprawdzimy zawartość jutro – zadecydowała Louise.

■

– To na pewno babka znad pralni – oceniła z pewną siebie miną młoda kobieta. – Wybaczcie, że to powiem, ale ona jest naprawdę przykra. Pewnego razu wyłączyła pralki w samym środku prania i wyjęła na wpół wyprane rzeczy na ławkę tylko dlatego, że zdarzyło mi się przeciągnąć wszystko do kilku minut po dziewiątej. Przecież mam małe dzieci! Stosy z praniem rosną z minuty na minutę. Ale ona tego nie rozumie. Cholerna egoistka!

– A więc mogą państwo prać tylko do dziewiątej? – podjęła Louise Jasinski, przybierając współczujący ton, aby poskromić agresję rozmówczyni.

– Ależ tak. Ona twierdzi, że jej to przeszkadza. Ale na pewno nie jest tak źle. Jednak kiedy człowiek jest niezadowolony z życia, to nic mu nie pasuje – powiedziała wzburzona, sama zresztą sprawiając takie samo wrażenie.

Trzylatka siedziała jej na kolanach.

– Powiedziała pani, że nazywa się Andrea Wirsén – powtórzyła Louise, zapisując imię, a kobieta przytaknęła z krzesła.

Siedziały w kuchni. Na stole leżały resztki posiłku. W powietrzu, pomimo potężnego, nowoczesnego okapu z nierdzewnej stali nad kuchenką i sufitu na dużej wysokości, pod którym niemiły zapach mógł się rozejść, nadal unosił się słaby zapach smażeniny. Drzwi do pokoju po drugiej stronie korytarza były zamknięte, ponieważ najmłodszemu, sześciomiesięcznemu dziecku na szczęście udało się właśnie zasnąć. Rozmawiały przyciszonymi głosami, a Louise niemal szeptem. Aż zbyt dobrze pamiętała rozpaczliwe próby ułożenia dziecka do snu. Nie chciałaby wrócić do czasów, gdy dzieci były małe.

Andrea Wirsén miała drobne, regularne rysy. Ciemnoblond włosy upięła na czubku głowy w kucyk, przez co kitka kręciła się w rytm jej ruchów. Louise dowiedziała się, że partnerem rozmówczyni jest oficer na statku. Najpierw Andrea Wirsén dała Louise do zrozumienia, że jej mąż pływa po morzach i oceanach. A może była to tylko fantazja policjantki, której dała się ponieść, gdy tylko usłyszała słowo „statek"? Okazało się bowiem, że mężczyzna prowadzi promy kursujące na Gotlandię, pomiędzy Oskarshamn i Visby, a czasem do Nynäshamn. To przecież także nie jest złe zajęcie – pomyślała Louise. W dodatku łatwiej będzie policji to sprawdzić.

– Mogłaby pani własnymi słowami opowiedzieć, co wydarzyło się dziś po południu?

– Zupełnie nic ciekawego – natychmiast odpowiedziała Andrea Wirsén. – A niby co się miało wydarzyć?

– Nic nie zwróciło pani uwagi?

Andrea Wirsén zapatrzyła się przed siebie, na próżno szukając czegoś niezwykłego w pozbawionej emocji egzystencji z małymi dziećmi.

– Może usłyszała pani jakieś podejrzane dźwięki na klatce schodowej? Albo ujrzała pani kogoś, wyglądając za drzwi? – podpowiedziała Louise.

– Nie wyglądałam za drzwi – odpowiedziała kobieta, potrząsając głową i wprawiając tym w ruch upięte w kitkę włosy. – Nie mam na to czasu. Nie z dziećmi.

Pogłaskała siedzącą na kolanach dziewczynkę po czole i włosach.

– Może trzasnęły jakieś drzwi?

Andrea Wirsén przygryzła dolną wargę. Dziewczynka oparła się o pierś matki i włożyła do buzi kciuk. Ssała go tak energicznie, że z jej ust wydobywały się ciche odgłosy cmoknięć. Po chwili przyjemnego ssania blade powieki dziewczynki powoli opadły. Louise chętnie zrobiłaby to samo – kimnęłaby się na chwilę. Siedzenie sprawiło, że poczuła się senna.

– Do drzwi zadzwoniła uczennica – odezwała się nagle Andrea Wirsén.

– Ach tak?

– Sprzedawała majowe kwiatki.

Louise zapisała.

– O której to mogło być?

Andrea Wirsén wzruszyła ramionami.

– Naprawdę nie wiem.

Louise znów zapisała, choć właściwie nie było czego notować. Potrzebowała ruchu, aby odpędzić od siebie senność.

– A Doris Västlund? Znała ją pani? – zapytała.

Potrząsnęła głową.

– Nie robiła wokół siebie szumu. Nie była tak zgorzkniała, jak ta babka nad pralnią. Tę to z kolei wszyscy znają. No, może nie znają, ale kojarzą. Sprawa hałasu z pralni była już wielokrotnie omawiana na spotkaniach rady mieszkańców. Myślę, że mieszka tu od czasu budowy domu.

Przesadza – pomyślała Louise. Andrea Wirsén prawdopodobnie nie miała pojęcia, jak stary był dom.

– A jak długo pani tu mieszka?

– Od jej urodzin. – Wskazała na dziewczynkę na kolanach. – Będzie już ze trzy lata. Nawet więcej.

■

– Ciii – powiedział komisarz kryminalny Claes Claesson jako czuły, a zarazem naprawdę zatroskany ojciec, do zakatarzonej córeczki.

Jej ciałko ciężko spoczywało na jego ramieniu, kiedy ją

nosił. Krążył z nią po dużym pokoju. Telewizor był włączony. Z ekranu spoglądał reporter telewizyjny, jego usta się poruszały, lecz Claes nie słyszał, co mówi, ponieważ ściszył fonię. Nie zwracał nawet uwagi na reportażowe zdjęcia obcej armii. Równie dobrze mógł wyłączyć telewizor.

Ktoś zadzwonił do niego ponad godzinę temu, oznajmiając, że Veronika wróci później. Tyle już sam się domyślił, ponieważ nie pojawiła się w domu po ich rozmowie w Kvantumie. Coś się musiało wydarzyć, bo nie mógł się do niej dodzwonić. Wypadek samochodowy, przepełniona izba przyjęć, poważna operacja albo coś w tym rodzaju. Zupełnie go nie obchodziło co to mogło być, w tej chwili najważniejsza była dla niego chora córka. Chciałby, żeby Veronika wróciła do domu, zbadała Klarę i uspokoiła zarówno córeczkę, jak i jego.

Ale wiadomo: szewc bez butów chodzi!

Klara chwilkę pospała, oddech miała urywany i nieregularny. Obudziła się całkowicie zdezorientowana: otworzywszy szeroko oczy, próbowała wydać z siebie krzyk rozpaczy, ale nie starczyło jej powietrza i wyszło jedynie skomlenie. Oddech zrobił się cięższy i towarzyszył mu świst, co Claes odebrał jako oznakę, że córeczce brakuje powietrza. Albo raczej, że z trudem je wydycha. Wydawała przy tym ostry, rzężący dźwięk i Claes odniósł wrażenie, że twarzyczka Klary zsiniała. Możliwe, że sobie to wmówił – nie miał doświadczenia w opiece nad chorymi, a przede wszystkim w zajmowaniu się małym, chorym dzieckiem.

Klara była jego dzieckiem. Pierwszym i jedynym. Krew z krwi, kość z kości. Cierpiał razem z nią.

Stabilnie podtrzymywał przedramionami jej przyobleczoną w pieluszkę pupę, ostrożnie bujając dziewczynkę w górę i w dół, aby ją uspokoić, ale choć podobało jej się, jak ją kołysze, Claes się zorientował, że to nie wystarcza.

Klara nie stawała się dzięki temu ani spokojniejsza, ani nie oddychała lżej i jego irytacja spowodowana nieobecnością Veroniki wzrosła. Nawet nie miał samochodu, który zapewne stał teraz na szpitalnym parkingu. Oczywiście mógłby zamówić taksówkę. Istniało jednak ryzyko, że spędzą wiele godzin na izbie przyjęć pediatrii razem z innymi chorymi dziećmi.

Trudno, niech tak będzie – postanowił po przebyciu w męce niezliczonej liczby kółek po salonie z Klarą bezwładnie zwisającą mu z ramion, niczym kawałek materiału. Nie miał odwagi czekać i dłużej brać na siebie odpowiedzialności.

Godzinę temu zadzwonił do pielęgniarki w poradni dziecięcej, która powiedziała, że może przyjechać z Klarą, jeśli dziewczynce się nie polepszy lub jeśli jej stan się pogorszy. Pytanie, czy tak się właśnie nie stało – stwierdził. Czy było z nią na tyle źle, aby zażądać natychmiastowego przyjęcia u lekarza? Jak zaniepokojony ojciec miałby to ocenić?

Do diabła z tym! – pomyślał Claes ze zniecierpliwieniem, jednocześnie czując wyraźną ulgę, gdy zdecydował się wreszcie pojechać z Klarą do szpitala. Żądny działania, zmienił córce pieluszkę, zapakował jeszcze jedną do plecaka i ubrał dziewczynkę w świeżą pidżamę. Kiedy przyglądał się małej na przewijaku, stwierdził, że zrobiła się – jeśli było to w ogóle możliwe – jeszcze bardziej sina i przezroczysta wokół oczu i na policzkach. Umocniło go to w decyzji. Klara nie miała nawet siły protestować.

Zadzwonił po taksówkę, włożył Klarze zimową czapkę i zawinął córeczkę w kołdrę.

Kiedy już wsiadł do dość zimnej taksówki, zastanowił się, czemu nie wpadł na to wcześniej. Klara nie płakała ani nie marudziła. Bezwolnie zwisała mu z ramion. Całą swoją energię przeznaczała na oddychanie.

Pogłaskał ją lekko po policzku.

– Ciii, niedługo będziemy na miejscu – uspokajał ją łagodnie.

■

Veronika Lundborg wcisnęła w automacie guzik „cappuccino".

– Dostaliście piękny automat do kawy – odezwała się do stojącego obok anestezjologa. – Trzeba gdzieś wrzucić pieniądze?

Poszukała otworu na monety.

– Nie. Szef stawia.

– To ci niespodzianka! Nie napijesz się? – zapytała, po raz pierwszy spojrzawszy wprost w niemal zupełnie okrągłe i intensywnie brązowe oczy Rhezy.

– Nie, dziękuję – odpowiedział grzecznie.

Aż nazbyt grzecznie. Może się krępuje – pomyślała.

– To może herbatę? – spróbowała.

– Nie, dziękuję – odmówił.

Veronika nie wiedziała, czemu tak jej zależało, aby kolega też się czymś poczęstował. Może dlatego, że – jej zdaniem – tego wieczoru Rheza zachowywał się tak pokornie, jakby chciał zniknąć z powierzchni ziemi. Taka postawa nie tylko mogła przyczynić się do powstawania konfliktów z bardzo wyszczekanymi pielęgniarkami, które będą mu wchodzić na głowę, podważać jego zalecenia i obgadywać za plecami, o czym świadczyły drobne uwagi, które lekarka słyszała w klinice, ale także sprawiała, że w zestawieniu z nim Veronika przypominała buldożer. Bardzo stanowczy i okropnie obcesowy.

Siedzieli w pokoju dla personelu na intensywnej terapii, mając po raz pierwszy w ciągu popołudnia i wieczoru wystarczająco długą i spokojną wolną chwilę, aby móc ze sobą pogadać. Lampy pod sufitem były zgaszone, przyćmione światło padało jedynie ze świetlówki pod szafką kuchenną.

– Myślisz, że z tego wyjdzie? – zapytała anestezjologa, który wzruszył jedynie ramionami.

Veronika zdawała sobie sprawę, że nawet jeśli kobieta odzyska świadomość, jej przyszłość jawi się w ciemnych barwach. W najgorszym wypadku zostanie warzywem. Pacjentka miała rozległe krwawienia i obrzęk mózgu.

Chociaż nigdy nic nie wiadomo.

– Czaszka przypomina skorupkę jajka – rzuciła.

– Może wszyscy powinniśmy nosić kaski. Zawsze – odpowiedział lakonicznie anestezjolog. – Czasem jednak ludzie szybciej odzyskują zdrowie, niż można by przypuszczać.

Było wpół do dziewiątej. Karetka z sześćdziesięciosiedmioletnią nieprzytomną Doris Västlund, nieprzytomną zaintubowaną z wenflonem oraz z założoną linią tętniczą, odjechała właśnie do kliniki neurochirurgii w wyspecjalizowanej klinice uniwersyteckiej. Czekała ich dwugodzinna podróż na sygnale.

– W informacji dla prasy będziemy musieli użyć sformułowania „obrażenia zagrażające życiu" – stwierdziła Veronika z wyraźną ironią.

– Tak – zgodził się anestezjolog. – Rozmawiałaś z policją?

Przytaknęła.

– Poinformowałam ich krótko o sytuacji.

Rheza nie skomentował.

Do zadań Veroniki jako ordynatora należało sformułowanie jednego bądź dwóch krótkich zdań dla mass mediów. Tyle wystarczało. Trzeba dochować tajemnicy lekarskiej – wytłumaczyła Rhezie. Przytaknął, wciąż milcząc. Mr Stoneface – pomyślała. Sprawiał wrażenie, jakby nauczała osobę, która już wszystko wie. Dlatego zapytała:

– Pewnie uważasz, że mówię ci rzeczy oczywiste.

– Nie, wcale nie – zaprzeczył, spoglądając jej w oczy.

W jego głosie zabrzmiało lekkie zdziwienie.

– Nie wiem przecież, ile wiesz – wytłumaczyła, zerkając na plakietkę z nazwiskiem lekarza: Parvane.

Uniósł jedynie brwi w odpowiedzi. Nic więcej.

– Trudno mi ocenić, czego powinieneś się dowiedzieć. W różnych miejscach są różne zasady.

W różnych państwach – mogła powiedzieć równie dobrze. Teraz chodziło o model szwedzki: ład i porządek. Wzorcowy model o wysoko zaawansowanej technologii. Jakby służba medyczna za granicą stała na poziomie krajów Trzeciego Świata! Zapewne reprezentuję t y p o w ą szwedzką pyszałkowatość i zarozumiałość – pomyślała, ale brakowało jej punktu odniesienia.

– A gdzie wcześniej pracowałeś? – zapytała z ciekawością.

Uderzyło ją, że nie dowiedziała się tego wcześniej. Nikt jej o tym również nie wspomniał. Z drugiej strony nie było to bardziej interesujące, niż gdyby lekarz pochodził z Umeå, Gävle czy Borås. W rzeczywistości w niewielu miejscach pracy interesowano się, co się działo gdzie indziej. W większości traktowano to jako coś obcego i przez to groźnego czy – po prostu – nieciekawego. Taka już jest natura ludzka.

– W Iranie i USA – odpowiedział.

A więc to był Iran, nie może tego zapomnieć. Nie Irak. Wzdrygnęła się zdziwiona, gdy usłyszała, że był w Stanach. Miała mętne pojęcie, co to mogło oznaczać: wysoką jakość i rozwój, ale i niezwykle kiepską opiekę medyczną dla mniej zamożnych ludzi.

– Nazywasz się Parvane. Dobrze wymawiam twoje nazwisko?

Przytaknął.

– To oznacza motyla.

– Och, ale pięknie!

– Kobiety mogą mieć na imię Parvane – poinformował ją, najwyraźniej się rozkręcając.

Wtedy im przerwano.

– Przyszedł syn – poinformowała pielęgniarka w drzwiach.

– Wie, że jego matkę już stąd zabrano?

Pielęgniarka wzruszyła ramionami w geście niewiedzy. W tym samym momencie w kieszonce na piersi Rhezy zadźwięczał sygnał pagera. Lekarz przez całe popołudnie biegał w górę i w dół pomiędzy ambulatorium znajdującym się piętro niżej a rentgenem lub intensywną terapią usytuowanymi wyżej, w zależności od tego, gdzie akurat personel medyczny znajdował się z pacjentką z urazem czaszki. Rheza ogromnie się starał, aby w jak największym stopniu we wszystkim uczestniczyć.

– Może chciałbyś porozmawiać z synem pacjentki? – zapytała Veronika, głównie po to, aby nie poczuł się pominięty. – Sprawdź tylko najpierw, czego od ciebie chcą w ambulatorium.

Gdy Rheza podniósł słuchawkę, oddzwaniając na wezwanie, Veronika po raz tysięczny tego wieczoru pomyślała o Klarze. Claes ma wszystko pod kontrolą – przekonywała sama siebie.

– Przybył właśnie pacjent – poinformował ją Rheza, odłożywszy słuchawkę – z bólem nerki.

Wskazał na plecy.

– Z kolką nerkową – uzupełniła, chcąc go wybawić z opresji.

Powtórzył cicho sformułowanie samymi wargami: *Kolka nerkowa*.

– To lepiej idź. Nie powinno się czekać z takim bólem. W przeciwnym wypadku moglibyśmy w dwójkę przeprowadzić rozmowę – powiedziała, uśmiechając się szeroko.

Rheza ruszył w swoją stronę.

Właściwie poczuła ulgę. Spotkanie z bliskimi pacjentki wydawało się łatwiejsze w pojedynkę. Bez świadków i rozpraszania przez dodatkową osobę w pokoju.

Podniosła słuchawkę i wybrała numer domowy. Sygnały rozbrzmiewały nieustępliwe jeden za drugim. Nikt nie odbierał.

Jej niepokój wzrósł.

■

W mieszkaniu nad pralnią wciąż panuje cisza – stwierdziła Louise, gdy kilkakrotnie zadzwoniła do drzwi. Na mosiężnej tabliczce widniał napis: „B. Hammar". Wielu mieszkańców dało policjantce do zrozumienia, że właścicielka tego lokalu była prawdziwą heterą. Wypowiadano też i inne opinie na jej temat. Nie jest aż taka zła – uważała starsza para zamieszkująca piętro wyżej. Louise zaczęła odczuwać ciekawość.

Na schodach pojawił się nagle mężczyzna, który przedstawił się z lekkim zadęciem jako przedstawiciel rady mieszkańców Sigurd Gustavsson, zwany Sigge. Lekko zaokrąglony typ inżyniera około pięćdziesiątki, do którego zupełnie nie pasował tak trywialny, a zarazem staroświecko brzmiący przydomek „Sigge". Usilnie chciał sprawiać wrażenie osoby ważnej.

– Moglibyśmy porozmawiać na osobności? – zapytał, wpatrując się uparcie w oczy Louise. – Możemy pójść do mnie. Mieszkam w sąsiedniej klatce schodowej – dodał, po czym ruszyli do niego, przecinając podwórze.

– No tak, sprawa pralni stanowi drażliwą kwestię – oznajmił, kiedy usadowili się już w jego nowoczesnym i skąpo umeblowanym mieszkaniu, które sprawiało wrażenie, jakby ktoś niedawno się stamtąd wyprowadził: partnerka lub może żona. – Biedna Doris musiała wejść komuś w drogę – kontynuował, kręcąc głową. – Bardzo sympatyczna kobieta. Nigdy nie było z nią żadnych problemów w radzie. W odróżnieniu od tej na dole.

Wskazał palcem pod kątem w dół, w kierunku pralni.

– Może pan o tym opowie?

– Kilka lat temu gruntownie przebudowaliśmy nieruchomość... – przerwał, jakby obliczał coś w głowie – ...to było osiem lat temu. Pralnia została wtedy przeniesiona i trafiła pod mieszkanie pani Hammar.

– A więc ta kobieta zajmowała to mieszkanie już przed remontem?

– Tak. Britta Hammar. Mieszka tam już całą wieczność.

Louise spojrzała na niego sceptycznie.

– Proszę mnie dobrze zrozumieć. Nie wiem dokładnie, kiedy się tu wprowadziła, ale należy do osób z najdłuższym stażem. O wiele dłuższym niż my... a właściwie ja – poprawił się.

– Mieszka pan sam?

– Dokładnie. Teraz tak.

– Aha.

– Od rozwodu, ale to inna historia – pospieszył zmienić temat. – Ale... No tak, szkoda gadać. Wracając do Britty Hammar... Nie wiem, jak wyglądało informowanie mieszkańców o planie przeniesienia pralni, nie byłem jeszcze wtedy przewodniczącym, ale Hammar musiała o tym wiedzieć. Twierdzi jednak, że nikt jej o tym nie poinformował. Że nie dostała żadnej informacji na piśmie w tej sprawie. Że gdyby tak było, nie wyraziłaby na to zgody. A kiedy pralnia została już przeniesiona i mieszkańcy wrócili do swoich mieszkań po dużym remoncie – bo wszyscy musieli opuścić budynek na czas przebudowy – no tak... wtedy babka rozpętała prawdziwe piekło. Już po wszystkim!

– Dlaczego?

– Podobno problemem był hałas. I wstrząsy od wirówki, wentylatora suszarki i nie wiem czego jeszcze. Twierdzi, że nie może spać. Z czystej uprzejmości poradziłem jej zatyczki do uszu... wie pani, takie żółte albo różowe, które można dostać w aptece, ale zareagowała, jakby chciała mi przywalić. Zbladła na twarzy i w kółko narzekając na to samo, zażądała, żebyśmy coś z tym zrobili.

Louise zaniemówiła ze zdziwienia.

– Widzi pani, że kobieta jest całkiem narwana. Nerwowa jak nie wiem co. Twierdzi, że wibruje jej podłoga. Napisała furę pism. Skarg, gróźb i...

Urwał. Louise czekała w napięciu na dalszy ciąg, ale chyba powiedział już wystarczająco dużo. Głowa mężczyzny lśniła w świetle z sufitu jak wypolerowana.

– Co chciał mi pan powiedzieć? – zapytała w końcu policjantka.

Sigurd Gustavsson rozłożył na bok ramiona, jakby chciał ją zapewnić o swojej niewinności.

– Nie wiem, co powinienem zrobić, żeby nie dopuścić do jej ataku na Doris Västlund.

– Myśli pan, że to ona... – Louise zajrzała do notatnika – że Britta Hammar to zrobiła? – spytała z pewną dozą powątpiewania w głosie.

Spojrzał na nią z rozczarowaniem, nie rozumiejąc jej braku zaangażowania. Nie udało mu się wydobyć z policjantki nawet cienia entuzjazmu. Oporna materia.

– Tak, tak przecież musiało być – powiedział z naciskiem, pozwalając opaść rękom.

– Widział ją pan w trakcie dokonywania aktu przemocy?

– Ech nie, ale, mój Boże... to przecież jasne jak słońce.

Mało co jest jasne jak słońce – pomyślała Louise.

– A wracając do pralni. Jak jest właściwie z tym hałasem? – zapytała.

– To znaczy?

– Czy przeszkadza?

O dziwo, mężczyzna zaczerwienił się, a potem wzruszył ramionami.

– Nie tak bardzo. To zależy.

– Czyli to sobie uroiła?

– No, wie pani... niektórzy ludzie łatwiej wpadają w złość od innych.

Tak, wiedziała. Niektórym łatwiej było chwycić za żelazną rurę, ostre narzędzie czy cokolwiek i uderzyć w chwili, gdy inni nigdy by się nie zdobyli na podobny postępek.

– Wracając do pralni – z uporem maniaka drążyła tę kwestię, aby od razu określić zakres konfliktu, o którym tak wielu wspominało i który najwyraźniej doprowadził do wykluczenia Hammar w mniejszym lub większym stopniu z lokalnej społeczności. – Co z tym zrobiono?

– Zrobiono?

– Aby poprawić izolację... a może podjęto inne kroki?

– Nic.

Nic – zapisała Louise. Sigurd „Sigge" Gustavsson zdawał się okazywać pewną skruchę. Zauważyła to, obróciwszy twarz ku jego pedantycznie ogolonej twarzy – oprócz czarnych wąsów – widocznej z rozpiętego i sztywnego kołnierzyka. Gdyby nie wąsy, policjantka mogłaby przysiąc, że jego górną wargę zraszała wilgoć.

– To przecież wariatka – stwierdził.

– Ma pan na myśli, że powinno się ją zamknąć w zakładzie dla psychicznie chorych?

– Nie, na Boga, kobieta jest uosobieniem uczciwości! Pracuje gdzieś jako pielęgniarka. Chyba w zakładzie dla opóźnionych w rozwoju. Co jest właśnie dziwne. Mam na myśli to, że potrafi pracować z ludźmi, będąc osobą tak nietolerancyjną. Ale ci... ci, z którymi pracuje, może nie mają zbyt dużych oczekiwań.

Louise przyglądała mu się w ciszy. Zaraz wypali coś naprawdę głupiego – pomyślała.

– Zmieniliśmy jednak godziny prania – dodał zadowolony. – Rodzice małych dzieci mają ciężko, potrzebują częstszego dostępu do pralek, ale zdecydowaliśmy, że od dziewiątej zamykamy pralnię.

– Aha. Czyli po dziewiątej nikt do niej nie wejdzie?

– No nie. Wszyscy mają klucz, ale pranie po tej godzinie jest zabronione. Należy wszystko wyłączyć, łącznie z suszarką.

Louise zapisała cyfrę 9 i zamknęła notatnik.

– Zwykłe rutynowe pytanie: Co pan robił dziś po południu?

– Alibi? Tak jak w telewizyjnych serialach. – Sigurd Gustavsson uśmiechnął się bardzo pewnie, wypinając pierś. – Byłem w pracy.

– Gdzie?

– Zarząd techniczny. Oddział wody i ścieków.

Zgadłam – pomyślała. Typ inżyniera.

– Na Byggmästaregatan?

– Tak. Zajmuję się kontaktem z abonentami. Proszę, to moja wizytówka – powiedział, wstając.

Otworzyła ponownie notatnik, zapisując na wszelki wypadek miejsce pracy mężczyzny.

– Wszyscy mieszkańcy to przyzwoici ludzie. Oprócz, wiadomo kogo – zaznaczył. – Byłoby źle, gdyby budynek stracił reputację.

– Jasne, ma się rozumieć.

– Żeby nie spadły ceny mieszkań. To dobra inwestycja.

Louise przytaknęła.

– Czy któreś z mieszkań jest na sprzedaż?

– Chyba tak. Ale sąsiad zapewne wycofa na jakiś czas ofertę – stwierdził Sigge, cmokając władczo ustami oraz ściągając przy tym brwi i lekko odchylając się do tyłu.

Według Louise wyglądał, jakby miał zaraz pęknąć z samozadowolenia. Zresztą nie wiadomo, czy ceny od tego spadną – pomyślała. Niektórych przyciągają makabryczne wydarzenia. Może właśnie odwrotnie – ceny wzrosną. Nigdy nie wiadomo. W każdym razie jej samej już nic nie dziwiło.

Może byłoby to coś dla niej i dla dziewczynek, jeśli nie uda się zachować szeregowca, chociaż jej dobry ojciec zaproponował wsparcie na miarę swoich możliwości. Była to dobra lokalizacja: prawie w centrum, a jednak panował tu spokój. Znajdowała się też blisko szkoły dziewcząt, które mogłyby bez większego problemu utrzymać znajomości. Do tego pralnia – jeśli się ją posprząta, była zarówno dobrze wyposażona, jak i nowoczesna.

Przypomniał jej się spór o pralnię i nagle jej marzenia prysły. Niezgoda raczej nie rozwieje się po tragicznym wydarzeniu dzisiejszego dnia, lecz wręcz przeciwnie – dojdzie do jej eskalacji. Ludzie już tacy są. Najprostszym rozwiązaniem byłoby kupienie własnej pralki – pomyślała.

■

W pokoju odwiedzin na intensywnej terapii syn pobitej kobiety stał odwrócony plecami do drzwi. Był wysoki i szczupły, wyprostowany, z pedantycznie krótko przyciętymi włosami na karku. Beżowy trenczowy płaszcz ciężko opadał na jego delikatne ramiona. Lśniąco czarne, grube włosy miał zaczesane do tyłu. Stał spokojnie, z luźno opuszczonymi rękami. Veronikę od razu uderzyło – jakkolwiek wydawało się to nieprawdopodobne – że mężczyzna w skupieniu wpatruje się w jedyną ozdobę na ścianie w pomieszczeniu. Była to kompozycja materiałów w różnych odcieniach czerwieni, różu i oranżu. Wykonano ją na tle tkaniny z worka. Odkąd Veronika sięgała pamięcią, ozdabiała ona tę ścianę pokoju. Trudno było to znieść – obraz zdawał się kpić z panującego wokół cierpienia. Choć z drugiej strony prawdopodobnie większość bliskich przebywających w tym pozbawionym okien pomieszczeniu błądziła myślami zupełnie gdzie indziej. Zresztą, sądząc po powierzchowności mężczyzny, przedkładał nad wykonane z wielkim pietyzmem robótki ręczne dzieła świadczące przede wszystkim o klasie, dobrym smaku i furze pieniędzy – pomyślała, głośno odchrząkując.

Mężczyzna odwrócił się i Veronikę uderzyło, jaki – pomimo zewnętrznego pancerza: błyszczących butów i nienagannego ubioru – wydawał się odsłonięty i podatny na zranienie.

Zauważyła też, że odwrócił się niezwykle wolno, że odniosła niejasne wrażenie, iż nie chodziło tu jedynie o kontrolę uczuć i myśli w tak trudnej chwili, ale o demonstrację – nie wiadomo tylko czego. Może siły? Mężczyzna spojrzał na nią jak na marę, którą w pewnym sensie była. Wiadomość, jaką miała mu do przekazania, nie należała do dobrych.

– Czy jest pan synem Doris Västlund? – zaczęła.

Przytaknął. Wyciągnęła dłoń, którą szybko uścisnął.

– Ted Västlund – odpowiedział głębokim basem.

Veronika zauważyła, że miał zimne palce i szczupłą dłoń.

Zapamiętała imię, co nie było trudne. Ted. Jak *teddybear* – wpływ ze Stanów Zjednoczonych.

Wciąż stali – on z opuszczonymi ramionami i długimi palcami wystającymi spod rękawów płaszcza. Milczał, nie zadając żadnego pytania, czemu sprzyjała ta celowo wydłużona chwila ciszy.

Po wielu latach pracy w szpitalu Veronika panowała nad podobnymi sytuacjami. Na tyle, na ile w ogóle dało się to robić. Unikając więc osładzającej cierpienie gadaniny, wskazała ręką, żeby udali się do innego pokoju, w którym zamierzała porozmawiać z nim na osobności. Wcześniej tego wieczoru widziała, że bliscy czuwali przy łóżku pacjenta na intensywnej terapii chorych z problemami sercowymi, dlatego nie miała pewności, czy nikt im nie przeszkodzi, jeśli pozostaną na miejscu.

– Chodźmy gdzieś usiąść – powiedziała z łagodną stanowczością – na korytarzu.

Ostry blask świetlówki sprawił, że źrenice boleśnie się zwęziły i Veronikę nagle dopadła fala zmęczenia. Poczuła, że spojówki ma obolałe i suche. Podczas urlopu macierzyńskiego odzwyczaiła się od rygoru określonych obowiązków, od automatycznego przechodzenia od jednego zadania do kolejnego, bez możliwości przesunięcia czegoś na później. Miała przed sobą ponad dwie doby pracy. To był dopiero początek: piątek wieczór. Musi się teraz skupić na pierwszej dobie. Następny weekend miała wolny. Tak to sobie rozplanowała.

Syn pacjentki podążał za nią niczym niemy cień. Veronika prowadziła go do – jak myślała – pustego pokoju, gdzie odbywały się zebrania. Siedziały tam już jednak wokół podłużnego stołu pielęgniarki, najwyraźniej przygotowując się do uroczystości. Na stole leżały ozdobne bibułki, serpentyny oraz serwetki zwinięte w wachlarze czy też łabędzie albo królewskie korony. Najlepszy dowód na to, że życie składa się z kontrastów. Pielęgniarki spojrzały ze zdziwieniem na Veronikę, która przeprosiła i ruszyła dalej do pustego pokoju lekarskiego, prowadząc za sobą wysokiego mężczyznę. Jego płaszcz szeleścił o nogawki spodni. Trzeszczały skórzane podeszwy butów.

Veronika zauważyła, że pomimo tak późnej pory dnia koszula mężczyzny była nienagannie biała. Miał sztywno zawiązany krawat, który dyskretnie opadał niczym ciemny ogon na lekko zapadniętą pierś. Był z granatowego jedwabiu w cienkie, poprzeczne paski koloru czerwonego wina. Veronika pomyślała, że może przyszedł tu wprost z uroczystej kolacji. Musiał ją przerwać, aby znaleźć się nagle w zupełnie odmiennym stanie umysłu.

Jak zwykle odczuwała znajome, nieprzyjemne drżenie – nie sposób się przyzwyczaić do przekazywania złych wieści, gdy życie obiera zły kierunek lub gdy coś pójdzie niezgodnie z planem. Taki jest już los posłańca. Oblizała wargi i głucho odchrząknęła, wypróbowując głos, który łatwo było stracić z powodu suchego powietrza szpitalnego i delikatności sytuacji.

Z jednej strony chciałaby szybko odbębnić to spotkanie,

z drugiej jednak była oczywiście osobą wrażliwą i pragnęła wyjść naprzeciw człowiekowi w nieszczęściu, dlatego się nie spieszyła. Wprost przeciwnie – nawet zwolniła, poskramiając niecierpliwość i koncentrując się na świadomym opanowaniu zarówno w mowie, jak i w ruchach. Uznała to za szczególnie ważne, ponieważ nie mogła raczej dać synowi pacjentki zbyt wielkiej nadziei na przyszłość – byłoby to kłamstwo w żywe oczy. Tak sobie myślała, dobierając w głowie z góry pasujące sformułowania, a tymczasem wskazała Tedowi Västlundowi wolne krzesło obok przepełnionej do granic możliwości półki z książkami w malutkim pokoju lekarskim.

Oczami wyobraźni widziała lśniącą białoszarą tkankę mózgową w rozbitej czaszce.

Wysunęła spod biurka krzesło i obróciła je w kierunku mężczyzny, który wprawnym ruchem odrzucił do tyłu poły płaszcza i usiadł. Nie zdjął wierzchniego okrycia – może powinna go o to poprosić, ale teraz postanowiła już nic z tym nie robić.

Równie dobrze mogła od razu przekazać mu wieści.

– Pańska matka, Doris Västlund, ma bardzo rozległe rany. Jest nieprzytomna, przed chwilą karetka zabrała ją do specjalistycznej kliniki neurochirurgii w Linköping.

Veronika mówiła cicho, patrząc mężczyźnie prosto w oczy. Sprawdzała, czy jej słowa do niego dotarły. Czekała na reakcję, ale on patrzył tylko w milczeniu, z kamienną twarzą, w jakiś punkt gdzieś za nią.

– Przykro mi to mówić, ale jej stan jest poważny.

Położyła ręce na kolana, robiąc kolejną pauzę, aby sprawdzić, czy mężczyzna za nią nadąża, i stwierdziła, że wpatruje się w nią pozbawionym reakcji pustym spojrzeniem, jakby spoglądał nie na nią, a poprzez nią.

– Nie wiemy jeszcze dokładnie, co się wydarzyło, ale znaleziono ją na podłodze pralni w domu, w którym mieszka. Ktoś ją pobił. Było to dziś późnym popołudniem.

Cisza. Powstrzymała się od opowiedzenia mu wszystkich szczegółów, co mogłaby zrobić, kierując się pedantyczną dokładnością. Ten rodzaj informacji łatwo jednak mógłby przerodzić się w sadyzm. Niektórzy jej koledzy po fachu z uporczywą gorliwością i bez współczucia kładli od razu kawę na ławę, serwując pacjentowi informację o raku razem z całkowitym prawdopodobnym przebiegiem choroby. Veronika dawno z tym skończyła. Kto ma siłę usłyszeć podobny wyrok?

Tak więc przemilczała opis tego, co dokładnie się dzieje, gdy ktoś silnie i przypuszczalnie w wielkiej złości rąbnie kogoś czymś twardym w nieosłoniętą głowę. Nie wspomniała nic o substancji mózgowej czy o oponach mózgowo-rdzeniowych. W razie potrzeby można było o tym napomknąć później.

– Sądzimy, że pańska matka nie leżała tam zbyt długo, zanim znalazła ją sąsiadka – powiedziała zamiast tego w ramach lekkiego pocieszenia.

Mężczyzna w dalszym ciągu siedział w całkowitym bezruchu, milcząco przypatrując się jej zza ciemnostalowych okularów, które nieznacznie obsunęły się mu na nosie. Wymanikiurowanym palcem wskazującym powoli, niczym w transie, podsunął opadające oprawki, nie spuszczając oczu z Veroniki. Zobaczyła, że miał złote spinki do mankietów z dużymi zielonymi kamieniami.

Ted Västlund otworzył usta, jakby miał coś powiedzieć, ale nie wydobył się z nich żaden dźwięk. W kąciku ust pojawił mu się bąbelek śliny, który po urośnięciu pękł. Czy mężczyzna był pijany i dlatego tak ciężko przyswajał sobie jej słowa? Nie wskazywały na to ani jego ruchy, ani docierający do niej stłumiony oddech. Zapewne zaniemówił i przestał w jakikolwiek sposób reagować z powodu szoku, a jednak cała jego wymuskana osoba budziła niepokój, a wręcz strach. Nie znała jego relacji z matką, ale uzmysłowiła sobie, że przyswojenie tych informacji zajmie mu sporo czasu. Może powinna spróbować zorganizować spotkanie ze specjalistą: z kuratorem* lub psychologiem, a może z księdzem, chociaż nie było to łatwe w piątek wieczorem. W najgorszym wypadku – jako awaryjne rozwiązanie – przyjmie go do szpitala.

– Bardzo mi przykro – powtórzyła ciszej. – To jest oczywiście dla pana... szok.

Pragnęła dotrzeć do mężczyzny, przemówić do jego uczuć, sprowokować choć najmniejszą reakcję. Nic się jednak nie wydarzyło oprócz tego, że powoli zamknął usta.

– Ma pan może do mnie jakieś pytania?

– No... – odpowiedział chropowatym głosem, potrząsając głową, jakby chcąc się obudzić. – Co mam powiedzieć? No tak, co z nią będzie?

Wreszcie jakieś pytanie.

– Nie wiemy.

– Nie wiecie? – powtórzył.

– Nie. W tej chwili nikt nie wie, co z nią będzie.

Mężczyzna zmarszczył brwi. Veronika oczekiwała, że zaraz padnie najczęstsze w takich przypadkach pytanie, jedno słowo: Dlaczego? Dlaczego akurat ona?

Pytanie nie padło, zamiast tego Ted Västlund rzucił tylko w przestrzeń:

– Ach tak.

– Pańska matka jest pod bardzo dobrą opieką – podkreśliła Veronika bezradnie. – Czy oprócz pana nie ma żadnej rodziny?

Zaprzeczył ruchem głowy.

– A więc nie jest mężatką?

– Ależ nie. Rozwiedli się, gdy miałem dziesięć lat. Jest sama.

---

* Kurator – pracownik socjalny, współpracujący ze służbą zdrowia. Ma za zadanie pomóc pacjentowi w radzeniu sobie z problemami natury praktycznej i z uczuciami, z jakimi zmaga się on w trakcie choroby.

Veronika zastanowiła się, czy powinna pominąć słowo: „pobicie" – parzyło ono w język. Doris Västlund padła ofiarą niezwykle brutalnego aktu przemocy. Jeszcze trochę i już by nie żyła, a nagłówki w gazetach brzmiałyby: „morderstwo" albo „zabójstwo". Na przedramionach pacjentki widać było wyraźnie ślady prób odparcia ataku. Biedna kobiecina.

– No tak... – odezwał się przeciągle Ted Västlund. – To się stało tak niespodziewanie.

– Tak.

Tak to właśnie jest – pomyślała Veronika. W jednej chwili może się przydarzyć dużo złego. Naprawdę dużo. Całe czyjeś życie może lec w gruzach.

– Co mam teraz zrobić?

Oczy mężczyzny nabrały łagodniejszego wyrazu. Pytanie zabrzmiało jak prośba. Najwyraźniej zaczął przyswajać wiadomości.

– Udzielimy panu wszelkich informacji, dotyczących miejsca pobytu pana matki. Może pan tam pojechać. Mogę zapytać, czy ma pan kogoś bliskiego w domu w tak trudnej chwili? Kogoś, kto pana wesprze?

– Tak, moją żonę. Może nie w domu – tu mężczyzna zerknął na zegarek – zapewne piją już kawę.

– Ach tak? Czy państwo byli u kogoś na kolacji?

Przytaknął.

– I informacja o matce dotarła do pana podczas jedzenia?

Ponownie pokiwał głową.

– Trudno się było tego spodziewać – stwierdziła.

– Tak – westchnął całkowicie neutralnie.

Veronika poczuła pewną ulgę. Możliwe, że niedługo będzie już mogła sobie pójść. Pragnęła zadzwonić do domu i zapytać Claesa o stan Klary. Poza tym nie podyktowała jeszcze raportu, który powinien być szczegółowy ze względu na zaświadczenie lekarskie dla policji. Nagle zaczęło jej się spieszyć.

Mężczyzna podniósł głowę i zwrócił ją w kierunku ciemnej szyby okna. Veronika skorzystała z okazji i dyskretnie spojrzała na zegarek. Niedługo dziesiąta. Jej czas szybko minął.

Miała zamiar zapytać mężczyznę, czy potrzebuje kilku dni zwolnienia lekarskiego – czekało go przecież wiele problemów: poważne operacje, intensywna opieka, a do tego długie podróże do Linköping. Pozostawało też do załatwienia wiele rzeczy praktycznych. Zamierzała przygotować na to wszystko Teda, kiedy odezwał się jej pager. Przeprosiła i wstała. Chwyciła słuchawkę telefonu i odwróciła się plecami do mężczyzny, aby w ten sposób załagodzić fakt, że pozwoliła, aby przeszkodził im świat z zewnątrz. Wybrała numer, który pojawił się na wyświetlaczu pagera.

– Tu Agneta z ostrego dyżuru – zabębnił dobrze znany jej głos. – Masz chwilę?

– Tak.

– Wolałam spróbować. Nie wiedziałam, czy jeszcze jesteś, czy może pojechałaś już do domu. Nie mogłabyś przed odejściem wesprzeć nas trochę w izbie przyjęć? Mamy dużo roboty i dość wolno nam idzie. Do tego znów mamy Violę Blom, leży na noszach. Nic szczególnego, mniej więcej to, co zwykle, takie tam dolegliwości, wiesz. Viola nie radzi sobie z samotnością. Chcielibyśmy poczęstować ją kawą i kanapką, aby ją podnieść na duchu, na ogół to pomaga, ale wolałam się najpierw ciebie zapytać, czy to w porządku. Pomyśleliśmy, że dobrze ją znasz, więc może udałoby ci się ją później przekonać, aby pojechała do domu. Bo jeśli on..., no wiesz, ten nowy... jeśli zabierze się do oglądania wszystkiego w jej kartach historii choroby, których jest najwięcej w całej klinice, zajmie to całą wieczność. Nie pozbędziemy się Violi, nie do końca tego roku. Ale ty, która ją znasz...

Siostra Agneta przerwała. Stojąca plecami do Teda Västlunda Veronika uśmiechnęła się z powodu swady pielęgniarki. Jednocześnie przeprowadziła w głowie szybką kalkulację, co właściwie było niepotrzebne, bo lekarka w zasadzie nie miała wyboru – musiała pomóc. Grała jednak na zwłokę, przyswajając treść prośby Agnety.

Usłyszała, że mężczyzna za nią wstał.

– Myślisz, że zdążysz? – ponowiła prośbę Agneta, nabierając powietrza, żeby kontynuować namawianie.

– Przyjdę, jak tylko będę mogła – odpowiedziała Veronika.

Odłożyła słuchawkę i obróciła się do mężczyzny.

– Przepraszam.

Ted Västlund najwyraźniej zbierał się do wyjścia. Ku uldze, ale i zdziwieniu Veroniki nie wydawał się zbytnio oburzony faktem, że pozwoliła na przerwanie im rozmowy.

– Nie ma sprawy – odrzekł grzecznie, nieznacznie się nawet uśmiechając.

– Tak więc ma pan teraz dużo do przemyślenia – podsumowała Veronika, aby coś powiedzieć. – Nie jest to proste!

– Nie – westchnął, spoglądając na nią z góry z powodu wysokiego wzrostu.

Przystojny mężczyzna – pomyślała. Na jej gust miał tylko zbyt dobrze wypucowane buty.

– Ach tak – przypomniała sobie. – Wielu ludziom trudno jest pracować w takiej sytuacji. Jeśli pan chce, wypiszę panu zwolnienie lekarskie.

– Nie, dziękuję. Nie ma takiej potrzeby – grzecznie, ale bez whania odrzucił jej propozycję, co ją jednak zastanowiło.

Pomyślała, czy powinna go ostrzec, że sprawą zajmie się policja, ale to przecież było jasne. Ze strony mężczyzny takie pytanie nie padło. Może dla Teda Västlunda wymiar sprawiedliwości był chlebem powszednim. Veronika nie miała pojęcia, czym zajmuje się jej rozmówca.

Mężczyzna nie wie też, jak poważnie ranna jest jego matka. O to również nie zapytał – uderzyło Veronikę, gdy schodziła do izby przyjęć.

■

Viktoria leżała na łóżku w swoim pokoju obitym żółtą tapetą. Zwinęła się w kłębek na boku i przeglądała stary komiks o misiu Bamse, który wyszperała z bałaganu na półce pod nocnym stolikiem. Nie miała siły wstawać, aby poszukać innej lektury, a nie chciała siadać na kanapie w salonie przed telewizorem. Nie teraz.

Regularne i dobrze znane donośne tykanie ostro różowego budzika działało na nią uspokajająco. Kiedy przed chwilą uniosła głowę znad poduszki, na zegarku było już niemal wpół do dziesiątej. Mama wróci dopiero po dziesiątej. Czas płynął w ślimaczym tempie.

Viktoria czuła pod plecami miękkie maskotki zwierząt. Otaczały ją murem, broniąc przed światem zewnętrznym. Zwierzątka siedziały ciasno rzędem wzdłuż ściany, opierając przednie lub tylne łapy o jasnoniebieską narzutę w pieski. Narzuta była podwinięta pod ścianę. Viktoria nigdy nie ścieliła łóżka, bo wtedy musiałaby zdjąć z niego wszystkich swoich przyjaciół, a później ponownie ich tam umieścić, co zabrałoby jej okropnie dużo czasu. Odrabiając lekcje, kładła się tylko w ubraniu obok maskotek na kołdrze w tęczową powłoczkę, którą matka pozwoliła jej wybrać w katalogu Elle.

Leżąc w ubraniu, Viktoria sprawdzała dotykiem, co jej dolega. Przede wszystkim było coś z brzuchem, lecz także z kolanem.

Drzwi stały otwarte na oścież. Światło padające z lampy na korytarzu tworzyło niebieski trójkąt na puszystym białym dywanie. Mówiąc dokładniej, kiedyś taki był, dopóki Lina nie upuściła na niego puszki z coca-colą i na dywan nie rozlał się ciemnobrązowy płyn, wgryzając się w materiał i tworząc na nim lepką, obrzydliwą plamę. Viktorię ogromnie to zasmuciło, ponieważ dywan był piękny i prawie nowy. Da się go przecież wyczyścić – pocieszała ją mama. Może, bo cola była przecież straszną trucizną. Ale Viktoria sama miała dopilnować, aby wytrzepać dywan i znieść go do pralni. To jednak nie wyszło. Mama nie miała siły jej pomóc, chociaż obiecała. Nie była w stanie zajmować się takimi „błahostkami", jak to ujęła. Nie teraz, gdy zawiódł ją Gunnar. A teraz, wiele miesięcy po tym, jak niezdarna Lina wylała colę, Viktoria już niemal przyzwyczaiła się do wyglądu dywanu i specjalnie się nim nie przejmowała. Przypomina skórę krowy – uważała koleżanka. Viktoria wiedziała, że nie, ale zawsze mogła poudawać, że tak było. Biało-czarne krowie skóry są niezwykle nowoczesne – wyjaśniła Lina, a w jej oczach widać było zdenerwowanie, ponieważ zrobiło jej się bardzo przykro z powodu tego, co uczyniła. Lina była przecież miłą dziewczynką.

Dywan leży krzywo – zauważyła Viktoria, zastanawiając się, czy będzie miała tyle sił, aby wstać i go poprawić.

Nie ruszyła się jednak z miejsca. Jakby opuściła ją cała energia.

Zaraz po tym, jak Gunnar ją tu przywiózł, na krótko zasnęła. Kiedy przekroczyła próg domu i stanęła na korytarzu, poczuła, że kręci jej się w głowie. Ledwie udało jej się chwiejnym krokiem pokonać te kilka kroków do łóżka, zanim zapadła w głęboki sen. Gunnar nawet nie pisnął. Głupio, że obiecał matce zostać, a w każdym razie tak twierdził.

Teraz Viktoria czuła się lepiej, przynajmniej troszeczkę. W brzuchu jej się przewracało, nie było za wesoło. Ucieszyła się, że nie robi jej się niedobrze, jak przy zatruciu, gdy zbiera się na wymioty. O dziwo, nie czuła głodu, chociaż nie jadła nic oprócz sucharków, którymi poczęstowała ją Rita, i ciastek, które dała jej miła babcia – ta, która kupiła od Viktorii zarówno wieniec, jak i kwiatek do samochodu.

Dziewczynka zobaczyła, że na dworze nie jest jeszcze ciemno, panował zaledwie zamglony półmrok. Zatoczyła wokół oczami. Nie potrafiła skupić się na Bamsem, ale nie miało to znaczenia. Przeczytała już komiks tyle razy, że znała na pamięć kwestie Bamsego i żółwia Skalmana. Wystarczyło, że spojrzała na obrazki. Dlatego tak bardzo lubiła właśnie ten numer. *Wielka przygoda Bamsego*. I miała tak szczęśliwe zakończenie.

Wokół ulicznej latarni powstał okrąg światła niczym aureola. Na parapecie stały dwie puszki twardych karmelków, które dostała od babki ze strony matki, a które jej nie smakowały. Nie wyrzuciła puszek, ponieważ były wciąż pełne, a stało się tak dlatego, że nawet Linie nie udało się wmusić w siebie okrągłych, obrzydliwych cukierków. Matka wyjaśniła jej, że smakowały imbirem i fiołkami, chociaż Viktoria i Lina sądziły raczej, że mdłymi perfumami i starą stęchlizną.

Viktoria słyszała, że w telewizji leci sport. Gunnar najbardziej lubił programy sportowe. Wyścigi samochodowe i piłkę nożną. Przed chwilą otworzył puszkę z piwem, a w każdym razie tak to zabrzmiało. Wstał z kanapy, wyszedł bez butów na korytarz, a potem do toalety. Viktoria nastawiła uszu. Spuścił wodę, szybko odkręcił i zakręcił kran, po czym otworzył drzwi od łazienki i wyszedł na korytarz. W tej samej chwili Viktoria pospiesznie zamknęła oczy na wypadek, gdyby chciał zajrzeć do niej poprzez drzwi. Nie powinien widzieć, że nie śpi.

Jednak nie zdążyła. Szerokie ciało Gunnara nagle zasłoniło światło padające z korytarza.

– Czytasz sobie w łóżku? – zapytał.

– Aha – odpowiedziała krótko, przybliżając komiks z Bamsem do twarzy, aby sprawiać wrażenie bardzo zajętej.

Nie ruszył się z miejsca.

– Może pomóc ci z lekcjami? – zapytał.

– Przecież jest piątek. Nie mam nic zadane – odpowiedziała, nie odrywając wzroku od chmurek z tekstem w komiksie.

– No tak! Ale ze mnie głupek! – wykrzyknął, przybierając poufały ton. Jednocześnie przestąpił przez próg i stanął na plamie od coca-coli, spoglądając z góry na dziewczynkę.

– Jak się czujesz?

– Dobrze.

– Nadal boli cię brzuch?

Usiadł na skraju łóżka, aż materac podskoczył.

– Nie za bardzo – sztywno odpowiedziała Viktoria, udając, że wciąż czyta.

– Nie za bardzo?

Beknął, a Viktoria przewróciła się na bok i podkurczyła pod siebie kolana, jakby chciała strącić Gunnara na podłogę, ale mężczyzna był za ciężki. Nie ruszył się z miejsca, siedząc na skraju łóżka niczym ogromna bryła mięsa.

– Muszę jednak sprawdzić twój mały brzuszek – powiedział, uśmiechając się pod nosem w sposób, którego Viktoria nie lubiła.

Unikała jego wzroku.

– Nie trzeba – zapiszczała.

– Muszę zobaczyć, czy wszystko z tobą w porządku. Rozumiesz, to ważne – powiedział, odsuwając jej rękę, którą przytrzymywała bluzkę. Złapał dziewczynkę za kolana i odwrócił ją na plecy.

Viktoria kręciła głową na boki, aż włosy rozsypały się jej po poduszce. Przycisnęła komiks jeszcze bliżej do nosa, wpatrując się w niego i próbując przenieść się do obrazka, wśliznąć się pomiędzy Bamsego i Skalmana, poczuć bezpieczeństwo płynące z przyjaźni z najmilszym na świecie niedźwiadkiem i z władzy, jaką się miało, posiadając dużą baryłkę miodku siły.

– Nie wiemy, co mogło ci się stać. Może jesteś ranna – kontynuował Gunnar, chwytając silnie za jej kolana. – Spokojnie, wyprostuj się, żeby wujcio Gunnar mógł cię zbadać.

Viktoria walczyła, gdy Gunnar prostował jej kolana, ale wiedziała, że opór jest bezcelowy – nie, kiedy Gunnar zachowywał się w ten sposób: gdy zaciął się i nie przestawał, jakby był zaprogramowany. Zamiast tego próbowała pomyśleć o czymś innym: o psie, którego może kiedyś dostanie, o maskotkach, które gdyby tylko mogły, na pewno by jej pomogły. Najgorsze było jednak, że czuła przed nimi wstyd. Wstydziła się, że jej przyjaciele musieli być świadkami tego, co Gunnar jej robił. Nie mogło to być dla nich za dobre.

Nic jednak nie pomagało. Myśli dziewczynki biegały w tę i z powrotem, gdy palce Gunnara przesuwały się po płaskich jak guziczki sutkach, a potem po brzuchu. Wkoło, wkoło brzucha. Serduszko Viktorii nieznośnie pikało, czego nienawidziła. Przygryzła policzki, sprawiając sobie ból, aby przestać myśleć i żeby wszystko stało się pustką, a czas przeskoczył nagle do przodu, do czasu po. Kiedy już będzie po tym wszystkim, czego się wstydziła.

– Zobaczmy – ciężko wysapał Gunnar z obrzydliwym uśmieszkiem. – Tutaj mamy twój brzuszek.

Położył dużą rękę na brzuchu dziewczynki i uciskał. Uścisk nie był mocny, ale nieprzyjemny. Była na tyle głupia, że powiedziała Gunnarowi, iż kierownica ubodła ją w sam środek pępka. W przeciwnym wypadku może nie wpadłby na pomysł, aby ją zbadać. A w każdym razie nie dziś. Była zła na siebie. Ale od samego początku ją bolało, więc nie miała odwagi kłócić się czy kopać, bo zapewne byłoby wtedy jeszcze gorzej.

Leżała na plecach w całkowitym bezruchu z nogami przyciśniętymi do łóżka i ze wzrokiem wbitym w sufit, marząc, by matka włożyła już klucz do drzwi.

– A teraz sprawdzimy brzuszek niżej. Tam też trzeba zbadać, sama rozumiesz.

Bezdźwięczny głos Gunnara dochodził z oddali do miejsca, gdzie nikt nie mógł do niej dotrzeć. Poczuła, że mężczyzna rozpina jej guzik od spodni, zwinnie jak fryga otwiera zamek i wkłada rękę do jej majtek. Przesuwa ją tam, dotykając dziewczynkę, jednocześnie mocno ją przytrzymując.

Gdy matka wróciła do domu, Gunnar siedział z powrotem przed telewizorem. Bardzo się ucieszyła, że na nią poczekał, że był na tyle przyzwoity, aby nie zostawić Viktorii samej. Wielokrotnie to powtórzyła. Marzyła, by Gunnar spakował swoje rzeczy i wprowadził się do nich z powrotem, choć nie zwierzyła się z tego pragnienia przez telefon Evie. Nie chciała się do tego przyznać, więc stwierdziła, że z Gunnara był kawał drania.

Viktoria rozmyślała o tym, leżąc w swoim pokoju na łóżku nad komiksem o Bamsem.

Teraz odważy się zasnąć.

Może.

Jej ciało było ciężkie i ospałe. Nie miała siły wstawać ani rozebrać się czy umyć zębów.

■

Nocne powietrze było rześkie i bogate w tlen. Louise Jasinski odetchnęła głęboko i spojrzała w górę, ku niebu. Gwiazdy były niewidoczne. Louise stała pośrodku wybrukowanego, prostokątnego placu i zniżyła wzrok ku ledwie widocznej fasadzie domu. Lampy nad obu wejściami były zapalone.

Nie czuła ani odrobiny zmęczenia, choć zbliżała się dziesiąta, a wysłuchiwanie tak wielu ludzi męczyło. Stare śpiewki o narastającej przestępczości, o tym, że policja nie wywiązuje się z obowiązków, że brak jej środków, że siedzą jedynie na swoich spasionych tyłkach na komisariatach i teraz nareszcie mają okazję się wykazać. A przede wszystkim dotyczyło to jej – jak jedna osoba bezwstydnie wypaliła, jakby Louise była innego gatunku, przygotowana na znoszenie takich odzywek. W pewnym sensie tak było, jeśli nie z innych powodów, to dlatego, że słyszała je już wcześniej. Do pewnego stopnia nauczyła się selektywnego słuchania. Wkurzyła się jednak, że napuszony typek, który to powiedział – jakiś podrzędny pracownik umysłowy o fantazyjnym imieniu Eilert – najwyraźniej czerpał wielką przyjemność z podzielenia się z nią tą „prawdą" o niej samej. Albo raczej o jej zawodzie. A jaki był jego wkład? – zadała sobie pytanie Louise. Niewielki. Typowy palant – pomyślała. Do tego definitywnie nie wnosił nic do śledztwa, tak więc nie musiała już więcej się z nim spotykać.

I te wszelkiego rodzaju ploteczki, które z olbrzymią radością serwowali jej sąsiedzi. Tych można było z grubsza podzielić na dwa obozy: na tych, którzy podejrzewali właścicielkę mieszkania nad pralnią, i tych, którzy jej kibicowali. Najwyraźniej podział był nierówny. Większość pod naciskiem grupy w mniejszym lub większym stopniu wykluczyła sąsiadkę Brittę Hammar, której jeszcze nie przesłuchano, ze społeczności. Kobiety nie było w domu przez cały wieczór, ale teraz Louise zauważyła, że zaświeciło się u niej w oknie kuchennym.

Jędza z pralni.

Louise uśmiechnęła się z powodu całkowicie niedorzecznego emocjonalnego chłodu, z jakim potraktowano kobietę. Człowiek zawsze wynajdzie sobie jakieś zmartwienie.

W oknach warsztatu meblowego panowała ciemność. Był piątek i według zawieszonej na drzwiach tablicy zamknięto go wcześniej. Jeden z sąsiadów zauważył jednak, że ktoś tam był po południu. Widziałem światło – oznajmił zrównoważony, młody mężczyzna, który przypadkowo wyjrzał wtedy przez okno. Ale tak do końca nie był tego pewny, jak najwyraźniej żaden z sąsiadów.

– Widziałem, jak z warsztatu wyszła dziewczynka – powiedział ten sam mężczyzna. – Wkrótce potem zgasło tam światło.

Dziewczynka.

Kim była? Czy to ta sama uczennica, która sprzedała majowe kwiatki miłej starszej parze?

Louise nie potrzebowała teraz łamać sobie tym głowy. Zauważyła, że nikt, ale to absolutnie nikt nie powiedział sam z siebie niczego negatywnego na temat właścicielki warsztatu meblowego.

Policjantka w oczekiwaniu na resztę ekipy zrobiła kilka rozluźniających wymachów ramionami. Erika Ljung nadeszła pierwsza.

– Babka znad pralni właśnie wróciła do domu – powiedziała Erika ze wzrokiem utkwionym w okno kuchenne, z którego padało niebieskawe światło od lampy sufitowej typu PH.

– Widzę – odrzekła Louise, zerkając w dół do notatnika. – Nazywa się Britta Hammar.

– Sporo osób źle o niej mówiło. Niektórzy już wydali na nią wyrok.

– Wiem. Miałabyś siłę ją przesłuchać? – zapytała Louise. – Byłoby super, gdybyś mogła. Tylko tyle, żeby złapać ogólny obraz. Spotkanie jutro rano o ósmej.

– Jasne!

Białe zęby Eriki błysnęły w ciemnościach.

– Ja spadam na komisariat. Poczekam tylko na Lundina i Grena.

– Okej – odpowiedziała pogodnie Erika i ruszyła w kierunku zielonych drzwi, prowadzących do klatki schodowej.

■

– Czy jest już pani w stanie opowiedzieć, co się stało? – zapytał Peter Berg.

Astrid Hård przytaknęła, podnosząc do ust kubek z herbatą. Odzyskała trochę koloru na policzkach.

Peter Berg siedział po drugiej stronie biurka, gotów jej wysłuchać. Jasnoniebieskimi oczami patrzył na nią z ciekawością. Wszystko, co Astrid powie, będzie istotne – życzliwy policjant to zaznaczył. Jego policzki pokrywały blizny.

Astrid Hård wyprostowała plecy i powolnymi, wystudiowanymi ruchami odstawiła na biurko kubek z herbatą, jakby uczestniczyła w sztuce teatralnej. Zadrżała, lekko podniecona, jak przed premierą.

– Gdzie mam zacząć? – zapytała, zerkając na policjanta spod ciemnych rzęs.

– Tam, gdzie pani chce – zaproponował wspaniałomyślnie.

Mogę zacząć, gdzie chcę. Decyzja należy do mnie – pomyślała.

– Chciałbym jednak, żeby pani spróbowała na tyle, na ile jest to możliwe, zrekonstruować sytuację. Wszystko, czego była pani świadkiem. Proszę opisać, co pani widziała, czuła, czy pamięta pani jakiś zapach, w jakim była pani stanie ducha. Z reguły pomaga to zdobyć jak najwięcej przydatnych nam, policjantom, informacji – wyjaśnił.

Odchrząknęła i wyjrzała przez okno. Latarnie uliczne łagodziły ciemność. W zadziwiający sposób dało się zauważyć, że nadchodzi wiosna. Niebo przestało być tylko całkowicie czarne.

Astrid Hård ważyła słowa, zastanawiając się, od czego zacząć. Chyba od początku? Tak będzie najsensowniej.

– No tak, zeszłam do piwnicy, taszcząc koszyk z praniem – powiedziała. – Zarezerwowałam godzinę piątą na pranie wiele dni temu, ale trochę się spóźniłam, więc obawiałam się, że może ktoś inny zdążył już zająć pralki. Jutro przecież wyjeżdżam...

Nagle urwała.

– I co teraz zrobię?! – wybuchnęła, a w jej oczach pojawiła się dzikość.

Dla Petera Berga stało się jasne, że natychmiast musi ją okiełznać.

– Daleko pani jedzie?

– Nie, tylko na weekend do Göteborga. To znaczy na sobotę i na niedzielę. Może zostanę do poniedziałku, bo już go odpracowałam. Mam się spotkać ze znajomą.

– Na pewno będzie pani mogła pojechać – uspokoił ją.

– A może już nie chcę?

Wpatrywały się w niego zdenerwowane oczy. Kobieta owinęła się ciaśniej jasnożółtym kocem, jakby nagle cofnęła się do poziomu małego dziecka.

– Zobaczy pani, jak się będzie pani czuła jutro – stwierdził Peter Berg z umiarkowaną delikatnością, ponieważ, prawdę mówiąc, zaczynał już mieć trochę dość swojej rozmówczyni.

– A pranie? – drążyła z taką samą roszczeniową rozpaczą, jakby stała w obliczu końca świata, a młody policjant i tym razem miał ją uratować. Albo raczej pranie.

– Tak?

– Moje brudne ubrania zapewne wciąż leżą w pralni – powiedziała głośniej lekko oskarżającym tonem i Peter Berg zdał sobie sprawę, że siedząca przed nim dwudziestopięciolatka – całkiem słodka, gdyby nie jej irytujący brak równowagi – zdecydowanie nie potrafiła sobie radzić w sytuacjach kryzysowych. Choć mężnie okazywał jej niekończącą się cierpliwość i traktował ją z ogromną ostrożnością, jej niepokój wzrósł. Siedzieli już tu godzinami i zajmował się nią jak tylko mógł, ale najwyraźniej wciąż było jej mało.

– Dopilnujemy tego. Proszę się o nic nie martwić –

powtórzył jej po raz setny tego wieczoru. – Udzielimy pani pomocy w ramach naszych możliwości. Wie pani – uśmiechnął się – że jest pani ważną osobą dla śledztwa.

Odwzajemniła niepewnie uśmiech. Trudno stwierdzić, czy była zadowolona. Nie ulegało wątpliwości, że dogadzano jej ze wszystkich sił. Bardziej już się nie dało.

– Tak więc zeszła pani do piwnicy z koszykiem prania... – powiedział, próbując przywołać rozmówczynię do rzeczywistości.

Zamrugała powiekami i urażona wciągnęła powietrze, ale najwyraźniej zamierzała na nowo podjąć utracony wątek.

– No tak, w naszym budynku jest zasada, że jeśli przyjdziemy więcej niż dwadzieścia minut po zarezerwowanym czasie, to z pralek może skorzystać ktoś inny. A więc ktoś, kto nie jest zapisany na liście. Żeby tylko nikt nie zdążył mi zająć pralek! Myślałam cały czas, znosząc pranie. Kołatało się to w mojej głowie, gdy schodziłam na dół.

Peter Berg przytaknął.

– Otworzyłam kluczem drzwi do piwnicy, które są niezmiernie ciężkie. Sądzę, że z metalu. Głupio to zabrzmi, ale pomyślałam, że nie czuję zapachu śmieci. To znaczy: w piwnicy. Pomyślałam o tym, ponieważ nie trzymamy już tam śmieci, tylko na podwórzu. Stwierdziłam, że miło, że teraz pachnie tam... nie wiem, jak to określić..., może, że nie pachnie tam ładnie, ale że pachnie piwnicą. Tak jakoś neutralnie... I może czymś jeszcze...

– Czym?

Zamilkła.

– Nawet nie wiem. Ale było czuć coś jeszcze.

Znowu nastała cisza. Jej myśli krążyły wokół nieznanego zapachu.

– Jeśli nie może sobie pani przypomnieć, proszę mówić dalej.

– Tak więc szłam piwnicznym korytarzem i choć może

trudno w to uwierzyć, pomimo iż mi się spieszyło i mimo że koszyk był wypełniony po brzegi i dość ciężki, do tego brakuje mu jednej rączki, tak więc trudno go nieść, mimo tego wszystkiego tak jakbym przeczuwała, że coś jest nie tak.

Peter Berg nie przerywał, pozwalając jej cofnąć się w czasie, ale ponieważ nie kontynuowała swojej opowieści, w końcu musiał ją popchnąć dalej.

– Powiedziała pani, że coś było nie tak?

– No właśnie. Zazwyczaj się nie mylę. Poczułam, że coś jest nie tak, gdy weszłam na korytarz – stwierdziła triumfalnie.

– Tak – przytaknął.

– Kiedy tam weszłam, drzwi do pralni stały otworem. Nie było to takie dziwne, nawet jeśli uzgodniliśmy, aby je zamykać. Wie pan, hałas. Britta Hammar nad pralnią cierpi z powodu hałasu. Wszyscy w budynku źle ją traktują, ale nikt nie sprawdził, ile właściwie słychać w jej mieszkaniu. Nie biorą jej na poważnie. Ale nie może być fajnie, gdy się pod sobą słyszy tyle grzmotów, więc ja zawsze staram się pamiętać o zamykaniu za sobą drzwi do pralni. Część jednak myśli tylko o sobie. Szczególnie ci, co mają małe dzieci...

Sądząc po spojrzeniu, najwyraźniej straciła wątek.

– Ale dzisiaj drzwi były otwarte?

– Tak. Usłyszałam też huk. Pomyślałam, że musi się nieść do Hammar z góry.

– Gdzie wtedy pani była?

– W korytarzu piwnicznym. Jest długi – powiedziała, pokazując długość rękami. – Ma może z dziesięć metrów.

– Co hałasowało?

– Pralki. Ale, nie! To musiała być suszarka, bo ona jest najgłośniejsza. Wydaje taki głuchy łoskot. Tak więc szłam tam nieświadoma niczego złego... choć, jak powiedziałam, miałam lekkie przeczucia. Do tego światło dochodzące z pralni było słabsze niż zwykle, później dowiedziałam się dlaczego: wszędzie leżało potłuczone szkło. Nie wszystkie lampy się paliły. Właściwie to nie wiem, ile jest tam lamp, nie przyjrzałam się, ale widziałam wyraźnie, że któraś z nich się rozbiła. Gdy weszłam do pralni, paliło się jeszcze światło na korytarzu, które po pewnym czasie gaśnie automatycznie. W każdym razie wtedy nadal się świeciło i padało przez drzwi na kobietę leżącą na podłodze. I co ujrzałam?

Oczy Astrid rozszerzyły się jak spodki.

– Co pani zobaczyła?

– Krew. Och, to było okropne! – jęknęła.

Peter Berg przytaknął.

– Pełno krwi! A w każdym razie tak mi się wydawało. Do tego Doris Västlund... to było straszne, kiedy się poruszyła. Tylko trochę. Potem zaczęła się trząść jak przy ataku epilepsji. I nagle przestała, może po pół minucie. Przez cały czas patrzyła na mnie albo mi się tak tylko zdawało. Okropność, od razu wypuściłam z rąk koszyk z praniem. Przyglądała mi się, jakbym ja jej to zrobiła, ale przecież musiała zdawać sobie sprawę, że nigdy nie byłabym zdolna do czegoś takiego. Nie miałabym też po temu powodu.

Przerwała potok wymowy i spojrzała pytająco na Petera Bera. Chciała, aby ją zapewnił, że absolutnie nie należała do kręgu podejrzanych. Policjant siedział w milczeniu. Kiwnął głową, aby kontynuowała, ale dalszy ciąg opowieści nie nadszedł.

– Opowiedziała pani, że Doris Västlund na panią patrzyła. Oczywiście, że było to nieprzyjemne. Co się stało potem? – zapytał.

– Śmiertelnie się wystraszyłam, ponieważ nagle zgasło światło na korytarzu. Pomyślałam, że nadeszła moja ostatnia chwila. Za drzwiami zrobiło się ciemno jak w kopalni. Sparaliżował mnie strach, że może ten, kto to zrobił, czai się w ciemnościach. A jeśli ten ktoś chciał i mnie zaatakować?! Przerażona, chciałam uciec i gdzieś się schować, ale nie byłam w stanie ruszyć się z miejsca. Pomyślałam, że najbezpieczniej byłoby zamknąć drzwi i czekać na ratunek, ale tego też nie mogłam uczynić! Umierająca Doris leżała przecież na podłodze. Bałam się krzyczeć, w przeciwnym wypadku otworzyłabym okno i zawołałabym po pomoc wprost na ulicę. Ale przyszło mi do głowy, że może tam się zaczaił, a do tego odkryłam, że nie sięgam do okien. Spróbowałam się nawet podciągnąć, stojąc na umywalce, ale ześlizgiwałam się w dół, więc zrezygnowałam...

Peter Berg poczuł nagle, że burczy mu w brzuchu, miał jednak nadzieję, że kobieta tego nie słyszy.

– Zrezygnowała pani – powiedział, aby zagłuszyć odgłosy brzucha.

– Tak.

– Aha. Ale zadzwoniła pani po nas.

– Zdałam sobie sprawę, że niech się dzieje, co chce, ale muszę sprowadzić pomoc. Tak więc wybiegłam do ciemnego korytarza, rzuciłam się na włącznik światła i dzikim pędem ruszyłam w górę po schodach.

Przerwała opowieść, wylała już z siebie wszystko.

– Proszę nie pytać jak, ale to zrobiłam – powiedziała cicho.

– Była pani bardzo dzielna! – pochwalił ją Peter Berg.

Pomimo traumatycznych zdarzeń najwyraźniej pochwała podziałała wzmacniająco na Astrid Hård.

– Może pani opowiedzieć, dokąd pani pobiegła? – zapytał.

– Schodami w górę. Nie pamiętam, w które drzwi waliłam. Chyba we wszystkie. Najpierw nie wpadłam na to, że mogę je otworzyć bez dzwonienia. Z reguły nie wbiega się ludziom do mieszkań, może to być niebezpieczne... ale Birger musiał mnie usłyszeć, mimo że jest stary. Narobiłam sporo hałasu. Nagle ujrzałam go na klatce schodowej, wyglądającego jak wielki znak zapytania. Bezczelnie wbiegłam do jego mieszkania, chwytając za telefon, taki stary model z tarczą.

Wyprostowała się, ściągając z siebie koc. Nareszcie niemoc ją opuściła. Jej twarz była ciemnoczerwona.

– No tak, i to byłby koniec – oznajmiła. – Poza tym zgłodniałam.

– Jeśli pani chce, może już pani pojechać do domu. Załatwię pani transport. Odezwiemy się do pani później – zakończył Peter Berg i wstając, wyciągnął rękę na pożegnanie.

■

Erika Ljung trzymała w pogotowiu legitymację policyjną. Pokazała ją w szparze w drzwiach, które powoli otworzyły się szerzej. Zza okularów spojrzało na nią dwoje wystraszonych oczu.

– Nazywam się Erika Ljung i jestem z policji. Mogłaby mnie pani wpuścić?

Drzwi się zamknęły, zdjęto z nich łańcuch, a następnie ponownie się otworzyły. Kobieta w późnym wieku średnim wpuściła Erikę do mieszkania. Jest uosobieniem wyważonej równowagi – zauważyła Erika. W równowadze były i wzrost, i figura, jak również obcięte na pazia włosy z pasemkami blond. Kobieta miała na sobie czarne spodnie i ciemnoróżową koszulę wyciągniętą na wierzch spodni. Poruszała się płynnie i wyglądała na młodszą, niż z niezrozumiałych powodów Erika ją sobie wyobrażała. Zapewne zakładała, że Britta Hammar będzie starsza i okrąglejsza, ponieważ pod jej adresem padały wyzwiska typu: wiedźma, babsztyl czy egoistka do potęgi. Erika otrzymała z nich klasyczny obraz zajadłej wiedźmy, niczym nawiedzającej schody zjawy ze starych czarno-białych pilsnerowych filmów*.

---

* Nazwa szwedzkich filmów komediowych z lat trzydziestych, nawiązująca do panujących w tych latach restrykcji dotyczących spożywania alkoholu. Jest to określenie negatywne, ponieważ filmy te uważano za kiepskie.

Przed Eriką stała natomiast kobieta o całkiem normalnym wyglądzie.

– Na pewno zastanawia się pani, czego chcę – zaczęła Erika. – Chciałam zapytać, co pani robiła dziś po południu i wieczorem.

Na twarzy Britty Hammar odmalowała się zaduma.

– Można wiedzieć czemu?

– Pani sąsiadka została pobita. Doris Västlund. – Erika przeczytała nazwisko z notatnika. – Chodzi o rutynowe pytania.

– Niemożliwe!

Britta Hammar przysunęła krzesło Erice, która na nim usiadła.

– Dopiero co przyszłam z pracy, więc nic nie wiem. Biedna Doris.

Erika otrzymała wszelkie potrzebne informacje, takie jak miejsce zatrudnienia Britty Hammar – dom opieki – oraz zmienne godziny pracy. Tego dnia pracowała na wieczorną zmianę.

– Tak więc nic pani nie zauważyła?

– Nie. A na co miałabym w takim wypadku zwrócić uwagę?

– Na cokolwiek odbiegającego od normy. Ale powiedziała pani, że wyszła z domu już o wpół do trzeciej, a sądzimy, że do zdarzenia doszło późnym popołudniem.

– Aha.

Britta Hammar podniosła z kuchennego stołu tubkę kremu do rąk i posmarowała dłonie.

– Wysuszają się od ciągłego mycia w pracy – wytłumaczyła.

Erika zastanowiła się, czy powinna wysondować jej opinię dotyczącą sytuacji w pralni, ale odpuściła sobie, ponieważ nie miała pojęcia, jak miałaby o to zapytać, żeby nie wypadło źle.

– A więc ktoś się włamał do mieszkania Doris i ją pobił? To brzmi okropnie – powiedziała Britta powoli.

Gdy zauważyła, że najwyraźniej Erika nie ma zamiaru odpowiadać, kiwnęła głową.

– Rozumiem, nie możecie udzielać informacji.

– Nie wydarzyło się to w mieszkaniu.

Britta Hammar zamarła.

– Ach nie? A mogłabym się dowiedzieć gdzie?

Najwyraźniej próbowała się domyślić. Na klatce schodowej, na dziedzińcu, na ulicy, w mieszkaniu innego sąsiada?

– Odnaleziono ją w pralni.

Britta Hammar zaczerpnęła powietrza, aby chwilę potem opowiedzieć całą historię o pralni.

– Zapraszam, żeby pani sama posłuchała tego hałasu – powiedziała, najwyraźniej jak najbardziej serio. – Wiem, że policja ma inne sprawy na głowie, ale czuję się bardzo osamotniona w mojej walce.

Przy dwóch ostatnich słowach lekko zadrżał jej głos.

– Aha.

– Nikogo z mieszkańców to nie obchodzi. Nikt mi nie wierzy ani nie przyszedł tu posłuchać. Traktują mnie jedynie jako osobę męczącą. Wie pani, samotną kobietę w średnim wieku.

Erika była jeszcze za młoda, aby to wiedzieć. Może i zbyt ładna.

– Nagle człowiek jest traktowany, jakby stracił prawo głosu. W każdym razie, kiedy rozmawia się z pewnymi panami. Ten tam przewodniczący uważa, że pozjadał wszelkie rozumy – wyrzuciła z siebie.

– Czy kiedykolwiek brała pani pod uwagę przeprowadzkę? – głupawo zapytała Erika, przygryzając długopis.

Britta Hammar spojrzała na nią z oburzeniem.

– Nie, jak to?! Czemu miałabym się przeprowadzać,

skoro to inni stwarzają problemy?! – zaprotestowała wzburzona. – Pralnia znajdowała się gdzie indziej, kiedy kupowałam mieszkanie. Za moimi plecami postanowiono ją przenieść, żeby przewodniczący rady nie musiał jej mieć pod sobą. Oszukano mnie.

– Miałam tylko na myśli, czy się pani nad tym z a s t a n a w i a ł a – słabo przeprosiła Erika za swój nietakt.

– Ani przez chwilę!

Co miał wspólnego stary sąsiedzki konflikt z dochodzeniem? Może całkiem sporo – przeczuwała Erika Ljung. Najgorsze były uczucia w stanie wrzenia.

– Sprawa wygląda tak, że jest po prostu zbyt słaba izolacja – kontynuowała Britta Hammar oschłym tonem. – Ale rada, to znaczy jej przewodniczący, nie chce się wykosztować na jakieś p r a w d z i w e r o z w i ą z a n i e – zaznaczyła, a na jej szyi wyskoczyły czerwone plamy. – Ale skoro człowiek umie już podróżować na księżyc, to nie powinien mieć problemu z czymś tak błahym jak wyciszenie pralni.

– Brzmi rozsądnie – odezwała się dyplomatycznie Erika Ljung.

– Jestem o tym głęboko przeświadczona. Kiedy chodzi wirówka, moja podłoga drga do tego stopnia, że w szafkach brzęczy szkło.

– Okropne.

– Jestem już zmęczona tymi latami walki i skontaktowałam się z Urzędem Ochrony Środowiska, który zamierza dokonać u mnie pomiarów. Żałuję, że nie zrobiłam tego wcześniej. Człowiek jednak wierzy w ludzki rozsądek. Co prawda ani poprzedni, ani obecny przewodniczący nie jest zbytnio zainteresowany sprawą. Obecny jest najgorszy. To prawdziwy...

Britta Hammar przerwała i zdusiła w sobie zakończenie. Erika mogła sobie dopowiedzieć „dupek", choć słowo nie zostało wyartykułowane.

– No cóż, mogę powiedzieć, że nie był zbyt uczynny – zmieniła swoją wypowiedź Britta Hammar. – A jak już człowiek zaczął się denerwować, to trudno mu przestać.

Erika Ljung ograniczyła się do kiwnięcia głową.

– To przykre, co przydarzyło się Doris – zauważyła cicho Britta Hammar, powracając do głównego tematu.

– Znała ją pani?

– Niezbyt dobrze. Kilka razy wypiłyśmy razem kawę na podwórzu. Niewiele razy... chyba nie więcej niż dwa, trzy. Doris jest rozwiedziona. A może jest wdową? Nie wiem dokładnie. Na pewno ma syna, bo bardzo dużo o nim opowiada. Typowa matczyna duma. Nic więcej nie wiem. Ach nie: Doris pracowała przez wiele lat w perfumerii, zanim przeszła na emeryturę. Widać to po niej. Jest bardzo zadbana. Lubi przyrodę i cieszy się, że ma swój własny mały samochód, aby wyjeżdżać nim z miasta.

Zrobiła przerwę.

– Zauważyłam, że czasami wychodzi z domu wczesnym rankiem, jakby szła do pracy.

– Ach tak?

Dało się słyszeć szuranie długopisu Eriki.

– Ale wielu emerytów wspomaga domową kasę dodatkowymi fuchami.

Erika przytaknęła. Znów zaszurała w notatniku.

– Wie pani, co to mogła być za dodatkowa fucha?

Britta Hammar ukazała w przyjaznym uśmiechu niezwykle równe zęby.

– Nie, nie mam pojęcia. Sama może ją pani o to zapytać – odpowiedziała, patrząc, jaką reakcję wywołają jej słowa.

Zapadła cisza. Zegar tykał, a z kieszeni Eriki dobiegł dźwięk wibracji komórki.

– Przepraszam – powiedziała, wyjmując telefon.

Sprawdziwszy numer, odrzuciła rozmowę.

– Prawdopodobnie odezwiemy się później – dodała. –

Proszę mi tylko powiedzieć, jaką kurtkę lub płaszcz miała pani na sobie, kiedy wróciła dziś pani do domu.

– Ach tak?

– Chodzi o formalność. Sprawdzamy wszystkich, którzy byli w pobliżu albo mieli powód, aby tam się znaleźć.

Erika ruszyła za Brittą Hammar przez mieszkanie: dwa pokoje leżące jeden za drugim. Kobieta zdjęła z haczyka na korytarzu czerwoną, popelinową kurtkę.

– Tę – odpowiedziała, unosząc ją.

Erika schowała notatnik. Pachniało wiosną. Wiatr ucichł. Z nieba nie padał deszcz ani grad. Erika poczuła się lekka, jakby spadała w powietrzu w dół.

Zebranie zaplanowano na ósmą rano w sobotę. Erika miała wolny wieczór i właściwie nie chciało jej się jeszcze wracać do domu. Usiadła za kierownicą, uruchomiła silnik i ruszyła z Gamla Väster albo Orrängen, jak się to nazywało, w kierunku ratusza i komisariatu. Może zrobi szybkie notatki w standaryzowanych formularzach, a potem sprawdzi, czy Peter Berg wciąż siedzi na komisariacie. Może nie odmówi wyjścia do pubu na piwo.

■

Gdy Veronika wychodziła na dwór z izby przyjęć, ujrzała znajomą postać wsiadającą do taksówki w pewnej odległości od głównego wejścia. Co Claes tu robił? Nie zdążyła zatrzymać samochodu. Patrzyła, jak auto skręca w ulicę Ringvägen, a potem w kierunku centrum.

Wilgotne wiosenne powietrze dawało ochłodę, gdy szybkim krokiem zmierzała do samochodu. Myśli kłębiły się w jej głowie, kiedy wyjechała na główną drogę.

Parkując pod domem, ujrzała świecące się lampy w oknie kuchennym i przy wejściu. Zamknęła samochód i kilkoma krokami pokonała trawnik.

Z piętra dochodził lekki hałas. Bała się zawołać, bo mogło się okazać, że Klara śpi. Rzuciła kurtkę na krzesło w holu. Gdy postawiła stopę na pierwszym stopniu, zauważyła schodzącego po schodach Claesa.

– Cześć! Jak tam? – zapytała.

– Dobrze. A co u ciebie?

Zbyła pytanie wzruszeniem ramion.

– Mam na myśli co z Klarą?

– Właśnie wróciliśmy ze szpitala – odpowiedział nie bez dumy.

– I...?

– I wszystko dobrze.

– Ale co tam robiliście? Nie trzymaj mnie w niepewności!

Weszli do kuchni, gdzie Claes otworzył drzwi do lodówki, na próżno szukając w niej piwa. Veronika nagle przypomniała sobie przepełniony wózek zakupowy pozostawiony przy kasach w Kvantum.

– Dali Klarze maskę, żeby mogła w niej pooddychać – odrzekł. – Lekarz powiedział, że mógł to być lekki atak astmy.

– Kto taki?

– Nie pamiętam jego imienia – odpowiedział Claes, drapiąc się po karku.

– Jak wyglądał?

Claes wzruszył lekko ramionami, zamykając drzwi lodówki.

– Całkiem zwyczajnie.

– Może Rolf Ehrsgård? – zapytała, ponieważ wydawało jej się, że to on miał dyżur.

– No właśnie – rozjaśnił się Claes. – Miły gość.

– Tak, Rolf jest dobry...

Diagnoza lekarza była jednak niepokojąca.

– Astma! – powtórzyła, a jej głos zadrżał z niepokoju.

– Ehrsgård powiedział, że mogło to być jednorazowe.

Może wirus. Wspominał o RSV, który najczęściej występuje zimą. Ale ty to pewnie wiesz.

– Hm, pediatrii uczyłam się dawno temu.

– Klara jest już duża, więc nie zagrażało jej żadne niebezpieczeństwo... tak stwierdził... no, ten Rolf. Klara już smacznie śpi.

Claes sprawiał wrażenie bardzo opanowanego. Veronika poczuła się odsunięta na boczny tor.

– Mogłeś zadzwonić! – wyrzuciła mu.

– Myślisz, że nie próbowałem?!

W głosie Claesa zabrzmiała złość.

– Przywieźli nam poważny przypadek pobicia. Niewiele zostało z mózgu, wytłumaczyła, zastanawiając się jednocześnie, czy nie powinna zajrzeć na piętro i sama się upewnić, czy córeczka śpi spokojnie. Postanowiła jednak nic nie robić – Claes najwyraźniej całkowicie panował nad sytuacją.

On z kolei pomyślał, czy nie powinien dopytać się czegoś więcej na temat pobicia, ale postanowił też sobie odpuścić. To nie była jego sprawa. Już nie.

4

Sobota, 6 kwietnia

Przemoc w pralniach nie tylko problemem dużych miast

Po brutalnym pobiciu, do jakiego doszło w jednej z pralni w mieście, nasza redakcja sprawdziła, jak wygląda sytuacja w pozostałych częściach kraju. W zeszłym roku zgłoszono pięćdziesiąt jeden bójek w pralniach. Do większości doszło w Sztokholmie, ale kilka podobnych aktów przemocy zgłoszono również w Malmö. W pozostałych miastach Szwecji problem raczej nie istniał. Aż do teraz. ***Więcej na temat zbrodni w artykule obok.***

Zarzewiem konfliktów niemal wyłącznie stawały się godziny prania, a nie zapominalstwo, aby po sobie posprzątać albo oczyścić po praniu filtry – wypowiada się Lena Welander pracująca w dziale analiz sztokholmskiej policji.

Po krótkiej telefonicznej sondzie w różnych komisariatach w kraju okazało się, że przemoc w pralniach zazwyczaj występuje w dużych miastach. Oficerom dyżurnym w Växjö, Kristianstadzie, Norrköping i Luleå podobna problematyka nie była w ogóle znana.

„Nie w odniesieniu do czasu prania. Oczywiście niekiedy dochodzi do konfliktów w pralniach, ale zdarza się to, przykładowo, kiedy mężczyźni z zakazem zbliżania się do swoich eksdziewczyn próbują się z nimi skontaktować" – powiedział Lars-Erik Karlsson, pełniący dyżur oficer policji w Luleå.

Problem nieznany jest również policji w Göteborgu, lecz w Malmö występuje on dość często.

„Mam zwyczaj dogłębnego studiowania zgłoszeń. Wynika z nich, że często dochodzi do bójek, gdy ktoś na przykład jedynie załaduje pralkę bielizną, chociaż ktoś inny zarezerwował już w tym czasie pralnię" – wypowiada się Bo Ahl, funkcjonariusz policji w Malmö.

Siedząc przy kuchennym stole, Veronika pospiesznie przeglądała sobotnią gazetę. Rzuciła przelotnie okiem na kolorowe zdjęcie budynku, w którym doszło do brutalnego pobicia. Fotografia zapełniała sporą przestrzeń pierwszej strony gazety. Na dalszym planie zdjęcia widoczny był tył radiowozu, a także biało-czerwone policyjne taśmy powiewające w półmroku na wietrze. Prawdopodobnie odgradzały dostęp do drzwi prowadzących do piwnicy budynku.

Veronika uświadomiła sobie, że ta dramatyczna historia zapewne zdominuje poniedziałkowe spotkanie w klinice, na którym opowiadano sobie o nagłych przypadkach z weekendu. Przemoc w pralni. Mój Boże! Koledzy na pewno będą ciekawi. Powinna zadzwonić do Linköping i wypytać się o stan pacjentki. W najlepszym przypadku jej stan będzie stabilny, ale prawdopodobnie nie należało się spodziewać dobrych wieści. Jeśli przeżyła, raczej nie będzie w stanie normalnie funkcjonować. Nie Veronice było jednak dane roztrząsać, jaki żywot jest wart tego, aby go wieść.

Źrenice pobitej kobiety miały różną wielkość: jedna

była szeroko rozwarta niczym przesłona w aparacie, już kiedy przywieźli ją do ambulatorium przy izbie przyjęć. Narastający obrzęk mózgu. Ucisk. Do tego głęboka rana w potylicy, z wciśniętymi odłamkami kości czaszki – liczne odpryski na dość małej powierzchni. Rana powstała przypuszczalnie od gwałtownego uderzenia wąskim narzędziem. Przypominała dziury, które ojciec Veroniki na Wigilię wybijał młotkiem w orzechu kokosa, uprzednio niezwykle dokładnie wywiercając w nim małą dziurkę gwoździem. Opróżniał kokos z mleczka, nalegając, by córka wypiła łyk płynu. Veronice nie smakował jego słodkawo-mdły smak. Natomiast biały miąższ we wnętrzu włochatego orzecha był znacznie smaczniejszy.

Tyle agresji z powodu konfliktu o godziny prania! Niektórzy naprawdę szaleli i łatwo wpadali w gniew. Należało wystrzegać się tak negatywnych emocji.

Łyżeczka Veroniki zaskrobała o dno miseczki z zsiadłym mlekiem. Odłożyła ją do zlewu i spakowała torebkę. W domu panowała cisza. Claes i Klara wciąż spali. Córeczka potrzebowała snu, aby wyzdrowieć. Veronika dopiero co nasłuchiwała przez otwarte drzwi. Dość czysty i rytmiczny oddech dziewczynki oznaczał, że stan jej zdrowia się poprawił. Veronika poczuła potrzebę, aby zakraść się cichutko do łóżeczka ze szczebelkami, pogłaskać okrągłe policzki i pocałować córeczkę w czółko, ale zdusiła w sobie ten impuls, ponieważ istniało duże ryzyko, że ją obudzi. Leżącego na boku i lekko chrapiącego z otwartymi ustami Claesa również pozostawiła w spokoju.

Delikatne światło poranka otulało ogród. Chmury na niebie przerzedziły się i najwyraźniej zamierzało się wypogodzić. Veronikę uderzyła chłodna i intensywna woń wilgotnej gleby.

Odpięła rower. Prowadząc go ogrodową ścieżką, spostrzegła, że drzewa owocowe jeszcze nie zostały przycięte. Claes powiedział, że zajmie się nimi w tygodniu. Veronika zdawała sobie sprawę, że sama nie zdąży ani nie będzie miała sił mu pomóc, więc zaproponowała, żeby kogoś do tego wynajęli – kupili sobie święty spokój. Claes się jednak nie zgodził. Niech więc to on tutaj dowodzi – pomyślała, wspinając się na siodełko.

Pokój dla personelu w izbie przyjęć znajdował się w narożniku na złączeniu dwóch dużych budynków. Światło słoneczne rzadko kiedy tam docierało. Ściany pomieszczenia niedawno odnowiono, meble były z jasnego drewna, a sofa i fotele obite gołębioniebieskim materiałem, tak że panująca tu atmosfera była daleka od przygnębiającej i smutnej. Zabulgotało w ekspresie do kawy, kiedy ostatnie krople płynu spłynęły do dzbanka. Veronika nalała sobie pół kubka.

Było dwie minuty po dziewiątej. Rheza miał lekki zarost, podkrążone oczy i pragnął wrócić do domu. Daniel Skotte, który przejmował dyżur, prezentował się za to jak okaz zdrowia.

– Chcecie? – zapytała z dzbankiem w dłoni.

Daniel Skotte wyjął kubek z szafki i wyciągnął przed siebie.

– Nie, dziękuję – odpowiedział Rheza tak jak wczoraj, choć tym razem Veronika go nawet rozumiała.

– Po kawie gorzej się śpi – uśmiechnęła się. – Dużo było roboty w nocy?

– Przecież mieliście tę historię z pralnią – odezwał się Daniel Skotte wiedziony ciekawością, ale w jego głosie brzmiała też zazdrość.

Najwyraźniej żałował, że go tu nie było – zdała sobie sprawę Veronika. Rzadko spotykane pod względem medycznym przypadki były zawsze perełką w morzu codziennej orki w izbie przyjęć. Szczególnie dotyczyło to dość świeżo upieczonego lekarza, który jeszcze wszystkiego nie widział. Poza tym praca w ambulatorium cieszyła się najmniejszą popularnością w klinice. Nie bez przyczyny nazywano je „kopalnią" albo „jaskinią". Koledzy uważnie pilnowali grafiku, aby każdy pracował tam przez równą liczbę tygodni. Wszelkie przemyślenia i idee o ulepszeniach mających podnieść status ambulatorium, które przez lata przewijały się przez klinikę, spełzły na niczym. Albo raczej powoli odeszły. Innymi słowy, nic się tam nie zmieniło.

– Przeczytałem w „Allehanda". Niesamowite! – kontynuował Skotte.

Rheza przytaknął.

– Pogadamy o tym później – przerwała Veronika, zanim Rheza zdążył otworzyć usta. – Na pewno tęsknisz za poduszką. Może najpierw opowiesz, czy było coś jeszcze?

– Byłem obudzony wiele razy.

– Obudzono cię wiele razy?

– Tak. Jakaś impreza. Z dziwnymi strojami. Wielu przyszło. Wiele też promili.

Veronika i Daniel spojrzeli po sobie.

– Maskarada! – przyszło do głowy Danielowi Skottemu. – Byli przebrani? Duchy, królowie, Superman...?

Rheza spojrzał na niego z powątpiewaniem.

– Trole, wiedźmy... szejkowie – kontynuował Daniel Skotte, ale Rheza jedynie wpatrywał się w niego pustym, zmęczonym spojrzeniem.

– M a s k a r a d a – przeliterował Daniel i podejmując ostatnią próbę wytłumaczenia tego koledze, uformował palcem wskazującym i kciukiem obu dłoni okulary wokół oczu.

– Właśnie – przytaknął Rheza, śmiejąc się do Daniela. – Maskarada. Wielu pijanych ludzi, dużo alkoholu. Po upadkach, może i bójkach.

– Aha. Bójki po pijanemu, oczywiście. Tam, gdzie wchodzi w grę alkohol, rozum się wyłącza – skomentowała cierpko Veronika. – Gdzie to było?

– Nie wiem, ale chyba w parku Folket.

– Pewno wynajęli – powiedział Daniel Skotte.

– Przyjąłeś kogoś na oddział? – zapytała Veronika.

– Tylko jednego. Dziś pewnie można już go wypisać – przytaknął Rheza. – Miał rozległe rozcięcie koło ust. Zaszyłem je. Wybity ząb. Dwa, może więcej zębów, nie wiem. Dostał antybiotyk. Był bardzo pijany, dużo alkoholu, więc śpi. Może wstrząśnienie mózgu – *commotio*?

– Aha – skomentowała Veronika, a przed oczami stanęła jej cała panorama popularnych obrażeń: podbitych oczu, przetrąconych szczęk, złamanych palców, wstrząśnień mózgu. Bójki i pijaństwo.

– Przyszło wiele osób. Znajomi w poczekalni – westchnął Rheza. – Rozzłoszczeni, krzyczeli, byli gadatliwi.

– Przydałaby się nam ochrona w piątkowe i sobotnie wieczory – skomentował Daniel Skotte. – Biedna salowa nie da sobie rady z całą brygadą kłopotliwych „znajomków" pacjenta, którzy zataczają się po poczekalni i nawijają po pijaku.

Problem nie był nowy, do tego agresja w ambulatoriach wzrosła. Do tej pory nie znaleziono rozwiązania. Jak zwykle brakowało pieniędzy.

– Dopiero, jak do czegoś dojdzie, coś z tym zrobią – skomentował Daniel Skotte.

Zanim Rheza powlókł się do domu, omówili jeszcze sprawę pobicia.

– Nic więcej nie można było zrobić – stwierdziła Veronika.

– Smutne – powiedział Daniel Skotte, po czym skręcili z Veroniką przy ladzie ambulatorium, zmierzając na górę budynku, na obchód oddziału.

– Poczekajcie! – krzyknęła za nimi pielęgniarka.

Zawrócili. Czekała na nich, dzierżąc w ręku opasłe tomisko.

– Wróciła Viola Blom – zakomunikowała im, podnosząc oczy ku niebu. – *Sorry!*

– Ale przecież wypisałam ją wczoraj wieczorem do domu i była wtedy rześka jak skowronek! – wykrzyknęła Veronika.

– Teraz też taka jest.

– Znowu chodzi o brzuch?

Pielęgniarka przytaknęła.

– Innymi słowy, to co zwykle.

– Japp. Jest może trochę chudsza. Nie je – odpowiedziała pielęgniarka.

– Czy jest z nią syn?

– Nie.

– Nie było go też wczoraj wieczorem – zauważyła Veronika.

– Przychodzi tylko wtedy, kiedy zatrzymujemy matkę na oddziale – dodał Daniel Skotte.

Wszystkim znany był przypadek Violi Blom – w każdym razie tym, którzy pracowali tu wystarczająco długo, aby mieć już kilka dyżurów. Wielu lekarzy sądziło, że znalazło ostateczne rozwiązanie i z entuzjazmem oraz ogromną empatią zabierało się do przypadku tej pacjentki, wysyłając różne pisma do lekarza rodzinnego, pielęgniarki i opieki społecznej, ale sprawa okazała się przeklęta. Przesłanki medyczne należało uznać za zawiłe. Stan pacjentki nie był groźny. Jej ciało nie było w gorszej kondycji od innych osób w jej wieku – czy też nie było u niej gorzej od przeciętnego złego stanu człowieka w tym wieku, około siedemdziesięciu pięciu lat. Nieznacznie podwyższone ciśnienie, stare wrzody, które się zagoiły, czy choroba tarczycy z przeszłości. Zaledwie dziesięć lat temu podciągnięto by ją pod rubrykę *causa socialis,* sformułowanie, która obecnie już wymarło. Cokolwiek by z nią robili, Viola Blom powracała do nich raz częściej, raz rzadziej. Znał ją personel medyczny w karetkach. To ambulatorium, a nie syn, było jej jedyną odskocznią, oknem na świat, który stał się jej stałym punktem w egzystencji, niezależnie od tego, jak na tę sprawę zapatrywali się lekarze i pielęgniarki.

Veronika westchnęła.

– No właśnie – odezwała się zrezygnowana. – To pomoc społeczna powinna się tym zająć. Niech referent do spraw pomocy rozpisze jej nowy program opieki medycznej – stwierdziła.

– Ale dzisiaj nic z tym nie zrobimy – zauważyła pielęgniarka.

– Jak stoimy z miejscami? – zainteresował się Daniel Skotte.

– Cztery wolne łóżka – odpowiedziała pielęgniarka.

– To może na razie umieścimy staruszkę w szpitalu? Mogę ją przyjąć i pogadać z nią chwilę po obchodzie – zaproponował lekarz.

Veronika spojrzała na niego z wdzięcznością. Facet był naprawdę pierwsza klasa. Jak zwykle odkładali problem na później.

– Dajcie jej na razie coś do jedzenia – poprosiła Veronika pielęgniarkę.

Potem poszli.

■

– Hej kruszynko! Chcesz?

Tata Liny wyciągnął się nad stołem i podał Viktorii kawałek chleba, który dopiero co, ciepły i pięknie pachnący, wyskoczył z tostera.

Viktoria potrząsnęła jednak głową. Nie chciała jeść. Skuliła się na kuchennym krześle, pragnąc zapaść się pod ziemię, wyparować jak kropelka wody.

– Masz blady pyszczek – zażartował tata Liny, przyglądając się dziewczynce. – Może jednak weźmiesz odrobinę? Nadgryź choć rożek jak myszka, abyś zupełnie nie zniknęła.

Położył koło niej na stole cieplutką grzankę.

Ojciec Liny nie był tak uciążliwy jak inni ojcowie, a już na pewno nie tak jak Gunnar. Lubiła, że nazywał ją kruszynką. Pewnie dlatego, że była trochę mniejsza od Liny. A właściwie sporo mniejsza: niższa i chudsza. Nie rozzłościło jej, gdy ojciec Liny stwierdził, że Viktoria ma blady pyszczek, ponieważ nie powiedział tego, aby się z nią drażnić albo sprawić jej przykrość – a w każdym razie nie specjalnie. Zdawało się jej, że chciał ją w ten sposób ożywić. Spodobało jej się to.

Zastanowiła się, czy powinna im opowiedzieć o wypadku na rowerze, ale właściwie nie było o czym. Czuła, że nie ma na to siły. Wciąż była osłabiona i bolał ją brzuch.

Gdy obudziła się rano i podciągnęła roletę, na dworze było jasno. Słońce nie świeciło, ale sądziła, że wyjrzy zza chmur w ciągu dnia. Pogodne dni były najgorsze, Viktoria ich nie lubiła. To znaczy, jeśli nie miała wtedy nic do roboty. Właściwie teraz miała jednak co robić – powinna sprzedać resztę majowych kwiatków, tak jak Lina. Viktorię odrzucało jednak od tego.

Na korytarzu wciąż stały buty Gunnara. Drzwi do sypialni matki były zamknięte.

Trochę smutno było samej wstawać. Nie znalazła też nic fajnego w lodówce, tylko trochę soku. Wypiła szklaneczkę, choć potem okropnie rozbolał ją brzuch.

Nie miała pomysłu, czym się zająć, zrobiła więc to, co zwykle w takich sytuacjach: ubrała się i poszła do Liny. U niej w domu zawsze się coś działo, a nawet gdy był spokój, nie miało to znaczenia – mogły poczytać komiksy. Bracia Liny mieli ich wiele rodzajów. Viktoria zazwyczaj korzystała z okazji, żeby je przejrzeć. Poza tym teraz mogła wyjaśnić cel swojej wizyty majowymi kwiatkami – zabrała ze sobą pudełko.

Rodzina Liny była liczna, więc zazwyczaj dużo się u nich działo. Obecność Viktorii niczego nie zmieniała – jeden dzieciak więcej czy mniej nie robił różnicy. Dlatego często chodziły do Liny, a nie do Viktorii, która miała własny pokój. U Viktorii nie było jednak tak zabawnie.

Rower był bezużyteczny. Kiedy pedałowała, strasznie hałasował, chrzęścił i piszczał. Dźwięki te roznosiły się na całą okolicę, strasząc ludzi. Do tego co jakiś czas nagle zacinały się pedały. Było to nieprzyjemne, szczególnie z powodu wczorajszego wypadku. Viktoria pozostawiła więc rower w domu i wyruszyła do Liny pieszo.

Miała kawałek do przejścia poprzez nudną okolicę, w której znała na wylot każdą ulicę i każdą latarnię. Wiedziała, ile dokładnie ich było: dwadzieścia cztery. Chciała podbiec, żeby szybciej dotrzeć na miejsce, ale nie dała rady z powodu obolałego kolana i zbuntowanego żołądka.

Ojciec Liny ubrany był w spodnie od pidżamy i biały T-shirt opinający kulisty brzuch. Miał kręcone, czarne włosy i ułamany w połowie przedni ząb, który – jak opowiedział – ukruszył sobie, biegnąc w dzieciństwie po schodach. Nie biegajcie nigdy po schodach! – ostrzegał. – A jeśli biegniecie, wyjmijcie chociaż ręce z kieszeni spodni! Viktoria zawsze o tym pamiętała. Gdy tylko pomyślała o upadku ze schodów, czuła, że ją boli twarz, aż zaciskała wargi, zakrywając zęby.

Dwaj bracia Liny jedli czekoladowe płatki śniadaniowe z mlekiem i nawet nie spojrzeli na Viktorię znad lektury komiksów. Obaj byli starsi od Liny. Jeden miał czarne loki po ojcu, drugi zaś jasną czuprynę jak Lina. Matka Liny miała zmierzwione, długie włosy i turkusową podomkę zarzuconą na kwiecistą koszulę nocną. Była wysoka i dość tęga. Na jej rękach spoczywało niemowlę, dla którego przygotowywała właśnie butelkę.

Lina jadła tosty. Wcinała już czwartą kromkę z masłem i dżemem truskawkowym. Zalała mlekiem nasypane na dnie kubków kakao O'boy dla siebie i dla Viktorii, która dlatego spróbowała wcisnąć w siebie parę łyków.

W domu Liny było ciasno. Panował tam też bałagan.

Zbudowany został dla góra najwyżej dwójki dzieci – żartował ojciec Liny. Nie dla czwórki. Albo najlepiej dla półtora dziecka, ponieważ sufit był niski jak dla Pigmeja. Dom jest za mały o metr w każdą stronę – powiedział. – Zbyt krótki, wąski i niski. Tak zachowawczo budowano domy zaraz po wojnie, to znaczy po drugiej wojnie światowej, kiedy wszystko było drogie.

– Jadłaś już śniadanie w domu? – zapytał, patrząc na Viktorię.

– Troszkę.

– Ach tak!

Szczęki mu chodziły, po czym zlizał resztki roztopionego masła z grubych palców.

– Nie będę więc w ciebie wmuszał. Możecie się zaraz pójść pobawić.

Lina nie miała własnego pokoju, tylko swoją przegródkę, którą tata oddzielił dla niej od pokoju regałem z książkami. Dzięki temu otrzymała na piętrze własny kącik na samym końcu niskiego pokoju z opadającym krzywo dachem. Bracia jednak słyszeli wszystko, o czym rozmawiały. Czasami dziewczynki miały to na uwadze, ale najczęściej zapominały się, dopóki któryś z chłopców nie wyskakiwał z jakimś głupim komentarzem.

Dzisiaj jednak szli na trening. Grali w hokeja na lodzie i zabrali ze sobą ogromne torby z kaskami, ochraniaczami na kolana i wszystkimi akcesoriami. Do tego oczywiście łyżwy.

Fajnie byłoby mieć choć jednego brata – pomyślała Viktoria. Lina miała ich dwóch, a ona żadnego. A w każdym razie o nikim takim nie słyszała, ponieważ nie znała swojego taty. Wiedziała o nim tylko tyle, że był idiotą. Matka nazwała go tak w złości na Viktorię: powiedziała, że dziewczynka jest równie głupia jak jej ojciec idiota. Matka natychmiast pożałowała jednak wybuchu i próbowała załagodzić słowa. Ale nie mogła ich cofnąć.

Viktoria zastanawiała się, czy to ojciec był na fotografii, którą matka schowała w kartonie w piwnicy pomiędzy swoimi zabawkami z dzieciństwa. Nie pozwalała córce bawić się nimi. Nie miało to znaczenia, bo były brzydkie. Powiedziała to kiedyś matce, która odrzekła, że Viktoria jest rozpieszczonym dzieckiem dzisiejszych czasów.

Viktorię nadal bolał brzuch. Poczuła się zmęczona i przysiadła na niepościelonym łóżku Liny, podczas gdy przyjaciółka się ubierała. Gdy Lina zeszła do toalety na parterze, Viktoria ostrożnie położyła się na łóżku, pozwalając głowie opaść na poduszkę. Jak miękko i przyjemnie! Wszelkie myśli odpłynęły. Właściwie przez całą noc dobrze nie spała.

Gdy Lina wróciła, stwierdziła, że nici z zabawy z przyjaciółką. Viktoria spała głęboko, z głową opartą na poduszce, a jej nogi wciąż spoczywały na dywanie. Lina zagryzła dolną wargę – coś takiego przydarzyło się jej po raz pierwszy.

Zanim zeszła do rodziców, uniosła nogi Viktorii i położyła je na łóżku. Może zajmie się przez chwilę małym braciszkiem, gdy mama będzie się ubierać.

■

Alicia Braun. Erika Ljung upewniła się, że nazwisko widniejące w raporcie i na pomalowanych szarą farbą drzwiach zgadza się, po czym zadzwoniła.

Było wpół do dwunastej. Na porannej odprawie, podczas której skoncentrowano się na – nic w tym dziwnego – bieżącej sprawie: „wypadku przy wspólnym korzystaniu z pralni", dostali nowe rozkazy. Ksero artykułu z gazety krążyło z rąk do rąk. Szwedzi wbrew pozorom nie są apatyczni i obojętni wobec tego, co się wokół nich dzieje – skomentował Janne Lundin. Potrafili porządnie się czymś nakręcić.

Kryminalistycy wciąż analizowali stosy prania wyjęte z pralek i suszarki. Ich prawowici właściciele nie zostali jeszcze odnalezieni. Wiedziano natomiast, że brudne pranie na podłodze należało do świadka, który pobiegł po pomoc. Była to stosunkowo młoda właścicielka mieszkania, o nazwisku Hård. Według Petera Berga zachowywała się adekwatnie do okoliczności. No, może była zbyt rozhisteryzowana. Dojście do siebie zajmie jej trochę czasu – stwierdził.

Przypadek jest prawdopodobnie nieskomplikowany i raczej nie będzie zbyt emocjonujący – pomyślała Erika Ljung. Bójki w pralniach najczęściej uważano za proste i pozbawione blasku – możliwe, że nawet niemęskie. Tu nie będzie inaczej. Trzeba było pracować dalej.

Louise Jasinski zaznaczyła, aby skupili się w weekend na przesłuchaniu wszystkich sąsiadów. Statystyki mówią, że znajdziemy wśród nich winnego – zauważył kryminalistyk Benny, choć nie wiadomo, jakie statystyki miał na myśli. Louise zgadzała się z Bennym. Wyglądała na tak wyczerpaną, jakby miała zaraz paść ze zmęczenia. Erika uważała, że jeśli nocami nie śpi z powodu stresu, od kiedy wskoczyła na miejsce Claessona, to może długo tak nie pociągnąć. Do tego Jasinski miała problemy w domu. Wszyscy o tym wiedzieli, choć Louise nie zwierzała się z tego otwarcie – w każdym razie nie Erice. Rozwodziła się czy coś takiego. To także nie dawało jej spać w nocy.

Erika zastukała paznokciami we framugę drzwi. Choć nikt nie otwierał, miała przeczucie, że ktoś jest w domu. Dlatego ponownie nacisnęła szczupłym palcem wskazującym dzwonek, pozwalając mu atakować mieszkanie przez co najmniej piętnaście sekund. Usłyszała stłumiony hałas, a po chwili zbliżające się do drzwi kroki. Ktoś zaczął grzebać przy zamku w drzwiach. Nie dało się ich otworzyć bez pomocy klucza. Kroki ucichły, aby po upływie pół minuty powrócić. Erika cierpliwie czekała. Szczęście, że się nie pali w budynku – pomyślała. W końcu zamek zachrzęścił i drzwi się otworzyły.

Zapuchnięta twarz o czerwonych oczach spojrzała pytająco na Erikę.

– Tak, słucham?

Najwyraźniej, pomimo dość późnej pory, struny głosowe zostały dziś użyte po raz pierwszy. Poza tym gardło przez długi czas okaleczano nieustanną impregnacją dymem papierosowym.

Erika Ljung krótko zakomunikowała, z czym przyszła, po czym została wpuszczona do środka.

W przyjemnie urządzonym mieszkaniu panował zaduch. Podczas przesłuchiwania sąsiadów Erika widziała już najróżniejsze style aranżacji wnętrz, ale ten wystrój natychmiast przypadł jej do gustu, co mogło wynikać z faktu, że była w podobnym wieku co Alicia Braun.

– Nic nie wiem – zaskrzeczała stłumionym głosem właścicielka mieszkania, spoglądając sceptycznie na Erikę, która na wszelki wypadek pokazała jej policyjną legitymację.

Alicia Braun, mimo że drobna i smukła, zapewne jednak wyróżniałaby się w tłumie. Była niczym jasna kolorowa plama na tle szarej płaszczyzny skały. Erika Ljung, która na swój sposób miała dość wyrazistą kolorystykę, poczuła pewną solidarność z młodą kobietą – nawet jeśli różnice przeważały nad podobieństwami. Erika Ljung była wysoka i ciemnoskóra, podczas gdy Alicia niska i o niemal kredowobiałej cerze. Z jej na pozór niedokrwionej twarzy wystawała para dużych, lekko wypukłych, ciemnobrązowych oczu. Taksowały one Erikę, która z kolei próbowała wyryć sobie w pamięci obraz Alicii Braun. To widok jej włosów był tak niecodzienny: kobieta miała niesamowitą grzywę, równie wysoką co szeroką, zafarbowaną na dwa kontrastowe kolory: kruczoczarny i czereśniowy cerise – mający coś z różu i z czerwieni. Włosy ułożone były w kosmyki nad czołem, a następnie opadały na ramiona. I ta objętość włosów, która najwyraźniej w zadziwiający sposób przetrwała przez noc. Istniały kosmetyki do włosów, dzięki którym można było osiągnąć taki efekt. Kto jak kto, ale Erika na tym się znała. Objętość włosów Alicii sprawiała, że jej twarz robiła wrażenie skurczonej, przypominając trofeum myśliwskie. Zdaniem Eriki kobieta stanowiła naprawdę ciekawe zjawisko.

Ponieważ image Alicii nie byłby zbyt popularny w zawodzie Eriki czy w jakimkolwiek innym tak zwanym poważnym fachu, policjantka snuła przypuszczenia, jaką profesją mogła się ona parać – coś z dużą tolerancją dla bohemy. Jeśli w ogóle pracowała, choć prawdopodobnie tak, ponieważ lokale tu nie były darmowe.

Alicia Braun zajmowała dwupokojowe mieszkanie. Zdawało się, że większość lokali w budynku składała się z dwóch pokoi. Zdarzały się też pojedyncze trzypokojowe mieszkania, a także nieliczne większe, położone na strychu. Mieszkanie Alicii Braun różniło się od poprzednich, które odwiedziła Erika Ljung, rozkładem pokoi. Zapewne dlatego, że było usytuowane na rogu, w miejscu połączenia dwóch skrzydeł budynku. Zamiast kuchni, dokąd można się było dostać przez pokój przechodni, u Alicii centrum mieszkania stanowił duży hol, wokół którego znajdowały się kuchnia, duży pokój i sypialnia, dzięki czemu z każdej strony do mieszkania wpadało światło. W dużym pokoju pozostawiono biały kaflowy piec, na którego widok Erika aż pozieleniała z zazdrości.

– Powiedziała pani, że kogo pobito? – zapytała Alicia Braun, otulając się ciaśniej wściekle żółtym frotowym szlafrokiem i zaciągając pomponiasty sznurek.

– Kogoś z sąsiedztwa.

– Aha. A kogo?

Ciemnobrązowe oczy ponownie spojrzały na nią wyczekująco. Nie było sensu zatajać tej informacji.

– Doris Västlund – powiedziała więc Erika.

– Ach, ona! – wyrwało się ze znikomym entuzjazmem

Alicii. – Nigdy nie miałam z nią do czynienia. Kojarzę imię, ale nie orientuję się, co to za kobieta.

– Jak długo pani tu mieszka?

– Hm, około roku.

Informacja trafiła do notesika.

– Obudziłam panią?

– Tak, późno położyłam się do łóżka. Byłam na imprezie.

– O której wyszła pani z domu wczoraj wieczorem?

– Chyba około siódmej. Najpierw trafiłam do kumpla, który też tutaj mieszka, a po mniej więcej półgodzinie wyszliśmy.

– W to samo miejsce?

– Tak.

– Na imprezę?

– Tak.

– Tak więc do siódmej przebywała pani w swoim mieszkaniu?

– Niee...

– Ach tak, a więc gdzie pani była?

– Najpierw w pracy, w Studiu Zdrowia, kojarzy pani?

– Siłownia?

– Tak. Skończyłam około wpół do czwartej i poszłam od razu do fryca – powiedziała, przeciągając pomalowanymi na czarno paznokciami po dwubarwnych włosach, na które Erika z pewnym wysiłkiem starała się nie gapić.

– Fryca?

– No, włosy i temu podobne.

– O której wróciła pani do domu?

– Nie wiem. Boże, ile pytań! Chyba nie sądzi pani, że to byłam ja?

Wyłupiaste oczy zabłysły. Nie było to jednak rozbawienie czy chęć niesienia pomocy.

– Sprawdzamy wszystkich w budynku. Najbardziej interesuje mnie, czy coś pani widziała albo słyszała. Potrzebujemy pomocy.

– Jacy „my"?

– Policja – odpowiedziała krótko Erika Ljung, siedząc na fotelu z lat czterdziestych, obitym nowoczesną tkaniną w duże czarne wzory przypominające ptaki, przedstawione na białym tle.

Alicia wsunęła stopy w kosmate, różowe kapcie-świnki. Wyglądała komicznie: włosy w czerwonawe pasemka, stopy obute w prosiaczki, a pomiędzy tym żółty jak kurczak szlafrok. Usiadła na skraju pomalowanego na czarno krzesła z wygiętym oparciem ze szczebelkami. Wyglądała, jakby zapadła się w sobie. Kanapa przy ścianie mogła być znaleziskiem z drugiej ręki ze sklepu Myrorna – była wielka, rozłożysta i również cała w wyraziste wzory, choć tym razem czerwono-czarne.

– Powiedziała pani, że przed wyjściem była pani w mieszkaniu u kogoś z tego budynku.

– Tak.

– U kogo?

Alicia zacisnęła drobne wiśniowe usteczka.

– To tylko kolega.

– Jeśli tylko kolega, to na pewno może pani powiedzieć, jak ma na imię.

– Kjell.

– Kjell – powtórzyła Erika, jednocześnie notując. – Zna pani jego nazwisko, czy woli pani, abym się tego dowiedziała w inny sposób?

Jej głos był łagodny.

– Johansson.

– Okej – odpowiedziała Erika, zapisując nazwisko. – Mieszka tu?

– W drugiej klatce schodowej – odpowiedziała Alicia. Miała sucho w ustach.

– Pięknie – skwitowała Erika, czując, jak głupio to zabrzmiało. – A potem państwo wyszli, jak pani wspomniała.

– Tak.

– Dokąd, jeśli mogę wiedzieć?

– Na imprezę.

– Tak?

– To znaczy na zamkniętą imprezę – wyjaśniła Alicia Braun, próbując przełknąć ślinę w wysuszonych ustach.

– Gdzieś blisko?

– W parku Folket. Był wynajęty.

– Zapewne było tam wiele osób.

– A jak pani myśli? Oczywiście, że tak. Nie wynajmuje się parku dla jednej osoby.

– Nie, oczywiście – uśmiechnęła się przepraszająco Erika.

– Przepraszam – rzuciła Alicia Braun i poderwała się nagle z krzesła.

Poszła do kuchni, gdzie odkręciła silny strumień wody. Po chwili wróciła z półlitrowym kuflem od piwa wypełnionym wodą. Usiadła na pociągniętym czarnym połyskliwym lakierem krześle i piła dużymi łykami.

– Kiedy była pani po raz ostatni w pralni?

Alicia Braun zatrzymała się na pół sekundy z kuflem przy ustach i spojrzała ponad nim na Erikę. Potem łapczywie wypiła resztę zawartości. Po chwili, kiedy skończyła, zamknęła oczy z wyrazem bólu, ale i lubieżnej przyjemności wypisanej na twarzy.

– A co to ma, do diabła, do rzeczy?

– Całkiem dużo – powiedziała łagodnie Erika.

– Wczoraj – odpowiedziała napięta jak struna.

– Wczoraj?

– Dokładnie! Wczoraj byłam w pralni.

Głos był pełen złości.

– Oczywiście domyśla się pani, jakie będzie moje następne pytanie.

Alicia Braun przytaknęła sztywno.

– Odpowiem, że jakoś tak przed południem.

Demonstracyjnie westchnęła, jednocześnie próbując od niechcenia zasłonić ziewnięcie.

– Chyba o jedenastej – dodała.

– Około jedenastej – powtórzyła Erika, notując. – Nastawiła pani pewnie wtedy pralkę?

– Oczywiście.

– Tak więc figuruje pani na tak zwanej liście do prania?

– *Yes*. Ale dlaczego pyta pani o pralnię? – ponowiła pytanie piskliwym głosem Alicia Braun.

– Ponieważ to tam znaleziono Doris Västlund.

Alicia gwizdnęła, ale zdawało się, że uszła z niej energia. Rękoma obejmowała wsparty na kolanach kufel, twarz wyrażała napięcie. Nagle najwyraźniej coś przyszło jej do głowy, bo wzięła się w garść.

– Czy przesłuchaliście tę, co mieszka nad pralnią? – zapytała, mrużąc oczy w kierunku Eriki.

– Rozmawiamy ze wszystkimi.

– Prawdziwy babsztyl. Uważa się za właścicielkę pralni.

– Aha – odpowiedziała Erika, usiłując przywołać na twarzy wyraz zdziwienia.

– Nie zdziwiłoby mnie, gdyby to ona ją zaatakowała.

– Ach tak? Czy sąsiadka znad pralni jest agresywna?

Alicia Braun zreflektowała się.

– Nie, no może nie agresywna...

– Czy zachowywała się tak w stosunku do pani?

– Nie, była tylko kurewsko zła, gdy wentylator z suszarki chodził do późna w nocy. Ale wszyscy o niej gadają.

– Tak więc możemy ustalić, że była pani w pralni wczoraj rano – podsumowała Erika.

– Yapp.

– I nie zauważyła wtedy pani nic niezwykłego?

Alicia Braun w ciszy potrząsnęła głową, aż zafalowała jej fryzura.

Na tym Erika skończyła. Na razie nie spodziewała się tu uzyskać żadnych nowych informacji. Czuła zmęczenie.

Ciężkimi krokami zeszła po schodach na podwórze, aby zaczerpnąć odrobinę świeżego powietrza, nim uda się do kolejnego zamkniętego mieszkania.

Na podwórku było cieplej, ponieważ budynki osłaniały je od wiatru. Erika stanęła na wybrukowanym dziedzińcu i oparła się o czerwoną cegłę, mając nadzieję, że niewiele osób ujrzy, jak zastygła bez ruchu. Podniosła twarz ku zachmurzonemu niebu. Słońcu nie udało się przecisnąć przez chmury, ale i tak było bardzo jasno, jak tylko jest to możliwe wczesną wiosną.

Erika czuła się trochę ospała; wczorajsza wizyta w pubie się przeciągnęła, ale nie było źle. Bawili się całkiem fajnie: ona i Peter Berg. Wcześniejsze napięcia odpuściły. Wyszli z tego jako dobrzy przyjaciele. Koledzy z pracy. Uśmiechnęła się i poczuła się znacznie lepiej. Była wolna, bez zobowiązań, nie ciągnęła się za nią żadna trudna historia miłosna. Teraz miała tylko siebie i to wystarczało. A w każdym razie na jakiś czas. Bóle głowy, które nachodziły ją w pewnych okresach, od czasu przykrego pobicia niemal dwa lata temu, całkowicie minęły. Były spowodowane napięciem – powiedział jej lekarz. Wszystko wymaga czasu. Musiała się tego nauczyć. Przede wszystkim potrzeba czasu, aby się przyzwyczaić. Dostosować. Z początku bardzo się martwiła, że pewne punkty na twarzy były niewrażliwe na dotyk, jakby znieczulone. Chciała być taka jak kiedyś, zanim twarz została rozbita i musiała przejść wiele operacji. Teraz nie przejmowała się już obniżonym czuciem. Przyzwyczaiła się. Oswoiła się nawet z myślą, że stan ten zapewne już się nie zmieni.

Erika spojrzała na zegarek. Czas na następne mieszkanie, choć czuła wewnętrzny opór przed opuszczeniem dworu.

Weszła po schodach w części budynku położonej naprzeciwko, aby odwiedzić Kjella Johanssona. Na tabliczce na drzwiach zauważyła, że pomiędzy oba imiona wciśnięto inicjał. *Kjell E. Johansson* odczytała na wydrukowanej dużymi literami tabliczce.

Ale Kjella E. Johanssona nie było w domu.

■

Telefon od lekarza medycyny sądowej z Linköping nie zaskoczył Louise Jasinski. Siedziała w samochodzie, a obok niej Lundin.

– Doris Västlund nie żyje, w każdym razie nastąpiła u niej śmierć mózgowa. Lekarze mają jeszcze przeprowadzić tak zwaną angiografię naczyń mózgowych, zanim odłączą respirator – poinformował lekarz sądowy.

Dzięki badaniu ustalą, czy nie pozostało jeszcze trochę cyrkulacji krwi w mózgu. Lekarz obiecał dać znać, kiedy zdąży dokładniej zbadać kobietę. Louise chciała wiedzieć, czy bliscy ofiary zostali powiadomieni. To znaczy syn. Lekarz sądowy nie miał pojęcia, ale powiedział, że sprawdzi. Łatwiej było to zrobić jemu niż Louise, gdyż z doświadczenia wiedziała, że trudno jest czarować i wyciągnąć coś od personelu szpitala, który bezwzględnie przestrzegał tajemnicy lekarskiej, a w każdym razie zazwyczaj niechętnie udzielał informacji, jeśli nie było stuprocentowej pewności, dokąd ona trafi. Zdarzali się bowiem dziennikarze, którzy kłamstwami zwiedli personel; były też i inne smutne przypadki, które zupełnie niepotrzebnie zraniły zarówno ofiary, jak i ich bliskich.

Policjantka się rozłączyła.

– Tym samym nagłówek ulega zmianie: zabójstwo albo morderstwo – rzuciła w stronę przedniej szyby.

– Ach tak, to tak się porobiło! – skomentował Lundin.

Właśnie opuścili policyjny parking, kierując się na Friluftsgatan, do mieszkania Doris Västlund, które mieli dokładnie przeszukać. Louise zredukowała bieg, po czym zatrzymała się przed przejściem dla pieszych. Była sobota i w mieście roiło się od ludzi. Kontynuowała jazdę na zachód, mijając biały kościół częściowo zakryty wysokimi drzewami otaczającego go parku. Na skos, za parkiem, znajdowała się pływalnia. Rano, zanim pojechała na komisariat, odwiozła tam Sofię i jej dwie koleżanki. Dziewczynki trenowały pływanie. Jedna z mam koleżanek miała je potem odebrać z basenu.

Jadąc dalej, minęli z jednej strony bibliotekę, a z drugiej terminal autobusowy. Ludzie stali w kolejkach, oczekując na autobusy do otaczających miasto gmin. Louise zjechała na światłach w prawo, kierując się ku stacji Statoil, gdzie skręciła ponownie w prawo, w kierunku Orrängen.

Po raz pierwszy ponosiła całkowitą odpowiedzialność za dochodzenie w sprawie morderstwa. Uświadomiła to sobie w pełni, ale ją to nie przerażało – dobrze się z tym czuła. Stanowiło to dla niej wyzwanie. Jakoś to będzie – pomyślała, próbując dodać sobie odwagi. Najwyższy czas stanąć na własnych nogach. Dojrzała. To był najlepszy moment na awans.

Jeśli czegoś potrzebowała, to chciałaby jakoś zagrzebać swoje, w tej chwili zrujnowane prywatne życie, w pracy.

– Morderstwo w pralni – odezwał się nagle Janne.

– Tak, tak to nazwą.

– To nieuniknione.

Kiedy zaparkowali na Friluftsgatan, obeszli budynek i znaleźli się na podwórzu, ponownie odezwała się komórka. Dzwonił lekarz sądowy, który poinformował, że personel szpitalny nie spotkał nikogo z rodziny ofiary ani z nim nie rozmawiał. Nikt też nie odbierał u syna, kiedy próbowano się do niego dodzwonić. Louise podziękowała za informacje i rozłączyła się.

– Nie udało się im skontaktować z synem – powiedziała. – Nikt z nas się z nim wczoraj nie spotkał?

– Nie, nie sądzę. Jesper Gren poszedł na izbę przyjęć i dowiedział się od lekarza, że akurat inny rozmawia z synem ofiary. Czy jakoś tak – zbagatelizował Lundin.

Louise ponownie wyjęła komórkę i wykręciła numer Jespera Grena, wezwanego na komisariat, aby przyjmował anonimowe zgłoszenia, które przypuszczalnie napłyną od znanego „detektywa-społeczeństwa".

– Nie, nie rozmawiałem z nim wczoraj – odpowiedział Jesper, a w jego głosie dało się słyszeć lekkie poczucie winy. – Spotkałem lekarza, nie pamiętam, jak się nazywał, obce nazwisko. Powiedział, że syn jest w szpitalu, ale akurat rozmawia z ordynatorem, więc pomyślałem, że biedak pewnie ma już dość. Nie chciałem go szukać, żeby nie dokładać mu już cierpienia.

– Nie, oczywiście – odpowiedziała słabo Louise.

– W każdym razie syn nie jest notowany – dodał policjant. – Sprawdziłem.

– To dobrze – odrzekła Louise Jasinski, myśląc jednocześnie, że Jesper Gren nie wyróżniał się w grupie bystrością umysłu.

Trzymając komórkę przy uchu, obmyślała następny krok.

– Dzięki – odezwała się nagle do słuchawki.

Zakończywszy rozmowę, natychmiast wykręciła numer Eriki Ljung. Ku swojemu zdziwieniu w tej samej chwili zauważyła policjantkę wychodzącą z bramy. Erika przystanęła kilka metrów od nich i wyciągnęła komórkę.

– Możesz wyłączyć! – krzyknęła do niej Louise. – Poza tym: cześć!

Poinformowała koleżankę o nowej kwalifikacji przestępstwa.

– A więc tak, zmarła – sucho skonstatowała Erika. – Można się było tego spodziewać.

– Tak sądzę. Należy poinformować syna, ale coś jest nie tak. Nie można się z nim skontaktować. Chyba ma na imię Ted i nosi to samo nazwisko co matka. Wczoraj wieczorem był w szpitalu i dowiedział się, co się stało. Spróbuj złapać lekarza, który z nim rozmawiał, a potem znajdź jego samego, aby go powiadomić o śmierci matki.

Erika przytaknęła i ruszyła do samochodu.

– Aa! – zawołała, odwracając się z powrotem. – Na górze mieszka Kjell E. Johansson. – Wskazała na położone wyżej okno. – Nie ma go w domu, tak was tylko informuję. Jeszcze tylko on i zakończymy rozmowy z sąsiadami.

Louise nie bez podekscytowania czekała, aż wejdą do mieszkania Doris Västlund. Wcześniej jednak zadzwoniła do Benny'ego Grahna, zastanawiając się, gdzie się, do diabła, podziewał. Mieli się spotkać. Jestem blisko – poinformował. Jechał autobusem z młodym kobiecym odkryciem, Lisą, która podjęła pracę u niego prawie rok temu i najwyraźniej jeszcze się tym nie znudziła. Prawdopodobnie była to jednak tylko kwestia czasu. W ostatnich latach mieli dużą rotację kryminalistyków.

Gdy czekali na Benny'ego, ich wzrok padł na niską oficynę, wzniesioną z tej samej cegły o ciepłej tonacji czerwieni co główna budowla.

– Wszystko wygląda inaczej w świetle dziennym – zauważył Janne Lundin.

Nieruchomość została zbudowana na planie wykrzywionej litery „U". Jej najdłuższy bok wychodził na wschód, ku ulicy Friluftsgatan, podczas gdy dwa krótsze ramiona prowadziły na południe i północ. Przy północnej odnodze, zakończonej wysoką ścianą szczytową, biegł wąski pasaż, którym można się było przedostać na podwórze. Do następnej nieruchomości, niższego budynku zbudowanego z żółtej cegły, należał ogródek schowany za wysokim parkanem. Niska oficyna znajdowała się w zachodniej części posiadłości i zawierała warsztat, a także pomieszczenie na śmieci i miejsce na rowery. Pomiędzy oficyną a południową odnogą budynku mieściła się podwójna brama wychodząca na ulicę.

Pralnia znajdowała się w południowym ramieniu nieruchomości. Można się było dostać do niej bezpośrednio z podwórza przez zawsze zamknięte na klucz drzwi, po pokonaniu kilku schodków w dół. Biało-czerwone policyjne taśmy łopotały na wietrze, odgradzając zejście.

Oficyna rozciągała się ku zachodowi i Rådmansgatan. Ponieważ budynek był jednopoziomowy, słońce szczodrze wlewało się ponad jego niskim dachem, oświetlając podwórze, które inaczej byłoby ciemne i wilgotne.

Oficyna również i dziś była jak wymarła. Ktoś z sąsiadów twierdził, że widział światło w warsztacie w piątkowe popołudnie oraz że otworzyły się drzwi i ktoś przez nie wyszedł na podwórze, ale ta sama osoba nie pamiętała dokładnie, o której to było godzinie. A ponieważ zapewne ludzie czasami przychodzili do oficyny oraz stamtąd wychodzili, informacja nie miała zbyt wielkiej wartości. A w każdym razie nie tak niedokładna.

Mieli wystarczająco dużo roboty, więc Louise zadecydowała, że warsztat nie jest ich priorytetem. Okna nie były wybite, nie zauważyli też śladów włamania. Ocenili, że nie istniało żadne rzucające się w oczy powiązanie. Ale przecież wcześniej czy później musieli odnaleźć właścicielkę warsztatu, aby móc się do niego dostać. Najlepiej jak najwcześniej – podkreśliła Louise już na porannej odprawie. Należało poszerzyć obszar badań miejsca zbrodni. Można było między innymi choćby przypuszczać, że w warsztacie było pod dostatkiem przedmiotów, które mogły posłużyć jako narzędzia zbrodni. Choć prawdopodobnie można je było również znaleźć w jakiejkolwiek skrzynce z narzędziami.

Od przedstawiciela rady mieszkańców, człowieka, który lubił być nazywany Sigge, dowiedzieli się, że oficyna w ogrodzie nie miała nic wspólnego z resztą nieruchomości. Właścicielka warsztatu meblowego mieszkała zupełnie gdzie indziej. Louise kilkakrotnie rozmawiała z owym Siggem przez telefon. Opowiedział jej, że kobieta wynajmująca oficynę za całkiem dużą – według Louise – sumę nie korzystała z reszty udogodnień nieruchomości –

tak uzgodniła z radą. Tak więc nigdy nie była na dole w pralni, nie miała nawet do niej kluczy. Układ z właścicielką warsztatu uważał za bardzo satysfakcjonujący. Była godna zaufania, przestrzegała terminów płatności, a jej działalność jednocześnie nadawała nieruchomości trochę życia. Poza tym była znacznie solidniejsza i bardziej opanowana od paczki smarkaczy, którzy wcześniej wykorzystywali budynek jako salę do prób. Oczywiście nie radzili sobie finansowo – podsumował Sigge Gustavsson.

Louise i Lundin stanęli pośrodku brukowanego placu i spojrzeli w górę na dach oficyny – pięknie błyszczał na tle czerwonej cegły. Niemalowana blacha, wciąż nieskalana zanieczyszczeniami powietrza. Po obu stronach pomalowanych na zielono pojedynczych drzwi wychodzących na podwórze znajdowały się niskie okna o małych, niczym niezasłoniętych szybach. Przypuszczalnie większe meble wnoszono przez podwójne drzwi od strony Rådmansgatan.

– Nie potrafię się powstrzymać, aby nie zerknąć – powiedziała Louise, przyciskając nos do szkła.

Usłyszała, że ktoś odkaszlnął. Lundin. Przez podwórze szła mama, której imienia Louise nie mogła sobie od razu przypomnieć, prowadząc dziecięcy wózek. Gapiła się na policjantkę.

■

Veronika Lundborg i Daniel Skotte usiedli na biurowych krzesłach w pokoju lekarskim, znajdującym się mniej więcej w połowie oddziału chirurgii nr 6, tak zwanego Dużego Oddziału, który ciągnął się wzdłuż całego budynku. Według dokonanych pomiarów korytarz liczył sto metrów. Pielęgniarki pokonywały w ciągu dnia pracy sporą liczbę metrów. Ba, nawet kilometrów!

Lekarze właśnie omawiali różne błahostki w oczekiwaniu na pojawienie się pielęgniarek. Takie chwile były bezcenne. Najczęściej pędzili każdy w swoją stronę, spotykając się właściwie jedynie na porannych odprawach i podczas operacji.

Veronika była opiekunem naukowym Daniela Skottego i ich relację cechowało wzajemne zrozumienie. Lubiła go: pomocny i godny zaufania lekarz, który nie uchylał się od obowiązków – nie spijał tylko śmietanki z kawy, nie przywłaszczał sobie operacji, unikając odpowiedzialności na oddziale.

Pokój, w którym siedzieli, był jasny, choć wychodził na północ. Oddział znajdował się na najwyższym, szóstym piętrze głównego gmachu. Poniżej, w dolinie, jak zwykle wiatr kołysał roślinnością. Z okna widać było głównie niebo, które było jasne, lecz nie przejrzysto niebieskie.

– Miejmy nadzieję, że dziś będzie spokojniej – odezwała się Veronika i wtedy pojawiła się Lisbeth.

Bingo! – pomyślała Veronika. Pielęgniarka należała do weteranek. Nie przyszło jej jeszcze do głowy, aby rzucić pracę, choć nowa kierowniczka oddziału robiła co mogła, aby odstraszyć jak najwięcej pracowników. W każdym razie tych starszych i bardziej doświadczonych. Veronika nie mogła zrozumieć, dlaczego nikt nie obsadził na tym stanowisku doświadczonej wyjadaczki. Nowa nazywała się Nelly; imię brzmiało miękko i delikatnie, ale jego właścicielka taka nie była. Musiała mieć znajomości z kimś postawionym wyżej w hierarchii albo awans zawdzięczała różnym prawom miejsca pracy, w których Veronika nie za bardzo się orientowała, a które powstrzymywały organy decyzyjne od oddelegowania Nelly na bardziej administracyjne, a mniej odpowiedzialne za personel stanowisko. Nie nadawała się do bezpośrednich kontaktów z ludźmi, jakkolwiek wiele miała tak zwanych fantastycznych wizji.

– Najpierw usiądźmy – zaproponowała Veronika, na co Lisbeth przyciągnęła do siebie wózek i zaczęła wyjmować z niego karty pacjentów.

Dwoje czekało na wypis. Poza tym nie nastąpiły zbyt wielkie zmiany w zaleceniach czy sposobie leczenia pacjentów w porównaniu z dniem poprzednim.

Następnie przeszli do przyjętego w nocy na oddział hulaki, któremu Rheza zszył rozcięcia na całej twarzy.

– Co z nim? – zapytała Veronika, zerkając jednym okiem na wyniki badań laboratoryjnych pacjenta, które w większości mieściły się w normie, poza parametrami nerkowymi. Były one dość zmienione, zapewne na skutek skrzętnego leczenia się alkoholem.

– Ból głowy – Lisbeth uśmiechnęła się szyderczo.

– Czy to kara za grzechy, czy też mógłby to być wstrząs mózgu?

– Trudno stwierdzić.

– Porozmawiamy z nim. Bezpieczniej będzie zrobić TK mózgu, szczególnie jeśli mamy wypisać go do domu – powiedziała Veronika do Daniela Skottego, który przytaknął.

Przystanęli potem całą trójką: siostra Lisbeth, Daniel Skotte i Veronika, przy łóżku Johanssona. Leżał na trzyosobowej sali, ale pozostałe dwa łóżka stały puste.

Miał na imię Kjell. Kjell E.

Mimo zmienionej twarzy pacjenta Veronika w pół sekundy umiejscowiła go sobie w pamięci. Miała jednak nadzieję, że biały fartuch i inne otoczenie zamącą mu w głowie i jej nie rozpozna.

– I jak się pan dziś czuje? – Uśmiechnęła się zachęcająco.

W odpowiedzi uśmiechnął się przymilnie opuchniętą twarzą opartą o poduszkę, starając się mężnie nie rozewrzeć ust.

– Czy coś pan jadł?

– Nie, ale nie jestem głodny – odpowiedział niewyraźnym głosem. – Piekielnie boli mnie głowa!

Odpowiedziała, że rozumie, i obiecała mu więcej tabletek od bólu głowy, tłumacząc przy okazji, jakie wykonają badanie, zanim ewentualnie wypiszą go do domu z receptą na dalsze leczenie antybiotykiem ze względu na rany twarzy i ust. Najpierw trzeba było wykonać rentgen głowy, aby zbadać, czy mózg, czaszka i kości twarzy nie zostały poważnie uszkodzone.

– Bardzo dziękuję – odpowiedział Kjell E. Johansson, drapiąc się w pierś poprzez otwór pomiędzy guzikami szpitalnej koszuli.

– A tak poza tym, czy złożył już pan doniesienie na policję?

– Co?!

– Chodzi mi o to, że został pan pobity.

– Nie, do cholery! Mam to w dupie.

Veronika przytaknęła.

– Jak pan chce – odpowiedziała ze słabym uśmiechem.

– Święta prawda.

– Poza tym można to też zrobić później – zaznaczyła. – Mieszka pan w mieście czy też gdzieś daleko? – zapytała z myślą o transporcie pacjenta do domu i ewentualnych zmianach opatrunków czy zdjęciu szwów.

Spojrzała na kartę pacjenta w tym samym czasie, gdy Johansson oznajmił, że mieszka w centrum, na Friluftsgatan.

Czy to nie tam rozegrały się wczoraj te wydarzenia w pralni? Rozpoznała adres z karty Doris Västlund, którą dyktowała późno poprzedniego wieczoru. W tej samej chwili przypomniała sobie, że miała zadzwonić do neurochirurgów, aby zasięgnąć informacji o pacjentce.

Gdy już była w połowie drogi do wyjścia, usłyszała komentarz, którego chciała uniknąć.

– Jakie to dziwne, że panią tu spotkałem. Nie wiedziałem, że jest pani lekarzem – zaskrzeczał Johansson.

Jego oczy błyszczały.

– Trudno byłoby to przecież odgadnąć. – Uśmiechnęła się sztywno w obronie, odwracając się bokiem do Kjella

E. Johanssona, który leżał w łóżku szpitalnym z rękoma podłożonymi pod głowę.

– Nie – odpowiedział, obdarzając ją swoim niegdyś niezwykle czarującym uśmiechem, który teraz sprawiał dość komiczne wrażenie z co najmniej dwoma zębiskami mniej. – Może się jeszcze kiedyś spotkamy?

– Nigdy nie wiadomo – odpowiedziała i ewakuowała się za drzwi.

Na korytarzu padło oczywiście pytanie.

– Znasz go? – zagadnęła Lisbeth.

– Nie, nie można powiedzieć, żebym go znała, ale pomógł nam w jednej sprawie jakiś czas temu.

– Tak? – rzuciła Lisbeth, najwyraźniej nie zadowalając się odpowiedzią.

Czasami prawda jest lepsza niż pozostawienie komuś wolnego pola do wyobraźni.

– Mył nam okna – wyjaśniła Veronika.

– Tylko to?!

W głosie Lisbeth dało się wyczuć rozczarowanie, a Daniel Skotte uśmiechnął się szyderczo.

– Oczywiście na czarno.

Przytaknęła.

– Sam chciał, aby tak było. Claes doliczył się ponad pięćdziesięciu małych szyb, trzeba pamiętać, że z dwóch stron, a do tego mamy podwójne okna. Wyszło nam ponad dwieście szyb – tłumaczyła się, garbiąc ramiona. Jak zwykle poczuła się zmęczona, kiedy ktoś zmuszał ją do spojrzenia na siebie z boku.

Ale teraz nikt tego nie robił – to ona sama odruchowo wywołała u siebie wyrzuty sumienia. Wprawdzie miała wyższe wykształcenie i na wiele sposobów była uprzywilejowana; wykonywała bardzo pożyteczną pracę, zajmowała się tym, co lubi, miała stałą i dobrą pensję i wszystko, co się z tym wiązało: pewien status, poczucie wolności i temu podobne. Wciąż nie czuła się jednak na miejscu w lepszym świecie: z pomocą domową, obsługą z zewnątrz. Było jej z tym niewygodnie. Nie pomagało pochodzenie społeczne. Niewymuszona pewność siebie większości jej koleżanek i kolegów ze studiów, wywodzących się z rodzin lekarskich lub innych dobrze usytuowanych domów, z początku przestraszała ją i wzbudzała zazdrość – oraz odrobinę pogardy. Z czasem się jednak oswoiła, dopasowała. Nie całą sobą, ponieważ korzenie pozostają – na dobre i na złe.

– Mój Boże, nie ma przecież powodu do wstydu! – odezwała się poza tym Lisbeth. – Nie wydziwiaj, to przecież nic takiego! Chyba nie sądzisz, że ja daję radę myć okna, chociaż nie mamy ich aż tylu.

Veronika z całych sił starała się nie wyjść na snobkę – raczej uwodziła przykładnością. Należy samemu posprzątać po sobie gówno – tak ją wychowywano i tak do tej pory postępowała. Albo raczej gloryfikowała pewnego rodzaju niepoukładane, bohemiczne życie, ponieważ tylko na nie było ją stać. Samotnie wychowywała teraz już dorosłą córkę Cecilię i oczywiście stawiała dziecko na pierwszym miejscu. Może nie zawsze przed pracą – jeśli miała być szczera – ale musiała utrzymać siebie i dziewczynę, a należała do tych szczęśliwców, którzy kochali swoją pracę. Nawet jeśli często była ona ciężka. Nie żałowała samej siebie, a w każdym razie niezbyt często, bo dawało jej to zadowolenie. Miło było mieć pełne ręce roboty.

– Taka jest koncepcja – zaśmiał się Skotte, szturchając ją w bok.

– Jaka koncepcja?

– System. Każda niegłupia osoba prowadzi interesy na czarno.

– Nie sposób ze wszystkim się wyrobić – dodała Lisbeth. – To niemożliwe. Choć oczywiście przykro jest trafić do gazety – zażartowała.

Veronika spojrzała na nią.

– Jak ci z Göteborga, u których sprzątano na czarno. Jeśli jest się wysoko postawionym, trzeba być ostrożnym.

Veronika milczała. Nie zapytała ani teraz, ani nigdy potem, czy Lisbeth uważa, iż Claes i ona są wysoko postawieni. Komisarz policji i lekarz zaciągnięci do ratusza z powodu mycia okien na czarno – tego zdecydowanie wolałaby uniknąć.

■

Louise Jasinski usiadła przy biurku Doris Västlund w sypialni z narzutą w wielkie kwiaty i przeszukując szuflady, znalazła mniej więcej to, czego można się było w nich spodziewać. Oprócz długopisów, gumek do wycierania, spinaczy i kartek papieru leżały tam stare książeczki bankowe, paszport, papier listowy, widokówki i pojedyncze zdjęcia – między innymi czarno-biała fotografia młodej Doris Västlund. Był to portret wykonany przez fotografa Olssona, którego podpis widniał w rogu zdjęcia. Atelier fotograficzne nadal istniało, oczywiście prowadzili je nowi właściciele, którzy jednak zachowali starą nazwę studia.

Nad fotografią unosiła się wyraźnie atmosfera lat czterdziestych: nogi wyprostowane równiutko do boku, zaczesane z czoła włosy układały się w gładkie i równe fale, do tego kędzierzawe loki przy uszach, podwinięty kołnierzyk koszuli, tajemnicze, powłóczyste spojrzenie rzucane spod rzęs. Trochę jak Greta Garbo. Doris Västlund musiała w tamtych czasach uchodzić za prawdziwą piękność.

Louise odłożyła fotografię. Obok niej układała w stosik wyciągi z kont i rachunki przechowywane w cienkiej plastikowej teczce. Prawdopodobnie Doris wkładała je później do segregatora, ponieważ Louise znalazła jedynie wyciągi z banku i awiza z ostatniego miesiąca. Zauważyła, że opłatę za czynsz pobierano około dwudziestego piątego każdego miesiąca. W obiegu nie było dużych sum. Zapewne Doris Västlund nie zabito dla pieniędzy.

Louise znalazła także fotografie rodzinne. Doris przechowywała album na najniższej półce wąskiego regału na książki w dużym pokoju. Policjantka miała właściwie sprawdzić sypialnię, ale nie mogła się powstrzymać od obejrzenia zdjęć. Dokumenty uwieczniające dawne czasy zawsze pobudzały jej wyobraźnię.

Poważny chłopiec o okrągłych, dziecięcych policzkach siedział podparty na białej owczej skórze w samych tylko śpioszkach z bosymi stópkami – wełna na pewno drażniła mu skórę! Chłopiec na rozpoczęciu roku szkolnego, przy bierzmowaniu i na maturze. Mężczyzna o kręconych blond włosach z fajką w dłoni dumnie i z naturalną otwartością przytrzymujący małego chłopca na ramieniu. Stali na dworze, może w parku, Louise dostrzegła na zdjęciu ławkę. Mężczyzna szeroko się uśmiechał, był smukły w pasie, ubrany w białą koszulę z podwiniętymi rękawami odsłaniającymi silne przedramiona oraz przepastne spodnie o szerokich mankietach, spod których widoczne były buty. Spodnie trzymały się na szerokich szelkach. Fotografię wykonano w tysiąc dziewięćset pięćdziesiątym szóstym roku. Mężczyzną ze zdjęcia musiał być postawny i dumny ojciec. Louise kartkowała dalej album, żeby zobaczyć, czy nie znajdzie go także na innych zdjęciach. Według sąsiadów i pozostałych przesłuchiwanych osób Doris Västlund od dawna nie spotykała się z żadnym mężczyzną. Nagle mężczyzna ze zdjęcia zniknął z albumu. Miało to miejsce we wczesnym dzieciństwie chłopca, zaledwie kilka lat po radosnym zdjęciu ojca i syna.

Cienki czerwony album mówił sam za siebie. Czarno-białe fotografie były tak duże, że każde zdjęcie wypełniało stronę. Przedstawiały one Doris Västlund i zostały wykonane w studiu fotograficznym na różnym tle, w zależności od ubioru Doris: strój kąpielowy, kurtka narciarska albo elegancko skrojony wełniany płaszcz. A więc Doris Västlund pracowała jako modelka. Błyskała niestrudzenie uśmiechem na każdej stronie, tak że Louise niemal sama poczuła zmęczenie na twarzy.

Miło byłoby mieć tak ładne fotografie. Louise nie miała nawet takich, które by je przypominały, ale też nigdy nie wyglądała tak, aby ciągnęli do niej fotografowie, choć była niczego sobie. Starała się jak mogła. Może nie teraz, kiedy rysy twarzy wyostrzyły się ze zmęczenia. Źle spała. Czuła jednak, że była to tylko kwestia czasu, kiedy wróci do siebie.

Zatrzasnęła skórzaną czerwoną okładkę i odstawiła album na miejsce.

Niezmiernie smutno było zobaczyć tak wyraziście, jak czas zmienia człowieka. Louise unikała zaglądania do starych albumów w domu. Kiedyś siadywała z dziewczynkami i przeglądały je razem; córki wskazywały na zdjęcia, a ona opowiadała im, jak to było, gdy przyjechały do domu jako małe zawiniątka z porodówki, jak głęboko spały w dziecięcych wózkach albo jak Janos nauczył je pływać. Z wiekiem Louise coraz boleśniej odczuwała przemijanie czasu – wrażenie to dopadało ją na widok zdjęć z Wigilii, wakacji nad wodą, urodzin, uroczystości zakończenia roku szkolnego u dziewczynek, nasiadówek przed telewizorem czy wypraw narciarskich. Oglądanie, jak dziewczynki urosły, napawało ją radością, ale odczuwała smutek na myśl o najbardziej nieuniknionym aspekcie życia – śmierci.

Pytanie, co ona i Janos zrobią teraz z albumem? Nie da się go przecież podzielić.

Ech, no tak!

Zupełnie inaczej sprawa przedstawiała się z fotodokumentacją życia innych. Louise z ciekawością zdjęła kolejny gruby album wypełniony wyblakłymi, kolorowymi fotografiami. Pospiesznie go przejrzała, zatrzymując się przy zdjęciach innego mężczyzny, znacznie grubszego od pierwszego. Doris Västlund, szeroko uśmiechnięta, siedziała obok niego na kanapie. Stało przy nich dwoje mniej więcej dziesięcioletnich dzieci. Mężczyzna i dzieci – dwie dziewczynki – powracali w całym rzędzie fotografii. Dziewczynki rosły, stały się nastolatkami i potem fotografie tych przypuszczalnych krewnych albo przyjaciół, czy może mężczyzny z dziećmi, z którym Doris się spotykała lub była bliżej związana, się skończyły. Trzeba się tego dowiedzieć – pomyślała Louise, odkładając album, aby mogli powiększyć zdjęcia i wypytać o tego mężczyznę swoich rozmówców.

W kolejnym albumie uwagę Louise przykuło trochę większe zdjęcie, przyklejone w rogu pustej kartki, które wyjaśniło, dlaczego w mieszkaniu znajdowała się toaletka obita materiałem w pączki róż. Na tej, również wyblakłej, kolorowej fotografii można było zobaczyć Doris Västlund w porządnym, jasnym fartuchu ochronnym, wykonanym zapewne z mocnego sztucznego materiału. Doris stała za ladą razem z ciemnowłosą, wyglądającą na młodszą od niej kobietą. Obie uśmiechały się prosto do kamery. Ich oczy się świeciły. Na twarzach najbardziej wyróżniały się łukowate, zapewne pomalowane brwi.

Półki za nimi wypełniały pudełeczka, butelki i słoiczki z kremem, perfumy, mydła i inne tego typu artykuły. Pomieszczenie było perfumerią, a może nawet salonem piękności.

Louise powiedziała o tym Janne Lundinowi, o dziewczynkach i nowym mężczyźnie również. Janne przeglądał książki, wśród których przeważały popularne tytuły w twardych oprawkach.

– Co to za miejsce? – zapytał.

– Nie mam pojęcia.

– Nie poznajesz go?

– Przecież to stara fotografia. Od tego czasu mogli przebudować sklep. Nie kupuję też zbyt dużo kosmetyków – obruszyła się, jakby było w tym coś zdrożnego i złego.

To się jednak może zmienić, kiedy znów trafiam na tak zwany rynek – pomyślała. Wystarczy spróbować.

Lundin stanął koło niej, gdy przeglądała kolejne strony albumu.

– Może znajdę lepsze zdjęcie – powiedziała.

Nie znalazła.

– Pewno nie ma zbyt wielu perfumerii, możesz je więc obdzwonić – zaproponował.

– Nie. Teraz stało się modne inwestowanie w samego siebie.

– Serio?

– No wiesz: trenowanie pięknego ciała, kąpiele w pianie, masaże, zabiegi kosmetyczne z kremami i olejkami, weekendy w spa, nowoczesnych odpowiednikach kurortów.

– Brzmi jak coś, czego warto by spróbować!

– Czemu nie? Jeśli tylko ma się na to czas... i pieniądze – dodała z myślą o własnych, w najwyższym stopniu ograniczonych, przyszłych środkach. – Ale czego chcielibyśmy się dowiedzieć? – zadała retoryczne pytanie, mrużąc oczy w zamyśleniu.

– Czegokolwiek, co ma coś wspólnego z życiem Doris – odpowiedział, wzruszając nieznacznie ramionami i nie rozumiejąc, że pytanie nie było skierowane do niego.

Benny Grahn grzebał w kuchni. Zapakował filiżanki do kawy. Lundin odsunął kanapę, za którą zajrzał, potem przesunął fotele, lśniący mahoniowy stół, ludowe krzesła, koszyk z przyrządami do robienia na drutach, skrzynię z wyprawką, antyczne dzbanki na konfitury. W końcu spróbował wysunąć szafę grającą wykonaną również z ciemnego drewna.

Louise zawróciła z powrotem do sypialni, otworzyła szafy z ubraniami, odnajdując tam typowy ścisk pomiędzy wieszakami. Ludzie za mało wyrzucają, zważywszy, ile nowego się znosi do domu.

Bielizna była cała, czysta i droga: wiele marki Calida dobrej jakości.

Na wolno stojących i całkiem nowoczesnych szafkach z ubraniami, które prawdopodobnie zostały wstawione tam w związku z remontem, leżały rzędem pudełka do przechowywania rzeczy, ustawione frontem do przodu. Małe papierowe etykietki opisywały ich zawartość: rękawiczki, czapki, szaliki, stare listy.

Louise nie sięgała do pudełek bez stołka, więc zastanowiła się, czy ich sobie nie odpuścić. Zapewne zawierały właśnie to, o czym informowały etykietki – podobne rzeczy sama przechowywała w takich pudłach.

Mimo to ruszyła do kuchni, skąd przytaszczyła krzesło. Wspięła się na niego i zdjęła pierwsze, brunatne pudło. Wieko pokrywał kurz. Odnalazła to, co przypuszczała: czapki, a między nimi czapę z rudego lisa i starą skórzaną pilotkę. W następnej znalazła parę starych rękawiczek „lovikka" i parę skórzanych samochodówek z otworami przepuszczającymi powietrze na grzbietach. Kurz wzbijał się z pudełek i z wierzchu szaf.

Wyciągając rękę po ostatnie pudełko, omal nie spadła z krzesła. Musiała zamknąć drzwi do salonu i przesunąć krzesło, aby do niego sięgnąć. Na etykietce było napisane: „Stare listy".

Trzymając w rękach pudełko, zauważyła, że ktoś niedawno zdejmował je z szafki; wieko nie było tak zakurzone i Louise wyraźnie dostrzegała ślady palców odciśnięte na rancie.

Stojąc w dalszym ciągu na krześle, balansowała z całkiem sporym pudełkiem i podtrzymując je pewnie na otwartej dłoni, drugą ręką odsunęła wieko.

– O niebiosa! – wykrzyknęła podniecona.

Lundin i Benny przybiegli na jej krzyk. Musiała szybko zeskoczyć z krzesła, aby nie wywrócili jej wraz z kartonem, otwierając drzwi.

Stała teraz pośrodku przepełnionej antycznymi meblami – ale ach, jak z miłością urządzonej – sypialni, ściskając mocno obiema rękoma pudełko, podczas gdy Lundin i Benny Grahn wpatrywali się w nią milcząco, stojąc w drzwiach. Weszli do sypialni i zgięli szyje, aby zajrzeć do pudełka.

Z wysokości Lundina rozległ się gwizd.

– Za to można by jednak zabić – powiedział.

– W odróżnieniu od przekroczonego czasu prania – dodał Benny.

– Ale skąd ona to wszystko wzięła? – niemal wyszeptała Louise. – Jest tego krocie.

Brunatne pudełko z tłoczonego papieru było po brzegi wypełnione banknotami o różnych nominałach. Nawet tysięcznych.

■

Viktoria po raz pierwszy w życiu wylądowała w szpitalu. Pomysł ten nie zrodził się w jej głowie – nigdy nie wpadłaby na coś tak głupiego i niebezpiecznego. To matka Liny stwierdziła, że to konieczne. I oczywiście ojciec przyjaciółki. Może po części i sama Lina – w każdym razie machała Viktorii wesoło, kiedy ta odjeżdżała samochodem Gunnara. Linę z pewnością cieszyło, że nie jest na miejscu Viktorii; o wiele lepiej będzie móc opowiedzieć w szkole, że jej najlepsza przyjaciółka tak ciężko zachorowała, że musieli ją zawieźć na izbę przyjęć. Wprawdzie nie karetką, ale prawie.

Zaczęło się od tego, że mama Liny zapytała, gdzie się podziała Viktoria. Okazało się, że zasnęła – znalazła ją głęboko uśpioną, zwiniętą w kłębek na łóżku w najdalszym kącie niskiego pokoju na piętrze. To nie jest normalne – stwierdziła natychmiast. Nie pamiętała, aby Viktoria kiedykolwiek się tak zachowywała – zawsze była taka żywa.

– Coś musi być z nią nie tak – oceniła, dzwoniąc do matki Viktorii. Powiedziała, że powinni natychmiast po nią przyjechać i ją zabrać. Biedna dziewczynka! Brzmiało to tak smutnie, że Viktoria z tego wszystkiego niemal się rozpłakała.

Wtedy przyjechała mama z Gunnarem. Gunnar miał samochód i zawiózł je na izbę przyjęć, po czym odjechał na swoje śmieci. Sytuacja się zmieniła; zdawało się, że mama i Gunnar już się nie rozstaną, nie na poważnie. Co prawda dalej trzymał wszystkie swoje graty w nowym mieszkaniu, o którym wciąż paplał. Własny kąt, gdzie sam był sobie panem. Jeśli chodziło o Viktorię, to mógł być sobie tam panem przez cały czas.

Leżała teraz na twardej pryczy, unikając spoglądania wprost w podłużną świetlówkę. Była niespokojna. Miła pielęgniarka o imieniu Barbro nałożyła jej odrobinę białej maści znieczulającej w zgięciu łokcia, naklejając na to plaster, żeby lepiej zadziałała. Za chwilę miała wbić igłę poprzez skórę do żyły, żeby pobrać krew. Oczywiście brzmiało to potwornie nieprzyjemnie. Niemal tak okropnie, że próbowała namówić mamę do powrotu do domu, ale ta się nie zgodziła. Jeśli się powie „a", trzeba powiedzieć „b" – stwierdziła, dodając, że kiedy już doczekały się swojej kolejki, rujnując tym samym pół soboty, to równie dobrze mogłyby to załatwić. Matka nie wiedziała dokładnie, co miałyby załatwić, choć dużo wiedziała o ludzkim ciele.

– Może wyrostek robaczkowy – usłyszała Viktoria, jak jej mama szepce do mamy Liny, nim odjechały.

Och, ale okropne! Wtedy musieliby ją zoperować, otworzyć jej brzuch, a Viktoria nie była pewna, czy wyraziłaby na to zgodę. Wolałaby umrzeć.

Przyszedł lekarz. Był miły i niezwykle sympatyczny, tak jak pielęgniarka. Trochę sobie z nią pożartował i pochwalił, że była dzielna, szczególnie kiedy Barbro pobrała próbki krwi, a dziewczynka nawet nie pisnęła. Nie było w tym jednak nic nadzwyczajnego – zupełnie niepotrzebnie się tego obawiała.

Lekarz nazywał się pan Daniel i był przesłodki. Opowie o nim Linie, a wtedy przyjaciółka zzielenieje z zazdrości, że to nie ona dostała bólu brzucha i nie trafiła do ambulatorium, gdzie by go spotkała.

Lekarz zapytał, czy Viktoria jest w stanie coś jeść, czy źle się czuła, czy wymiotowała, czy miała rozwolnienie lub zatwardzenie, czy piekło ją przy siusianiu. Rzeczywiście, rano trochę ją piekło. Możliwe, że masz zapalenie dróg moczowych – powiedział. Będzie musiała zostawić próbki moczu.

Bolała ją trochę pupa, ale oczywiście to przemilczała. Z reguły ból mijał sam z siebie.

Ale nie czuła się źle, nie wymiotowała ani nie miała biegunki. Dokuczały jej głównie bóle brzucha.

Aha, a co jadła? Spojrzała na mamę.

– Na pewno zjadłaś porządny posiłek wczoraj po powrocie do domu? – zapytała mama.

Dziewczynka przytaknęła.

– A dziś rano?

– Trochę grzanki – pisnęła zgodnie z prawdą Viktoria. Wsunęła w końcu niemal całą kromkę pieczywa tostowego w domu u Liny.

Doktor miał ciepłe palce. Viktoria musiała podwinąć bluzkę, a on delikatnie uciskał jej brzuch.

– Jest miękki – stwierdził. – To dobrze. Ale co to?

Uniosła głowę, zerkając na brzuch ponad bluzką, która leżała podwinięta na wysokości piersi. Ujrzała mały purpurowy siniak. Dokładnie w tym miejscu Viktoria czuła ból, gdy sympatyczny doktor Daniel ostrożnie dotykał ją czubkami palców.

– Pewnie uderzyłaś się przy wypadku na rowerze – powiedziała mama.

– Miałaś wypadek na rowerze? – zapytał lekarz, przyglądając się jej miłymi oczami.

Przytaknęła.

– Kiedy to było?

– Wczoraj.

– Musiałaś dostać kierownicą w brzuch – podpowiedziała pomocnie mama.

Viktoria przytaknęła.

– Mocno się uderzyłaś? – zapytał doktor, który przysiadł na brzegu łóżka.

– Nie, nie tak bardzo.

Doktor Daniel był dziesięć razy przystojniejszy od Mickego, starszego brata Madde z jej klasy. A Mickego uważano za najprzystojniejszego chłopaka pod słońcem.

Doktor wyjaśnił, że Viktoria może zaczekać na wyniki badań krwi i niewykluczone, że zbada ją jeszcze jeden lekarz. Trochę to potrwa.

– Może chciałabyś w międzyczasie poczytać trochę gazetek z komiksami? – zapytał.

Chciała. A mama mogła pójść do kafeterii, żeby coś przekąsić – jej przecież nie bolał brzuch.

■

Około południa Veronika zadzwoniła do domu. Słońce na chwilę przecisnęło się przez chmury i lekarka marzyła o wyjściu na dwór. Niestety, pozostało jej jeszcze dużo pracy, zanim będzie mogła pojechać do domu.

Głos Claesa brzmiał wesoło. Rozmowa z tak pozytywnie nastawioną do życia osobą sprawiła jej ulgę. Stan Klary znacznie się poprawił. Całkiem sama zjadła poranną kaszkę – powiedział Claes z entuzjazmem. Wprawdzie nie z takim apetytem jak zwykle, ale w każdym razie coś zjadła, co było prawdziwą oznaką powrotu do zdrowia. Claes zamierzał więc pojechać samochodem po zakupy do Egona. Uważał, że jeśli ciepło ubierze Klarę i dopilnuje, aby szybko wszystko załatwić, bez długiej listy zakupów, to córka da sobie radę. Veronice nawet nie wypadało protestować, szczególnie że nie mogła mu pomóc. Poza tym to Claes teraz decyduje – przypomniała samej sobie. Nie mogła miesiącami dyrygować nim na odległość z pracy – każdy na jego miejscu wtedy by oszalał.

Niech każdy pilnuje swojego nosa – mawiał ojciec Veroniki. I słusznie – pomyślała, odkładając słuchawkę. Zadzwoniła potem do Daniela Skottego na izbę przyjęć, pytając, czy ma zamiar jeść w stołówce. Odpowiedział, że tak, więc się umówili na wspólny posiłek.

W menu był gotowany łosoś. Wiosna to sezon na potrawy z tej ryby. Stołówka – jak zwykle w weekendy – była stosunkowo pusta. Coraz mniej osób tam chodziło, ponieważ większość uważała, że jest za drogo. Przynosili jedzenie ze sobą i podgrzewali w mikrofalówkach w pokoikach dla personelu rozsianych po całym szpitalu. Tak było taniej, a także i praktyczniej. Prawdopodobnie ten nowy zwyczaj przyjmie się na stałe, choć w pewnym stopniu rozbijał łączność ponad podziałami w klinice i przyczyniał się do ryzyka, że przerwa na lunch stanie się jedynie przerwą na posiłek. Pozostawało się dostępnym na oddziale albo w ciasnej sali dla personelu, wrzucało w siebie pospiesznie jedzenie, aby zaraz powrócić do obowiązków, tak naprawdę nie odpoczywając od pracy.

Dosiadła się do stołu pełniącego dziś dyżur radiologa. Otrzymał już skierowanie na tomografię komputerową głowy Johanssona od Daniela Skotte i zamierzał wykonać ją po południu. Po chwili pojawił się również Skotte. Przeszli do dyskusji na temat planów wakacyjnych, gdy wyszło nagle słońce i złotą poświatą zalało stół. W tej samej chwili, kiedy Veronika się dowiedziała, że panowie zamierzają latem wybrać się na żagle, zabrzmiał sygnał jej wezwania.

Powlokła się do telefonu przy ladzie stołówki. Dzwoniła Lisbeth z prośbą, czy Veronika nie mogłaby przyjść i zwrócić uwagę dorosłemu synowi niedojdzie Violi Blom.

A więc Skotte przyjął starszą panią na oddział, co zapewne całkiem szybko poszło. Przypuszczalnie nie było do zanotowania zbyt wiele zmian w jej stanie zdrowia. Najwyżej należało podyktować kilka linijek do rubryki: *Ponowne przyjęcie.*

Veronika znalazła biedną Violę na wpół leżącą na łóżku. Wymizerowana twarz zdawała się wtapiać w poduszkę. Kobieta była wychudzona i brzydka niczym nieopierzone pisklę.

Na rozłożonym stoliku pacjentki stała tacka z podanym obiadem: gotowany łosoś, do tego kisiel owocowy, którego Veronika nie zdążyła już spróbować. Apetyczny sobotni obiad ze smacznym sosem pożerał właśnie syn Violi, bez mała pięćdziesięcioletni fajtłapa, który przypuszczalnie nie wyrósł na człowieka z marzeń swojej schorowanej matki. Nie udało mu się nawet naprawdę dorosnąć.

Nie zauważył, że Veronika przygląda mu się od drzwi. Pytanie, czy w ogóle przejąłby się nią, dopóki jedzenie nie zniknęło jeszcze całkowicie z talerza. Przyłapywano go na gorącym uczynku już wielokrotnie wcześniej, ale nic do niego nie docierało. Zazwyczaj wślizgiwał się na salę w porze posiłków, po których równie szybko się ulatniał. Większość personelu w tym czasie również korzystała z okazji, aby coś zjeść w swoim pokoju, i dlatego rzadko go wykrywano.

Jednak tym razem miarka się przebrała.

Veronika bezgłośnie wśliznęła się w butach Birkenstocka i stanęła z boku, tuż-tuż za synem Violi.

– Smakuje? – zapytała szorstko.

Zastygł z łyżką w połowie drogi do rozdziawionych ust. Trochę kisielu pociekło.

– Ona i tak nie chciała – bronił się, rzucając w górę na Veronikę błagalne spojrzenie.

– Tak pan twierdzi?

Nie zamierzała okazać łaski.

– Ech, tak, no...

Odłożył łyżkę na tackę. Viola Blom z przerażeniem podniosła załzawione oczy na sufit. Jej oczy zakręciły się wkoło niczym dwie kule – była to jedyna wyraźna oznaka, że tak wygłodzona kobieta – skóra i kości – rzeczywiście żyje.

– Pańska matka leży na oddziale, aby przybrać na wadze, prawda, pani Violu? Nie tak się umawialiśmy?

– Tak – zgodziła się kobieta, próbując podciągnąć koc, aby się nim zakryć, ale uniemożliwił to ciężki syn, który uwalił się całą masą na skraju łóżka.

– Pani syn bez skrupułów panią objada. Jest pani tutaj, aby j e ś ć. Ten posiłek należy się p a n i, pani Violu. A nie panu – zaznaczyła Veronika, wpatrując się w wyglądającego kwitnąco syna staruszki, który wbijał wzrok w podłogę.

– Yhm – potwierdził, wstając z miejsca.

Nie poszedł sobie od razu, ale ociągał się przy łóżku matki. Miał okrągły brzuch i przekarmione, zarośnięte policzki. W końcu uświadomił sobie jednak, że musi zostawić kisiel, którego czerwień kusiła go z głębokiego talerza.

– Zapraszamy do odwiedzin! Ale nie do jedzenia! – zawołała za nim Veronika. Na końcu języka miała zdanie, że nie prowadzą darmowej restauracji dla krewnych pacjentów, ale sobie odpuściła. Łatwo było zauważyć, że z biedakiem jest coś bardzo nie tak i mimo wszystko nieładnie było atakować słabszego.

W każdym razie mężczyzna poczłapał w swoją stronę. W biurze czekała na Veronikę Lisbeth.

– Jak poszło?

– Poszedł sobie – odpowiedziała.

– Pomoc społeczna przynosi jej codziennie do domu jedzenie, ale najwyraźniej syn stoi na czatach, bo opowiadają, że natychmiast przychodzi i wszystko pożera.

– Może Viola tego chce.

– Tak myślisz?

– Dzięki temu ma towarzystwo, które kupuje. Nie każdy radzi sobie z samotnością.

– Może matczyna miłość?

– W takim razie bezgraniczna – odpowiedziała. – Jakby się miało kukułcze jajo w gnieździe.

Kiedy Veronika wracała korytarzem na izbę przyjęć, żeby pomóc Danielowi Skotte z pewnym dzieckiem – potem planowała pojechać do domu – usłyszała, że Viola Blom woła na nią poprzez otwarte drzwi. Pomyślała, że starsza pani pragnie przeprosić za syna, czego Veronika ani nie wymagała, ani też nie oczekiwała, bo przecież niektóre zjawiska były mniej lub bardziej niemożliwe, aby je zmieniać. Pacjentce chodziło jednak zupełnie o coś innego.

– Boję się przebywać w domu – odezwała się słabym głosem zasuszona staruszka, usiłując jeszcze bardziej skurczyć się w sobie, jeśli to w ogóle było możliwe.

– Dlaczego? – zapytała Veronika z umiarkowanym zaangażowaniem, ponieważ uważała, że starczy już wrzawy wokół Violi Blom, w każdym razie na dziś.

– Zobaczyłam wczoraj radiowozy na ulicy. Pobito staruszkę w domu naprzeciwko.

– Ach tak?

Veronika się zastanowiła.

– Dlatego przyszła pani wczoraj do szpitala?

Viola Blom przytaknęła z poduszki.

– Ale dlaczego nic pani nie powiedziała?

– Nikt przecież nie miał czasu, aby mnie wysłuchać – pożaliła się Viola Blom.

Veronika puściła tę uwagę mimo uszu. Spojrzała w dół na wzór na kocu, nie wiedząc, co powinna odpowiedzieć, aby uspokoić kobietę w miarę realnymi argumentami.

– Skąd się pani o tym dowiedziała?

Usta staruszki drżąco ułożyły się w słaby uśmiech.

– Człowiek śledzi wydarzenia.
– Aha. Ale jak?
– Telewizja. Gazeta.
– Ach tak – powiedziała Veronika, uspokajająco, kładąc rękę na ramieniu Violi Blom. – Proszę się nie martwić, policja zajmuje się sprawą. A ja naprawdę muszę już lecieć.
Veronika zrobiła kilka kroków w kierunku drzwi.
– Siedzę w oknie i przez nie wyglądam – dodała Viola Blom, aby przyciągnąć lekarkę z powrotem. – Sporo widziałam. – Kobieta zmrużyła szelmowsko oczy.
Veronika zawróciła.
– Czemu nie zadzwoniła pani z tym na policję? – zapytała.
– Ja?
– Tak, właśnie pani. Może ma pani do opowiedzenia coś ważnego – wyjaśniła lekarka.
– Nie ja – zaskrzeczała Viola Blom, przewracając głowę na poduszce.
– Ależ tak, właśnie pani – zdecydowanie podkreśliła Veronika. – Może coś pani zobaczyła, o czym powinni się dowiedzieć.
Twarz Violi przybrała przebiegły wyraz. Kobieta zagryzła bezzębne dziąsła.
– Nigdy nie wiadomo – odpowiedziała.
– Może pani opowiedzieć także policji, że się pani boi – dodała Veronika, tym samym przerzucając problem na inny sektor służby publicznej.
– Ale czy mogę tu teraz pozostać? – poprosiła staruszka poufałym głosem, kościstymi palcami skubiąc koc.
– Zostanie pani przez weekend, a w poniedziałek zobaczymy co dalej – zapewniła lekarka, poklepując staruszkę po dłoni.
Po tych słowach opuściła oddział.

■

Nastało sobotnie popołudnie, cienie się wydłużyły. Janne Lundin dokonał ponownego obchodu piwnicy, po raz kolejny sprawdzając wszystkie zamki. Udało mu się dotrzeć do mniej więcej połowy pomieszczeń gospodarczych – do tych, do których dostał klucze. Zobaczył w nich wszystko: od pedantycznego porządku po totalny bałagan. Po co komu kije hokejowe z lat pięćdziesiątych? Albo wiele metrów starych wydań „Reader's Digest"? Nie odnalazł natomiast niczego, co mogłoby posłużyć za narzędzie zbrodni: niczego o odpowiedniej wadze czy kształcie, a zarazem o relatywnie małej powierzchni uderzeniowej. Innymi słowy, narzędzia, które można było łatwo wnieść i równie łatwo stamtąd wynieść.

Janne pojechał na komisariat, gdzie odnalazł Benny'ego Grahna i Joakima von Ankę sprawdzających w laboratorium banknoty. Rozochoceni kryminalistycy zamierzali jeszcze zbadać stos wyjętego z suszarki czystego prania, którego nikt dotąd nie przejrzał.

Janne Lundin i Benny Grahn zaczęli się gapić na plątaninę rzeczy, na które głównie składały się drobne topy i bielizna. Do tej pory nigdy nie widzieli podobnych ciuszków w tak zwanym realu. Czarne, różowe jak świnka, czerwone jak ubranie Świętego Mikołaja, czekoladowe i morelowe drobne fatałaszki. Przeważnie z błyszczącymi tasiemkami, haftkami i kokardkami. Stringi, staniki z poduszeczkami na całą albo na pół miseczki, ale nic porządnie zabudowanego czy gładkiego.

– O, do diabła! – wykrzyknął Lundin.

– Smakowite, prawda?

– Ale takie maleńkie – odrzekł Lundin, podnosząc długopisem za ramiączko stanik typu *push up*. – Jakby na większe dziecko.

– Czemu nikt nie upomniał się o swoje pranie? – zastanowił się Benny.

– Ciekawe, czy nasi koledzy zapisywali rozmiary mieszkańców budynku?

– Tutaj mamy *small* – przeczytał Benny na majtkach.

Jesper Gren przyszedł i zaniemówił na widok stosu banknotów w pudełku.

– Ile tu jest?

– Nie mam pojęcia – odpowiedział Benny Grahn. – Proponuję ogłosić konkurs, kto zgadnie. Ten, kto będzie najbliżej, postawi reszcie kratę piwa.

Lundin i Gren spojrzeli na siebie.

– Okej – zgodził się Gren, wyglądając, jakby już zaczynał szlifować odpowiedź. – Zawiesisz kartkę w pokoju socjalnym?

– Jasne. Zobaczmy – odpowiedział Benny, wyrywając kartkę z bloku i wyciągając flamaster.

– A czego właściwie chciałeś? – zapytał Lundin.

– E, dostaliśmy właśnie anonimowe zgłoszenie... wiesz, ludzie są tak diabelnie tajemniczy w tym całym sąsiedzkim kotle. W każdym razie kobieta powiedziała, że jeden z sąsiadów wrócił ze szpitala. Zauważyła jego powrót. Możliwe, że nawet z nim rozmawiała.

– Kto to? – zapytał Lundin.

– Johansson Kjell – przeczytał z kartki Gren.

Lundin przytaknął.

– Erika do niego poszła, ale nie zastała go w domu.

Lundin podniósł komórkę i zadzwonił do Louise Jasinski, która była w drodze na komisariat. Wracała z domu, dokąd zajrzała, aby coś zjeść i sprawdzić, jak się mają dziewczynki.

– Naprawdę damy radę go dziś przesłuchać? – westchnęła. – Leżał w szpitalu, więc raczej nie jest w to wszystko zamieszany. Zadecydujemy, jak przyjadę. Ewentualnie Peter Berg mógłby to wziąć na siebie, dziś nie opuszczał komisariatu – rzucała luźno myśli, na koniec prosząc, aby zaczekali, aż wróci.

Peter Berg i Jesper Gren przez cały dzień próbowali przede wszystkim odnaleźć powiązania i skontrolować nazwiska, które wypłynęły w śledztwie. Pytanie, czy Peter uzna przesłuchanie sąsiada za stymulujące zakończenie dnia – pomyślał Lundin. W najgorszym wypadku on sam weźmie to na siebie. Chociaż wolałbym nie – uświadomił sobie. Byłoby fajnie spędzić trochę czasu z rodziną. Przekona Louise, aby poczekali z tym do następnego dnia. Niech wyśle tam Petera jutro. Był młody i wciąż palił się do pracy i pewno nie będzie mu przeszkadzało, że to weekend. Poza tym nie miał małych dzieci. A właściwie to wcale nie miał dzieci.

■

– Ale pycha – powiedziała Veronika, łapczywie wciągając spaghetti.

Już dawno przetrawiła dzisiejszego łososia. Rozdrobniła trochę jedzenia w miseczce Klary z twardego plastiku w kotki, po czym nalała mleka do kubka niekapka i zakręciła pokrywkę. Klara chwytała czubkami palców za koniec krótkiej nitki makaronu, oddzielała ją od reszty i wkładała do buzi. Głównie dłubała jednak w jedzeniu. Albo rozpaćkiwała. Veronika nie powstrzymywała córeczki.

Claes zamierzał zabrać się do drzew, gdy tylko skończy posiłek. Był naładowany energią, Veronika zauważyła, że nie mógł usiedzieć w miejscu. Chciał się wyrwać, pobyć samemu. Nastało późne popołudnie, lecz dni się wydłużyły. Przed tygodniem zmieniono czas na letni. Najwyższa pora, aby przyciąć drzewa – sąsiedzi już to zrobili. Claes odnalazł dodatki do gazet o ogrodnictwie, które odkładał. Rzucił je teraz na stół.

– Trzeba tylko kierować się tymi instrukcjami.

Wskazał na biało-czarne rysunki koron drzew, na których dydaktyczne strzałki wskazywały, gdzie należało przyciąć gałęzie, a gdzie absolutnie nie można było tego robić. Ostrzegawcze krzyżyki oznaczały złe miejsca.

– Należy przerzedzić gałęzie tak, aby korony drzew przepuszczały światło – skomentowała Veronika.

Znała się na tym, nauczona kiedyś przez ojca, nawet jeśli w późniejszym życiu bardzo rzadko korzystała z tej wiedzy w praktyce. Poprzedni sąsiad pomagał jej przycinać gałęzie, kiedy mieszkała sama z Cecilią. Wielokrotnie tej wiosny proponowała Claesowi, że zadzwonią do tego starszego pana, który na pewno chętnie by przyjechał, ten jednak za każdym razem odmawiał. W końcu zdała sobie sprawę, że najmądrzej będzie przestać o tym wspominać. Jeśli Claes powiedział, że zamierza prześwietlić drzewa, to znaczy, że bierze to na siebie. Jej marudzenie niczego tu nie zmieni.

A teraz zabierał się do dzieła.

Veronika posprzątała naczynia i postawiła córeczkę na ziemi. Klara od razu uciekła przez drzwi. Veronika pognała za nią. Dziewczynka stała przed telewizorem i brudnymi palcami waliła w szklany ekran, radośnie patrząc na mamę. Veronika podniosła małą, zaniosła ją z powrotem do kuchni, umyła jej rączki i znów odstawiła na podłogę. Córeczka natychmiast zniknęła z kuchni. Veronika zatrzasnęła drzwiczki do zmywarki i ją nastawiła. W tym momencie, kiedy nie pilnowała Klary, dobiegł ją z salonu dźwięk tłuczonego naczynia, ale nie usłyszała płaczu. Pobiegła tam.

– Kurwa! – zaklęła cicho do siebie.

Claes zostawił na stoliku filiżankę z kawą, jedną ze zdobnych w róże, cienkich filiżanek, które odziedziczył z domu rodzinnego i z których upierał się pić. Utrata jednej nie stanowiłaby tragedii, gdyby nie to, że była w niej zimna kawa. Plama rozprzestrzeniała się teraz bez litości po jasnym, plecionym z płótna dywanie. Veronika pobiegła po papier kuchenny, który włożyła pod dywan, jednocześnie próbując przykładać papier z góry, aby wsiąkło w niego jak najwięcej przypominającego dziegieć płynu.

W tym samym czasie odganiała Klarę od rozbitej porcelany.

Do tego wkurzyło ją, że po całej podłodze walały się zabawki. Poczuła straszliwy ból, gdy stanęła na pozytywce. Podłoga usiana była, niczym martwymi muchami, zmiętymi kartkami ze starych tygodników, które Klara pieczołowicie niszczyła.

Mógł przecież posprzątać!

Na domiar złego poczuła charakterystyczny niemiły zapach od Klary, która przez chwilę stanęła podejrzanie bez ruchu w rozkroku, przytrzymując się półki z książkami.

Veronika podniosła małą w pasie, niezbyt delikatnie trzymając ją pod pachą jak zwinięty w rulon dywan. Córeczka wierzgała i wymachiwała rękami. Veronika nie przeszkadzała jej w tym, tylko nieubłaganie przytaszczyła dziewczynkę na piętro, gdzie z głuchym łoskotem położyła ją na przewijaku. Klara rozdarła się jak szalona, na co Veronika, mając przytępione zmysły ze zmęczenia i złości, nie zwracała większej uwagi. Zerwała pieluchę, odkręciła wodę w zlewie, sprawdzając tylko, czy nie leci z niej wrzątek, po czym podstawiła pod strumień czerwoną dziecięcą pupę. Klara wyła ze złości, wywijając się na wszystkie strony. Gdy Veronika się uspokoiła, zauważyła, że leci zbyt zimna woda, dodała więc odrobinę ciepłej, dalej szorując pupę córeczki mydłem. Potem zrzuciła dziecko z powrotem na przewijak i wycierała je zdecydowanymi, szorstkimi ruchami.

Dzieciak darł się w niebogłosy, starannie unikając spojrzenia matki.

Mój Boże, co ja najlepszego robię?

Veronika nagle przejrzała na oczy, jak przy gwałtownym hamowaniu. Córka miała płonące czerwienią policzki, zdarty głos i ciekło jej z nosa. A przecież nie wróciła jeszcze w pełni do zdrowia!

Poczucie winy skręciło Veronice wnętrzności. Czemu nie mogła się pohamować? Być spokojna i powściągliwa, nie stracić głowy. A przede wszystkim nie wyżywać się na niewinnej osobie. Do tego na własnej córce.

Veronika ściszyła głos, zwracając się do Klary łagodnie i dmuchając jej ostrożnie w twarzyczkę. Jednocześnie delikatnie gładziła ją po policzkach i włosach. Następnie wzięła dziewczynkę na ręce i mocno przytuliła, próbując ją ukołysać, po czym usiadła na klapie toalety z córeczką na kolanach i bawiąc się z nią, łagodnie włożyła jej czystą pieluszkę.

– Kochanie, byłam głupia, tak się złoszcząc. Bardzo głupia – przepraszała, zastanawiając się, jak dużo z jej wybuchu córka zapamięta. Klara miała dopiero trzynaście miesięcy.

Człowiek ma wprawdzie mechanizmy odbudowy, ma je więc także i Klara, ale muszę się wziąć w garść – zdała sobie sprawę Veronika. To było ostrzeżenie.

Mała uspokoiła się, zamilkła, ale wciąż nie była pewna mamy. Łatwo to dało się odczytać ze zranionego języka jej drobnego ciała. Dziewczynka siedziała sztywno na kolanach mamy, unikając jej wzroku. Z ust małej wydobywały się sporadyczne, na granicy szlochu, gwałtowne westchnięcia.

Weszły do pokoiku Klary, w którym znajdowały się łóżeczko ze szczebelkami, komoda i niska półeczka z zabawkami. Veronika wyciągnęła szufladę komody, jedną ręką szukając w niej czystego ubrania.

Wtedy Klara ujrzała Kallego, pieska z materiału, którego dostała w prezencie od starszej siostry Cecilii. Kalle leżał płasko na brzuszku z rozłożonymi na boki uszami na dywanie ze skrawków materiału. Klara wskazywała na niego, radośnie wierzgając nóżkami. Veronika przykucnęła i podniosła pieska. Kiedy podała zwierzaka córce, ta chwyciła go i mocno przytuliła do ciała. Jakby miękkie zwierzątko jako jedyne mogło ją wystarczająco pocieszyć. Jednocześnie kciuk powędrował do ust.

Veronice zatrzeszczało w kolanach, kiedy wstawała. Uśmiechnęła się do zadowolonej córeczki. Czas zmierzyć się z bałaganem na dole, ale nie miała na to ochoty, więc zamiast tego stanęła w oknie, wciąż trzymając na ręku Klarę. Potrzebowały wydłużyć tę chwilę spokoju, umocnić świeżo odzyskaną harmonię.

– Pooglądamy ptaszki? – zaproponowała, lecz trudno je było dojrzeć z drugiego piętra.

Zamiast tego Veronika ujrzała Claesa rozmawiającego z nieznajomą kobietą. Stali pod jabłonią, a Claes był rozluźniony, ubrany w kalosze i bluzę z polaru. Kobieta musiała powiedzieć coś zabawnego, ponieważ odchylił się lekko, jak przy śmiechu.

Kobieta była wysoka i szczupła, zdawało się, że rozmawia całym ciałem. Ubrana była zwyczajnie: ciemne dżinsy, jasna koszulka i cienka, czarna kurtka. Włosy miała zaczesane do tyłu i zebrane w kitkę na karku. Miała ciemną skórę.

To musi być Erika Ljung – pomyślała Veronika. Sławna piękność w policyjnych szeregach. Ale co tutaj robiła?

■

– Jak go odebrałaś?

Erika Ljung siedziała w samym centrum spustoszenia panującego w salonie. Veronice udało się zdusić w sobie wszelkie gorliwe wytłumaczenia, jakie cisnęły jej się do ust, kiedy wpuszczała policjantkę do domu. Na domiar wszystkiego Erika była jednym z inspektorów Claesa! Nie było jednak żadnego powodu, aby się wstydzić, że dom nie lśnił czystością, przygotowany na wizyty niezapowiedzianych gości. Tak jakby zawsze się było czystym i miało na sobie przyzwoitą bieliznę na wszelki wypadek, gdyby trafiło się do szpitala. Należało się wyzbyć takiego sposobu myślenia.

Ted Västlund zniknął – tego dotyczyła sprawa, z jaką przyszła do niej Erika. Po prostu rozpłynął się w powietrzu. A w każdym razie nie można go było złapać w domu. Ani jego małżonki. Ich dom szeregowy stał ciemny i pusty. Mężczyzna nie pojawił się w klinice neurochirurgii u ciężko rannej, umierającej matki, ani nie zadzwonił.

Jego zachowanie jest dość nietypowe – uważała Erika Ljung. Po ludziach można się spodziewać czego innego. Veronika zgadzała się z policjantką.

Z tego, co wiedziała policja, jedyną osobą, z którą Ted Västlund miał kontakt, była Veronika. Wyjaśniałoby to cel wizyty Eriki Ljung w ich przyjemnie wyremontowanej chałupie z lat trzydziestych.

Veronika dopiero teraz się dowiedziała, że Doris Västlund nie przeżyła. Zapomniała zadzwonić i sama się wypytać o stan pacjentki. Otrzymać *feedback*, jak to teraz określano w życiu zawodowym. Veronika przestała ponosić odpowiedzialność za Doris Västlund w momencie, gdy pacjentka odjechała karetką.

A więc zmarła na skutek poważnych uszkodzeń mózgu. Informacja w najmniejszym stopniu nie zdziwiła lekarki. Może tak było lepiej.

Prowadzono dochodzenie w sprawie morderstwa. Czyżby szaleni albo zdesperowani sąsiedzi?

– Jaki był? – powtórzyła do siebie samej Veronika, usiłując dobrać odpowiednie słowa. – Był... powiedziałabym... opanowany – odpowiedziała krótko.

– Opanowany – powtórzyła Erika Ljung, włączając długopis przycisnąwszy go o udo. – Mogłabyś to jakoś rozwinąć? Może przytoczyć fragmenty waszej rozmowy?

– To nie była rozmowa.

– Nie?

– Mówiłam głównie ja.

– I co powiedziałaś?

– Mniej więcej to, co można powiedzieć w takiej sytuacji.

– Tak?

– Próbowałam wyjaśnić i opisać, co się stało albo raczej to, co wiedziałam w tej sprawie. Opowiedziałam, jakie poczyniliśmy kroki i czego można się teraz spodziewać. I...

– I?

– Szło to opornie, co właściwie nie jest wcale takie dziwne. Nie było z nim kontaktu.

– Tak więc wydawało ci się, że się wyłączył?

Veronika przytaknęła. Włosy sterczały jej radośnie wokół głowy. W uszach miała drobne złote kolczyki – ogólnie nosiła się naturalnie. Miała długą, odsłoniętą szyję, a oczy wyrażały zaangażowanie. Sprawiała wrażenie tryskającej niespożytą energią.

– Albo jakby nie obchodziło go, co się z nią stanie, jakby ich relacje były jakoś zepsute – kontynuowała. – Trudno się jednak wypowiadać na temat relacji między innymi ludźmi. Zazwyczaj większość zaraz reaguje w taki lub inny sposób. Rozumiesz, wybuchają płaczem, zadają pytania, krzyczą, czasem uciekają się do rękoczynów albo wybiegają z pomieszczenia. Są wściekli. Uważam, że najgorzej jest, kiedy stają się agresywni. Ale każda reakcja jest lepsza od bolesnej zaciętości, z jaką odcinał się od wiadomości Ted Västlund. Był pusty, prawie obojętny. Jakby się odgrodził.

– Czy zadawał pytania?

Veronika próbowała sobie przypomnieć.

– Nie, właśnie nie. Człowiek spodziewa się, że tak powinien zrobić, ale to głównie ja mówiłam. Ostrożnie przygotowywałam go, że prognozy nie są za dobre. Poza tym wyszłam z założenia, że otrzyma więcej informacji od neurochirurgów. Liczyłam, że tam pojedzie albo przynajmniej zatelefonuje na oddział. Zazwyczaj bliscy szybko dają o sobie znać. Przed wyjściem dostał ode mnie numer telefonu – opowiedziała, po czym zamilkła.

– Nie było trudno go złapać? – zapytała Erika Ljung.

– Z tego, co wiem, to nie. Jedna z pielęgniarek, a może ktoś z policji zadzwonił do domu i otrzymał numer na komórkę z automatycznej sekretarki. Ted Västlund wyszedł na proszoną kolację wraz z żoną. Był porządnie ubrany. Przyszedł do szpitala wprost od stołu.

– Sam?

– Tak, sam.

– Bez żony?

– Bez – odpowiedziała Veronika, potrząsając głową.

– Nie uważałaś tego za dziwne?

– Nie wiem. Jak mówiłam, relacje między ludźmi mogą być różne.

– Miałaś jakieś przypuszczenia?

– Nie, właściwie to nie. Można by na przykład przypuszczać, że relacje synowej z teściową nie należały do łatwych albo że Ted Västlund wolał kontaktować się z matką, nie mieszając w to żony... Ale coś z nim było nie tak – dodała, ociągając się.

Erika Ljung czekała w napięciu na dalszy ciąg, który jednak nie nastąpił.

Na schodach rozległy się kroki – to Claes schodził z piętra. Na niego spadło ułożenie małej do snu. Erika Ljung po raz pierwszy była świadkiem c u d u, jak to sama określiła, ale cud nie zachowywał się z godnością, tylko marudził, pociągał nosem i chciał być noszony. Veronika odruchowo przeprosiła za brak taktu córki, tłumacząc, że jeszcze nie całkiem wyzdrowiała. Poprzedniego wieczoru była nawet w szpitalu. Ze swoim tatą – poinformowała lekarka. Informacja ta spadła na Erikę Ljung jako pozytywne zaskoczenie. Niewątpliwie dawało to Claesowi pewną nie do pogardzenia liczbę punktów. Wyczyn ten pewnie rozniesie się wśród kolegów i koleżanek w komisariacie. Trudno było przewidzieć, czy przyjmą wiadomość na korzyść Claesa, czy też odwrotnie, jako coś żałosnego. Może i to, i to. Łatwo było się domyślić, że męski bohater na urlopie wychowawczym mógł być odbierany jako zarówno śmieszny, jak i niosący zagrożenie.

Erika Ljung wyszła, lecz Claes pozostał już w domu.

– Wezmę się znowu za drzewa jutro – stwierdził.

Zadzwonił telefon.

– Wrr! – zawarczała Veronika.

Claes odebrał.

– Do ciebie. – Uśmiechnął się żartobliwie, podając jej słuchawkę.

Kolejny brzuch. Prawdopodobnie wyrostek. Daniel Skotte nie domagał się, by Veronika przyjechała, chciał ją jedynie poinformować. Pacjent nie był na czczo wystarczająco długo, ale jak upłynie dość czasu, Daniel zamierzał go zoperować. Oczywiście da znać, gdyby potrzebował pomocy.

Miło mieć jasną sytuację – pomyślała. Móc na sobie polegać – to było podstawą ich działalności. Jedno zaczynało pracę tam, gdzie kończyło drugie. Następnego dnia, w niedzielę, Veronika sprawdzi kolejną wschodzącą gwiazdę interny – młodą lekarkę z Lundu o silnych akademickich korzeniach – matka i ojciec byli profesorami. Mimo to lekarka wydawała się całkiem normalna, wesoła i energiczna.

Veronika skorzystała z okazji i zapytała Daniela, jak czuje się dziewczynka. Całkiem dobrze. Możliwe, że to było tylko zapalenie pęcherza albo i nawet nie to.

– Może to tylko my dopatrujemy się tutaj czegoś złego – powiedziała, chcąc, aby poparł jej podejrzenia.

Daniel Skotte udzielił jedynej możliwej odpowiedzi:

– Nigdy nie wiadomo.

Rozłączyli się.

Claes siedział z piwem na kanapie. Klara spała, w domu panowała cisza. Byli tylko we dwoje. Obezwładniająco cudownie.

– Musisz jechać do szpitala?

– Nie.

Usiadła obok niego.

– Podoba mi się Erika Ljung. Ładna. Czy jest również mądra? – zapytała z ciekawością.

– No pewnie! Nie pracuje u nas jeszcze zbyt długo, ale jest dobra. Nie nadwrażliwa. Szybko podnosi się po porażkach.

– Czy to dobrze?

– Tak, myślę, że w naszym zawodzie to dobrze.

Veronika przyswajała tę informację, wyciągając się na kanapie, umieszczając stopy na kolanach Claesa i opierając głowę na oparciu tak, że mogła na niego patrzeć.

– Ma także dość dobrą intuicję – kontynuował. – Właściwie to może nie powinno się wspominać o intuicji, która jest tylko częścią oprogramowania. Brzmi to jak jakaś gadanina. Wszystko przecież powinno dać się zmierzyć, zważyć, udokumentować i udowodnić. Ale zawsze dobrze jest mieć wyostrzony węch. Wspominałem już o tym wcześniej, ale z chęcią to powtórzę. Szósty zmysł idzie w parze z pewną wrażliwością. Znajomością natury ludzkiej. W każdym razie rzuca się w oczy, jeśli ktoś tego nie ma.

– Oczywiście. Czy tego nie nazywa się teraz emocjonalną kompetencją?

– Nie mam pojęcia. Mnie wystarczy, że ktoś to ma.

Veronika pomyślała o dziewczynce, którą przyjęli na oddział.

– Trafiła do nas dziś dziewczynka z bólem brzucha – powiedziała.

– Czy zjadła coś niedobrego?

– Nie, wcale nie. Posłuchaj. Bolał ją brzuch. Może wyrostek robaczkowy lub coś innego. Zobaczymy. Ale bez względu na to, na co choruje, najwyraźniej jest jeszcze coś. Dziesięcio-jedenastoletnia dziewczynka.

– Co wzbudziło twoje podejrzenia?

– Nie wiem, ale Daniel Skotte wyczuł, że coś było dziwnego z matką: spięta, trochę sztywna, a do tego przesadnie troskliwa. Nie spodobało mu się zachowanie dziewczynki, jej podporządkowanie się matce, poprosił więc, żebym i ja zajrzała do małej. Po raz pierwszy była w szpitalu.

– I co wam przyszło do głowy?

– Nie wiem – odpowiedziała, patrząc w sufit.

– Kazirodztwo? Pedofilia? Przemoc domowa? – wyliczał Claes, nie owijając w bawełnę.

– Nie mam pojęcia! Trudno ocenić. Mama siedziała obok i była tak nerwowo nadopiekuńcza i nadgorliwa, jak to potrafią rodzice. Wtrącała się do rozmowy, tak jak to robią także ci, którzy nie krzywdzą swoich dzieci.

– Ale na co zwróciłaś uwagę?

Zastanowiła się przez chwilę.

– Nie mam pojęcia, chyba chodziło o milczenie.

– Ach tak?

– Dziewczynka milczała. I miała siniaki na nogach. Podobno przewróciła się na rowerze.

– Uwierzyłaś w to?

Ramiona Veroniki uniosły się i opadły, tak że przesunął się dekolt, odsłaniając ramiączko stanika na wystającej kości obojczyka.

– No tak, czemu by nie? – odpowiedziała. – Dziewczynka miała wyraźne zadrapania na kolanach. Ale równie dobrze mogła spaść ze schodów.

– Zostać zepchnięta?

– Tak.

– Przyciśnij matkę! Taka jest moja rada. Nie owijaj w bawełnę.

– Czy to jest naprawdę takie proste? Gdyby te podejrzenia okazały się prawdziwe, matka się przecież nie przyzna.

– Nie zapytasz, to się nie dowiesz.

– Może nawet jeśli zapytam, to się nie dowiem. Dzieci zachowują solidarność z rodzicami.

– Oczywiście! Ale zawsze można zacząć od pytań: Gdzie się przewróciłaś na rowerze? Jak to się stało? A potem obrócić się do matki: Czy bijesz swoje dziecko? Czy twój mąż bije wasze dziecko? Czy ktoś inny je bije? Czy dziecko było źle traktowane w jakikolwiek inny sposób? Czy spadło ze schodów? Jak do tego doszło?

– Nie ma męża. To znaczy matka.

Claes przestał jej słuchać pochłonięty własnymi myślami, jak najlepiej jej doradzić.

– Zawsze warto spróbować. Naprawdę niezmiernie rzadko robi się niebezpiecznie, kiedy człowiek zapyta. M o ż e się to przydarzyć, nie mówię, że nie, ale prawie się to nie zdarza, by ktoś człowieka uderzył. Możliwe, że osoba zapytana się wścieknie, ale trzeba się z tym po prostu pogodzić.

Veronika owijała w zamyśleniu kosmyk włosów wokół palców. Zdecydowanie nie lubiła złościć ludzi, było to nieprzyjemne. Unikała tego jak mogła. Nie szło to w parze z jej zawodem albo raczej z wyobrażeniem roli, jaką w nim grała: łagodzić, wspierać, pocieszać i czasami uleczać. Pomagać w szerokim znaczeniu tego słowa. W zamian niekoniecznie otrzymując pochwały czy słowa wdzięczności. Ale na pewno nie chce dostawać reprymendy. Nawet jeśli przez lata udoskonaliła się także i na tym polu.

– W każdym razie zatrzymaliśmy ją na oddziale. W ten sposób możemy ją przynajmniej pozostawić dłużej pod obserwacją – odezwała się.

Zrobili, co było w ich mocy. Resztę pokaże czas.

5

Niedziela, 7 kwietnia

Schodząc po schodach, Peter Berg czuł się jak krowa puszczona na zielone pastwisko. Zostawiał za sobą biuro i poczucie zamknięcia. Spędził pracowicie kilka przedpołudniowych godzin nad stosem raportów w niemal opustoszałym przez weekend komisariacie. Nadgodziny były kosztowne, ale chwilowo dostali na nie zielone światło od góry.

Otworzył drzwi i wyszedł.

Uderzyło go rześkie kwietniowe powietrze i jasne słoneczne światło. W powietrzu czuć było silną, nawet jeśli dość wczesną, zapowiedź zbliżającego się lata. Do popołudnia zrobi się już całkiem ciepło – pomyślał, kierując wzrok ku niebu. Aż zabolało. Nie był na to przygotowany. Nagle mgliste uczucie samotności wyparło poprzednią radość. Była piękna niedziela, a on pracował, jakby był jakimś wyrzutkiem. Nie mógł przestać myśleć o tym, że był wykluczony z grup przebywających w parkach czy na leśnych wycieczkach. Nigdzie nie przynależał.

Poczuł się ogromnie osamotniony.

Machinalnie otworzył drzwi samochodu. Właściwie to miałby ochotę zażyć trochę ruchu i szybko przejść się na zachód od Friluftsgatan, ale doszedł do wniosku, że zabrałoby mu to zbyt wiele czasu. Pragnął uciec od trawiącej go samotności. Może zdąży się przebiec później, po południu albo wieczorem? Od razu podchwycił ten pomysł, który przerodził się w naglącą potrzebę. Silna chęć w środku samotnego dołka. Gdy wycofywał samochód z prawie opustoszałego parkingu otoczonego smutnymi biurowcami, jego nogi już biegły po miękkich zboczach leśnych, zaspokajając głód wysiłku fizycznego, tęsknoty, aby dać z siebie wszystko, spocić się, porządnie się rozgrzać i poczuć ból w mięśniach.

Zaparkował ciasno pomiędzy dwoma samochodami na Rådmansgatan, w pewnej odległości od swojego celu, ale było to jedyne wolne miejsce – no może oprócz tego tuż za bramą budynku, ale stał tam zakaz parkowania. I choć uważał za bardzo nieprawdopodobne, aby ktoś chciał tam akurat wjechać lub stamtąd wyjechać, to pozostawienie w tym miejscu samochodu byłoby dość odważne. Poza tym miał przecież zdrowe nogi.

Zbliżając się do budynku, który zajmował właściwie połowę kwartału, zauważył młodą kobietę, niską i drobną, z przykuwającą uwagę pokaźną fryzurą – czarną z malinowymi pasemkami. Wybiegała przez bramę i wskoczyła do czekającego na nią auta. Samochód ruszył z piskiem opon i zniknął za rogiem budynku. Zapewne pojechali na wycieczkę. Melancholia i uczucie wykluczenia na powrót wezbrały w Peterze.

Poza tym nad okolicą unosił się, pozbawiony oznak życia, świąteczny spokój. Spoglądając w dół Kvarngatan, dość szerokiej przecznicy Friluftsgatan, nie dostrzegał żadnych oznak ruchu: ludzi ani pojazdów. Ba, nawet kota. Za to z ogrodu dochodził odgłos grabienia i ludzkich głosów. Spojrzał w dół ku schludnym fasadom z czerwonej cegły. Na ich tle wyróżniały się pojedyncze domy otynkowane na szaro lub żółto. Były tam też różnego kształtu przybudówki i wykusze, pomalowane na biało lub zielono okna, metalowe furtki z okuciami i od strony ulicy małe, ocienione ogródki. Pomyślał, że sam chętnie by tutaj zamieszkał. Było miło i bezpretensjonalnie. Oczywiście, gdyby nie popełnione właśnie w jednej z tutejszych piwnic morderstwo.

Zresztą dopóki mieszkał sam, raczej nie planował przeprowadzki. Musi wystarczyć mu to, co ma: dość tanie dwupokojowe mieszkanie, położone jednak w pobliżu Stadsparken.

Peter Berg się zdziwił, że Kjell w ogóle mu otworzył, gdy ujrzał mocno poturbowaną twarz mężczyzny przypominającą piłkę futbolową. Nie był to piękny obrazek. Johansson pewnie spodziewał się kogoś innego, bo w przeciwnym wypadku chyba nie otworzyłby drzwi.

Tymczasem postawa Kjella E. Johanssona nie zachęcała do zawarcia z nim bliższej znajomości. Zmierzył zadziornym spojrzeniem zaczerwienionych oczu Petera Berga. To, że spojrzeniu udało się przecisnąć przez wąskie szparki pod okazale napuchniętymi powiekami, graniczyło niemal z niemożliwością. Świetny przykład ilustrujący określenie „podbite oczy" – pomyślał Peter Berg. Jednocześnie intuicja natychmiast mu podpowiedziała, że istniało duże prawdopodobieństwo, iż mężczyzna nie należał do stada posłusznych boskich owieczek. Po latach służby Peter Berg miał dobrze wyostrzony węch do takich rzeczy. Prawie bezbłędnie rozpoznawał kryminalistów, gdy tylko wchodził do pomieszczenia. Policjant nauczył się czytać ludzi. Teraz miał przed sobą może nie typowy egzemplarz człowieka łamiącego prawo, ale najpewniej żyjącego na jego pograniczu – kombinującego na czarno oszusta, drobnego dilera albo coś w tym guście.

– No, nie wiem, czego pan ode mnie chce – odezwał się niskim głosem i niewyraźnie Kjell E. Johansson, wypełniając swoją szeroką klatą wejście do mieszkania.

– Ale ja wiem – odpowiedział Peter Berg. – Chciałbym z panem chwilę porozmawiać, więc bardzo proszę mnie wpuścić.

– Ma pan na to papiery?

– Jakie papiery? – zapytał zmęczonym głosem Peter Berg. Znał się na rzeczy, więc zrozumiał, że nastał czas działań perswazyjnych, coś, w czym policjanci byli całkiem dobrzy; tak dobrzy, że niedawno otrzymali pismo z policyjnego wydziału kontroli *Znaczenie przyzwolenia osoby przesłuchiwanej*. – To nie jest rewizja mieszkania. – Usiłował przybrać, tak jak należało, otwarty i miły ton, ale prawdopodobnie bezskutecznie.

– Ach nie?

– Chciałem tylko chwilę z panem pogadać – kontynuował nieustępliwie Peter Berg.

Tymczasem Kjell E. Johansson tkwił bez ruchu w miejscu, w dalszym ciągu tarasując sobą otwór wejściowy.

– Równie dobrze możemy to jednak zrobić na komisariacie – stwierdził zdecydowanym tonem Peter Berg.

Wyciągnął telefon, jakby miał wezwać wsparcie, na co Johansson, choć niechętnie, wpuścił policjanta do środka.

Ku zdziwieniu Petera Berga mieszkanie nie wyglądało jak narkotykowa melina. Wątpliwe, żeby Johansson sam wybrał zasłony – były odważnie kwieciste. Można się było domyślić stojącej za tym kobiecej ręki. Mieszkanie wyglądało bardzo miło, jeśli nawet nie przytulnie, choć to określenie byłoby jednak przesadą. Nie pachniało ajaksem, ale i też nie śmierdziało zaniedbaną mieszaniną zasiedziałego odoru pijaństwa, niepranymi ubraniami czy przepełnionymi popielniczkami, co charakteryzowało wielu samotnych mężczyzn o pewnym statusie społecznym. Kjell E. Johansson prawdopodobnie nie palił – Peter nie dostrzegał popielniczek – co znacznie poprawiało jakość domowego powietrza.

Zwisająca nad stołem kuchennym pomarańczowa metalowa lampa z początku lat sześćdziesiątych oślepiała blaskiem. Powinna wisieć niżej albo może wyżej. Na stole Peter zobaczył rozłożoną krzyżówkę. Niezbyt świeżą – gazeta była z zeszłego tygodnia. Kjellowi E. Johanssonowi udało się rozwiązać ponad połowę. Zupełnie niezły rezultat.

Mężczyzna nawet nie silił się na grymas uśmiechu na obolałej twarzy, choć prawdopodobnie zazwyczaj często się uśmiechał, i to szeroko, aby załagodzić sytuację, zatuszować niedociągnięcia. Był typem pochlebcy, zdolnym do namówienia kogokolwiek na cokolwiek. Pasowałby za ladą na targu Kivik.

Johansson był wysokiego wzrostu i słusznej budowy. Prawdopodobnie mniej obity emanowałby urokiem osobistym. Kobieciarz? Tak naprawdę to niewiele takiemu było trzeba. Niektóre kobiety ciągnęło do niebezpiecznych mężczyzn. Najsławniejsi psychopaci zamknięci w więzieniach dostawali całe worki listów od wzdychających do nich kobiet, które marzyły o poświęceniu życia na nawrócenie przestępców. Niepoprawne optymistki albo kobiety, które po prostu nie miały akurat nic innego do roboty – pomyślał Berg, omiatając spojrzeniem wąskie draśnięcia pokrywające ręce i przedramiona Johanssona. Nie było ich wiele, ale rzucały się w oczy. Wyglądały, jakby ich właściciel przeleciał przez szybę.

– Wrócił pan ze szpitala? – rozpoczął tytułem wstępu Peter Berg.

Wyszło to bardziej insynuacyjnie, niż zamierzał. Tak jakby wciąż nie mógł się otrząsnąć z przygnębienia, które niedawno go dopadło, i nie mógł wydobyć się z dołka.

– Skąd pan wie? – zdziwił się Johansson.

– Wyśpiewał nam to pewien ptaszek.

– Kurwa, jak ludzie wszystkiego pilnują!

– Jak długo pan tam był?

– O co chodzi? Przecież nikogo nie zabiłem.

– Niee? – odpowiedział zaskoczony Peter Berg.

– Na pewno. Ani nie złożyłem doniesienia na policji, choć to nie ja zacząłem. Postanowiłem jednak przymknąć na to oko.

– Ach tak? – powiedział Peter Berg, aby pokazać rozmówcy, że go słucha.

– To był taki wymoczek jak pan – zaznaczył Johansson. – Nie żartuję, to święta prawda.

Kjell E. Johansson nie znosi, gdy ktoś ma nad nim przewagę. Ale kto to lubi? – pomyślał w milczeniu Peter Berg.

– Trzeba mieć wzgląd na słabszych. Biedaczysko! Mały krasnal – podsumował Kjell E. Johansson z głową arogancko odchyloną do tyłu, spoglądając na Petera Berga, jakby to jego stłukł.

Policjant wciąż milczał.

– Cholera, ale jest pan blady. Nigdy nie wychodzi pan na dwór? – Kjell E. Johansson uśmiechnął się szyderczo, odsłaniając szczeliny pomiędzy zębami.

Peter Berg uświadomił sobie, że czas przejąć inicjatywę. Powinien zadać mężczyźnie jakieś przekrojowe pytanie albo poprosić go o opowiedzenie wszystkiego, ale wyszło inaczej.

– To kto zaczął? – zapytał zupełnie bez polotu.

– On! – wymknęło się błyskawicznie z ust Johanssona.

Peter Berg uświadomił sobie, że z pewnością czegoś tu nie rozumie.

– Jaki „on"?

– Skąd mam, do cholery, wiedzieć, jak się nazywa? No, po prostu jakiś natręt.

– Kiedy to było?

– Ale co?

Kjell E. wił się.

– Kiedy się biliście?

– Nie pamiętam. Czego, do diabła, pan chce?

– Czy przypomina pan sobie, gdzie się pan wtedy znajdował?

Kjell E. wlepiał oczy w Petera Berga – oczywiście na tyle, na ile był w stanie teraz się gapić.

– W środku.

– Czego?

– Parku.

– Jakiego parku?

– Kurwa! Przecież jest tylko jeden! – wkurzył się Kjell E. Johansson, jakby mówił do idioty.

– Niech się pan weźmie w garść – westchnął Peter Berg.

– W parku Folket.

– Tak więc był pan wczoraj w parku Folket?

– Nie, nie wczoraj. Przedwczoraj, w piątek wieczór. Czy pan nie nadąża?

– Nie do końca – wyznał Peter Berg, co jednak miało dobre następstwa w konwersacji.

– No właśnie. Przyznaje pan, że nie do końca pan nadąża – zauważył z zadowoleniem Kjell E. Johansson, jakby zachęcając do myślenia chudego idiotę, który najwyraźniej ciężko pojmował.

Oblicze Kjella mieniło się okazale wszystkimi kolorami tęczy.

– Prowadzimy dochodzenie w sprawie morderstwa – powiedział Peter Berg, przybierając urzędowy ton, choć od razu zdał sobie sprawę, że powinien wybrać inny.

Kjell E. Johansson poderwał się z kuchennego krzesła z oparciem, otworzył lodówkę i chwycił piwo. Stojąc przy zlewie, otworzył puszkę, aż zasyczało. Siorbał piwo, przyciskając je do spuchniętych warg, podczas gdy płyn sączył mu się kącikami ust.

– Do rzeczy – odezwał się potem. – Kto umarł? Ktoś, kogo znam?

– Doris Västlund – poinformował go Peter Berg.

Gdyby było to fizycznie możliwe, Kjell E. Johansson zbladłby – ocenił Peter Berg. Mężczyzna poszarzał na twarzy, co, nawet zdaniem Petera, wyglądało patetycznie.

– Przykro mi to słyszeć – odezwał się Johansson.

– Czy pan ją znał? – zapytał Berg.

Johansson przystawił puszkę do ust, jakby chcąc się pocieszyć spijaniem bursztynowego płynu.

– Zależy, co pan ma na myśli przez „zna" – odpowiedział, ostrożnie wycierając usta wierzchem dłoni.

– Proszę samemu sobie na to odpowiedzieć.

– Mieszka w budynku. Kłaniamy się sobie, kiedy się spotkamy.

– Innymi słowy: dobrzy sąsiedzi?

– No, pewno można tak powiedzieć. Równa z niej babka.

– Kiedy ostatnio pan ją widział albo spotkał?

– Nie pamiętam – odrzekł Johansson, trochę za szybko zdaniem policjanta.

– Pamięta pan, o której wyszedł pan z domu na piątkową imprezę?

– Chyba koło siódmej. Wzięliśmy taksówkę.

– Jacy „my"?

– Muszę odpowiadać?

– Miło by było wiedzieć.

– Miło – parsknął mężczyzna. – Po co?

– Jest mężatką?

– Nie, do diabła! To tylko sąsiadka, która jechała na tę samą bibę.

– A nazywa się?

Peter Berg wygrzebał z kurtki mały notatnik, a z wewnętrznej kieszeni wyjął długopis.

– Alicia Braun. Mieszka w tym domu.

– Tak więc ona i pan opuściliście pana mieszkanie około godziny siódmej, jadąc do parku Folket na imprezę?

– *Yes*.

– Co to była za impreza?

Dziwne, ale Johansson wyglądał teraz na zażenowanego, jakby bawił się w piątek na zabawie dla licealistów.

– Ma to jakieś znaczenie?

Peter Berg zastanowił się. Może i nie, ale zaciekawiło go, że Kjell E. Johansson się zakłopotał.

– To zależy.

– Okej. Bal przebierańców – westchnął Johansson.

Peter Berg przytaknął. Nie tak źle.

– Fantomy i takie tam – wyjaśnił Johansson. – Ale ja to olałem. Miałem tylko maskę – bronił się, formując kciukiem i palcem wskazującym kółko wokół oczu.

– Wróćmy do Doris Västlund. Powiedział pan, że nie widział jej pan w piątek.

– No.

– A jeśli powiem, że był pan u niej w mieszkaniu?

Całe ogromne ciało wyraziło sprzeciw.

– Jeśli mamy o tym gadać, to życzę sobie adwokata – wymknęło się Johanssonowi.

– Oczywiście! Tak też zrobimy – odpowiedział Peter Berg, wciskając długopis i pakując go do wewnętrznej kieszeni, z której przed chwilą go wyjął. – Ma pan już może swojego adwokata?

Mężczyzna łypnął okiem na policjanta.

– Rosén – odrzekł.

Peter Berg ponownie wyjął długopis.

– Ma pan na myśli Katarinę Rosén? – zapytał lekko zdziwiony, ponieważ zajmowała się ona głównie sprawami rodzinnymi, a takie gruboskórne typy jak Kjell E. – to nieśmiertelne „E"! – zazwyczaj reprezentowali nieco ostrzejsi adwokaci w garniturach.

Przed zejściem po schodach Peter Berg, nie mógł się powstrzymać od zadania ostatniego pytania.

– Co oznacza „E"?

– Evert. Na chrzcie nadano mi imiona Kjell-Evert Johansson, ale wcześnie zdałem sobie sprawę, a nie obyło się to bez bólu, rozumie pan, że tak nie można się nazywać. W każdym razie jeśli nie chciało się być bitym.

Kjell E. Johansson mógł równie dobrze zabić Doris

przed wyjazdem na maskaradę – pomyślał Peter Berg. Ale po co? Wiedział o jej pieniądzach? Jeśli tak, to czemu nie wziął ich sobie więcej i nie poupychał sobie nimi kieszeni? Pudło było wypełnione po brzegi.

Na pewno trzeba przeprowadzić rewizję mieszkania. Wyciągnął komórkę i zadzwonił do osoby prowadzącej śledztwo, to znaczy do Louise Jasinski.

■

Louise Jasinski była bez reszty pochłonięta przygotowywaniem prowiantu na drogę, gdy zadzwonił Peter Berg.

– Johansson miał co prawda cały wczorajszy dzień na uprzątnięcie ewentualnych dowodów – powiedział Peter Berg. – Jest niezgorzej obity. Mógł najpierw pobić Doris, a potem odreagować na kimś innym. Właściwie jest to dość częsty schemat. Nie mam za to pojęcia, jaki mógł być motyw, nie dowiedziałem się niczego, co by to sugerowało. Mogło jednak wystarczyć, że stanęła mu na drodze w pralni. Możliwe, że takie rzeczy wytrącają go z równowagi...

– Możliwe – odpowiedziała, odkładając nóż do masła i zlizując z ręki kropkę z pasty Kalles kaviar. – Brzmi prawdopodobnie.

Pragnęłaby, żeby sprawa rozwiązała się w miarę szybko, nieważne, jak zostanie zaszeregowana: zabójstwo, poważne pobicie, spowodowanie śmierci czy nawet morderstwo. Kwalifikacja zależała od tego, do jakiego stopnia przestępstwo zostało zaplanowane.

– Człowiek zawsze się boi, że przegapi jakieś dowody. A tu podejrzane jest już samo to, że facet jest niechętny do współpracy. – Peter Berg podsycał żar swojego przekonania.

Louise nie chciała się zbłaźnić. Była kobietą solidną, w każdym razie jeśli chodziło o pracę. Decyzja nie należała do trudnych – rewizja mieszkania i przesłuchanie na komisariacie. Musiała tylko zaplanować, kto co zrobi, bo przecież była niedziela. Obiecała, że oddzwoni.

Z trudem namówiła obie córki do wyjazdu na wycieczkę. Uważały, że trudno byłoby znaleźć coś równie mało ekscytującego, ale Louise bardzo zależało na zebraniu „rodziny". Dziewczynki planowały spędzić czas ze znajomymi, ale: „Jakoś przeżyjemy odrobinę przebywania z mamą" – westchnęła najstarsza córka, gdy już przestała marudzić.

Gabriella i Sofia właśnie się ubrały i zasiadły przy kuchennym stole. Wydało im się, że wspólne plany spalą na panewce. Wycieczka zostanie odwołana – ta mała przygoda, która miała je zespolić. Odczytywały to z pochylonych pleców matki stojącej przy zlewie.

– Nie mów, że nie jedziemy! – wybuchnęła młodsza córka, gdy tylko Louise odłożyła słuchawkę.

– Ale przecież tak naprawdę to nie chciałyście – prosząco odpowiedziała Louise, zmieniając swoje nastawienie o sto osiemdziesiąt stopni.

– No tak, ale zdążyłyśmy się już przecież nastawić! – wyraziła żal Gabriella.

Dwie pary oczu patrzyły na nią oskarżycielsko z kuchennej ławki z oparciem, jakby była potworem.

– Kurwa! – przeklęła pomiędzy zaciśniętymi zębami, wrzucając nóż do opakowania Bregott.

Nastała cisza, konflikt wisiał w powietrzu. Odwróciła się plecami do dziewczynek, zaciśniętymi pięściami oparła o zlew i głęboko odetchnęła, zanim z powrotem się do nich obróciła.

– Okej – powiedziała, odzyskując opanowanie. – Sprawa wygląda tak. Muszę iść do pracy. Wiem, że was „oszukałam", ale sądziłam, że zdążymy na krótką wycieczkę. Chciałam, żeby się udało, tak jak powiedziałam. Naprawdę. Czasami jednak człowiek musi zmienić plany.

Dwie naburmuszone twarzyczki wpatrywały się w nią bez litości.

– Poza tym wszyscy musimy się nastawić, że odtąd czasami może tak być – zaczęła kazanie. – Spróbujmy sobie nawzajem pomagać... wy dwie i ja... słyszycie?

Przechyliła prosząco głowę.

Problemy. Zawsze problemy! Czuła, że będzie ciężko.

Takie życie; nieustanne kompromisy.

– Co wy na to?

Znów przekrzywiła głowę. Zależało jej, aby były zadowolone, wtedy i ona będzie zadowolona. Ale może za dużo oczekiwała?

Nie! – odpowiedział wewnętrzny głos.

Z powodu sprzeciwu nasilił się w niej gniew. Wystrzelił on ze zdystansowanych, rozczarowanych dziewczęcych twarzyczek i drżący wzniósł się na nowy poziom. Jednak po ułamku sekundy uspokoił się, osłabł, zanikł.

Nie było sensu wyjeżdżać z oskarżeniami, grać na emocjach córek. Wynikały potem z tego same kłopoty.

One dwie i ona. Nie samotny rodzic, lecz jednak odosobniony.

A jeśli będą wolały zamieszkać z Janosem? Nie brała pod uwagę żadnego innego rozwiązania niż sprawowanie wspólnej opieki, ale zakładała, że będą mieszkać z nią. Wzięła to za pewnik. A jeśli...

Zrezygnuje wtedy ze sprawy, w każdym razie z kierowania dochodzeniem. Myśl ta zbudziła w niej ponure uczucia. Znowu będzie jak kiedyś.

Cholera, nie zgadzam się – przeklęła w duchu i coś w niej pękło. Poczuła gulę w gardle.

– Proszę!

Złość, jak zawsze, zmieszała się u niej z samoużalaniem się. Do diabła, ale jej było teraz szkoda siebie samej! Nagle zrobiła się taka nieodporna na zranienia. Nadszedł płacz. Dziewczynki nie miały odwagi ruszyć się z ławki, jakby były do niej przyklejone. Spojrzały na matkę wątpiąco. W ich spojrzeniach pojawił się niepokój; oczy wyrażały sprzeczne uczucia.

– No tak, co mogę zrobić? – zapytała bezsilnym głosem ich zrezygnowana matka, wycierając twarz wierzchem dłoni.

Sofia, najmłodsza, jedenastoletnia, wstała, podeszła do niej i ją objęła.

– Mogę dziś spędzić czas z Lottą – zaproponowała.

Mój Boże, jakie dziewczynki muszą być w tej sytuacji dzielne! Ponownie skręciło ją w środku od poczucia winy. Trzymając w objęciach córkę, spojrzała w dół na jej twarzyczkę.

– Świetnie. – Uśmiechnęła się, głaszcząc Sofię po ciemnej grzywce.

Była zdecydowana przyjąć propozycję dziewczynki.

– A ty, Gabriello?

Starsza córka w dalszym ciągu siedziała na ławce.

– Nie ma problemu. Dam sobie radę – odpowiedziała z dystansem, po czym wstała z ławki i wyszła z kuchni.

Gabriella miała teraz taki styl bycia. Mimo naburmuszenia córki Louise spróbowała okazać jej wdzięczność.

– To bardzo miło z twojej strony! – zawołała za nią, a w jej głosie dało się słyszeć jedynie prawdziwe uznanie.

Jadąc przez dzielnicę, wciąż czuła, że zmanipulowała córki.

Muszę oddać mazdę do warsztatu. Może powinnam znaleźć sobie pracę bez nadgodzin, weekendów i nocy – pomyślała. Ale była to tylko luźna myśl. Wiedziała, że nie ma zamiaru nic zmieniać. Wystarczyło, że tylko o tym pomyślała.

■

Mieszkanie Kjella E. Johanssona wypełniło się ludźmi. Kryminalistycy zaglądali w każdy kąt, opróżniali kosze na śmieci, przeszukiwali szafki z ubraniami, wyciągali szuflady, sprawdzali kuchenne szuflady i przeczesywali półki, zajrzeli do schowka ze środkami czystości i do pawlaczy nad korytarzem, opróżnili kosz z łazienki, wypełniony po brzegi brudną odzieżą, wśród której znaleźli ubranie, a dokładniej jasną koszulę z ciemnymi plamami na piersi, podejrzanie przypominającymi krew. Koszula pójdzie do analizy SKL* i testów DNA.

W łazience odkryto również krew w postaci pojedynczych plamek w różnych miejscach podłogi. I na ręczniku. Na podłodze pod wanną leżały także drobinki potłuczonego mlecznego szkła.

Przesłuchanie Kjella E. Johanssona na komisariacie nie przyniosło zbyt wiele nowego. Twierdził, że skaleczył się potłuczonym szklanym kloszem od lampy w łazience. Poinformował, że zarabiał na życie, myjąc okna. Z przeszłości mieli na niego tylko mandat za nadmierną szybkość i jazdę po pijanemu. Zadziwiające, ale nic więcej. Przesłuchanie prowadził również i tym razem Peter Berg, choć teraz był znacznie lepiej do niego przygotowany.

W międzyczasie Louise zadzwoniła do szpitala, gdzie uzyskała potwierdzenie, że Johansson był ich pacjentem, dokładnie tak, jak powiedział. Połączono ją z żoną Claessona, tak więc rozmowa przebiegła na luzie.

Gdy Louise wróciła do domu i zaparkowała samochód, nie był to jeszcze koniec pięknego dnia. Wierzchnie warstwy trawnika ogrzały się tak, jak i grządki kwiatowe, ale nadal było zbyt wcześnie, aby mogła wywlec z garażu ogrodowe meble. Ale już niedługo.

---

* SKL – Statens Kriminaltekniska Laboratorium – szwedzkie Rządowe Laboratorium Medycyny Sądowej.

Ogródek na tyłach domu był niewielki. Będzie jej go jednak brakowało, jeśli zajdzie konieczność przeprowadzki. Poczucie zamknięcia w mieszkaniu będzie pewno dotkliwsze, niż mogła to sobie wyobrazić.

Nie było to jednak jeszcze przesądzone. Może uda jej się zdobyć kredyt, aby zatrzymać szeregowiec. Nie wiedziała, jaką kwotą mógł ją wspomóc ojciec. Sprawa była delikatna, bo miała rodzeństwo. Potraktuj to jako przyszły spadek – powiedział.

Ich domek! W pewnym sensie nie wyróżniał się niczym szczególnym, możliwe nawet, że był bez wyrazu. Ulica składała się z dwóch podłużnych rzędów stereotypowych, małych gniazdek. Ale właśnie to miało znaczenie. Był to ich własny kąt, który możliwe, że stanie się jej. I dziewczynek.

Już w korytarzu zdała sobie sprawę, kto był w środku. Skopała z nóg buty.

Siedział na sofie, jak zwykle opierając stopy o rant szklanego blatu. Gabriella leżała rozparta na fotelu i czytała komiks. Telewizor był włączony – leciał sport.

Mniej więcej normalnie, choć jednak na opak. Świat wywrócony do góry nogami.

– Cześć! – Janos się uśmiechnął.

W tej samej chwili zrobiło jej się niedobrze.

6

Poniedziałek, 8 kwietnia

– Marianne Bengtsson? – zapytała Louise Jasinski, spoglądając ponad szklanym kontuarem wprost w umalowane oczy rozmówczyni.

– Oczywiście – odpowiedziała pewnym i zdecydowanym głosem kobieta. – Możemy wejść tutaj – dodała niemal szeptem, co nadało odrobinę mistycznego charakteru odwiedzinom policjantki w jej sklepie.

Louise poprzedziła wizytę telefonem, aby upewnić się, czy dobrze trafiła. Umówiły się na spotkanie. Natychmiast rozpoznała kobietę z fotografii w albumie Doris Västlund, mimo że minęły lata i właścicielka sklepu się zmieniła: przede wszystkim dotyczyło to koloru włosów. Figura kobiety również nabrała innych kształtów – stała się okrąglejsza.

Marianne Bengtsson, w białych sandałach Scholla, weszła pierwsza do małego pomieszczenia na tyłach sklepu. Jednocześnie poprosiła o przypilnowanie wszystkiego młodą ekspedientkę o oczach tak wielkich i ciemnych, że zdawały się zajmować połowę twarzy. Pilnowanie sklepu nie było trudne w poniedziałkowe przedpołudnie krótko po dziesiątej, kiedy świecił on pustkami. Perfumerię dopiero co otworzono, a przez rozwarte szeroko drzwi wlatywał rześki wiosenny wiaterek, który szybko przegnał duchotę panującą na skutek zamknięcia przez weekend.

Młoda ekspedientka uśmiechnęła się badawczo i chyba odrobinę wstydliwie, z ciekawością popatrując na Louise. Dziewczyna ustawiła się przy oknie wystawowym i coś poprawiała – nieważne, czy było to potrzebne, czy nie. Powszechnie wiadomo, że łatwiej jest zająć czymś ręce albo przynajmniej wyglądać na zajętego, niż tylko stać i się gapić.

Za draperią schowany był niewielki pokoik, niemal nora, służąca za pomieszczenie dla personelu, magazyn i biuro w jednym. Pięknie pachniało dobrymi mydłami jak w luksusowym hotelu albo jak babka, matka ojca. Louise dopadły błogie wspomnienia korpulentnej pani z pokaźnym biustem, licznymi perłowymi naszyjnikami i mnóstwem wolnego czasu oraz pieniędzy. Niestety, taki typ człowieka z reguły odchodzi jednak przedwcześnie – babcię wyniszczył rak żołądka. Cierpiała w milczeniu.

Pod wpływem niespodziewanego wspomnienia zapachowego Louise przypomniała sobie, że powinna niedługo dopilnować, by z kobietą, która odnalazła pobitą Doris Västlund, dokonano wizji lokalnej miejsca zbrodni. Oczywiście, jeśli ta sobie z tym poradzi. Hård, tak się nazywała. Przekaże tę sprawę Peterowi Bergowi, który umiał postępować z wrażliwymi kobietami.

Ściany wewnątrz sklepu były pomalowane na niebiesko – w odcieniu szwedzkiej flagi.

Podłużne, wąskie okno dawało widok na ciemny wewnętrzny dziedziniec. Były tam również drzwi prowadzące do toalety, przybite obok nich do ściany wieszaki na wierzchnią odzież, wspinające się ku sufitowi szerokie półki wypełnione kartonami. Na ceratowym obrusie o takiej samej niebieskiej barwie ktoś postawił już kubki do przedpołudniowej kawy. Połowę powierzchni stołu pokrywały próbki i plansze reklamowe. Obok nich, przy wciśniętym pod ścianą ekspresie do kawy, leżała papierowa torebka z najbardziej popularnej i bezkonkurencyjnie najlepszej cukierni Nilssona. Sądząc po rozmiarze, zawierała najwyżej dwie drożdżówki.

Jak zwykle Louise przeszkodziła.

– Dobrze by było, gdybyśmy rozmawiały cicho – zaznaczyła właścicielka butiku, zaciągając kotarę, która w zasadzie osłaniała tylko od widoku. – Proszę usiąść! Przyszła pani porozmawiać o Doris Västlund?

– Właśnie – odpowiedziała Louise, opadając na krzesło naprzeciwko wąskiego okna.

– Rozumie pani, moja współpracownica jej nie znała, więc może nie powinnyśmy za bardzo obgadywać Doris.

Louise poczuła wdzięczność, że Marianne Bengtsson zapaliła białą, porcelanową lampkę na stole. Lubiła patrzeć w twarz rozmówcy.

– Przypuszczam, że czytała pani o śmierci Doris Västlund – zaczęła bez owijania w bawełnę, czując się już jak zdarta płyta gramofonowa.

– Okropne! – wykrzyknęła kobieta, załamując dłonie. – Pomyśleć, że ludzie mogą być tacy okrutni w stosunku do sąsiadów! Dokąd ten świat zmierza? Powinno się, powinno się...

Spojrzała w twarz policjantki, licząc, że może ona podpowie jej odpowiednie słowo, ale Louise milczała.

– Powinno się tego... zabronić – dokończyła z naciskiem.

Wiele spraw nie znika tylko dlatego, że się ich zabrania – pomyślała zmęczona Louise.

– To jest zabronione – odpowiedziała w każdym razie, jakby fakt ten nie był wszystkim znany.

– Co?

– Przemoc i morderstwo.

– Oczywiście, że jest. Ech, jaka ja jestem głupia! To z nerwów. Człowiek jednak się zastanawia, co właściwie się wydarzyło. Nikt by nie przypuszczał, że Doris tak skończy.

Najwyraźniej Marianne Bengtsson należała do tej części społeczeństwa szwedzkiego, która mówiła o sobie w trzeciej osobie.

– Tak, człowiek naprawdę się zastanawia – ponownie powtórzyła Marianne Bengtsson, jakby do siebie samej. – W każdym razie to, co się stało, jest bardzo, bardzo smutne. Do tego w ten sposób! Wydaje się, że teraz powinno się wprowadzić do pralni ochronę. Strażników. Żeby ludzie nie kradli sobie nawzajem prania i nie wyrządzali sobie krzywdy.

Siedząca przed Louise kobieta głośno westchnęła, a potem zaczerpnęła powietrza, aby kontynuować. Policjantka pozwalała jej się wygadać.

– Kiedyś było inaczej – stwierdziła dość spokojnie Marianne. – Teraz społeczeństwo jest bardziej niebezpieczne i skomplikowane. Tak tylko mówię. Nawet my tu w sklepie poczuliśmy na własnej skórze, że wzrosła przestępczość. Zalewa nas fala kryminalistów przekraczających wszystkie granice. Na pozór nie ma tu dużo do ukradzenia. Żadnych komputerów, drogiej elektroniki, nic o stałej wartości, jak drogie kamienie czy zegarki albo przedmioty, które można by komuś sprzedać, ale ostatnio także i my zostaliśmy wielokrotnie okradzeni. Nie było włamań, ale klienci kradną. Bezczelne typy. Niedawno byli tu jacyś mężczyźni z drugiej strony Bałtyku. Estończycy, Litwini, Łotysze albo inni. W każdym razie z krajów nadbałtyckich. Albo może Rosjanie. Schludnie ubrani. Wielokrotnie przechodzili obok sklepu i zaglądali przez szybę wystawową. A potem zwędzili tusz do rzęs, szminkę, a nawet drogie perfumy, kiedy widzieli, że mamy dużo klientów i nie jesteśmy w stanie wszystkiego dokładnie upilnować. Drogie marki – stwierdziła. – Dior, Lancôme, Chanel. Francuskie firmy, które w ich krajach uchodzą za eleganckie.

Policzki kobiety lekko zadrżały. Louise przytaknęła, ale nie podjęła tematu.

– Zrozumieliśmy, że Doris Västlund tu pracowała – wtrąciła.

– Tak, dawno temu. Ale, oczywiście, pracowała tu. – Kobieta przytaknęła ruchem głowy.

Marianne Bengtsson wyjaśniła, że już wtedy była właścicielką sklepu. Teraz miała już dobre sześćdziesiąt lat i miękkie, miłe kontury. Janne Lundin powiedziałby, że wyglądała jak matka. Prawdziwa matka. Nie dziwiło, że była bardzo zadbana. Robiła dobrą reklamę sklepowi. Miała makijaż, który nie tyle odmładzał, ile uwypuklał jej atrakcyjność. Krótkie, gęste, białe włosy zaczesała z czoła, na gładkiej skórze można zaś było rozprowadzić kremy, których ceny Louise mogła się tylko domyślać. Brwi, tak jak na fotografii, były elegancko pociągnięte grubą kreską, a cienie na powiekach, kontrastowały ze sobą różnymi kolorami, ułożone warstwowo na poszczególnych częściach półkuli powieki. Tuż przy nasadzie rzęs kobieta pewną ręką narysowała eye-linerem kreskę pasującą kolorystycznie do całości. Róż uwydatniał kości policzkowe, które w przeciwnym wypadku nie wystawałyby na jej raczej krągłej twarzy. Eleganckiej i wyważonej całości perfekcyjnie dopełniała szminka. Louise pomyślała, że było to inspirujące. Efekt oceniła jednak na co najmniej pół godziny porannej pracy, tak więc od razu porzuciła ten pomysł.

– Doris pracowała tu z osiem lat temu. Co najmniej – kontynuowała właścicielka perfumerii.

– Aha. Mogłaby pani opowiedzieć o niej coś więcej?

– Była bardzo zdolną specjalistką – zaczęła Marianne Bengtsson.

Po tak szczerze pozytywnej opinii, według znanego wzoru, zaraz wypłyną na wierzch mniej chwalebne cechy Doris – przeczuwała Louise.

– Pracowała w tej branży od dawna – ciągnęła Marianne Bengtsson. – Naprawdę znała się na rzeczy. Uczyła się od podstaw. Zdobyła wykształcenie kosmetologiczne, jak się to wtedy nazywało, w znanej sztokholmskiej szkole. W Elizabethskolan. Myślę, że właśnie tak nazywała się ta szkoła. Uczęszczały tam dziewczęta tylko z dobrych domów. Część z ich została modelkami, a nawet znanymi aktorkami filmowymi. Wiem, że Doris przez jakiś czas także pracowała jako modelka na wiosennych pokazach w Nordiska Kompaniet*. Doris była kiedyś bardzo piękna. Wysoka, wyprostowana, miała piękne zęby... w tamtym czasach nie wszyscy takie mieli. I to wtedy, w Sztokholmie, poznała swojego męża... ale...

– Ale?

Zaraz to powie – pomyślała Louise.

– Jeśli mam być szczera, muszę powiedzieć, że chociaż Doris była naprawdę świetnym fachowcem... ale... ale nie była łatwa w obyciu.

– W jakim sensie?

– Naprawdę nie jest łatwo odpowiedzieć na to pytanie. To znaczy trudno. Najprościej to chyba wytłumaczyć, że była niezrównoważona. Nie tolerowała stresu. Potrafiła być zabawna i pomysłowa, aż tu nagle: ups, coś szło nie tak i stawała okoniem. Wszystko z nią było możliwe; czasami robiła się naprawdę bezczelna, wygadywała takie rzeczy, że nie wiadomo było, co ze sobą zrobić. Najgorsze, że zdawała się za grosz nie rozumieć, jakie sprawiała problemy. Taka już była – podsumowała Marianne Bengtsson, kładąc dłonie płasko na stole i poprawiając pierścionek, tak aby niebieski kamyczek na powrót znalazł się u góry. – Wszyscy, którzy ją wtedy znali, wiedzieli oczywiście, jaka jest, ale jak większość ludzi o wybucho-

---

* Nordiska Kompaniet – najbardziej ekskluzywne centrum handlowe w Sztokholmie.

wym charakterze z czasem się uspokoiła. Zrobiła się naprawdę opanowana.

– Zaniedbywała pracę?

– Nie. Nie, żeby nie przychodziła czy brała zwolnienia lekarskie – odpowiedziała Marianne Bengtsson, zdecydowanie potrząsając głową. – Potrzebowała pieniędzy.

– Tak więc chodziło o jej sposób bycia?

– Tak.

Marianne Bengtsson skierowała nieskoordynowane spojrzenie do góry ku przybitym na ścianie półkom, poszukując precyzyjnych, wiarygodnych i oddających słuszność prawdzie określeń.

– Mogłabym to ująć tak, że to Doris dyktowała nastrój w pomieszczeniu – powiedziała.

– Ale przecież sklep należał do pani.

Marianne Bengtsson potrząsnęła energicznie głową.

– To bez znaczenia. Doris nie potrafiła się opanować.

– A jednak pracowała u pani dość długo.

– Niełatwo kogoś zwolnić... i jakkolwiek było, to przez lata człowiek przywiązuje się do drugiej osoby. Przyzwyczaja. Choć nie powinien. Należało uderzyć pięścią w stół.

– Nie zrobiła pani tego?

– Ach, gdyby! Robiło się coraz gorzej. Ona była bez winy. Zawsze. Niczego sobie nie uświadamiała, całkiem jak dziecko.

– Sama nie była nigdy właścicielką perfumerii?

– Nie. Nie miała takich możliwości – odpowiedziała z ociąganiem Marianne Bengtsson, zatrzepotawszy pociągniętymi maskarą rzęsami.

– To znaczy?

– Mam na myśli możliwości czysto finansowe – wyjaśniła takim tonem, jakby tłumaczyła, że Doris Västlund miała wadę wrodzoną.

– Jak to?

– Nie miała za ciekawie po rozwodzie.

Nie za ciekawie? – zdziwiła się Louise, a przed jej oczami ukazał się stos banknotów, a dokładniej czterysta pięćdziesiąt osiem tysięcy. Niemal pół miliona.

– Było u niej naprawdę krucho po rozwodzie. Przyzwyczaiła się do wyższych standardów, do bycia panią domu, która mogła sobie na dużo pozwolić. Miała pozycję, a potem, powiedzmy, spadła o kilka szczebli na drabinie społecznej – wyszeptała ledwie słyszalnie Marianne Bengtsson.

– Kiedy to było?

– No, wie pani! Co najmniej ze dwadzieścia lat temu. Może trzydzieści. Wyszła za mąż za rewidenta, urodziła syna i dobrze jej się powodziło, dopóki mąż nie znalazł sobie innej. Nie pracowała przez te wszystkie lata, kiedy była mężatką. Nosiła wytworną odzież, dużo podróżowała...

Zdaniem Louise temat był wyczerpany.

– Przykro słyszeć – powiedziała jednak.

– Z reguły nie popieram, gdy mężczyźni, że tak powiem, zmieniają swoje poślubione żony – Marianne Bengtsson uśmiechnęła się szeroko – ale w tym przypadku go rozumiem.

– Naprawdę?

– Tak, naprawdę. Kto by wytrzymał z kobietą o takim charakterze? Mimo urody.

– Mogłaby pani opisać, co się działo, gdy Doris nie była w humorze? – zapytała Louise, próbując sobie wyobrazić nowy scenariusz wydarzeń w pralni. – Krzyczała? Biła?

– Potrafiła się po prostu wściec.

– Aha, ale co się wtedy działo?

– Robiło się nieprzyjemnie.

– Nic więcej?

– Nie było to mało! Wściekli ludzie są zawsze nieprzyjemni. Zabierają całe powietrze. Chodziliśmy wokół niej na palcach, bojąc się ją rozdrażnić. Do tego zawsze wybierała sobie jakąś ulubienicę wśród ekspedientek i podburzała ją przeciwko mnie.

– Ale nigdy nikogo nie uderzyła? Nie groziła?

– Na Boga, nie! Możliwe, że chłopiec oberwał czasem od niej w ucho, ale nas nigdy nie zaatakowała. Tylko tego by brakowało! Natychmiast bym ją wyrzuciła...

Marianne Bengtsson zamilkła, wydobywając wspomnienie z czeluści zapomnienia.

– Choć jeden przypadek... jeden, jedyny raz. Rzuciła w dziewczynę pudełkiem perfum, Chanel No 5. Pamiętam to. Dziewczynie nic się stało, a buteleczka nawet nie pękła, ale rozpętało się piekło. Doris była pełna skruchy, płakała i piszczała jak małe dziecko, obiecując, że już nigdy więcej się to nie powtórzy. Miała na utrzymaniu synka, a alimenty od byłego męża nie wystarczały... Zrobiła prawdziwy cyrk – podsumowała. – Nie potrafiłam się jej sprzeciwić, więc Doris pracowała dalej. Jednak po krótkim czasie, kiedy była niemal przesadnie miła i wesoła, stała się znów taka jak dawniej.

– Powiedziała pani, że Doris podburzała personel przeciwko pani?

– Zdarzało się. Najgorsze, że nigdy nie było wiadomo, kiedy miała zły humor. Potrafiła być też bardzo miła, wręcz czarująca.

– Ma pani na myśli to, że była kapryśna?

– Można tak powiedzieć. Kiedy chciała, promieniowała uprzejmością. Na przykład, kiedy trzeba było zachęcić klientów do kupna, aż nagle... wystarczyło, że coś poszło w pierdut...

Louise się uśmiechnęła. Marianne Bengtsson to zauważyła.

– Przepraszam za sformułowanie! – wykrzyknęła, czerwieniąc się pod podkładem.

– Nie ma za co – odpowiedziała wciąż uśmiechnięta Louise.

Fajna babka – pomyślała.

– Nie orientuje się pani, czy Doris utrzymywała z mężem kontakt po rozwodzie?

– Jeśli tak, to sporadyczny. Awansował na jakiegoś kierownika w dużej firmie rewizyjnej, przeprowadził się do Sztokholmu, założył nową rodzinę i robił zapewne, co w jego mocy, aby zapomnieć o dotychczasowym życiu. Wysyłał jednak alimenty. Myślę, że i dla chłopca, i dla niej. W tamtych czasach mężczyzna był zobligowany dożywotnio do płacenia na utrzymanie, oczywiście, dopóki kobieta nie wyszła kolejny raz za mąż. Kiedy ją zostawił, była przecież panią domu. Nie wydała się też nigdy ponownie za mąż.

– A syn?

– Ted. No tak, pozostał z Doris, można by powiedzieć, jako zastaw. Na pewno miałby o wiele lepiej z ojcem. Sposób bycia matki go wyniszczał. Przebywanie w jej pobliżu nie było korzystne. Jechała po nim, jednocześnie się nim chwaląc. Chłopak był zdolny. Ale z tego, co pamiętam, z czasem stał się milczkiem. Sprawiał wrażenie sympatycznego, był trochę blady i nieśmiały. Pewnie dusił w sobie złość.

– Tak?

– Doris ciągnęła go w dół. Poza tym nie widziałam go od kilku lat. Ale z tego, co wiem, dał sobie w końcu radę. Jakiś czas temu robiła tu zakupy jego żona i wydawała się urocza. Poszedł w ślady ojca. Stał się rewidentem albo doradcą finansowym, czy coś w tym rodzaju. Jak on to zniósł?

Louise oczywiście nie odpowiedziała.

– Czyli Doris mieszkała po rozwodzie sama z synem? – podsumowała.

– Z tego, co wiem, to tak. Ale Doris była ładna i potrafiła być zachwycająca, więc przyciągała do siebie różnych mężczyzn... niektórych na dłużej, ale większość się nią męczyła. Zdawali sobie pewnie sprawę, jaka była.

Najdłuższy związek miała z wdowcem z dwójką dzieci. Często u nich przebywała, rządziła się i dyrygowała nimi. Myślę, że przez jakiś czas nawet razem mieszkali. Myśleliśmy, że coś z tego będzie. To znaczy, coś stabilnego. Nazywał się Folke, więcej nie pamiętam. Ale działo się to z dziesięć, może piętnaście lat temu, jeśli nie więcej. Coraz trudniej utrzymać rachubę. Miał jednak na tyle rozsądku, żeby z nią zerwać... tak myślę, bo od dawna mieszkała sama. Wyglądała na szczęśliwą, w każdym razie szczęśliwszą niż kiedyś. Uspokoiła się. Ostatnio niezbyt często zaglądała do sklepu.

Marianne Bengtsson jakby posmutniała. Louise uświadomiła sobie, że czas na nią.

– Tak, i pomyśleć, jak sprawy mogą się potoczyć! – westchnęła kobieta po drugiej stronie stołu, zanim Louise wstała, podała dłoń, podziękowała i wyszła na zewnątrz.

Policjantka poszła krótki kawałek w dół zacienionym chodnikiem Köpmannagatan, po czym przemieściła się na drugą stronę ulicy. Słońce ją oślepiło. Zatrzymała się, wyjęła notatnik, czując ciepło palące twarz. Musiała zmrużyć oczy, patrząc na białą kartkę. Przez chwilę się zastanawiała, gdzie mogła położyć okulary przeciwsłoneczne i czy może powinna wskoczyć do Åhlénsa, aby sprawdzić, czy nie mają tam jakichś tanich i w miarę pasujących. Nie widziała sensu, by w inwestować w ładniejsze, kiedy i tak wszystkie gubiła.

„Folke" – zapisała. I „huśtawka nastrojów".

Przewróciła stronę. Było tam napisane: „Skontaktować się z byłym mężem".

Można by u mnie zdiagnozować starczą demencję – pomyślała, wciskając notatnik do kieszeni i kierując się powoli do komisariatu. Czekała ją długa podróż samochodem. Odwiedzą oddział medycyny sądowej – droga zajmie ze trzy godziny. Jak długo będą jechać, zależało od tego, kto siądzie za kierownicą.

■

Astrid Hård zupełnie straciła zainteresowanie wyjazdem do Göteborga. Jak mogłaby się bawić i odpoczywać z przyjaciółmi, kiedy dopiero co umierał u jej stóp człowiek? Nie było sensu tracić otrzymanego od pracodawcy dodatkowego urlopu na samą podróż, skoro źle się czuła. Lepiej było pójść do pracy, gdzie będzie miała zajęcie. Tak więc stawiła się tam już w poniedziałek rano. Przypudrowała podkrążone oczy.

Przez trzy noce z rzędu czuwała, niemal unosząc się na łóżku od ciągłego napięcia. Niczym potępiona dusza snuła się po dwupokojowym mieszkaniu, które zdawało się skurczyć. Spięta, obserwowała przez okna to ulicę, to znów podwórze. Raz to, raz tamto, i tak w kółko. Przestraszonymi oczami wypatrywała czegoś za oknami.

A jeśli chciał ją dopaść?!

Dzwonili do niej wielokrotnie rodzice, uważając, że powinna przyjechać do nich do domu i odpocząć. Ale co miałaby robić w Emmabodzie?

Ach, jakże tęskniła za towarzystwem w domu! Za facetem, za prawdziwym mężczyzną. Wrażliwym, dużym i silnym. Z pewnością nie za kimś takim jak Sigge Gustavsson, który mieszkał w tej samej klatce i był typową męską biurwą. Odkąd uciekła mu żona, Astrid miała z nim prawdziwe utrapienie. Drżała, słysząc, jak irytująco cicho, jednostajnie bębni środkowym palcem w jej drzwi. Jakby wystukiwał takt na cztery. Pewno nie chciał, aby usłyszano go na klatce i stwierdzono, że skrada się wokół niej, nie mając odwagi wyznać, o co mu chodzi.

Kiedy pierwszy raz zapukał do drzwi, sądziła, że chodziło mu o jakąś sprawę związaną z radą mieszkańców, coś ważnego, czego chciał się dowiedzieć jako jej przewodniczący. Oczywiście dość szybko się zorientowała, że tak jednak nie było, więc mu się wywinęła. Za każdym razem było tak samo i stawało się to coraz bardziej żałosne. Ułatwiał jej jedynie tym, że był tak pewny siebie – aż sam się prosił, aby mu odmówić. W tej chwili największy problem stanowił dla niej upór mężczyzny. Sigge najwyraźniej nie miał zamiaru się poddać – był uparty jak osioł. Nie rozumiał, że nie chciała się z nim spotykać.

Nic dziwnego, że żona od niego uciekła!

Po tym, jak znaleziono Doris, Sigge oczywiście ponownie zabębnił do drzwi. Pierwszy raz w sobotę, drugi – w niedzielę.

– Chciałbym wiedzieć, gdzie jest twoje miejsce – zakomunikował z charakterystycznym dla niego pewnym siebie uśmieszkiem.

– W domu – odpowiedziała, przyglądając mu się sztywno przez na wpół otwarte drzwi. Gdzieżby indziej – pomyślała, zdecydowanym ruchem przytrzymując je ciałem. Nie miała zamiaru przepuścić go przez próg. Wtedy się go nie pozbędzie.

Okazało się, że miał oczywiście na myśli, gdzie było jej miejsce w tym całym zdarzeniu. Innymi słowy, pytał – bezczelny typ – czy miała podejrzenia, kto jest mordercą.

Policjant Peter Berg powiedział jej, że w razie potrzeby może z nim porozmawiać. Stwierdził, że najlepiej będzie nie mieszać w to innych ludzi. Zakomunikowała to więc Siggemu, obojętnie wzruszając przy tym ramionami. Najwyraźniej niemile go to zaskoczyło.

Tak, potrzebowała innego typu mężczyzny niż Sigge Gustavsson. Mężczyzna jej marzeń z pewnością otoczyłby ją teraz swoimi silnymi ramionami i od razu poczułaby się o niebo lepiej. Była o tym całkowicie przekonana. Mógłby przypominać wyglądem tego policjanta, Petera Berga. Nie powalał urodą, ale był przecudowny. I umiał słuchać, naprawdę słuchał, co do niego mówi. Mogłaby mu wielokrotnie na okrągło powtarzać swoją historię, aż odnalezienie pobitej Doris straciłoby trochę na znaczeniu.

Weszła na oddział jak zwykle wcześnie rano. Czuła się jednak zupełnie inaczej niż normalnie i inni oczywiście natychmiast to zauważyli. Była cicha i blada. Taka tajemnicza – powiedziała Rose, prosząc Astrid o wyjaśnienia. Powiedz chociaż kilka słów – nalegała. A z Astrid wypłynęło naturalnie wszystko – wezbrał w niej potok słów jak w wiosennej rzece.

– A więc to ty jesteś tą sąsiadką, to ty znalazłaś kobietę, o której napisano w gazecie? – zapytała Rose, patrząc na nią z podziwem.

– No tak, wszystko się zgadza – musiała przyznać.

Kiedy o wszystkim usłyszała szefowa sekretarek, uznała, że Astrid powinna odpuścić sobie dziś pracę na kasie. Rose ją weźmie, mimo że wielokrotnie jej zarzucano, iż nie ma właściwego podejścia do klientów. To przecież wy, sekretarki siedzące za szklaną ścianą, jesteście twarzą kliniki – powtarzała do znudzenia kierowniczka zmiany. Powinny być miłe i pomocne, najlepiej zaczynać rozmowę od uśmiechu. Jak w kasie w Konsumie. Były na szkoleniu, na którym uczono je mówić „Dzień dobry" z rozjaśniającym natychmiast twarz uśmiechem. Jeśli to przećwiczycie wystarczająco dużo razy, wejdzie wam to w krew. Ale Rose, którą Astrid w gruncie rzeczy podziwiała, była z natury odważna i niepokorna oraz miała – krótko rzecz ujmując – w dupie gadki o rozjaśniającym uśmiechu. Jak mam akurat inny nastrój, to go mam i już – powiedziała. A ponieważ nie dostawała więcej pieniędzy za błyskanie wszystkimi zębami, które poza tym były dość nierówne, uśmiechała się tylko wtedy, gdy miała na to ochotę. W taki nużący poniedziałek absolutnie nie mam nastroju do pracy w kasie – stwierdziła Rose, poprawiając spinki we włosach. – Ale okej, nie będę marudzić.

Tak więc Astrid miała dziś pracować w rejestracji telefonicznej. Dobrze, bo telefon sprawiał, że będzie cały czas zajęta i zmuszona myśleć o czymś innym.

Założyła słuchawki z mikrofonem i włączyła telefon. Siedząca za nią koleżanka była nowa, ale za bardzo nie przeszkadzała Astrid. Siedziała w słuchawkach od dyktafonu, notując w historiach chorób. Kilka razy przerwała jednak Astrid pracę, prosząc ją o pomoc w zrozumieniu szwargotu nowego lekarza. Okropny szwedzki – uważała nowa. Podłączyły głośniki, przewijały wielokrotnie taśmę, ale czasami nie dało się odgadnąć, co lekarz miał na myśli, mimo że wyobraźni im nie brakowało. Astrid poradziła koleżance, żeby sobie lepiej odpuściła i włożyła wydruk z wieloma czerwonymi znakami zapytania do przegródki doktora. Niech się nauczy! Nowa odpowiedziała, że właściwie to było jej go trochę żal.

– Ale nie można tak myśleć – wyjaśniła Astrid. – W historiach chorób pacjenta zawsze musi panować porządek, to najważniejsze.

Ktoś zadzwonił z żądaniem natychmiastowej wizyty u lekarza. Właściwie to wszyscy tego chcieli, więc była przyzwyczajona do mówienia, że najbliższy wolny termin jest za co najmniej dwa tygodnie. To i tak niezbyt długo – miałaby ochotę powiedzieć do zgorzkniałej paniusi po drugiej stronie słuchawki. Proszę pomyśleć, jak jest w Sztokholmie! Mimo uprzejmego tonu Astrid rozmówczyni stwierdziła, że dwa tygodnie to o wiele za długo. Nie pozostawało jej nic innego, jak poradzić kobiecie, aby udała się na ostry dyżur, chociaż wiedziała, że tam również było niełatwo. Najwyraźniej kobieta za wszelką cenę wolała tego uniknąć. Stracić cały dzień na czekanie, aż cię przyjmą! Astrid Hård odniosła wrażenie, że kobieta była najwyraźniej osobą bardzo zajętą. Jej głos szeleścił w słuchawce. Astrid pomyślała o Peterze Bergu – stanął jej przed oczami, jakby wyrósł nagle spod ziemi. Uśmiechał się do niej szeroko. Kobieta po drugiej stronie słuchawki w jakiś zadziwiający sposób wyczuła, że Astrid niezbyt uważnie jej słucha.

– Halo, jest tam kto? – zapytała.

– Słucham – odpowiedziała z wyuczoną uprzejmością Astrid, myśląc, jak zwykle w takich wypadkach, że głos kobiety raczej nie brzmi jak osoby śmiertelnie chorej.

Poszukała w komputerze najbliższego możliwego terminu wizyty – co prawda nie do najfajniejszego lekarza, ale nie można było mieć wszystkiego. Kobieta zaakceptowała przez telefon datę i Astrid wyłączyła środkowym palcem przycisk rozmowy. W tej samej chwili szeleszczący dźwięk tuż za nią sprawił, że włosy stanęły jej dęba.

To koleżanka zajmująca biurko z tyłu zmięła pustą papierową torebkę.

Astrid przełknęła ślinę, świadoma, jakie było w niej napięcie. Przez drzwi wszedł lekarz chcący przełożyć terminy wizyt.

– Co ci się stało? – zapytał.

Zmarszczyła czoło.

– Nic – odpowiedziała, dla pewności oglądając się jeszcze raz za siebie.

■

Janne Lundin i Benny Grahn już po raz setny dreptali w kółko po wybrukowanym dziedzińcu. Podwórze leżało teraz w cieniu, powietrze było wilgotne, lecz dzień zapowiadał się piękny. Białe, plastikowe krzesło stało samotnie na dziedzińcu. Prawdopodobnie reszta mebli ogrodowych, które widzieli w piwnicy, zostanie wyniesiona dopiero później.

Spojrzeli na zegarek. Warsztat otwierano o dziewiątej. Brakowało jeszcze pięciu minut, ale mieli nadzieję, że właścicielka, niejaka Rita Olsson, przyjdzie trochę wcześniej. Najwyraźniej się mylili.

Benny niecierpliwie przeczesywał wszelkie zakamarki podwórza. Co prawda zrobił to już wcześniej, ale nie było sensu marnować nadarzającej się okazji. Zajrzał za rzadko porastające jedną z ceglanych ścian kapryfolium, uniósł wycieraczkę z szarego plastiku leżącą przed drzwiami do warsztatu, a potem dwie ceramiczne doniczki z narcyzami, stojące po obu stronach schodów prowadzących w górę, ku wejściu znajdującemu się naprzeciwko pralni. Na koniec chwycił plastikowe krzesło i zaniósłszy je do murku oddzielającego sąsiednią działkę, próbował coś z niego dojrzeć.

– Widzisz coś? – zapytał Lundin.

– Nie, jestem za niski.

– Pozwól, że ja zobaczę – zaproponował Lundin. Wspiął się na krzesło, z którego stwierdził, że za murem nie było wiele do oglądania poza drzewem, kilkoma krzakami porzeczek i niemal pustym drewnianym tarasem, w którego rogu ustawione były, jedna na drugiej, puste doniczki.

Rity Olsson, której nikt z policjantów jeszcze nie spotkał, nadal nie było. Wszyscy mieszkańcy wyrażali się o niej pochlebnie.

Tak więc Benny węszył dalej. Zdecydowanym krokiem ruszył ku budynkowi gospodarczemu przylegającemu do warsztatu, w którym według wszelkich prawideł nowoczesnej sztuki przechowywano śmieci. Budynek przeszukano już pierwszego dnia, ale nic nie stało na przeszkodzie, by zajrzeć tam jeszcze raz. Wielkie tablice objaśniały drukowanymi literami, gdzie wyrzucać papier, produkty metalowe, kartony, resztki jedzenia i przezroczyste oraz kolorowe szkło. Benny metodycznie unosił kolejno zamknięcia, grzebiąc w pojemnikach metalowym prętem. Niczego nie znalazł. Na początku.

– Czy wywieziono już śmieci? – zapytał Lundin.

– Nie – odpowiedział Benny.

Lundin został na dziedzińcu, aby widzieć, kiedy przyjdzie Rita. Zdziwiło go, że miejsce wyglądało na wymarłe, ale pewnie wszyscy wybyli do pracy. Nagle doszedł go gwizd ze zsypu. Szarpnął drzwiami i wsunął głowę do środka.

– Masz coś?
– To – odpowiedział Benny, czubkami palców przytrzymując zniszczoną maskę balową.

Trzymał ją za cienką gumkę, jakby dyndał w powietrzu martwym szczurem.

– No tak – odpowiedział Lundin. – I...?

– Przyjrzyj się jej bliżej.

Lundin nie miał na to zbyt wielkiej ochoty. Maska, kiedyś biała, teraz była daleka od czystości i pachniała stęchlizną.

– Zabieram ją – zdecydował Benny, wyciągając papierową torebkę.

– Zrób to – odpowiedział Lundin jak do dziecka, które kolekcjonuje dżdżownice.

– Jak się nazywał ten, co nawijał o maskaradzie? – zapytał Benny.

– Nie pamiętam. Chyba to był ten koleś, którego przesłuchiwał Peter Berg. Łatwo to będzie sprawdzić po powrocie.

Gdy wyszli ponownie na dziedziniec, ujrzeli szczupłą kobietę i ubranego w czarną skórzaną kurtkę i wytarte dżinsy mężczyznę, szarpiących za klamkę do warsztatu. Drzwi nadal były zamknięte.

– Jeszcze nie przyszła – odezwał się Benny Grahn.

Para spojrzała na niego podejrzliwie, na co policjanci odpowiedzieli równie zaciekawionym wzrokiem.

– To spadamy – odpowiedział mężczyzna, a kobieta przytaknęła.

– Może moglibyśmy coś przekazać? – zapytał Lundin.

– Nie, wrócimy. Znam ją – odrzekł mężczyzna w skórzanej kurtce, po czym oboje zniknęli z podwórza.

Sprawiali wrażenie zdenerwowanych. Lundin i Grahn usłyszeli dźwięk uruchamianego silnika.

– Ciekawe, co to za jedni – odezwał się Lundin.

– Nie wyglądają na zajmujących się antykami – stwierdził Benny Grahn.

– Chyba że kradzionymi – dodał Lundin.

Przerwał im odgłos wjeżdżającego na dziedziniec roweru. Nareszcie pojawiła się właścicielka warsztatu, kobieta mniej więcej pięćdziesięcioletnia. Janne Lundin i Benny Grahn przedstawili się i wkrótce potem wszyscy stali w warsztacie, otoczeni wszelkiego rodzaju meblami o przyjemnym zapachu: mieszaninie świeżego drewna, terpentyny, smarów i starego, suchego kurzu osadzającego się na drewnie.

Rita Olsson bardzo chętnie wpuściła ich do środka. Wiedziała już, co się stało.

– Niewiele wiem, co się dzieje w pozostałej części nieruchomości – zaczęła.

Jednocześnie potwierdziła, że w piątek zamknęła warsztat dość wcześnie, bo już o trzeciej. Prawdopodobnie na wiele godzin przed pobiciem – jak w każdym razie przypuszczała policja. Od tej pory jej tu nie było. Podróżowała z mężem po Smalandii, szukając starych mebli.

– Trzeba przestrzegać godzin otwarcia, nawet jeśli pracuje się na swoim – powiedziała. – Inaczej interes pada!

– Utrzymuje pani częsty kontakt z mieszkańcami budynku? – zapytał Janne Lundin, chwytając za oparcie krzesła w stylu ludowym. Ostrożnie je wypróbowywał, poruszając nim lekko w przód i w tył.

– Wytrzyma. – Rita się uśmiechnęła. – Ale muszę poprawić w nim klejenia. Właściwie to nie znam za dobrze tutejszych ludzi. Niektórych rozpoznaję, kłaniamy się sobie. Czasami porozmawiam z kimś, gdy piję kawę na dziedzińcu, jeśli jest ładna pogoda. Ale tylko wtedy. Nie wiem, jak się nazywają. Poza przewodniczącym, Sigurdem Gustavssonem.

Lundin zapisał adres Rity w wynajmowanym mieszkaniu na południu, przy Långängsvägen. Wprawdzie odnalazł go już wcześniej w książce telefonicznej, ale nie dał po sobie tego poznać, jak i tego, że był u niej i dzwonił do drzwi.

– Podoba się pani tutaj?

– Tak. Dobre miejsce na warsztat – wyjaśniła.

– Nie ma pani nic przeciwko temu, że się trochę rozejrzę? – zapytał kryminalistyk Benny.

– Ależ nie, bardzo proszę.

Stanęła przy jednym ze stołów stolarskich, podczas gdy mężczyźni powoli przemierzali pomieszczenie. Już pierwszego dnia nie odnaleźli żadnych śladów włamania z zewnątrz. Teraz zobaczyli, że w środku też ich nie ma.

– Czy ktoś poza panią ma jeszcze klucz do warsztatu? – zapytał Lundin.

– Z tego, co wiem, to nie.

– A przewodniczący... yyh... jak się on nazywa... przed chwilą pani go wspomniała?

– Sigurd Gustavsson.

– No właśnie.

– Nie, wydaje mi się, że nie ma tu dostępu. To osobne przedsiębiorstwo, moja firma jest całkowicie niezależna od reszty – zaznaczyła. – Mam wszystkie klucze do lokalu.

– Oczywiście.

– Spytaliśmy o to, ponieważ ma pani dużo narzędzi. Może niektóre są atrakcyjnym kąskiem dla złodziei? Rozumie pani: komuś mogłoby przyjść do głowy dostać się do środka i coś „wypożyczyć". – Lundin wykonał palcami w powietrzu cudzysłów.

– No, mogłoby się to pewnie zdarzyć – odpowiedziała, wpatrując się w zamyśleniu w ściany.

– Ma pani naprawdę ładne przedmioty – pochwalił Benny, delikatnie gładząc opuszkami palców drewniane uchwyty specjalnych pił zawieszonych na ścianie w kolejności od największej do najmniejszej, tak że tworzyły rysunek.

Potem przyjrzał się koniuszkom palców i wyczuwając na nich bardzo cienką powłokę kurzu, wyciągnął z kieszeni marynarki latarkę, którą oświetlił przedmioty wiszące na ścianie, kierując na nie światło bezpośrednio na wprost i pod kątem, aby dojrzeć drobinki kurzu.

– Kupiłam sporo narzędzi w czasie podróży. Przede wszystkim w Anglii, gdzie zdobyłam wykształcenie – opowiedziała Rita. – Wykonują tam zarówno ładne, jak i funkcjonalne narzędzia i przybory. I mają zupełnie inne ceny.

Dyplom, niezwykle wytworny i piękny, wisiał w ramce na ścianie. Zaimponowało to Benny'emu, który spojrzał teraz na jego właścicielkę z respektem.

– Mogłaby pani zerknąć, czy nie brakuje jakiegoś narzędzia? – zapytał Lundin.

– Nie, nie sądzę – odpowiedziała, potrząsając głową, jednocześnie prześlizgując się wzrokiem po ścianach i zawieszonych na nich narzędziach.

Nie wzdrygnęła się – nie spodziewał się, że to zrobi. Jej odpowiedź padła jednak odrobinę zbyt prędko.

– Jest tu przecież sporo narzędzi – zauważył Lundin, również omiatając wzrokiem ściany. – Myślę, że trudno byłoby zauważyć, gdyby coś zginęło.

– Tak, oczywiście. Ale nic takiego nie widzę – powtórzyła Rita.

– Proszę się do nas odezwać, gdyby pani zauważyła zniknięcie jakiegoś przedmiotu.

– Hm.

– Żadnego wyłamanego okna?

– Nie.

– Albo drzwi?

Potrząsnęła głową.

– Ale nie zdążyłam się jeszcze za dobrze rozejrzeć – wytłumaczyła, po czym dwaj policjanci powoli ruszyli na inspekcję; jeden do wejścia, drugi w kierunku wyjścia. Sprawdzili zamki, unieśli wycieraczkę, dotknęli haczyków, na które zamknięte były okna, obejrzeli powierzchnie pod oknami, schylając się, zajrzeli pod każdy stół, krzesło, komodę, świecąc latarkami po wszystkich kątach i zakamarkach.

Rita Olsson stała bezczynnie z opuszczonymi rękami, przyglądając się policjantom czarnymi oczami.

Janne Lundin stanął przed kobietą i pochylając głowę, spojrzał na nią.

– Tak więc w piątek nic pani nie zauważyła na dziedzińcu?

Unikając jego wzroku, kobieta wyjrzała przez podłużne, wąskie okno.

– Nie – odpowiedziała krótko. – Ale do pralni można się dostać też z klatki.

Właśnie – pomyślał. Dwie drogi: albo bezpośrednio z dziedzińca, albo z klatki schodowej.

Dostrzegł coś w rodzaju lekkiego rumieńca na białej jak prześcieradło skórze właścicielki warsztatu mającej cienkie zmarszczki wokół oczu i ust.

– A więc nic niezwykłego?

Milczała.

– Nie – odpowiedziała wreszcie.

– Nie ma pani nic przeciwko temu, że przyjrzę się dokładniej niektórym pani narzędziom? – zapytał Benny.

– Proszę bardzo – zgodziła się, ale można było dostrzec, że zrobiła to niechętnie.

– Że jeszcze raz się tutaj rozejrzę? – powtórzył.

– Oczywiście.

– Może mógłbym pożyczyć kilka rzeczy? Przede wszystkim do sprawdzenia – powiedział, nie wyjaśniając, co dokładnie chciałby skontrolować. – Dostanie je pani z powrotem, proszę się nie martwić.

Przez chwilę chodził wkoło, rozglądając się, przyświecając sobie latarką i ostrożnie dotykając przedmiotów, następnie poszedł do samochodu i przyniósł torebki, do których wcisnął trzy różnej wielkości młotki i tyle samo dłut o mocnych i dobrze leżących w dłoni drewnianych uchwytach.

– Piękne narzędzia! – odezwał się, ostrożnie wsuwając dłuto do torebki. – Wielu stolarzy używało ich przed panią.

– Tak – odpowiedziała. – Sprawia mi to radość, że każdego dnia kontynuuję prastarą tradycję rzemieślniczą.

– Mógłbym skorzystać z toalety, zanim pójdziemy? – zapytał Benny, choć nie wyglądał, jakby go przycisnęło.

– Jasne.

Drzwi do toalety znajdowały się przy niewielkim przepierzeniu, za którym leżały ułożone na stosie meble i przedmioty do naprawy, a także kredens, na którym stał ekspres do kawy, czajnik i telefon. Nad tym ostatnim wisiała mała tablica z numerami telefonów i kilkoma wizytówkami do innych rzemieślników. W rogu tablicy przyczepiony był majowy kwiatek.

Aha tak, to w tym roku są różowo-czerwone – pomyślał Benny, zanim zniknął w toalecie.

■

Denerwowało ją czekanie. Cała była oczekiwaniem.

Miał się odezwać. Była tego pewna. Wcześniej czy później zadzwoni, aby zapytać, jak się czuła. Obiecał jej to, a w każdym razie niemal to zrobił.

Astrid Hård siedziała ze słuchawką w uchu i wyglądała przez okno. W zeszłym tygodniu przyszedł czyściciel okien, tak więc teraz nic nie powstrzymywało napływu słonecznego światła.

Gdyby wzięła zwolnienie lekarskie z powodu traumatycznych przeżyć, mogłaby spędzać czas na dworze przy tej pięknej pogodzie. Teraz trochę tego żałowała, siedząc w pracy.

Jeśli nie odezwie się do mnie w ciągu dnia, sama do niego zadzwonię – postanowiła. Wykręcę numer policyjnej centrali i zapytam o Petera Berga. Mogłabym zadzwonić, gdy zwolni się linia. Rzadko kiedy tak się działo i był to z pewnością problem, bo gdyby policjant chciał z nią porozmawiać, musiałby zadzwonić na jej komórkę. A kierownik zmiany zabronił im prywatnych rozmów przez komórkę w czasie pracy. Z ostatniej ankiety przeprowadzonej wśród pacjentów wynikało, że uważali oni za nader nonszalanckie to, że musieli czekać, aż personel skończy rozmawiać przez komórkę. Dlatego Astrid, tak jak wszyscy, schowała ją do szuflady biurka. Ale teraz miała niemal obowiązek mieć włączony telefon. Powiedziała więc kierowniczce, że policja zażyczyła sobie mieć z nią stały kontakt. Była ważną postacią w śledztwie.

Tuż przed przerwą na kawę stanęła przed nią Veronika Lundborg.

– Chwileczkę. Proszę poczekać – natychmiast powiedziała Astrid głosem telefonistki, naciskając na przycisk oczekiwania, zanim osoba po drugiej stronie słuchawki zdążyła coś odpowiedzieć.

– Jak się masz? – zapytała Veronika. – Słyszałam, że to ty... ty... – wyszeptała, podczas gdy nowa siedziała cichutko za Astrid i udawała, że nic do niej nie dociera.

– To było okropne – odrzekła Astrid. – Ale już jest lepiej. Co prawda niezbyt dobrze śpię, ale nie ma co się snuć bezczynnie po domu.

Veronika lekko ją przytuliła. Nie trzeba było więcej słów. Lekarka pospieszyła dalej – szukała sekretarki, która wydrukowała jej zaświadczenie lekarskie.

O dziesiątej piły kawę, a on jeszcze nie dzwonił. Włożyła komórkę do kieszeni spodni. Siedziały w najmniejszym pokoiku usytuowanym w piwnicy – tak małym, że gnieździły się w nim jak sardynki w puszce. Sekretarki same go sobie jednak wybrały. A ponieważ było tam ciemno i panował lekki zaduch, miał tę niebagatelną zaletę, że pielęgniarki siedzące na górze w jasnym pokoju socjalnym, mogły odczuwać pewne wyrzuty sumienia.

Oczywiście nikt nie zabronił im picia kawy na górze, ale czuły się tam zepchnięte w kąt przez pielęgniarki, które wypełniały sobą całą przestrzeń.

Astrid uświadomiła sobie, że najtrudniej było nie wyjawić zbyt wiele podczas przerwy na kawę. Najlepiej w ogóle nic nie mówić – zasugerował jej policjant, ale tak się przecież nie dało. Musiała trochę opowiedzieć, inaczej byłoby to dziwne i niemiłe. Myśleliby, że się wywyższa.

Najwyraźniej dwie sekretarki i tak uważały, że Astrid zadziera nosa, ale przecież nic nie mogła na to poradzić, że to ona znalazła półmartwego człowieka i że źle się z tego powodu czuła. A gdyby się nie spytały, to przecież nic by im nie powiedziała.

Morderstwo w pralni.

Tak to nazwano. Niedługo całe miasto stanie się sławne z powodu makabrycznego przedstawienia w jej własnym domu. O morderstwie mówiono w telewizji, pisano w gazetach. Konflikty w pralni stały się już prawdziwym problemem, ale po raz pierwszy w jego wyniku doszło do morderstwa. Że też musiało się to przydarzyć akurat w jej domu.

Staniesz się sławna – stwierdziła jedna z sekretarek. Jak ci, którzy byli w programie *Wyprawa Robinson*. Jak głupio! Przecież *Robinson* to zupełnie inna sprawa – to były zawody czy jakoś tak.

Już po wszystkim uznała za wredne, że sąsiedzi zrzucali winę na mieszkającą nad pralnią biedną Brittę Hammar. Powiedziała to na głos. Wprawdzie Britta Hammar prowadziła boje o pralnię, narzekając na hałas, który przeszkadzał jej w odpoczynku w ciągu dnia, gdy wentylator suszarki był włączony, a od działania wirówki trzęsła się u niej podłoga, to jednak daleko było jej od zejścia do piwnicy i trzepnięcia Doris porządnie w głowę. Takich rzeczy się po prostu nie robi! A w każdym razie nie Britta Hammar. Co prawda Sigge podejrzewał Brittę, ale on zawsze trochę się puszył i wywyższał tylko dlatego, że był przewodniczącym. Natomiast na niego na pewno powinno się zwrócić uwagę! Nic dziwnego, że jego żona się zmyła – cały dom tak uważał.

Najlepiej będzie trzymać Siggego na dystans. A jeśli on to zrobił? Poniosły ją wodze fantazji. Chyba raczej tak nie było.

Jedna z sekretarek powiedziała, że znała Doris. W każdym razie na odległość. Albo raczej jej syna – jak wyszło na jaw. No, raczej go kojarzyła. Mieszkali blisko siebie i twierdziła, że z całą pewnością nie ma go teraz w domu, ponieważ okna są ciemne. Wyjechał na wakacje z żoną – powiedziała sekretarka. W sobotę wczesnym rankiem taksówka zawiozła ich na lotnisko.

– Niemożliwe – odpowiedziała Astrid, marszcząc czoło.

Trudno jej było to pojąć.

– Ależ tak.

– Pojechać na Wyspy Kanaryjskie, kiedy matka leży na łożu śmierci?!

– No, jestem tego pewna. Choć rzeczywiście to trochę podejrzane. Doris zawsze była taka miła i hojna. Słyszałam od znajomego, który spędza z nimi sporo czasu, że robiła wszystko dla syna. Aha, syn ma na imię Ted. Doris często go odwiedzała, więc Tedowi bardzo musi jej brakować. Wyglądała tak zdrowo i energicznie.

Komórka zabuczała w kieszeni.

– Przepraszam – powiedziała Astrid z zaczerwienionymi policzkami, wstając od stołu i wychodząc na korytarz.

Przycisnęła mocno telefon do ucha.

To był on.

Pomyślała, że zapadnie się pod ziemię. O pierwszej ją odbierze.

– Da pani radę to załatwić?

Na pewno! – pomyślała.

■

Ludvigson zajął miejsce za biurkiem, założył słuchawki, przygotował w zasięgu ręki papier i długopis, tak aby było mu wygodnie, i zalogował się do komputera. Bez marudzenia przejął na dłuższy czas dyżur telefoniczny. Blankiety leżały w najniższej szufladzie, ale najchętniej pracował bezpośrednio na ekranie.

Miał jasną karnację i wrażliwą skórę. W słońcu szybko się czerwieniła, dlatego najczęściej chodził w czapce z daszkiem, choć nie w domu i oczywiście nie do munduru. Teraz był jednak ubrany w ciemne spodnie i jasną tenisową koszulkę.

Przed chwilą wcisnął w siebie kilka malinowych żelek w cukrze, które jego ojciec nazywał biustem dziewic – krotochwilna nieprzyzwoitość, na którą nastawiał dziecięce uszy. Do dzisiaj je lubił. Torebka leżała w najwyższej szufladzie. Właśnie oblizał cukier z palców, gdy zadzwonił telefon.

Włączył. W słuchawce zaszeleściło i zatrzeszczało.

– Halo? – zapytał.

Odgłosy przypominały zbliżający się i oddalający oddech, jakby ktoś upuścił słuchawkę. Odczekał chwilę, ale nic się nie działo. Już miał się rozłączyć – jeśli było to coś ważnego, ktoś na pewno zadzwoni jeszcze raz – gdy usłyszał słaby, chropowaty głos:

– Halo?

Należał on do starszej osoby, chyba kobiety. Ludvigson się przedstawił.

– Czy to policja? – powtórzył głos, na co Ludvigson ponownie się przedstawił, tym razem wolniej i wyraźniej. Zastanowił się nawet, czy nie powinien przeliterować nazwiska.

– Czy dobrze się dodzwoniłam?

– Tak, dodzwoniła się pani – potwierdził, starając się mówić wyraźnie, ale powstrzymując się od krzyku.

– A to bardzo dobrze!

– Mogę zapytać, jak się pani nazywa? – zapytał równie powoli jak przed chwilą.

– Viola – odpowiedziała kobieta. – Chciałam tylko powiedzieć, że widziałam dziewczynkę.

Ludvigson przez chwilę milczał, notując na luźnej kartce: „Viola".

– Dziewczynkę? – powtórzył.

– Tak. Tu, na zewnątrz.

Istniało szerokie spektrum dziwnych postaci oraz takich, które od dawna nie używały strun głosowych i musiały je rozruszać.

– Ach tak – potwierdził, przybierając bardzo zainteresowany i pełen empatii ton głosu, w czym był dobry.

– Taak – odpowiedział głos i ucichł.

– Jestem bardzo ciekawy, pani Violu.

– Tak – odpowiedziała kobieta z lekkim zwątpieniem w głosie.

– Wie pani, pani Violu, bardzo chciałbym się dowiedzieć, gdzie zauważyła pani tę dziewczynkę.

– Tu, na zewnątrz. Na ulicy.

– Mogłaby pani powiedzieć, gdzie pani mieszka?

– Na rogu.

– Ach tak! Rozumiem więc, że ma pani stamtąd dobry widok. A jak ma pani na nazwisko, pani Violu? – spróbował podejść ją z innej strony.

– Blom – odpowiedziała kobieta, a Ludvigson wstukał informację w komputer.

– I mieszka pani w mieście? – zapytał.

– Tak.

– Aha – odpowiedział ze wzrokiem utkwionym w monitor. – Czemu zwróciła pani uwagę właśnie na tę dziewczynkę?

– Widziałam dziewczynkę – powtórzyła, jakby nie dosłyszała pytania.

– Może pani opowiedzieć, co się działo z dziewczynką?
– Nic. Wskoczyła do samochodu i odjechali.
– Kto był tam poza dziewczynką?
– Najpierw kobieta, a potem mężczyzna.
– Ach tak. Mogłaby mi pani powiedzieć, kiedy to było?
– No, jakiś czas temu. Może w piątek, może w sobotę. Trafiłam później do szpitala.
– Ach tak, do szpitala – powtórzył Ludvigson i już się zastanawiał, czy odważy się zapytać, co tam robiła, gdy na komputerze wyskoczył adres.
– Pani Violu! Mieszka pani na Länsmansgatan?
– Taak.
Bingo – pomyślał.
– Numer osiem, na rogu – odpowiedziała.
Nagle Ludvigson usłyszał w tle głuchy hałas.
– Muszę kończyć – pospiesznie powiedziała Viola Blom i raptownie odłożyła słuchawkę.
Ludvigson zapisał w raporcie skąpe informacje i poszedł po kawę.

■

Louise Jasinski kupiła po drodze sałatkę i wodę mineralną Ramlösa. Usiadła za biurkiem i otworzyła puszkę z sykiem, aż gazowany płyn wyciekł na biurko. Westchnęła, wstała i poszła do pokoju socjalnego, skąd wzięła kawałek papieru kuchennego i ospale wróciła na miejsce.
Na szczęście nikogo nie spotkała. Miała dla siebie tylko dwie godziny, zanim wyjadą razem z Lundinem i Granem do oddziału medycyny sądowej.
Zostawiła szeroko otwarte drzwi. Nie powinna tego robić. Ich szef Olle Gottfridsson, ogólnie znany jako Gotte, przechodząc obok, zajrzał przez drzwi. Najwyraźniej miał ochotę pogadać. Ale nie ona.
– Jak idzie?
Odwieczne pytanie.

– Nie wiem... No, chyba dobrze – zmieniła zdanie, starając się przybrać wygląd wzbudzający zaufanie.

– Na pewno dasz sobie radę – powiedział, przystając w drzwiach i wypełniając je całą swoją osobą, a była ona spora, nawet jeśli niedawno znacząco zrzucił na wadze.

– Nie bądź tego taki pewien. – Uśmiechnęła się, choć miała na końcu języka odpowiedź: Czemu miałabym nie dać sobie rady, skoro mam tak wspaniałych współpracowników?

– Tchórzliwa odpowiedź – skomentował, puszczając do niej oko.

Westchnęła.

– Wiem. I pewnie kobieca.

– Tego nie powiedziałem.

– To nigdy nie jest za dobre: być zbyt ostrożnym i nie wierzyć w swoje umiejętności – mówiła, przemilczając jednak kwestię, że w trudnych sytuacjach nigdy nie było dobrze być kobietą; odstawać od ogólnej normy, jaką jest bycie mężczyzną. Koledzy nie chcieli o tym słyszeć – wstydzić się za obecny stan rzeczy. W pewien sposób ich rozumiała.

– Nie jest to pewnie o wiele lepsze od bycia nadętym bucem – stwierdził Gotte.

– Nie.

– Jak coś, to daj mi znać. – Uśmiechnął się. Mówił to poważnie, ponieważ Gotte zawsze chciał, aby było dobrze.

– Jasne! – obiecała.

– Pamiętaj, że zawsze tu jestem – zaznaczył, jakby tego nie wiedziała.

Odszedł, kulejąc. Zrzucił ostatnio dwanaście kilo. Mógłby schudnąć co najmniej jeszcze drugie tyle i tak by nie zniknął.

Udało mi się do tej pory nie skontaktować z Claessonem – pomyślała z zadowoleniem. Nic nie stało temu na przeszkodzie, gdyby to było potrzebne. Mogła być ponad sprawy związane z prestiżem.

Zadzwoniła do Petera Berga z pytaniem, czy słyszał o Folkem. Nie, ale obiecał, że będzie miał oczy i uszy otwarte. Chciała się też dowiedzieć, czy miał numer telefonu do eksmęża Doris Västlund. Nie miał, ponieważ mężczyzna już nie żył.

– Kiedy się o tym dowiedziałeś?

– Rano. Ale dopiero teraz zdążyłem potwierdzić informację. Wdowa po nim żyje i mieszka w Sztokholmie, gdzieś na Kungsholmen. Mam się z nią skontaktować?

Zastanowiła się. Sama się z tym nie wyrobię – zdała sobie w końcu sprawę.

– Zrób to, kiedy będziesz miał wolną chwilę. Udało ci się złapać Astrid Hård?

– Tak, oczywiście.

– Tak więc zabierasz ją dziś, żeby przeprowadzić wizję lokalną miejsca przestępstwa?

– Tak planowałem. Tak przecież ustaliliśmy.

– Dobrze.

Rano mieli szybkie spotkanie, dość chaotyczne i wielowątkowe, jak często bywało przy początkach dochodzenia. Wszyscy byli dopiero w trakcie przeprowadzanych przesłuchań. Jakiś nowoczesny geniusz nazwał to wywiadami, aby zabrzmiało delikatniej i bardziej równorzędnie. Irytowało to Louise. Równorzędne rozmowy były niemożliwe w kontekście policyjnych działań. Nie miały nic wspólnego z dobrowolnością. Przesłuchanie pozostawało przesłuchaniem, nawet jeśli unowocześniły się jego metody. Przede wszystkim policjanci poszerzyli swoją wiedzę z zakresu psychologii.

Zajrzała do notatek z planami. Skontaktowanie się z bankiem i sprawdzenie kont Doris powierzyła Erice Ljung. Erika otrzymała to zadanie jako specjalny bonus za tak sprawne odgadnięcie, że ofiara przechowywała w papierowym kartonie pół miliona – co prawie się zgadzało. Pozostali byli zbyt zachowawczy: Benny Grahn najbardziej tchórzliwie ocenił sumę na dwieście tysięcy, Janne Lundin zajął trzecie miejsce z trzema setkami tysięcy, natomiast ona sama oceniła ją na trzysta pięćdziesiąt tysięcy. Peter Berg z rozmachem wyolbrzymił kwotę do całego miliona. Erika postawi im jednak to piwo, dopiero kiedy sytuacja się ustabilizuje.

Louise zakasała rękawy i otworzyła na oścież okno. Świeciło słońce, było gorąco. Podniosła słuchawkę i zadzwoniła do swojego banku, przekładając popołudniową wizytę na kolejny dzień.

Wzdragała się przed wizytą w banku, jednocześnie pragnąc mieć ją już za sobą. Musiała to zrobić. Koniec z myśleniem życzeniowym. Jej adwokatka, kobieta o bardzo realistycznym i pragmatycznym podejściu do życia, wyraźnie przykazała jej, nad jakimi dokumentami powinna mieć kontrolę: wyciągami z kont, przychodami, rachunkami. Przy rozwodzie nie chodziło o bycie „miłym" ani paskudnym. Tylko prawym. Louise czuła, że zdaniem adwokatki zapewne przedłużała całą procedurę; było to po niej widać, choć nie skomentowała tego ani słowem.

Gdy człowiek się rozwodzi, robi właśnie to; półśrodki nie istnieją. Choć mimo wszystko oszukiwała samą siebie, że może tak. Że gdyby mogła się z tego jakoś wyśliznąć, nie sprawiałoby to jej tyle bólu.

Pytanie, czy stać ją na dalsze mieszkanie w tym domu. Codziennie, kiedy do niego wracała, sondowała swoje uczucia w stosunku do ścian szeregowca. Przymierzała się do smutku, z jakim będzie musiała przesadzić dziewczynki w nowe otoczenie.

Wszystko jednak da się przeżyć, jeśli trzeba.

Nie dała się zbyt długo zaabsorbować prywatnemu kryzysowi – jak nazwała to jedna z jej przyjaciółek. Louise nie była pewna, czy podoba jej się to sformułowanie. Słowo „kryzys" brzmiało zbyt klinicznie i w sposób zawoalowany. Miała wrażenie, że chodziło raczej o nieprzerwane wybuchy wulkanu, ba, wręcz o piekło. Gwałtowne, gorące i wyrzucające z siebie siarkę. Miejsce albo raczej stan, który powinna pozostawić za sobą, gdy tylko stanie się to możliwe.

Wyszła do toalety i opłukała twarz wodą. Poczuła przyjemny chłód. Wygrzebała z dna czarnej torebki na ramię małą kosmetyczkę i nałożyła cienką warstwę cienia w tchórzliwym odcieniu zieleni oraz pociągnęła pospiesznie rzęsy maskarą. Rezultat był daleki od zabiegów kobiety z perfumerii, ale Louise od razu poczuła się lepiej.

Usłyszawszy na korytarzu głos Janne Lundina, obróciła się ku niemu. Za Janne szedł Benny Grahn. Spojrzała na zegarek i stwierdziła, że nie przyszli ani o chwilę za późno.

– Jesteście gotowi? – zapytała.

– Tak – odpowiedział Lundin.

– To spadamy.

Słońce chyliło się ku zachodowi. Lundin prowadził, Benny Grahn usiadł z tyłu. Louise nadal odczuwała brak okularów przeciwsłonecznych.

Przeszło dwie godziny w samochodzie. Czy jakoś tak. Wspaniale.

Zaczęła od streszczenia pokrótce rozmowy w perfumerii, opowiadając, jaka piękna była kiedyś Doris Västlund i o jej przeszłości w świecie mody.

– A gdzie jest bestia? – zapytał Benny.

– Można by się zastanowić.

Dali się spontanicznie ponieść wodzom fantazji, głównie dla żartu improwizując o starym wielbicielu, który dowiedział się o bogactwie Doris i znów ją nawiedził. Kobieta nie miała wprawdzie skrzyni pełnej złotych monet, tylko pudełko wypełnione banknotami. Ciekawe, czy nie było to lepsze. Niestety, ich teoria upadała z powodu tego, że kartonowe pudełko nie opuściło mieszkania, tylko je tam znaleźli. Nie przypuszczali też, żeby istniał jeszcze jeden karton, który zniknął. Pudełko było poza tym zbyt pełne, aby mogli zakładać, że ktoś tam był, wziął sobie część i „zatarł ślady". Czemu w takim razie nie nabrał sobie kilku porządnych garści? Jeśli oczywiście mu nie przeszkodzono, tak że nie zdążył tego zrobić. Pudełko zdawało się być nieruszane przez nikogo oprócz samej Doris Västlund, której odciski na nim znaleziono.

Rozmowa zeszła na ludzi, na których natknęli się przez lata pracy, a którzy zbierali pieniądze „do skarpety" w domu.

– Cieszy ich samo zbieractwo – rzucił Benny z tylnego siedzenia.

– I poczucie bezpieczeństwa; świadomość, że człowiek sobie poradzi – odezwała się Louise, która nie mając zaskórniaków, mówiła o sobie samej.

– Fajnie byłoby mieć trochę więcej kasy – stwierdził Lundin.

– Co byś wtedy zrobił? – zapytała Louise.

– Założył księgarnię.

W milczeniu wpatrzyła się na niego z boku.

– Ach tak? – odezwał Benny. – Nie wiedziałem, że tak bardzo interesujesz się książkami.

– Ee, przez lata trochę przeczytałem. Ale chciałbym umożliwić Monie przerzucenie się na to ze sklepu z tytoniem.

– Od trucizny do słów – stwierdził Benny, który, jak większość byłych palaczy, stał się zaciekłym przeciwnikiem papierosów, a co za tym idzie, radośnie przyjął pomysł restauracji dla niepalących. Był to temat, na który już wcześniej dyskutowali i mieli podzielone zdania.

– Można by to tak nazwać – powiedział Lundin.

Louise wiedziała, że żona Lundina, Mona, otrzymała pomoc na otwarcie małego sklepu, kiedy straciła pracę w związku z zamknięciem poczty lub – co bardziej prawdopodobne – w związku z jej reorganizacją.

Naprowadziła ich z powrotem na temat ofiary i opowiedziała o Folkem.

– Doris nie brakowało facetów – skomentował Lundin.

– Nie – odpowiedziała. – Nie była młódką, więc zdążyła już przez te lata sporo przeżyć. Do tego była ładna.

– Tak, to zawsze pomaga – wyrwało się Benny'emu.

– A co z mężczyznami, czy ich wygląd nie ma znaczenia?

– Nie miałem nic złego na myśli – odpowiedział niczym niezrażony Benny.

– Sądzisz, że mamy czas wypić małą kawkę? – zapytał Janne Lundin, zmieniając temat.

Louise spojrzała z boku na zegar na tablicy rozdzielczej.

– Lepiej nie. Może napijemy się raczej przed drogą powrotną?

– Jasne.

Jechali w milczeniu, zmagając się z ogarniającą ich sennością.

– Zresztą ja też słyszałem o tym mężczyźnie. Ale nie wiedziałem, że nazywa się Folke – podchwycił zagubiony wątek Lundin.

– Może to on jest tym człowiekiem ze zdjęć? – zauważyła Louise. – Mężczyzną z dwiema dziewczynkami.

– Niewykluczone – odpowiedział Lundin.

– Cokolwiek mógłby mieć z tym wszystkim wspólnego – zaznaczył sucho Benny.

– Nigdy nie wiadomo – stwierdził Lundin.

Mimo że często wygłaszał tę kwestię, przypomniało to Louise, aby nie sprawdzała tylko oczywistych rzeczy.

– Gdy się niczego nie zapomni, to nic się przed człowiekiem nie ukryje – powiedziała. – Sprawdzimy to potem. Odnajdziemy Folkego. A jak tam w warsztacie stolarskim? Byliście tam?

– No – odpowiedział Lundin. – Ech, nie znaleźliśmy tam nic specjalnego.

– Oprócz ścian wypełnionych możliwymi narzędziami zbrodni – powiedział Benny. – Zobaczymy, co z tego będzie. Właścicielka warsztatu podobno nie zna nikogo w całym budynku.

– Dziwne – skomentował Lundin. – W każdym razie ja tak uważam.

– No właśnie – poparł Benny. – Nie miała jednak nic przeciwko temu, żebyśmy się tam dokładniej rozejrzeli. A także obejrzeli narzędzia.

Benny nie wspomniał ani słowem o białej masce. Najpierw chciał ją zbadać i zobaczyć, czy coś z tego wyjdzie.

– Syn się jeszcze nie pojawił? – zapytał Lundin.

– Nie – odrzekła Louise. – Według sąsiadów pojechali z żoną na wakacje. Podróż była zaplanowana.

– Niektórzy ludzie to prawdziwi sztywniacy. Są niereformowalni – stwierdził Janne Lundin.

– Ciekawe, przed czym tak ucieka – powiedziała w zamyśleniu Louise, wyglądając na równinę Östgötaslätten zatopioną w popołudniowym słońcu.

Pogrążyli się w nabożnej ciszy.

– Szwecja jest piękna – powiedziała z lekkim drżeniem w głosie Louise.

– No – zgodził się Benny.

– Ma bogatą i zróżnicowaną przyrodę. Miejmy nadzieję, że i tego roku nastanie piękne lato – dorzucił Janne Lundin.

– Nic się nie może równać ze szwedzkim latem, kiedy jest tak pięknie – ocenił Benny.

– No nie – potwierdziła Louise.

Lekarz medycyny sądowej już ich oczekiwał.

– No tak, jak wspomniałem wcześniej, przyczyną śmierci jest całkowite ustanie krążenia krwi w mózgu na skutek jego obrzęku, wylewów krwi i złamań czaszki. Tu, w potylicy.

Wskazał. Stali w żółtych płaszczach ochronnych i plastikowych ochraniaczach na buty, wpatrując się w martwe ciało Doris Västlund.

– Można zauważyć złamania, prawdopodobnie od ciosów młotka lub podobnego narzędzia. Silne uderzenia na małej przestrzeni. Zapewne wielokrotne. Tak więc nie jedno, ale liczne uderzenia. Widać, że ofiara próbowała osłaniać się rękoma i dłońmi.

Wskazywał różne krwiaki na skórze, głównie na przedramionach. Jeden palec był spuchnięty, wyglądał jak tłusta kiełbaska.

– Do tego złamania paliczków – kontynuował, pokazując zapuchnięty palec i kolejny – oraz pęknięcie kości przedramienia z prawej strony.

Nie było powodu się odzywać. Stali całą trójką przy noszach i rozmyślali. Wpatrywali się w zesztywniałą twarz, która kiedyś była bardzo piękna. Teraz też jest niezgorsza – pomyślała Louise. Wyrzeźbione rysy. Jak się to mówi: „była dobrze zachowana", zważywszy na jej wiek.

– W dodatku odkryliśmy stary zawał; włóknistą bliznę w tylnej ścianie serca. Ze względu na jego umiejscowienie nie wiadomo nawet, czy o nim wiedziała. Może było jej trochę zimno jak przy drobnym przeziębieniu.

Podczas drogi powrotnej zrobiło się ciemno. W samochodzie panowała przygaszona atmosfera, długo milczeli.

– Żyje się tylko raz – odezwał się nagle Benny.

Janne Lundin przytaknął.

– Żyje się tu i teraz – powiedział.

– No. Tak to jest – potwierdziła Louise z naciskiem.

■

Peter Berg i Astrid Hård siedzieli chwilę w samochodzie przy budynku, w którym kobieta mieszkała.

– A więc nie schodziła pani do pralni od piątku? – zapytał.

Potrząsnęła przecząco głową.

– Jak się pani czuje w związku z tym, że zaraz tam pójdziemy?

Siedząc obok, próbował spojrzeć jej w oczy.

– Jestem zdenerwowana.

Głos jej się załamał. Trzymając splecione ręce przy ustach, dmuchała w dłonie.

– Ale będę cały czas z panią – dodał jej otuchy.

– Kiedyś i tak będę musiała tam pójść. Prędzej czy później.

W jej głosie dało się wyczuć silne napięcie.

– No tak. Proszę pamiętać, że mamy dużo czasu – powiedział. – Jest pani gotowa?

Przytaknęła, po czym wyszli z samochodu. Policjant zamknął go na klucz i spojrzał w górę ku fasadzie domu. Natychmiast poczuł, że zza zasłon przygląda się im wiele twarzy.

– Aha. To może zaczniemy od początku? – zaproponował.

– To znaczy gdzie?

– Może na klatce? Jak pani myśli? A może wcześniej, już u pani w domu? Moglibyśmy zejść tak, jak pani wtedy z koszem do prania.

Jej twarz stężała. Kobieta zapatrzyła się pustym wzrokiem na czerwoną, ceglaną ścianę.

– To tylko propozycja – powiedział. – Niech pani zadecyduje.

Stali w dalszym ciągu na chodniku.

– Zacznijmy na schodach – przytaknęła.

Peter Berg odwrócił się ku wąskiemu przejściu na podwórze, powstałemu pomiędzy budynkiem a sąsiednim domem.

– Damy przodem – powiedział, wskazując ręką.

Astrid Hård powoli ruszyła przed nim. Przecięli wybrukowane podwórko. Drzwi do warsztatu stały otworem i dochodziły z nich dźwięki uderzeń młotka.

Jedynie biało-czerwone policyjne taśmy, luźno zwisające z poręczy schodów prowadzących w dół do piwnicy, przypominały, że niedawno pobito tutaj na śmierć człowieka.

Weszli po kilku kamiennych schodkach znajdujących się w rogu, na złączeniu budynków. Prowadziły do pomalowanych na zielono drzwi wejściowych, za którymi mieściła się klatka schodowa albo raczej schody dla służby, wiodące do mieszkań wychodzących na południe i wschód. Kilka metrów na prawo znajdowało się zejście do piwnicy, wprost z podwórza.

Unosił się zapach gotowanego jedzenia. Z mieszkań na górze dochodził głuchy hałas, a także delikatne brzdąkanie na pianinie.

– No tak – odezwał się Peter Berg już na klatce schodowej wewnątrz budynku. – Może przystanie pani na chwilę i coś sobie przypomni?

Spojrzała w dół kamiennych schodów.

– Bardzo proszę myśleć na głos – dodał.

– Na schodach nie działo się nic specjalnego. Gonił mnie trochę czas, zresztą jak zwykle. Szłam pospiesznie na dół z koszem prania – powiedziała, wskazując na schody. – Kosz był ciężki, do tego jeden z uchwytów odpadł, więc trzymałam go za krawędź. Schodziłam więc po schodach, cały czas mając nadzieję, że nikt nie zdążył mi jeszcze zająć pralek. Był przecież piątek. Nie mogłam przestać myśleć, że może ktoś wrócił wcześniej z pracy i skorzystał z okazji, żeby sprzątnąć mi je sprzed nosa. Denerwowałam się.

Zrobiła kilka ostrożnych kroków w dół, zatrzymała się i po chwili uszyła w dół aż do zamkniętych drzwi do piwnicy. Peter Berg podążał tuż za nią.

– Tak, więc dotarłam do drzwi...

Zamilkła.

– Jak się pani czuje? Jest pani ciężko?

Dotknęła ręką szyi.

– Serce mi wali.

– Nic dziwnego.

Poczekał chwilę, aby się wzięła w garść.

– A właśnie, czy wzięła pani klucz? – zapytał.

Przytaknęła.

– To ten sam, którym otwieram mieszkanie.

– Aha, w ten sposób. Wolałaby pani, abym to ja otworzył?

Potrząsnęła głową, unikając spojrzenia policjanta. Wyjęła klucz z kieszeni kurtki, przekręciła nim zamek, po czym pchnęła ciałem ciężkie, metalowe drzwi.

Piwniczny korytarz był pogrążony w ciemnościach. Jedynie z małego okienka, znajdującego się w drzwiach wejściowych prowadzących do piwnicy bezpośrednio z podwórza, wpadało do środka słabe światło dzienne.

Zatrzymali się, nie mówiąc zbyt dużo. Peter Berg uważał, aby jej nie popędzać.

– Pamięta pani, czy paliło się światło? – zapytał.

– Ja je zapaliłam, jestem tego pewna – powiedziała, naciskając czerwony włącznik. – Ale dochodziła do mnie też odrobina światła stamtąd, z pralni. Nie było tak ciemno jak dzisiaj, paliło się żółte światło.

Ostrożnie ruszyła do przodu, lecz nagle się zatrzymała.

– Zabrzmi to dziwnie, niemal jak jasnowidztwo, ale mniej więcej już tutaj poczułam, że coś jest inaczej niż zwykle. Chyba sądziłam, że ktoś jest w pralni czy coś takiego. Że spełniły się moje najgorsze przypuszczenia i ktoś zajął pralki.

– Mogłaby pani określić, co to było? Światło, dźwięk czy zapach?

– Suszarka pracowała, a ona tak hałasuje, że zagłusza wszelkie inne dźwięki, więc musiało raczej chodzić o światło.

– Było silniejsze? Słabsze? Innego koloru? Bielsze? Bardziej żółte?

– Słabsze.

– Dochodziło z pralni?

– Tak.

– Okej – odpowiedział, w dalszym ciągu poruszając się tuż za nią i pozwalając się prowadzić.

– Czułam też jakiś zapach – powiedziała, kiedy zbliżyli się do pralni.

– Taki jak teraz?

Potrząsnęła głową.

– Jakiś inny?

Przytaknęła, zatrzymując się. Obracając głowę na boki, węszyła jak pies.

Gdzieś w oddali zatrzasnęły się drzwi i Astrid aż podskoczyła.

– Przestraszyła się pani?

Potwierdziła. Zbladła jak ściana, maksymalnie spięta.

– Słyszałam też jakiś odgłos – wyszeptała, jakby nie chciała zakłócać wspomnienia dźwięku. – Nie były to drzwi. Albo nie: drzwi. Chyba szelest, tak bym to mogła nazwać. Dobiegł mnie, kiedy tu doszłam. Nie wcześniej.

Słyszał, że zaschło jej w gardle ze stresu. Czekał. Zrobiła kilka kroków w tę i z powrotem na zewnątrz drzwi od pralni, które były otwarte. Naprzeciwko drzwi korytarz się rozgałęział – jego krótka odnoga prowadziła do bezpośredniego wyjścia na podwórze. Astrid zajrzała tam, po czym ostrożnie zerknęła poprzez drzwi do pomieszczenia i – najwyraźniej uspokojona – odważyła się otworzyć szerzej drzwi.

– Posprzątane! – wykrzyknęła z ulgą, zdziwiona. – Nie ma krwi.

Peter Berg przytaknął ruchem głowy. Rzucało się w oczy, że podłoga była gruntownie wyszorowana, podobnie jak pralki. Niemal błyszczały od czystości.

– Jak się pani czuje? – zapytał.

Przekonał się już, że kobieta była typem wrażliwca. Niemal z górnej półki. Opłacało się więc być wyczulonym. Za bardzo ją przyciśnie i nici z wszystkiego – kobieta zamknie się w sobie, źle się poczuje i na nic się zda dzisiejsze oprowadzanie jej po miejscu zbrodni. Jedyne, co zyska, to wyrzuty sumienia, a całą procedurę trzeba będzie powtórzyć z innym policjantem.

Ku jego zaskoczeniu Astrid wzruszyła ramionami.

– Właściwe to całkiem okej!

– Pamięta pani, co pani ujrzała? Proszę o wolne skojarzenia.

– Patrzyłam głównie w dół – odpowiedziała, wskazując miejsce, gdzie leżała Doris Västlund. – Tak jakby reszta zniknęła. Widziałam tylko ją jak w wąskim skrawku rzeczywistości. I oczywiście krew. I ranę.

Delikatnie dotknęła tyłu głowy, jakby widniało tam rozcięcie, jednocześnie wykrzywiając z obrzydzenia twarz.

– Fuj, to było straszne! – dodała cienkim, drżącym głosem. – Wszystko inne stanęło w miejscu, nie ruszało się. I jej sapanie. Oczy... okropieństwo!

Zastygła bez ruchu, zaciskając usta.

– Usłyszałam też szelest, jakby papieru – dodała nagle. – I zapach.

– Czy papier był gruby? Sztywny? Czy raczej zwykły, gazetowy?

– Nie wiem. Chyba gruby. Choć mógł to być też delikatny materiał... Nie, jakby ktoś wszedł w rozpięty papier, może w planszę...

– A czym pachniało? Może proszkiem do prania z suszarni?

– Nie, skądże. To znaczy tak, to też, pachniało nim w pralni. Ale na zewnątrz – wskazała na drzwi – pachniało jakby chemikaliami.

– Rozpoznała pani ten zapach?

Zmarszczyła nos, zastanawiając się.

– Nie, jeszcze nie wiem.

Kiedy Peter Berg powrócił wreszcie do domu, był tak zmęczony, że zwalił się w ubraniu wprost na kanapę i zasnął, choć była dopiero siódma. Koncentracja, z jaką słuchał świadka, wymagała od niego wiele energii; musiał być czujny, a zarazem stanowić dla świadka oparcie.

Zerwał się o wpół do dziewiątej na dźwięk dzwonka telefonu. W mieszkaniu panowała ciemność. Niemal wywrócił się o leżącą na podłodze pośrodku korytarza torbę treningową. Zapalił światło, odsunął torbę nogą i odebrał telefon.

– Dobry wieczór!

– Dobry wieczór – odpowiedział niepewnie, nie mogąc rozpoznać, kto do niego dzwoni.

Porządne przedstawienie się byłoby zawsze mile widziane.

– Tu Astrid.

– Aha. Witam – odpowiedział, odrobinę bardziej energicznie.

Może coś jej się przypomniało?

– Jak tam?

– Tak sobie – odpowiedziała trochę niepewnie. – Średnio się czuję.

– No tak, ale ma pani po temu powody.

– Poczułam, że chciałabym chwilę porozmawiać.

Przybrała dziewczęcy głos, aż się przeraził, że zaraz zacznie imitować nim dziecko.

– Jasne – odpowiedział. – Chciała pani opowiedzieć mi o czymś szczególnym?

– Może przeszkadzam?

– Eee... nie, ale...

– Wystarczy, że usłyszałam pana głos. – Zaśmiała się.

– Aha. To dobrze – odpowiedział ciszej. – Wie pani, poradziła dziś sobie pani fantastycznie – dodał żywiej.

– To dobrze! Mogę być więc chyba z siebie zadowolona?

– Oczywiście – potwierdził.

Zapadła cisza.

– Aha. To chyba się rozłączymy? – zaproponowała nagle.

Potem się zastanowił, czego właściwie ona od niego chciała.

WIADOMOŚCI „ALLEHANDA"

Środa, 10 kwietnia

Morderstwo w pralni jeszcze niewyjaśnione

Sprawa morderstwa sześćdziesięciosiedmioletniej kobiety, ciężko pobitej w piątek w budynku w Väster, nie została dotąd wyjaśniona. Kobieta żyła jeszcze, kiedy ją odnaleziono, ale umarła w sobotę na skutek poważnych urazów czaszki.

W piątkowe popołudnie dwudziestopięcioletnia mieszkanka budynku zadzwoniła na linię alarmową, informując, że znalazła sąsiadkę, starszą panią, ciężko ranną w głowę w pralni budynku. Dwudziestopięciolatka zeszła tam zrobić pranie. Pobita sąsiadka żyła jeszcze, ale wkrótce potem straciła przytomność. Natychmiast przetransportowano ją z ranami zagrażającymi życiu do szpitala, a następnie do Linköping, do specjalistycznej kliniki neurochirurgii. Sześćdziesięciosiedmioletnia kobieta zmarła następnego dnia.

Rzecznik prasowy policji Jan Lundin potwierdza, że kobieta otrzymała cios w głowę. Narzędzie zbrodni nie zostało jeszcze odnalezione, nieznany jest także motyw.

W budynku dochodziło już do konfliktów na tle umiejscowienia w nim pralni. Niektórzy sąsiedzi wnosili skargi o hałasy oraz narzekali, że część lokatorów nie przestrzega godzin używania pralni, piorąc późno w nocy.

„To straszne, że coś takiego przydarza się we własnym domu" – powiedział przedstawiciel rady mieszkańców Sigurd Gustavsson. Jednocześnie podkreślił, że spór o pralnię nie był na tyle groźny, aby być wytłumaczeniem dla tak poważnego aktu przemocy. „Stosunki międzysąsiedzkie są przeważnie dobre, a nieruchomość jest zadbana. Robimy, co w naszej mocy, aby wszystkich uspokoić" – mówił Sigurd Gustavsson.

Mieszkańcy, z którymi rozmawiała „Allehanda", twierdzą, że bardzo dobrze mieszka im się w budynku. Teraz są jednak przybici i niespokojni oraz mają nadzieję, że policja jak najszybciej odnajdzie sprawcę, a oni się dowiedzą, co się tu wydarzyło.

„Bo zaczniemy jeszcze na siebie krzywo patrzeć – stwierdził sąsiad, z którym »Allehanda« przeprowadziła wywiad. – Dlatego jest to niezwykle ważne, żebyśmy się dowiedzieli, co się tu stało".

Sąsiedzi wypowiadają się w samych superlatywach o nieżyjącej, mieszkającej samotnie sąsiadce. Kobieta nie chorowała i utrzymywała dobre stosunki z resztą mieszkańców.

„Nie izolowała się – mówi Sigurd Gustavsson. My, sąsiedzi, pomagamy sobie nawzajem. Na przykład nawet tego samego dnia, w którym ją pobito, jeden z sąsiadów pomógł jej zamocować półkę" – opowiada.

Późniejsze wydarzenia nadal spowija jednak mrok. Nie odnaleziono jeszcze oznak wandalizmu albo rabunku.

„Raczej nie przypuszczamy, aby chodziło o morderstwo na tle rabunkowym – wypowiada się rzecznik prasowy policji Jan Lundin. – W obecnej chwili nie mam nic więcej do dodania".

Lundin podkreśla, że policja intensywnie pracuje nad sprawą, traktując ją przekrojowo oraz kierując się wieloma poszlakami. Dużo osób zostało już przesłuchanych i wciąż napływają nowe informacje.

7

Czwartek, 11 kwietnia

Komisarz Claes Claesson załadował ostatnie gałęzie na okratowaną przyczepę, którą wynajął i odebrał ze stacji Statoil wczesnym rankiem, zanim Veronika wyruszyła rowerem do szpitala.

To był jej ostatni dzień z dwutygodniowego okresu pracy codziennie. Nie wyglądała rano jak skowronek, ale też i nie sprawiała wrażenia umierającej ze zmęczenia. Claes był pod wrażeniem, że podoba jej się aktywność, i dlatego był zdania, że szybko wróci do siebie. Jutro, w piątek, będzie miała wolne jako rekompensatę za weekendowy dyżur i zaplanowała sobie podróż do Lundu, aby odwiedzić starszą córkę, która studiowała tam szwedzki. Veronika zabierała ze sobą Klarę. Siostry miały „spędzić ze sobą trochę czasu", jeśli można tak było nazwać sytuację, kiedy dwudziestotrzylatka spotykała się z rocznym maluchem.

Natomiast Claes zaplanował podróż pociągiem do Sztokholmu na dawno temu ugadane spotkanie w gronie starych przyjaciół, obecnie rozsianych po całym świecie. Wybór padł na stolicę, ponieważ miała najlepsze połączenia. Komisarz właściwie nie wiedział, czy cieszy się na tę imprezę. Tego rodzaju spotkania mogły wyglądać różnie, ale przynajmniej przestał tchórzliwie trwać w przekonaniu, że nie ma co grzebać w przeszłości. Stare wspomnienia najlepiej uznać właśnie za to, czym są – czyli tylko za wspomnienia. Konfrontacja z przeszłością nie musiała koniecznie nieść ze sobą jedynie żenujących zdarzeń. Do diabła, może być fajnie!

Dopiero dziesiąta. Wjechał tyłem przyczepą na działkę tak daleko, jak tylko się dało, czyli całkiem spory kawał. Kiedy zbudowano dom w latach trzydziestych, większość ludzi nie miała jeszcze samochodów. Na początku nie było tu więc garażu, który dobudowano do szopy na narzędzia dopiero w latach pięćdziesiątych, dlatego zarówno szopa, jak i garaż leżały dość daleko od drogi. Podjazd składał się z betonowych płyt ułożonych w dwie linie pod koła. Betonowe ścieżki częściowo osiadły. Gdy wprowadzili się tu z Veroniką ponad półtora roku temu, rozrysował plany nowego budynku położonego bliżej ulicy, aby „nie brudzić" samochodem działki. Teraz jednak wiedział już, że nic z tego nie wyjdzie. Nie tylko dlatego, że sporo to kosztowało, ale też że obecny, wolno stojący drewniany budynek, któremu przydałoby się pociągnięcie farbą, był całkiem czarujący. Czemu zmieniać coś, co się sprawdzało?

Działka była całkiem spora. Można na to spojrzeć z dwóch stron: albo jak na bogactwo, albo jak na uwiązanie. Claes wybierał to pierwsze, szczególnie gdy wreszcie się nastawił, że ogród niekoniecznie musiał wyglądać na tip-top.

Spoglądał na swoje „włości" składające się z wyboistego trawnika, altanki z krzaków bzu, której nie zamierzali niszczyć, ośmiu drzewek owocowych, głównie umiarkowanie zadbanych jabłoni, roślin wieloletnich wzdłuż ogrodowej ścieżki i raczej zapuszczonej rabatki na tyłach domu. Innymi słowy, panowały tu idealne warunki dla kogoś, kto chciał odpocząć od myślenia przy pracy fizycznej.

Klara siedziała teraz grzecznie w spacerówce postawionej na trawie koło samochodu. Przekrzywiła jej się czapeczka. Obgryzała sucharek, ściskając go w rączce. Obserwowała pracę ojca. Odczuwał to, jakby mu kibicowała.

Przebywali we dwójkę na dworze już od ponad godziny. Claes był cały spocony od uprzątania przyciętych gałęzi – ciągnął je po ziemi przez działkę, wrzucał na przyczepę, stawał na gałęziach, aby je upchać, po czym dokładał kolejne. A jednocześnie pilnował córeczki, która nieco wcześniej chodziła chwiejnie, potykała się i raczkowała po ziemi, tak że jej kombinezon wyglądał, jakby już nigdy nie miał być czysty. Prawie jednak z niego wyrosła, a do tego niedługo zrobi się tak ciepło, że przestanie być potrzebny.

Poranki wciąż były mroźne, ale nadeszła już nieodwołalnie wiosna. Łodygi i listki z cebulek, które zakopał w ziemi jesienią, przebiły się przez trawę. Żonkile, białe narcyzy i tulipany niedługo rozkwitną wszystkimi kolorami. Z niecierpliwością oczekiwał, kiedy się rozwiną.

Zarzucił ostatnie duże gałęzie na przyczepę i zahaczył zamknięcie tylnej kratki. Czas ruszyć w drogę. Poinformował o tym Klarę.

– No tak, mała – powiedział do niej. – Teraz zostało nam tylko wysypisko.

Spojrzała na niego. Mówił do niej całymi dniami, więc się przyzwyczaiła. Niech rozumie to po swojemu – myślał.

Kucnął koło córeczki i powtórzył jeszcze raz:

– Następny przystanek wysypisko, rozumiesz, Klaro?

Dostała w przelocie buziaka w policzek.

– Hiii...iiikko – zawołała wesoło.

Odebrał to jako: „wysypisko". Opowiadał jej już o tym miejscu wielokrotnie, poza tym odwiedzili je ostatnio w kilku turach z innymi rupieciami, tak więc „wysypisko" wzbogaciło stałe słownictwo Klary. Mama, tata i wysypisko, choć obecna kolejność brzmiała raczej: t a t a, mama i wysypisko. Claes naturalnie zdawał sobie sprawę, że obecnie nie istniały już wysypiska, tylko „zakłady utylizacyjne", ale kto miałby siłę uczyć tego dziecko?

Spojrzał w niebo. Trochę bardziej zachmurzone, dzień był jednak piękny.

Zabrał z holu torbę: granatowy plecak z tym, co było potrzebne dla Klary: pieluszkami, czystymi spodniami i bananem. Chwycił też komórkę. Zamknął drzwi i umocował Klarę w foteliku samochodowym. Próbowała się wykręcać, ale ją przycisnął. Zaczęła krzyczeć. Wyszarpnął z torby banana, ale go nie chciała. Nie chciała też jechać samochodem. Włączył radio, z którego rozległa się muzyka pop. Klara zamilkła, uspokoiła się, obracając głowę w poszukiwaniu źródła dźwięku. Skorzystał z okazji i uruchomił silnik. Powoli wyjechał na spokojną ulicę willową, ciągnąc za sobą przyczepę. Wzrok Klary padł na banana, ale Claes nie mógł go obrać z rękoma na kierownicy i dźwigni skrzyni biegów. Jedną ręką sięgnął do torby leżącej koło nóg córeczki, chwycił na oślep stary sucharek, który jej podał, po raz kolejny uciekając się do przekupstwa i jednocześnie uświadamiając sobie, że dziecko zabrudzi i uświni mu całe siedzenie. Pomyślał, że dobrze, że siedzenia były skórzane. Do tego z ciemnej skóry. To jeden z argumentów, który przemówił do niego przy zakupie auta. Zaledwie półtora roku temu nabył używane volvo combi z dużym przebiegiem. Wcześniej z ogromnym bólem oddał na złom swoją starą, wysłużoną toyotę.

Pomimo gorliwości w zabawianiu Klary miał czas na rozmyślanie. A nawet całkiem sporo czasu. Między innymi zdał sobie sprawę, że wciąż towarzyszy mu przyjemne uczucie, że ma przedłużone wakacje. Nie odczuwał znużenia, nie zaczął cierpieć – czemu miałby to robić? – wszyscy jednak twierdzili, że to nadejdzie. Tylko poczekaj! – powiedziała Veronika. Powoli cię to dopadnie: lekkie znudzenie, poczucie wykluczenia, brak kontaktów z dorosłymi, tęsknota za trudniejszymi i mniej oczywistymi zadaniami niż dom i dzieci. Tylko poczekaj! No więc czekał.

A może w jego życiu do tej pory – a przede wszystkim

ostatnio – działo się tak dużo, że specjalnie nie cierpiał z powodu tego, że nie jest w centrum wydarzeń, w samym środku dochodzenia, przesłuchań, wśród konfliktów, smutku i strapień? Możliwe, że była to pozytywna strona faktu, że nie jest młodym ojcem. Zrobił już jakąś karierę i pozostawała mu tylko harówka, co nie do końca było jednak prawdą, ponieważ lubił pracować. Ale podobało mu się też to, że ma wolne.

O morderstwie – czy jak je tam w końcu zaklasyfikowano – w pralni nie miał nawet siły czytać w gazetach. Zaskoczyło go to. Ale jeśli wielokrotnie oglądało się przemoc z bliska, to choć człowiek może się nie przyzwyczaił – miał wielką nadzieję, że nie stał się tak mentalnie nieczuły – żeby przeżyć, zarówno on, jak i koledzy oraz prawdopodobnie również Veronika wyćwiczyli w sobie pewien dystans, którego konsekwencją mogło być psychiczne wyjałowienie. Na to jednak nic nie można było poradzić. Napatrzył się już na wiele okaleczonych ciał, nieprzyjaznych ludzi, porażki i upokorzenia. A teraz miał ważny powód, aby się od tego wszystkiego uwolnić – w każdym razie na jakiś czas. I zamierzał to wykorzystać.

Możliwe, że niepokoił się trochę o Louise Jasinski, która go zastępowała. Głównie z powodu jej samej – bał się, że to ją przerośnie, gdyż była w samym środku własnego rodzinnego dramatu. Życzył, aby się jej ułożyło. W życiu tak często jest, że timing nie zawsze jest idealny. Ale ona chciała. Rozumiał. I potrafiła – to wiedział. Wszystko dobrze się skończy.

Kiedy wjechał na teren zakładu utylizacyjnego w Mockebo, a podróż tam nie zajęła mu dłużej niż piętnaście minut, słońce przebiło się przez chmury, a Klara była w doskonałym humorze: zadowolona i gadatliwa.

Lubił to miejsce. Miło wyrzucało się rzeczy w tak dobrze zorganizowanym środowisku. Było swoistym oczyszczeniem dla duszy, zrzuceniem z siebie ciężkiego brzemienia.

Veronika przeczytała w pewnej książce – a może w gazecie – że można pozbyć się rzeczy „ku wolności" – jak głosiła japońska filozofia. Miało to coś wspólnego z wystrojem wnętrz. Zgodnie z tą filozofią meble powinny być ustawione w stosunku do stron świata i należało pozbywać się niepotrzebnych rzeczy. Rozumiał mniej więcej sens tego wszystkiego – chodziło o wyzwolenie. Porządek i harmonię. Podobnie jak w zakładzie utylizacyjnym, ziemskim „raju" do wyrzucania rzeczy, gdzie każdy przedmiot trafiał na swoje z góry określone miejsce: papier, gazety, tektura, czyste drewno, odpady ogrodnicze, artykuły do spalenia, rzeczy nienadające się do recyclingu, sprzęt AGD, baterie.

Podjechał tyłem przyczepą do kontenera z napisem: „Odpady ogrodnicze" i pozostawił otwarte drzwi, tak aby Klara mogła go widzieć albo przynajmniej słyszeć, a on ją. Wdrapał się na przyczepę i zabrał się do rozładowywania.

Niemal natychmiast smagnęła go w twarz gałązka jabłoni. Zabolało go, poczuł nieznośne kłucie w oku i przed oczami zrobiło mu się ciemno. Poczuł, że łzawią, i przestraszył się, że nie da rady skończyć roboty. A jeszcze bardziej, że nie będzie mógł stąd odjechać. Oko go nie drażniło, co oznaczało, że przynajmniej nie znalazło się w nim ciało obce. Zamrugał szybko powiekami i po jakimś czasie ból zelżał, a on mógł dalej rozładowywać przyczepę, ciągnąc i wyszarpując ze stosu gałęzie i konary, niektóre całkiem grube i ciężkie. Nie czuł bólu pleców, ponieważ uważał, żeby umiejętnie podnosić ciężar. W końcu nie minęło jeszcze tak dużo czasu od pierwszego ataku lumbago.

Poczuł na twarzy lekki powiew wiatru, słony i ciepły. W tej samej chwili zauważył, że obok przyczepy stoi starsza pani i wpatruje się w niego. Nieznacznie zamachała do niego ręką. Spojrzał na nią w dół.

– Przepraszam, nie orientuje się pan, czy jest tu jakaś obsługa? – zapytała.

Miała dźwięczny głos i pięknie artykułowała słowa. Claes otarł pot z czoła rękawem kurtki, rozejrzał się po terenie, zerknął w kierunku biura, a następnie ku miejscu składowania sprzętu AGD, ale nie dojrzał nigdzie ludzi. Była ich tylko dwójka albo trójka, jeśli policzyć Klarę.

– Tak, powinien tam ktoś być, ale nikogo nie widzę, pewno są tam dalej, w biurze – odpowiedział, mając nadzieję, że kobieta zadowoli się tym i nie będzie musiał jej pomagać, biegając po okolicy i szukając obsługi.

Kobieta nieufnie odwróciła głowę we wskazanym kierunku, ale nie ruszyła się z miejsca. Podobnie jak Claes miała na sobie typowe ubranie do brudnej roboty: wytartą, lecz wytrzymałą kurtkę, porządne buty, długie, workowate spodnie wygrzebane z najdalszych zakamarków szafy z ubraniami i grube rękawice. Jej twarz pokrywały zmarszczki, była wątłej budowy, ale wyglądała dziarsko. Zgadywał, że miała około siedemdziesiątki.

– No tak. W tamtym kontenerze leżą jakieś ubrania – powiedziała, wskazując rękawicą w kierunku, gdzie stało jej wypłowiałe ze starości, lecz wolne od rdzy volvo 740 z otwartą klapą bagażnika.

– Naprawdę?

– Może to nic groźnego, ale wygląda na to, że na spodniach jest krew... nie wiem, może co innego. Coś ciemnego. Jest także płaszcz, męski lub damski. Może należałoby zadzwonić na policję? Pisano przecież w gazetach...

Claes Claesson nie przyznał się od razu, kim jest. Ale zdał sobie sprawę, że się nie wykręci. Musiał jej pomóc, więc zszedł na asfalt i wyjął z fotelika Klarę.

– Och, jakie słodkie... czy to chłopiec? – zapytała kobieta, rozjaśniając w uśmiechu wachlarz zmarszczek. Klara spojrzała na nią naburmuszona.

Trudno było zaskarbić sobie sympatię jego córy.

– Ma na imię Klara – odpowiedział.

– Och, przepraszam! Niełatwo zauważyć różnicę,

szczególnie kiedy są takie małe. Moje też trudno było rozróżnić. Mam ich czwórkę. I sześcioro wnucząt.

– To musi być radość – odrzekł Claes i odwzajemnił uśmiech, odchodząc z nią we wskazanym kierunku.

Kobieta szła żwawo u jego boku. Jakie żywotne były teraz staruszki!

Pochylili się nad kontenerem i zajrzał w głąb. Śmieci zakrywały jedynie dno pojemnika. Stare ogrodowe krzesło, wytarta zamszowa kurtka, kilka książek, zepsuta półka, czerwone bożonarodzeniowe bombki i trochę innych śmieci.

– Są tam – powiedziała kobieta, wskazując ręką, chociaż nie było to potrzebne.

Od razu zauważył jasną, beżowo-zieloną kurtkę. Trudno było ocenić, czy męską, czy damską. Ubranie pokrywały plamy. Z tego, co widział, głównie z przodu. Do tego znajdowały się tam przetarte, jasnoniebieskie dżinsy z brunatnymi plamami w dole nogawek. Claes nie umiał ocenić, czy koszula również jest zabrudzona, ponieważ była czarna.

Na kontenerze był napis: DO SPALENIA.

■

Louise siedziała na komisariacie przy biurku. Zamknęła drzwi, wyłączyła telefon, ale nie siebie.

Już poprzedniego dnia wpadła w wir przygotowań do dzisiejszego popołudniowego walnego zebrania, które sama zwołała. Potem kontynuowała pracę wieczorem w domu. Przytachała odpowiednie raporty, teczki i segregatory, które rozłożyła na kuchennym stole i posegregowała na kupki, pospiesznie wszystkie przeglądając, dokładnie zapoznając się z niektórymi fragmentami, sporządzając notatki, zadając sobie pytania, ponownie sortując, odnajdując powiązania, wykreślając je, znów segregując i analizując. Praca całkowicie ją pochłonęła. Nie przeszkadzały jej dziewczynki ani telewizor, a nawet nieprzerwane, uporczywe mdłości.

Szukała struktury, chciała zbudować własny obraz sprawy. Pragnęła odnaleźć powiązania, ocenić, które działania doprowadziły ich do czegoś w śledztwie, a które jeszcze niczym nie zaowocowały, ale warto je było mimo wszystko pociągnąć dalej. Albo czego jeszcze nie uczynili, chociaż powinni, i które tropy kończyły się ślepo, a oni błądzili po nich niczym zagubione owieczki.

Syn Doris Västlund stanowił wielki znak zapytania. Nie powrócił jeszcze z zagranicy, ale oczekiwano go w sobotę.

Louise, jak zwykle, powtarzała sobie wciąż dwa najważniejsze pytania: Kto i dlaczego? I jakim narzędziem? – powinna dodać.

Zamierzała drobiazgowo się przygotować i dziś na komisariacie podjęła przerwaną pracę w pełni skoncentrowana. Potrafiła pracować na pełnych obrotach, kiedy to było potrzebne. W razie konieczności bez trudu odkładała na bok wszystko inne. Na przykład nie poszła jeszcze do banku w swojej sprawie, ale zrobi to jutro, w piątek. Już po raz drugi przesunęła termin. Tym razem pani w banku nie okazała tyle samo zrozumienia co poprzednio.

Louise należała do nierzadkiego gatunku osób, które odnajdują satysfakcję w możliwości wytężonej pracy, papierkowej robocie, segregowaniu i koncentracji. Mimo chaosu, jakie fundowało jej życie prywatne, w pracy ruszyła z kopyta. Wokół niej parowało. Zapewne utrzyma wysokie tempo tak długo, aż padnie.

Około wpół do jedenastej opuściły ją jednak siły. Nie jadła śniadania i czuła, że powinna coś przekąsić albo się chociaż napić.

Wstała zza biurka i szybko ruszyła do pokoju dla personelu, nie zamierzając jednak do nikogo się przysiadać, jeśli ktokolwiek tam teraz przebywał. W planach miała jedynie wzięcie kubka z kawą. Nie, jednak z herbatą – zdecydowała. Zbierało się jej na mdłości jak od cofającej się ryby w pomidorach w galarecie. Niewiele było trzeba, aby zebrało się jej na wymioty. A w środku tego wszystkiego poczuła głód.

Ostatnio też tak było. Ponad dwanaście lat temu. Objawy proste do rozpoznania. Mój Boże! Czemu teraz? Czemu akurat ona?

Nagle zachciało jej się płakać, chwycił ją spazm przy oddechu, ale udało jej się zdusić napływające łzy. Przełknęła ślinę, próbując pomyśleć o czymś innym.

Chyba ma w torebce jabłko – mogłaby je trochę podziobać. Ale kiedy w myślach zatopiła już zęby w kwaśnym miąższu, poczuła pieczenie w przełyku i do ust napłynął silny, kwaskowaty posmak. Powinna zjeść chleb – kanapka stłumiłaby sensacje. Nie miała jednak chleba. Możliwe, że w szafce w pokoju dla personelu, na najwyższej półce, miała dawno otwarte opakowanie Wasa Sport.

Jutro – pomyślała. Jutro nastanie inny dzień. Wtedy przestanie przymykać oczy na powstałą sytuację.

Opuszczenie pokoju należało zawsze do ryzykownych posunięć: pokazanie się na korytarzu, we wspólnym pokoju socjalnym albo na schodach. Musiała jednak zaryzykować. Mogli ją zgarnąć, czymś zająć, wciągnąć w długie wywody, które pozbawią ją energii, opróżnią, doprowadzą do tego, że nie będzie miała siły znów zasiąść do przerwanej pracy, odzyskać potrzebną koncentrację. A czasu było mało.

– Czołem – odezwał się Jesper Gren z twardej kanapy w pokoju dla personelu.

Odwzajemniła się sztywnym kiwnięciem głowy.

– Widzimy się o drugiej – przypomniała mu.

Chciała mu coś powiedzieć, nawet jeśli gonił ją czas. Może było to przymilne z jej strony, ale z całych sił pragnęła uniknąć zachowywania się szorstko i odpychająco. Mimo wszystko była przecież szefem.

Wyciągnęła rękę po saszetkę herbaty, padło na liptona. Jesper Gren w dalszym ciągu przeglądał gazetę. Nalała wrzątku z nowego automatu, poruszając wkoło torebką, aż woda zabarwiła się na jasnobrązowo. Chciała słabej herbaty, a nie mieszanki z taniny. Odnalazła paczkę suchego pieczywa, z którego wyjęła dwie kromki, odpuszczając sobie jednak masło, po czym pospiesznie wyszła na korytarz.

Zobaczyła, jak Peter Berg wychodzi drzwiami w dole korytarza. Zauważyła, że czegoś od niej chce, ale udała, że go nie widzi, i wycofała się do swojego pokoju. Zanim zdążyła zatrzasnąć drzwi, usłyszała, jego kroki, jak zbliża się do biura.

Nie ucieknie.

Rzeczywiście zaraz usłyszała delikatne bębnienie w drzwi i nie zawołała nawet, aby wszedł, gdy Peter już stał w drzwiach.

– Louise – odezwał się z progu – właśnie zadzwonił Claesson.

Spojrzała na niego, mieląc szczękami i czując jeszcze większą kwaskowatość w gardle.

– Najwyraźniej nie mógł cię złapać. Znaleźli zakrwawione ubrania na wysypisku.

Mój Boże! Czyżby Claesson wmieszał się w śledztwo?! – przeszło przez jej głowę, gdy wpatrywała się niemo w Petera.

– Jacy oni? – zapytała, a pomiędzy jej brwiami ze złości utworzyły się dwie zmarszczki.

W odpowiedzi wzruszył ramionami.

Wykręciła numer komórki Claessona i wyjaśnienie okazało się proste, a nawet podnoszące na duchu. Serce przyspieszyło jej z podniecenia i zadowolona kiwnęła głową do Petera Berga, który potem wyszedł.

W spisie rzeczy, których jeszcze nie załatwili albo po prostu jeszcze nie odnaleźli, znajdował się – oprócz narzędzia zbrodni, prawdopodobnie zagubionego portfela ofiary i równie zaginionego, a w każdym razie nieobecnego syna – przede wszystkim wiążący materiał dowodowy.

A teraz właśnie nie kto inny, tylko Claesson, coś odkrył. Mogło to być szaleństwo, niemniej jednak obudziło w niej nadzieję.

Wyniki przeprowadzonych do tej pory testów DNA były do obalenia, gdyż brakowało w nich konkretnych trafień, przede wszystkim we krwi.

Ślady biologiczne, krew i włókna, jakie Kjell E. Johansson pozostawił po sobie, a których nie było mało, znajdowały się wyłącznie na przedmiotach będących jego własnością: na ubraniu i na zniszczonej masce odnalezionej w śmietniku. Johansson powiedział, że sam ją tam wyrzucił. Krew i inne ślady po nim odkryto także na ręczniku znalezionym w jego łazience i na łazienkowej podłodze. Nic nie wskazywało jednak na to, że przedmioty te znalazły się w pobliżu Doris. Na jej ciele także nie odkryto niczego, co świadczyłoby o obecności Kjella w pobliżu. A w każdym razie nie fizycznie. To by było na tyle! SKL miało kontynuować badania, ale nie wiązali z tym zbyt wielkich nadziei.

Interesujący był pewien fakt. Na białej masce, poza krwią Johanssona, znaleziono krew jeszcze jednej osoby. Nie należała jednak do Doris, a prawdopodobnie do mężczyzny, z którym Johansson wdał się w bójkę na imprezie.

Istniał jeden wyjątek. Drobną plamkę krwi Johanssona odkryto na jednej z maszyn w pralni, a dokładniej na drzwiach od suszarki.

Oczywiście Johansson zaklinał się, że ani Doris Västlund, ani nikt inny nie leżał pobity na podłodze, kiedy zszedł do pralni, aby wrzucić do suszarki ubrania Alicii Braun. Nie spotkał tam żywej duszy. W tej kwestii Louise była gotowa dać mu wiarę. Niemożliwością byłoby niezabrudzenie się, gdyby musiał przejść ponad Doris – nie przez tę kałużę krwi. Oczywiście, jeśli potem się nie przebrał, a następnie nie spalił wszystkiego albo pozbył się ciuchów w jakiś inny sposób.

Innymi słowy, do pobicia doszło prawdopodobnie krótko po tym, jak Johansson opuścił pralnię.

Nieprawdopodobny opis pecha, jaki spotkał – według jego własnej relacji – Kjella E. Johanssona, mógł, pomimo całej fantazji, być jednak prawdziwy. Prawdziwa była więc historia o goleniu, które poszło nie tak, o rozbitym, szklanym kloszu, o bójce i ranie oraz o innych porażkach na balu przebierańców, o szczęściu, a może nieszczęściu z kobietami. Zrozumieli, że Johansson jest psem na baby i ma wiele dzieci w okolicy. Najwyraźniej sam o niektórych nie wiedział. „Stara flama" – jak to określił – dopiero co go poinformowała, że był ojcem jej córki, która miała obecnie dziesięć lat. Kobieta zapragnęła teraz ojca dla dziewczynki, ale przede wszystkim wsparcia finansowego, aby móc ją utrzymać.

Był jeszcze jeden szkopuł z Johanssonem. Pił kawę z Doris Västlund na kilka godzin przed jej śmiercią. Nie mógł temu zaprzeczyć, kiedy rzecz wyszła na jaw. Przede wszystkim, kiedy przedstawiono mu niezbite dowody. Odkryto jego kod genetyczny na jednej z filiżanek.

– Jak to się stało, że pan ją odwiedził? – zapytał Peter Berg, który w kilku turach go przesłuchiwał – po raz ostatni poprzedniego dnia.

– Pomogłem jej przykręcić półkę – odpowiedział chłodno Johansson. – W podziękowaniu babka zaprosiła mnie na kawę. Tęskniła za towarzystwem.

– Czemu nie powiedział pan tego od razu? – chciał oczywiście wiedzieć Peter Berg.

– Nikt się o to nie pytał. – Johansson uśmiechnął się krzywo.

Peter Berg zdusił w sobie westchnienie. Ile razy pytał Johanssona, czy był niedawno w mieszkaniu Doris, ten tyle razy zaprzeczał. Widział i słyszał tylko to, czego sam sobie życzył. Tak postępują ludzie, którzy żyją na granicy prawa.

A więc wiele spraw wiązało Johanssona z Doris. Opinię tę Louise podzielała z prokuratorem. Kjell jednak nie przyznał się do winy, a dowody były niewystarczające. Policja czuła opór przed wypuszczeniem go, ale nie miała wyboru. W każdym razie nie teraz.

Udało im się posortować stosy prania. Nie było to trudne – stwierdziła Erika Ljung. Delikatna bielizna mogła należeć tylko do jednej osoby. Niewielu innych mieszkańców w domu nosiło rozmiar *small* i mało kto byłby na tyle odważny, aby kupić sobie tak wymyślne szmatki co kolorowa Alicia Braun. Ale ona nie martwiła się o swoje ubrania. Kiedy spytali ją o to prosto z mostu, odpowiedziała, że utrata kilku rzeczy nie stanowiła dla niej różnicy, co dla Louise było szczególnie dziwne. Z jakiegoś powodu Alicia Braun się bała. A może chodziło tu raczej o ogólną policyjną fobię?

Jak Alicii Braun udało się zagnać takiego prawdziwego mężczyznę jak Johansson do pralni, aby wykonał tak prostą czynność, jak odwirowanie bielizny? Zrozumienie tego stanowczo przekraczało możliwości Louise. Było to wręcz imponujące. Alicia musiała mieć u mężczyzn fory, a może co innego.

Jak Doris.

Może pieniądze?

Trudno jednak było wydobyć coś nie tylko z Alicii Braun, ale i z innych sąsiadów. Trafiali na mur ciszy – z wyjątkiem emocji, których powodem był konflikt z Brittą Hammar o hałas. W ten spór byli chyba wciągnięci wszyscy mieszkańcy nieruchomości. Wybrano sobie obszar, wokół którego toczono boje, i najwyraźniej tam skierowała się cała złość.

Mdłości się nasiliły. Louise usiłowała wziąć się w garść, próbując myśleć o czymś innym, choćby o deszczu, ale udało jej się to tylko przez trzy sekundy, po czym wybiegła z gabinetu i zdążyła się jeszcze zamknąć na klucz w kabinie toalety, gdzie zwymiotowała.

Po wszystkim, lekko drżąc, umyła usta w zlewie. Woda miała posmak chloru i rdzy.

Gdy powróciła do biura, siły ją opuściły. Stanęła przy oknie i wyjrzała na zewnątrz, obserwując, jak słońce przedziera się przez chmury. Patrząc w bok, zauważyła ptaka na gałęzi wiązu. Nie wiedziała, jaki to gatunek, nie znała się na ptakach. W każdym razie ptaszek siedział tam sobie beztrosko i kręcił łebkiem. Kiedy tylko chciał, mógł unieść się w powietrze i odlecieć. Ona zaś tkwiła tu w miejscu, w środku poplątanego życia, a w jej łonie zagościła mała, niechciana drobinka.

Tak po prostu nie może być, nie mogła z tym dłużej czekać i się oszukiwać.

Wybrała numer centrali szpitala, prosząc, aby połączono ją z przychodnią ginekologiczną. Wbrew wszelkiemu prawdopodobieństwu prawie natychmiast uzyskała połączenie. Przedstawiła swoją sprawę, prosząc o wizytę w celu dokonania aborcji, na co pielęgniarka, bez specjalnej ciekawości w głosie, zadała trzy krótkie pytania. Spytała, czy Louise wykonała test ciążowy, kiedy miała ostatnią miesiączkę i czy spotkała się już z kuratorem. Ponieważ odpowiedź na to ostatnie brzmiała „nie", miły głos chciał wiedzieć, czy Louise pragnęła uzyskać namiary kontaktowe na taką osobę. Kobieta często czuje się rozbita w obliczu takiej decyzji – stwierdziła pielęgniarka w słuchawce. Louise uważała jednak, że nie potrzebuje kuratora. Wiedziała, czego chce. Posłusznie też się przyznała, że wprawdzie kupiła w aptece test, ale nie otworzyła jeszcze pudełka, ponieważ była pewna, jak się sprawy mają.

W kalendarzu widziała, kiedy wydarzyło się owo „nieszczęście" i jak dalece musiało być ono posunięte.

Od wyprowadzki Janosa byli ze sobą trzy razy. Trzy razy!

Udało jej się przejść przez długi związek bez niechcianych ciąż, a tu znalazła się w środku chaosu separacji i wpadła. Nie widziała po prostu sensu w łykaniu tabletek antykoncepcyjnych każdego dnia, kiedy i tak miała pozostać sama.

Jej wina.

Wyznaczono jej termin wizyty już na poniedziałek. Niesamowite! Zapisała go sobie, po czym z pewną ulgą zatrzasnęła kalendarz. Przestała przymykać oko na problem, wciąż czując się jednak niepewnie, choć ciężar na jej barkach nieznacznie zmalał.

Pospiesznie odnalazła Petera Berga i poprosiła, aby znalazł kryminalistyka, który pojechałby do zakładu utylizacyjnego w Mockebo. Następnie zabrała z pokoju własne kluczyki, ściągnęła z wieszaka kurtkę, zeszła po schodach, kiwnąwszy głową w stronę nowej recepcjonistki, znacznie bledszej od Niny Persson, która przebywała na macierzyńskim. Urodziła dużego chłopca. Ważył prawie pięć kilo i z wyglądu przypominał boksera, ale Nina rozpływała się nad nim jak nad cudem.

Niektórym ludziom udaje się być szczęśliwymi. A w każdym razie przez jakiś czas – pomyślała. Albo przynajmniej sprawiają wrażenie szczęśliwych.

Właściwie powinna powrócić za biurko i posłać w teren kogoś innego, ale jej ciało domagało się wyjścia na dwór, za wszelką cenę chciało być w ruchu.

W samochodzie myśli dalej kłębiły się w jej głowie. Odczuwała nieuniknioną w tej sytuacji presję. Jako zastępca Claessona nie mogła odpuścić swojej pierwszej sprawy.

Zauważała pewne prawidłowości dotyczące czasu i miejsca. Inne ślady były jak ślepie uliczki albo drobnostki bez wewnętrznego powiązania. Jednak nie utknęli jeszcze w miejscu, dużo im do tego brakowało. Nie minął jeszcze tydzień, nie było tak źle.

Skoncentrowanie się w śledztwie na Kjellu E. Johanssonie, który figurował pod skrótem KEJ, sporo dało. Przynajmniej mogli wykreślić go z listy podejrzanych, mimo wewnętrznego sprzeciwu, jaki odczuwało się zawsze, kiedy trzeba było odpuścić dobry ślad. Należało jednak wybrać sobie nowy. Dokonać gwałtownego zwrotu.

Dziewczynka z majowymi kwiatkami – pomyślała. Prawdopodobny świadek. Do tej pory nie podjęli jeszcze tego tropu. Dziewczynka, kimkolwiek była, została wymieniona przez wielu sąsiadów. I jeszcze syn Doris, Ted. Dziwna relacja. Wyśledzili go za pomocą biura podróży – przebywał na jednej z Wysp Kanaryjskich. Louise nie wiedziała, na której, sama nigdy tam nie była, więc nie rozróżniała poszczególnych miejsc. Przeprowadzili burzliwą dyskusję w komisariacie, czy lokalna policja powinna zawiadomić syna o śmierci matki. Czy było to niewłaściwe? Mężczyzna powinien przecież sam zrozumieć, że sytuacja ku temu zmierzała – uważała Louise wraz z wieloma innymi policjantami. To Ted powinien zadzwonić do szpitala i dowiedzieć się o stan matki. Czasami świat okazywał się jednak nie taki, jaki powinien być. W każdym razie od pilota wycieczki dowiedzieli się, że Ted z żoną powrócą do domu w sobotę.

Louise dotarła na wysypisko przed kryminalistami. Claes tkwił tam z Klarą przy nogach. Obok nich stała starsza pani. Dowiedział się już, kiedy dokonała znaleziska, a nawet odszukał jednego z pracowników zakładu. Wprawdzie mężczyzna miał co innego do roboty niż sprawdzanie wszystkich, którzy wjeżdżali i wyjeżdżali przez otwarte bramy zakładu, ale dzięki temu, że w czwartkowe przedpołudnie rzadko kiedy panował tu duży ruch, coś jednak zapamiętał, nawet jeśli niezbyt dokładnie.

Pamiętał zielone renault lub podobny do niego samochód, jak stało zaparkowane przed kontenerem, w którym znaleziono ubrania. Zatrzymywały się przed nim również biały ford i jakiś samochód dostawczy.

Z drugiej strony ubrania mogły tam zostać wrzucone także innego dnia. Kontener stał od wtorkowego popołudnia. Policjanci otrzymali nazwiska sześciu osób, które pracowały w zakładzie w tych dniach.

– To renault dość szybko odjechało – dodał mężczyzna w pomarańczowo-niebieskim ubraniu ochronnym.

– Pan tu pracuje, więc jak pan myśli, czemu? – zapytała Louise.

– Ja wiem... Nie miał pewno zbyt wiele do wyrzucenia. Niektórzy przyjeżdżają tu tylko po to, aby wywalić torebkę. Nic o nie kosztuje, serio. Za wywóz śmieci z domu trzeba płacić, a kiedy mają pełny pojemnik, przyjeżdżają tutaj.

■

Lundin, Berg, Ljung, Gren, Grahn, Larsson i Jasinski spotkali się na zebraniu zespołu. Tacka z kubkami stała pośrodku dużego stołu konferencyjnego. Lundin kupił ciasto do kawy – warkocz z masą migdałową. To jemu najbardziej zależało, aby mieć ciasto na spotkaniach – wyostrzało to powoli pracujący mózg – tak więc to on pilnował, aby nie zabrakło im czegoś do przegryzienia. Nikt jednak nie odmawiał, każdy częstował się grubo pokrojonym kawałkiem ciasta.

Na zewnątrz świeciło jasne, popołudniowe kwietniowe słońce. Benny Grahn częstował kawą. Conny Larsson poszedł po cukier. Kiedy powrócił, rozpoczęli zebranie.

Louise była naładowana energią, pragnęła jak najwięcej wyciągnąć ze spotkania – tyle ile się da – będzie dobrze. Chciała też, aby grupa poczuła się zintegrowana, mimo że zabrakło ich dotychczasowego przywódcy Classona. Wiedziała, że kieruje nią próżność, ale najchętniej życzyłaby sobie, aby nie dało się tego w ogóle odczuć, żeby wszystko płynęło jak zwykle, nawet jeśli to „zwykle" prezentowało się teraz inaczej. Nie zamierzała też dokonywać drastycznych, gwałtownych zmian. Nowi przywódcy mieli do nich słabość: do odrzucania wszystkiego, co stare, i wprowadzania własnych cech rozpoznawczych.

Podziękowała, gdy Benny poczęstował ją kawą, nie wiadomo czemu tłumacząc się bólem brzucha. Wystarczyłoby krótkie i dobre: „Nie, dziękuję". Podczas całego spotkania sączyła herbatę tak słabą, że wydawało się, jakby nie przebywała nigdy w pobliżu ani jednego listka herbaty.

Louise rozdała dokumenty i przyglądała się współpracownikom, próbując dostrzec, czy ktoś prezentował krytyczną albo sceptyczną postawę. Był to jej czuły punkt. Wyglądali jednak całkiem zwyczajnie.

– To zaczynamy – odezwała się. – Przeczytajcie szybko punkty i sprawdźcie, czy jest coś jeszcze, co chcielibyście przedyskutować – powiedziała, spoglądając na swoje luźne, ale dobrze przemyślane notatki stanowiące podstawę do dyskusji, z punktami porządnie zapisanymi jeden pod drugim, aby nadać całości strukturę, a także pobudzić grupę do wysuwania pomysłów i koncepcji. Oczywiście Louise zrobiła notatki także po to, aby wesprzeć nimi własną pamięć.

Tytułem wstępu napisała, że nadal nie wiadomo, co naprawdę wydarzyło się w pralni niemal tydzień temu. Ofiara miała zewnętrzne rany przede wszystkim głowy – tu następował krótki cytat ze zwięzłej wypowiedzi lekarza sądowego. Uraz czaszki wskazywał na użycie młotka lub podobnego do niego narzędzia. Zamach tym narzędziem mógł także doprowadzić do rozbicia lampy pod sufitem pralni. Rany świadczą o tym, że ofiara się broniła, a w każdym razie próbowała.

Gdy grupa dotarła do tej części tekstu, w pokoju zaległa cisza, jakby nikt nie miał nawet odwagi zaczerpnąć powietrza. Wszyscy słyszeli, jak Peter Berg referował opowieść Astrid Hård, która odnalazła ofiarę walczącą ze śmiercią. Astrid mówiła, że budzi się w nocy, słysząc rzężenie Doris Västlund.

Następnie Louise wyszczególniła słabe punkty materiału dowodowego. Brakowało wiążących śladów DNA oraz narzędzia zbrodni. Tutaj Louise wspomniała o sąsiedztwie pralni z warsztatem meblowym, co niosło ze sobą możliwość dostępu do imponującej liczby narzędzi. Czy przedmiot, którym dokonano zbrodni, mógł zostać dokładnie wyczyszczony i skrzętnie odłożony na swoje dawne miejsce? Jeśli tak, jak mogło się to stać? Czy właścicielka warsztatu była w to zamieszana? Zaprzeczała, żeby znała ofiarę.

Louise dalej opisywała: domniemaną niewinność Kjell E. Johanssona, pieniądze jako możliwy motyw zbrodni, ewentualne wytłumaczenie zniknięcia syna ofiary oraz pytanie, jakie znaczenie mogła mieć nieznana dotąd dziewczynka z majowymi kwiatkami. Czy kogoś widziała? Czy była j e d n a dziewczynka, czy może więcej? Czego ponadto powinni dowiedzieć się o życiu ofiary? Wcześniejsze związki, przyjaciele? Przy punkcie „stan finansów" zapisana była Erika Ljung.

Louise pozwoliła przestudiować innym notatki w spokoju. Czytający szybko Grahn i Ljung jako pierwsi spojrzeli znad kartek, podczas gdy Janne Lundin, który potrzebował więcej czasu – wszyscy wiedzieli, że przez całe życie zmagał się z trudnościami z czytaniem i pisaniem – nie dał się zestresować i siedział zagłębiony w lekturze, mimo że inni prowadzili już rozmowy przyciszonymi głosami.

– Do tego mamy nowe odkrycie: ubrania w zakładzie utylizacyjnym – odezwała się w końcu Louise.

– Brzmi obiecująco. Poczekamy i zobaczymy, co one

dadzą – skomentował Lundin, który nareszcie skończył czytanie.

Odłożył kartkę na stół i zaczął się z somnambuliczną elegancją bujać na tylnych nogach krzesła, co ogromnie irytowało Louise – tym razem jeszcze bardziej, gdyż cierpiała na chroniczny brak snu i trudno jej było przeciwstawić się usypiającemu rytmowi. Wiedziała, że powinna wznieść się ponad takie głupstwa, szczególnie na nowym stanowisku, ale nie mogła się powstrzymać, aby nie rzucić w stronę Lundina krzywego spojrzenia. Ku jej uldze Lundin od razu przestał, bez gadania i robienia irytujących grymasów.

– Tak. I ostatni świadek, który widział dziewczynkę... ta starsza pani, która zadzwoniła... Czy ktoś z was u niej był? – zapytała, czując się jak matka, która upewnia się, czy dzieci pościeliły łóżka.

Zero reakcji. W pokoju zaległa całkowita cisza. Niebieskie oczy Louise wędrowały od jednej do drugiej pozbawionej wyrazu twarzy.

– Ktoś musi się więc tym zająć – stwierdziła, starając się przybrać energiczny i pozytywny ton głosu, po czym jej wzrok od razu padł na Erikę Ljung.

Łatwo to było zrobić, ponieważ Erika rzadko kiedy narzekała, a jej pozycja w policji nie była na tyle mocna, aby jej utyskiwania mogły się stać niebezpieczne bądź nieprzyjemne. Erika Ljung nie wydawała jednak okrzyków radości. Wyglądała raczej, jakby to zadanie stanowiło dla niej karę, a nie prawdziwe wyzwanie.

– Masz na myśli tę starszą panią, która zadzwoniła do Ludvigsona? – zapytała z wyraźną niechęcią.

Miała opuszczone kąciki ust, złączyła też powątpiewająco brwi na poza tym pięknej, gładkiej, brązowej twarzy.

– Tak – potwierdziła Louise i przekładając dokumenty, wyjęła jeden z nich. – Tutaj – powiedziała, rzucając przez stół kartkę A4. – Viola Blom, Länsmansgatan 8. Okej?

Erika Ljung przytaknęła w milczeniu głową.

– Teraz sprawa finansów. To ty je sprawdzałaś, Eriko – kontynuowała Louise, siląc się na uśmiech do policjantki, która zdawała się już odzyskiwać równowagę po tym, jak zrzucono na jej barki Violę Blom.

– Jeszcze nie wszystko jest gotowe. Föreningssparbanken ma jeszcze sprawdzić, czy dostarczyli nam już wszystkie informacje. Ogólnie rzecz biorąc, wydaje się, że ofiara miała normalną w tym wieku sytuację finansową, to znaczy nie brakowało jej za bardzo pieniędzy, ale bez możliwości na jakieś większe wyskoki. Według bankowców mało którego emeryta na nie stać... Tak, to już wiecie – powiedziała, przerzucając notatki. – Doris nie miała też większych długów, obciążeń konta ani pożyczek, poza drobnym kredytem na sto pięćdziesiąt tysięcy koron na mieszkanie. Była więc właścicielką mieszkania. Zamieszkiwała je od dawna, płaciła jednak niski czynsz. Nie odnaleźliśmy do tej pory żadnych ukrytych kont, ale na nieoprocentowanym koncie oszczędnościowym ma odłożone pięćdziesiąt osiem tysięcy. Zero akcji czy funduszy inwestycyjnych. Tak, jak mówiłam: nic, co by budziło zdziwienie.

Erika kontynuowała sprawozdanie, dodając, że Doris była znana w banku, a w każdym razie przez długoletnich pracowników. Stary klient, wierny bankowi jeszcze od czasów, gdy większość spraw załatwiało się tam osobiście ponad kontuarem.

– Może powinnam dodać, że Doris Västlund jeszcze rok temu dostawała alimenty od byłego męża, z którym rozwiodła się ponad trzydzieści lat temu – jeśli nie dawniej... Miał sądownie przykazane płacić jej alimenty aż do swojej śmierci, co się stało w zeszłym roku w maju.

– Ożenił się ponownie? – zapytał Conny Larsson.

– Tak. Pozostawił po sobie wdowę w mieszkaniu na Kungsholmen. Zadzwoniłam do niej i dowiedziałam się, że nie utrzymywała żadnego, ani negatywnego, ani pozytywnego, kontaktu z Doris. Sprawę byłej żony i jej ciągłego utrzymywania najwyraźniej odłożono w rodzinie, że tak powiem, na bok. Bank męża przelewał pieniądze automatycznie i to by było na tyle. W każdym razie wdowa stwierdziła, że jej dzieci miały zapewniony dobry byt: mąż pozostawił po sobie duży majątek. A ponieważ syn Doris był także jego bezpośrednim spadkobiercą, on także otrzymał część spadku.

– I dostanie jeszcze więcej! – skomentował Lundin. – A dokładniej, niemal pół miliona.

– Na szczęście przestano już zasądzać alimenty na żony! – wykrzyknął Benny Grahn.

Erika Ljung spojrzała na niego.

– Nie, nie rozwodzę się, jeśli o tym myślisz – zapewnił i chwyciwszy termos, dolał sobie kawy.

– Ale czy banknoty w pudełku rzeczywiście należą do niej? – zapytał Lundin. – Czy ktoś inny nie mógł jej zostawić w depozycie?

Na ułamek sekundy w pokoju zaległa cisza.

– Na przykład syn – zaproponował Peter Berg i spojrzenia wszystkich zwróciły się ku niemu.

– Za mało o nim wiemy – powiedziała Louise.

– Nic – stwierdził Benny Grahn, a Lundin zaczerpnął powietrza, aby coś dodać.

– Wróci jednak w sobotę – nie dopuściła go do głosu Louise. – Kto rozmawiał z biurem podróży?

– Ja – zgłosiła się Erika, machając w powietrzu dłonią.

Wyglądało to tak, jakby tylko ona coś robiła w tym śledztwie. W każdym razie Louise uświadomiła sobie, że powinna postarać się lepiej szafować swoimi względami albo po prostu przerzucić zlecone zadania na kogoś innego.

– To kontynuuj sprawdzanie syna, tymczasem niech kto inny zajmie się... Violą Blom – przeczytała Louise z kartki leżącej przed Eriką.

– Jasne! Ja mogę tam pojechać – zgłosił się dobrowolnie Peter Berg.

Erika szybko mrugnęła do niego z ulgą, a Louise sprawiała wrażenie zadowolonej.

– Będziesz miał dużo nadgodzin. Na co oszczędzasz? – Jesper Gren rąbnął uszczypliwością kolegę, na co Peter Berg odpowiedział z kolei tajemniczym uśmiechem.

– Spróbuj wyczuć, czy syn wie, co się wydarzyło, w przeciwnym wypadku będziesz musiała powiadomić go o śmierci matki – kontynuowała Louise, a Erika przytaknęła.

Znowu zapadła cisza.

– A co robimy z banknotami z pudełka? – zapytał Peter Berg.

– Sprawdzimy odciski palców, prawda, Benny? – zapytała Louise, a ten przytaknął. – Czy coś znalazłeś?

– Masę – odpowiedział kryminalistyk Benny. – Ale do tej pory nic, czego moglibyśmy użyć. Część banknotów jest dość stara.

– Następnie wpłacimy pieniądze na konto, a osoba szacująca spadek potem je rozdzieli. Właściwie naszym obowiązkiem jest dopilnowanie, aby pieniądze nie straciły na wartości, powinniśmy więc przelać je na konto z jak najbardziej atrakcyjnym oprocentowaniem. Jeśli takie są. Zobaczymy, ile bank jest w stanie zdziałać.

– Nigdy nie zapomnę sprawy, w której dzieci kłóciły się o pieniądze i o książeczki oszczędnościowe w salonie, kiedy ich zmarła matka wciąż leżała w mieszkaniu na łóżku – odezwał się Janne Lundin, biorąc kolejny kawałek ciasta.

– No, pieniądze rodzą wiele uczuć – skomentował Grahn.

– Relacje między rodzeństwem też – zaznaczyła Erika.

– Tym razem nie ma rodzeństwa – dodał Jesper Gren.

– Tylko przyrodnie w Sztokholmie – odezwał się Conny Larsson, wysoki policjant z Värmlandii, który niedawno dołączył do grupy. – Innego nie ma. A czy ofiara ma jakieś żyjące rodzeństwo?

Spojrzeli po sobie.

– Czy ktoś wie? – zapytała Louise.

Zapadła cisza.

– Musimy to sprawdzić. Jesper!

Jesper przytaknął, że rozumie. Louise pomyślała, że zawsze tak było. Do sporej części informacji nigdy nie dotrą, a inne rzeczy wychodzą na jaw na bieżąco. Z drugiej strony większość ludzi prowadziła łatwe do przewidzenia życie.

Przez chwilę wywiązała się luźna dyskusja, która powoli przygasła i nastała samoistna cisza.

– Czy powinniśmy porozmawiać o czymś jeszcze? – Louise wykorzystała przerwę do zadania pytania.

– Dziwny typ z tego syna – odezwał się Jesper Gren. – Moim zdaniem wydaje się podejrzany.

– Może nie jest do końca zdrowy – zasugerowała Erika Ljung. – Mam na myśli umysł.

– To prawie pewne, skoro wyjeżdża na wakacje, kiedy jego stara leży na łożu śmierci – ocenił Gren.

– Kto wie? Nie wszyscy kochają swoich rodziców – odezwał się Lundin.

– Nie wszyscy rodzice są warci miłości – dorzuciła Louise.

– Może syn się ucieszył, że matka odeszła w zaświaty. Świętuje to na Wyspach Kanaryjskich – powiedział Lundin, wrzucając w siebie resztkę ciasta.

– Albo chodzi o coś innego – stwierdził Conny Larsson. – O coś, czego nie wiemy.

– Zobaczymy!

– I ta dziewczynka z majowymi kwiatkami. Musimy ją odnaleźć – zaznaczyła Louise, aby powrócić do omawianych spraw. – Musicie rozdzielić pomiędzy siebie pracę.

Najpierw sprawdźcie wszystkie szkoły. Pewnie najlepiej będzie zacząć od tej najbliższej, Valhallaskolan. Dzieci z reguły sprzedają w sąsiedztwie. Rzadko kiedy zapuszczają się dalej. Zapytajcie nauczycieli. Może nie będzie łatwo dopaść uczniów albo nauczycieli w weekend, więc kontynuujcie pracę w przyszłym tygodniu. W poniedziałek. Nie wiemy, co dziewczynka zobaczyła, nawet jeśli nie rozumiała, co widzi. Na pewno nie czyta gazet ani nie ogląda wiadomości w telewizji.

Louise znowu dopadła fala złego samopoczucia. Poza tym samo wspomnienie o telewizji sprawiało, że robiła się nerwowa. Czekało ją wystąpienie.

– Mężczyzna, z którym Doris Västlund była w związku. Co z nim? – zapytał Janne Lundin.

– Masz rację – przytaknęła Louise, która zamierzała już zakończyć spotkanie. – Dowiedziałam się, jak się nazywa, od właścicielki perfumerii, w której dawno temu pracowała Doris Västlund.

Ponownie chwyciła papiery, podczas gdy mdłości narastały wraz ze stresem przed spotkaniem z reporterem telewizyjnym. Odnalazła kartkę.

– Nazywa się Folke Roos – poinformowała resztę. – Może zdążę przesłuchać go w ten weekend.

Spojrzała na zegarek, uświadamiając sobie, że muszą zakończyć spotkanie, choć miała ogólne wrażenie, że przeoczyli coś ważnego, że zbyt wiele rzeczy spowijał mrok za sprawą nieprzystępnych sąsiadów, osobliwej rodziny i przykuwającej uwagę dużej sumy pieniędzy.

Do tego kobieta, ofiara, wcześniej zupełnie nieznana policji, co było dość częste, prowadziła całkowicie normalne życie emerytki, cieszyła się stosunkowo dobrą opinią wesołej pani, która jeździ po okolicy swoim małym samochodem. Auto także poddali kontroli: była to toyota starlet z osiemdziesiątego siódmego roku, ale nie natrafili w nim na żadne ślady, które byłyby pomocne.

Niektórzy ludzie budzą w człowieku trudny do zidentyfikowania niepokój, który – co za tym idzie – niełatwo jest dać odczuć, a nawet innym opisać. Coś także próbowała przekazać, kobieta z perfumerii. Louise nie pamiętała dokładnego brzmienia jej słów, ale przypominała sobie treść własnej notatki: „huśtawka nastrojów". Zrozumiała, że Doris miała wyraźne skoki nastroju i policjantka z ogromnym bólem zdawała sobie sprawę, co to oznaczało. Tajemniczość, która rozsiewała wokół niepokój i nieprzyjemne odczucia, która była trudna do wyłapania i określenia tak, aby stała się zrozumiała, i dlatego nie można sobie z nią poradzić. Louise z bólem serca skojarzyła podobne zachowanie z własną matką; z pewną obawą wracała do niektórych zdarzeń z dzieciństwa, budzących w niej wspomnienia. Najchętniej pozostawiłaby je uśpione.

Z czasem jednak matka złagodniała. Do tego Louise zawsze miała jeszcze zrównoważonego ojca.

Może tak samo było z Doris? Może kiedyś pozornie sprawnie funkcjonowała, ale w duszy była osobą rozbitą, prawdziwą jędzą lub przypuszczalnie jeszcze gorzej?

Kto mógł zostać zraniony przez Doris Västlund? Może ktoś, kto miał później powody do zemsty?

Louise ogarnęły niedorzeczne rozmyślania, silnie sterowane własnymi doświadczeniami, od których nie potrafiła się uwolnić. Ponieważ jednak zdawała sobie z nich sprawę, nie stanowiły dla niej aż takiego zagrożenia. Może jednak jej własna podatność na zranienie nie była w tym przypadku jedynie ciężarem, ale i zaletą? Jeżeli uda jej się udowodnić to, co podszeptywała intuicja, i odnajdzie materiały dowodowe.

Berg i Grahn zebrali kubki po kawie i wynieśli je na tacce razem z deską do krojenia, na której zostały dwa kawałki słodkiego pieczywa z masą migdałową. Na pewno nie poleżą tam za długo.

Louise jako ostatnia wyszła z pokoju, gasząc światło, i wybiegła do toalety. Za trzydzieści sześć minut stanie w świetle reflektorów. W ciągu ostatnich dwóch dni informacje na temat morderstwa w mediach nieco ucichły, ale w dzisiejszym wieczornym wydaniu lokalnych wiadomości oczekiwano od niej podsumowania działań i wyraźnego zaznaczenia, że policja nie spodziewa się kolejnych morderstw. Nie natrafili na ślad niczego, co by sugerowało, że w okolicy grasował seryjny morderca o specjalności zabójstwo w pralni. Louise będzie patrzeć spokojnie wprost do kamery, tak jak się uczyła, nie będzie wyrzucać z siebie potoku słów. Im bardziej będzie łomotać jej serce, tym ważniejsze stanie się opanowanie nerwów zewnętrznym spokojem, powolnością i dobrze wyważonymi pauzami.

Poszła do swojego pokoju, odłożyła teczkę z papierami na biurko i przebrała się w białą koszulę i ciemną spódnicę. Na szyi zawiązała krawat.

Godzinę później było po wszystkim. Przeżyła, poszło jej nawet całkiem dobrze! Potem usłyszy, co mają do powiedzenia na temat jej wystąpienia najważniejsi krytycy – własne córki. Nie mając siły się przebierać, wsiadła do samochodu i wyjechała na Ordningsgatan.

Wiosenne światło wpadało wprost do oczu, nie dręcząc jej tym jednak, ale dodając energii, łagodząc uczucie bycia ściganą przez niedoskonałości i kłótnie, trudności i nierozwiązywalne konflikty, uczucia, od których nie można się było odciąć. Łagodząc ból spowodowany tym, że dający jej poczucie bezpieczeństwa Janos już nie istniał i że wcześniejsza gęsta sieć oczywistości obecnie składała się jedynie z pojedynczych, luźnych nitek.

Jest wiele spraw, za które mogę być wdzięczna – pomyślała. Życie. Pory roku. Szczęście, że nastała wiosna. Nic się nie umywało do powoli rozkwitającej, przyrodniczej uczty.

I mdłości. Da sobie z tym radę. Podda się zabiegowi, przez który przeszło wiele kobiet przed nią. I najwyraźniej większość żyła po nim dalej.

■

Peter Berg nie lubił odkładać rzeczy na później. Poza tym wiódł dość samotne życie od czasu rozstania z Sarą. Nie miał więc nic przeciwko wypełnianiu czasu pracą.

Zabrał granatową, płócienną kurtkę i ruszył w dół ku wyjściu, aby się udać z wizytą do świadka, Violi Blom. Z tego, co zrozumiał, była to zrzędząca starsza pani. Zapewne więc wizyta zajmie mu trochę czasu. Może później potrenuje albo pobiega. Czemu by nie pójść też potem na piwo, może razem z Eriką, jeśli do niego zadzwoni?

Pomiędzy nimi wykształcił się wyraźny schemat. To zawsze ona dzwoniła do niego, jeśli chciała się spotkać, a niemal nigdy odwrotnie. Teraz ich spotkania nie były już w żadnej mierze sztuczne. Dawne nieporozumienia przebrzmiały, tak jak minęła ich wcześniejsza wzajemna fascynacja. Z początku to on był znacznie bardziej zaangażowany we wzajemne relacje. Tak uważał – ze względu na niezwykłą urodę Eriki.

Co dziwne, ich kontakty nie poprawiły się, kiedy spotkał Sarę. Powinno tak się stać, ponieważ sądził, że Erika uważa jego spojrzenia i fantazje za natrętne. Ale gdy pojawiła się Sara, miał wrażenie, że jego relacje z Eriką jeszcze bardziej się pogorszyły.

Czasami trudno było zrozumieć ludzi. Teraz żadne z nich nie miało partnera – a w każdym razie Peter nic o tym nie wiedział.

Chociaż obecnie uważali się tylko za dobrych przyjaciół i stali się w stosunku do siebie bardziej spontaniczni i naturalni, to jednak wciąż Peter czekał na nią, a nie ona na niego. Żył w ciągłej gotowości, że m o ż e do niego zadzwoni.

Pozbył się już jednak marzeń seksualnych i innych, które by obejmowały Erikę. Z drugiej strony samotność doskwierała mu bardziej, niż byłby skłonny się do tego przyznać. Do tego niemal całkowicie odpuścił sobie stowarzyszenie. Ojciec pytał go przez telefon, jak układają się w nim stosunki – możliwe, że liczył na ploteczki o innym stowarzyszeniu niż jego własne – ale Peter tchórzliwie wykręcił się od odpowiedzi. Gdy trzymał słuchawkę w dłoni i wciskał ojcu kit, jeszcze wyraźniej zdał sobie sprawę, że nie wytrzymałby ograniczających go oczekiwań, stawianych mu przez stowarzyszenie co do tego, co robił i o czym myślał. A nawet co do tego, czego n i e robił. Chcieliby, aby się zaręczył. Co najmniej. Oczekiwali od niego normalnych zachowań – było dla niego jasne, co to oznaczało.

Samochód stoi nie na parkingu, lecz na ulicy – przypomniał sobie. Ludvigson pożyczył go i zaparkował przed wejściem.

Peter wyszedł na wciąż świeże i poprawiające nastrój wiosenne powietrze, lecz przez ułamek sekundy poczuł tak silne przygnębienie, że prawie zwaliło go z nóg. Czyżby dopadła go wiosenna depresja?

Nagle zobaczył po drugiej stronie ulicy Astrid Hård. Tak jakby znalazła się tam przypadkiem. Przytrzymywała rower. Zdjęty kask majtał się na kierownicy. Od razu go spostrzegła, w jej ciele wyraźnie uwidoczniło się napięcie.

– Dzień dobry! – zawołał i pomachał ręką, na co Astrid ruszyła w jego kierunku, prowadząc rower.

– Dzień dobry – odpowiedziała.

Ku jego zdziwieniu sprawiała wrażenie onieśmielonej.

– Przyszła pani do nas? – zapytał, ruchem głowy wskazując na drzwi wejściowe do komisariatu.

– No, zamierzałam tylko zajrzeć.

– Tak?

Wsunął ręce do kieszeni dżinsów.

– Jak się pani czuje?
– Tak sobie – odpowiedziała, spoglądając na asfalt. – Jestem trochę zmęczona.
– Źle pani sypia?
Zapadła chwila ciszy.
– Czasem.
Peter przytaknął, równocześnie obserwując, jak pochylona do przodu kobieta o wygiętych łukowato plecach na spuchniętych nogach powoli brnie do przodu przy użyciu chodzika pokonując odcinek z taksówki do przychodni Slottsstaden po drugiej stronie ulicy.
– Pracuje pani czy...
– Tak, jestem codziennie w pracy, i dobrze – odpowiedziała, choć nie sprawiała wrażenia specjalnie z tego zadowolonej.
Nie wiedział zbyt dobrze, jakie miał jeszcze zadanie, w czym mógłby jej pomóc, co znajdowało się w zakresie jego obowiązków jako inspektora kryminalnego w sprawie o morderstwo, w której była przesłuchiwana. Czy oczekiwano od niego, aby się nią zajął? A psycholog?
– Odwiedziła pani psychologa albo kuratora?
– Nie, nie byłam u nikogo... ale nie chcę.
– Hm – odrzekł, przyglądając się czarnym literom na białym tle nad wejściem naprzeciwko. „Przychodnia" – przeczytał w myślach, jakby po raz pierwszy zauważył tablicę. – Może tam otrzymałaby pani pomoc – powiedział.
Kobieta z chodzikiem odwróciła się i wpatrywała sztywno w doktora Björka, który akurat wyszedł przez szklane drzwi. Przerzedzone, ale puszyste włosy falowały mu na wietrze, w ręku trzymał ciężką, dużą torbę.
Wszyscy na komisariacie go znali.
– Kto to?
– Doktor Björk. Zapewne idzie z wizytą domową – zgadywał Peter.

Spojrzał na zegarek, nie bardzo wiedząc, jakby się mógł urwać.

– Mam zadanie – odezwał się, nie zbierając się do odejścia.

– Aha – odpowiedziała Astrid Hård, sprawiając wrażenie skrajnie zakłopotanej, a może i zranionej.

– Do widzenia, może do zobaczenia – zakończył, cofając się o krok w kierunku samochodu i podnosząc rękę w niepełnym geście pożegnania.

Żadnej reakcji. Dopiero kiedy minął już z połowę Ordningsgatan:

– Ach tak! – krzyknęła nagle, jakby chciała go zatrzymać.

Chwyciła za kierownicę i prowadząc rower, prawie podbiegła do Petera.

– Mineralna terpentyna – powiedziała, spoglądając policjantowi wyczekująco w oczy, jakby podarowała mu prezent niespodziankę.

– Aha?

– Pachniało mineralną terpentyną.

Z całych sił próbował za nią nadążyć.

– Tak, ale gdzie?

– W piwnicy.

Dziwna dziewczyna – pomyślał w samochodzie. Aż tak samotny nie był, aby wpaść na pomysł, żeby ją poderwać. Nie była brzydka – to nie jej wygląd go odstraszał. Prezentowała się całkiem fajnie. Lepiej od niego – Peter w każdym razie się nie wywyższał. Chodziło raczej o energię – emanowała zbyt silną energią. Za dużo chciała. Tak, chyba to go odrzucało.

Zaparkował w pewnej odległości od celu. Viola Blom zajmowała narożne mieszkanie po drugiej stronie ulicy w stosunku do mieszkania Doris Västlund.

Dwie kobiety rozmawiały na zewnątrz bramy położonej kawałek dalej w dół ulicy. Peter je wyminął. Nie podniosły nawet na niego wzroku, pewne siebie i próżne, ubrane według najnowszej mody. Z podwórza, zapewne z warsztatu meblowego, dochodziły uderzenia młotkiem. Mężczyzna schodził ulicą Kvarngatan, prowadząc za ręce dwoje dzieci. Peter Berg nie wiedział, czemu tak silnie uderzył go ich widok, ale wyglądali, jakby wypełniało ich wewnętrzne szczęście. Ojciec odrzucił ruchem głowy grzywkę z czoła i odezwawszy się do dzieci, uścisnął młodszemu rękę. Chłopiec zakrztusił się od śmiechu, tak że niemal się wywrócił, natomiast dziewczynka zaczęła skakać, także zarażona wesołością lub szczęściem chwili – czy cokolwiek to było.

Coś takiego sprawia, że osoba samotna czuje się jeszcze bardziej osamotniona – pomyślał Peter cierpko, otwierając ciężką i niezwykle wysoką bramę. Dopadło go silne przygnębienie. Klatka schodowa była szara i zatęchła. Przeszedł ponad stosikiem związanych starych gazet, które zapewne były przeznaczone na makulaturę, przeciął w poprzek wytarte, szaro-białe kamienne podłogowe płyty ułożone po przekątnej na podłodze i wszedł po schodach na górę. Zafascynował go głęboki, ciemnoróżowy kolor ścian. Kolor mięsa – pomyślał, a do głowy przyszły mu skojarzenia typu burdel, kasyno itp. Co prawda nie miał zbyt wielkiego doświadczenia z burdelami, szczególnie osobistego. Śmieszne, nie omieszkał skrzętnie zaznaczyć, nawet jeśli tylko przed samym sobą. Był jedynie na kilku akcjach, kiedy pracował w Sztokholmie tuż po egzaminie na policjanta. Ale napatrzył się na burdele w telewizji.

Postanowił, że zadzwoni do drzwi co najmniej trzykrotnie. Panowała za nimi martwa cisza. Gdyby nie zatelefonował do Violi Blom tuż przed wyjściem z komisariatu, spróbowałby pewnie złapać dozorcę. Starsze panie mogą w każdej chwili umrzeć albo przewrócić się i leżeć bezbronne na podłodze.

Viola Blom nie padła jednak trupem w mieszkaniu. Na koniec zachrzęściło za mieniącą się szybą. Petera uderzyło piękno podwójnych drzwi z wygrawerowanymi drobnymi gwiazdkami w szkle. W końcu otworzyła się wąska szczelina i jego wzrok padł na niemal zasuszoną kobietę w zwisającym, jak na strachu na wróble, ubraniu. Viola Blom trzymała się jednak na nogach, ba, nawet całkiem prosto, i poruszała się, a jej twarz nie była tak bladożółta i wygłodzona jak jego babki ze strony ojca, zanim umarła na raka.

– A więc jest pan policjantem – odezwała się, a w jej spojrzeniu nie kryła się podejrzliwość ani ciekawość.

Kiedy pokazał jej wreszcie legitymację, kobieta była już w drodze do salonu, więc posłusznie ruszył za nią.

Mieszkanie najwyraźniej nosiło ślady długoletniego zasiedlania go przez Violę Blom. Poza tym było fantastycznie położone na rogu budynku. Okna wychodziły na dwie strony świata. Świeciło popołudniowe słońce. Mieszkanie było hermetycznie zamknięte, tak że niemal dało się dotknąć zakurzonego i cierpkiego powietrza. Na kanapie – puszystej, ale wytartej, obitej we wzorzysty brązowy plusz – leżał gruby, różowy syntetyczny pled, do którego przyczepiły się ciemne nitki i włosy. W rogu kanapy znajdowała się ozdobna poduszka wyszywana różami. Najwyraźniej służyła jako oparcie pod głowę. Gdyby gruby, pleciony dywan był w bardziej reprezentacyjnym stanie, poszedłby jak świeże bułeczki w sklepie z artykułami retro. Do tego znajdowały się tu stare meble tekowe, wiszące półki i ciężkie, ciemne, ceramiczne przedmioty pokryte fantazyjną glazurą. Miało się wrażenie, że niezwykle kwieciste tapety zaraz na człowieka spadną, ale Peter Berg zjawił się w mieszkaniu Violi Blom nie dla nich.

– Miłe mieszkanko – odezwał się.

– Co?

– Miłe mieszkanko – powtórzył głośniej.

Przytaknęła. Policjant stanął przy jednym z okien wychodzących na Länsmansgatan: stąd widok na ulicę rozciągał się w całej okazałości – zarówno na szerokość, jak i na długość – aż ku jej zakończeniu, do Rådmansgatan. Z okna można było nawet zobaczyć chodniki znajdujące się po obu stronach drogi, a przede wszystkim wjazd na podwórze, przez które sprawca pobicia prawdopodobnie musiał przejść, kierując się do pralni.

– Tak, mieszkanie jest miłe – odpowiedziała za jego plecami Viola Blom.

Peter Berg obrócił się ku niej.

– Mogłaby pani jeszcze raz opowiedzieć, co pani widziała?

– Ona w szpitalu mi to powiedziała – odezwała się kobieta zupełnie niezrozumiale do policjanta.

– Aha, a kto taki?

– Lekarka.

– Ach tak? A co powiedziała?

– Powiedziała, że powinnam zadzwonić na policję, a nie przyjeżdżać do szpitala.

– A kiedy była pani w szpitalu?

Viola Blom nadal stała w miejscu. Okulary powiększały wyblakłe oczy staruszki. Patrzyła w zamyśleniu to na niego, to wprost w przestrzeń, nieznacznie spinając ramiona i garbiąc plecy. Miała żółtawosiwe, proste włosy, równiutko ścięte na wysokości uszu.

– Może usiądźmy! – zaproponował.

Wybrał pokryte ciemną bejcą dębowe krzesło z grubą, nieprzytwierdzoną do niego poduszką, którą – jak Peter przypuszczał – otrzymała w ten albo inny sposób od służby zdrowia. Pozostałe krzesła wokół stołu miały jedynie cienkie skórzane wypełnienia.

– Wystraszyłam się – powiedziała drżącym głosem.

– Wystraszyła się pani?

– Tak. Nagle przyjechała karetka i radiowozy i pojawiła się masa ludzi. Zobaczyłam, że kogoś wynoszą.

Peter Berg założył, że działo się to w piątek niespełna tydzień temu, ale postanowił, że nie ma sensu naciskać kobietę o dzień oraz dokładną datę.

– O czym wtedy pani pomyślała?

– Że wydarzyło się coś strasznego. Może morderstwo. Teraz jest tak dużo morderstw. Oglądam telewizję i każdego dnia dzieje się coś okropnego. Kiedyś tak nie było. A stary i samotny człowiek się boi. Ktoś mógłby tu wpaść i mnie zabić.

Rzuciła pospieszne spojrzenie w kierunku dużego pokoju. Kapało z kuchennego kranu, słychać było tykanie ściennego zegara.

– Tak więc zauważyła pani karetkę i radiowozy.

Przytaknęła.

– Siedziała wtedy pani przy oknie? – zapytał, wskazując na bardziej wygodne krzesło o wysokim oparciu na plecy i oparciach pod łokcie oraz o wyścielanym siedzeniu. Sądząc po stopniu wytarcia materiału, musiało to być ulubione miejsce przesiadywania kobiety.

– Tak. I wtedy się przestraszyłam i poczułam okropny ból tutaj – ostrożnie dotknęła klatki piersiowej. – I tutaj – kontynuowała, kładąc płasko na brzuchu pokrytą żyłami rękę. – I wtedy pomyślałam, że nie wiadomo, czy nie jest to coś groźnego.

– Tak?

W dusznym mieszkaniu zapadła cisza. Peter Berg rzucił okiem przez raczej brudne okno i zobaczył, jak otwierają się tylne drzwi białego samochodu dostawczego, przez które dwie osoby wytaszczyły na zewnątrz biurko.

– I co pani wtedy zrobiła?

– Zadzwoniłam po karetkę.

– I przyjechała?

– Tak, ale nie pozwolili mi zostać.
– W szpitalu?
– Właśnie.
– Nie zatrzymali pani na oddziale w szpitalu?
– Nie. Powiedzieli, że nic mi się nie stało. Że muszę tylko jeść i się uspokoić.
– Czy opowiedziała im pani to, co zobaczyła?
Znowu zapadła cisza.
– Noo.
– Co im pani powiedziała?
– Że mnie bolało.
– Co wtedy zrobili?
– Nic.
– Nic?
– Ach nie, dostałam kanapkę.
– A potem wróciła pani do domu?
– Tak, ale nadal się bałam. Może ten, kto to zrobił, przyjdzie do mnie do domu.
Głos jej się załamał.
– Skąd pani właściwie wiedziała, co się wydarzyło?
– Telewizja – odpowiedziała i Peter Berg ujrzał ogromnego grata przykrytego zrobionym na szydełku obrusem, na którym stała lampa.
– Może oglądanie telewizji nie jest za dobre – spróbował zażartować.
– Nie – zgodziła się staruszka.
– Znała pani kobietę, która...?
– Ma pan na myśli Doris?
– Tak.
– Przestałyśmy się spotykać.
Peter Berg natychmiast poczuł lekko przyspieszony puls i odniósł wrażenie, że czas się zatrzymał – jak zwykle, gdy coś nowego i niespodziewanego wypływało na wierzch w śledztwie.
– Nie wychodzę z domu – wyjaśniła cienka jak patyk

dama, podczas gdy Peter uświadomił sobie, że z jakiejś przyczyny musieli pominąć ją podczas przesłuchiwania sąsiadów.

– Ale potem rozbolało mnie jeszcze bardziej – kontynuowała Viola Blom. – Więc musiałam wrócić do szpitala następnego dnia i wtedy pozwolono mi zostać. Nogi odmówiły mi posłuszeństwa – dodała.

A więc dlatego ją pominęliśmy – pomyślał Peter. Leżała w szpitalu.

– Tak więc teraz nie wie pani za dużo o Doris?

– Nie. Ale zawsze umiała się ustawić.

– W jaki sposób?

– Dla niej liczyła się tylko ona sama.

– Mogłaby pani podać jakiś przykład?

– Hm.

– Jak się potrafiła ustawić?

– Że ktoś jej pomagał.

– Na przykład z czym?

Viola Blom zamarła.

– Nie wiem.

– Z praktycznymi sprawami, takimi jak zakupy, czy też pomagano jej w czym innym?

– We wszystkim. Po to miała mężczyzn. Ale nic więcej nie powiem, ona przecież nie żyje.

Zacisnęła cienkie, bezkrwiste usta. Odwróciła od niego wzrok.

Peter porzucił temat, który najwyraźniej był trudny. Powróci do niego później. W ten sposób policjanci byli bardziej bezlitośni od innych. Czepiali się tematu, zadając pytania i wypróbowując rozmówcę, nawet jeśli czasami znali odpowiedzi: mieli zarówno dokładny czas, jak i dowody. Policjanci wystawiali prawdę na próby. Manipulowali ludzką potrzebą chronienia się, użycia kłamstwa.

– Jak długo została pani w szpitalu? – zapytał więc zamiast tego.

Viola Blom poprawiła na nosie okulary z oprawkami z przezroczystego plastiku, które sprawiały wrażenie, jakby były o co najmniej trzy rozmiary za duże. Musiała je sobie zrobić dawno temu – pomyślał.

– Przez noc – odpowiedziała.

– Tylko przez noc.

– Tak. Zawsze odsyłają człowieka do domu o wiele za wcześnie. Nie tak jak kiedyś...

Peter zignorował ostatni komentarz.

– Tak, powróćmy do dnia, kiedy siedziała pani tutaj i wyglądała przez okno. Do dnia, kiedy Doris została...

Miał zamiar powiedzieć: ofiarą ataku, ale sformułowanie to wzbudziło w nim sprzeciw. Brzmiało zbyt dosadnie i groźnie i mogło złamać wrażliwą osobę, która siedziała wyprostowana jak patyk na krześle.

– Do dnia, kiedy Doris została pobita – powiedział zamiast tego. – Wracając do tego dnia, zanim to wszystko się wydarzyło. Co pani wtedy widziała? Rozmawiała pani o tym przez telefon z policjantem.

– Tak. Siedziałam sobie tutaj – odpowiedziała, wskazując na krzesło pod oknem. – Czasami nie mam siły wstać i wtedy siedzę w miejscu. Wyglądam przez okno, a niekiedy przysypiam. A kiedy tam siedziałam, zobaczyłam kobietę z dziewczynką. Weszły tam, na podwórze.

– Jak pani myśli, o której to było?

Kobieta zamrugała niebieskawymi, wyblakłymi powiekami.

– Nie wiem.

– Przypomina sobie pani, czy było to przed, czy po lunchu?

– To było po lunchu, bo Anton już u mnie był – powiedziała, nagle przybierając wyraz twarzy, jakby się wygadała.

– Anton?

– Mój syn. Odwiedza mnie.

– Codziennie do pani przychodzi?
Kobieta ledwie zauważalnie przytaknęła.
– Zawsze przychodzi o tej samej porze?
– Prawie.
– Po lunchu?
Ponownie ledwo zauważalne kiwnięcie głowy.
– Jak długo został?
– Chwilę. Może z pół godziny – odpowiedziała wymijająco.
– Tak więc zjedliście razem.
– Tak.
– Może przychodzi i gotuje dla pani? Ale miło!
Trochę się zapędziłem – zdał sobie sprawę, ponieważ Viola Blom zaprotestowała.
– Jedzenie przychodzi do mnie gotowe. Opłacam je z mojej emerytury, słowo daję.
– A więc po lunchu zobaczyła pani kobietę z dziewczynką?
– Tak.
– Czy Anton jeszcze wtedy był?
– Nie! Skończył już jeść.
Odpowiedź była jasna i zwięzła, ale Viola Blom znów wyglądała, jakby powiedziała za dużo.
– Aha. Więc je tutaj, a potem idzie.
Nie odpowiedziała.
– Jak pani sądzi, ile lat mogła mieć ta dziewczynka? – zapytał zamiast tego.
– Może dziesięć. Może piętnaście.
– Zwróciła pani uwagę na coś jeszcze? Może coś niosły? Torby, siatki...
– Nie. Prowadziły rower.
– Jaki rower?
– Zwyczajny. Ale był mały.
– Dziecięcy rower?
– Nie aż tak mały.

– Średniej wielkości? Może należał do dziewczynki?
– Możliwe.
– Widziała już pani wcześniej tę dziewczynkę?
– Nie wiem, dzieci tak szybko rosną.
– A czy widziała ją pani ostatnio?
Zamyśliła się.
– Nie – odpowiedziała zdecydowanie. – Ale potem wróciła. To znaczy dziewczynka.
– Ach tak!
– Tak. Odebrał ją mężczyzna. Wsadził rower do samochodu i odjechali.
– Jak długo to trwało?
– Nie wiem. Może ze dwie godziny.
Przytaknął, zdając sobie sprawę, że Viola Blom mogła się wtedy zdrzemnąć i potem o tym zapomnieć.
– Pamięta pani, czy na dworze było jeszcze jasno, kiedy mężczyzna zabierał dziewczynkę?
– Tego dnia było zimno i pochmurno. Padał grad. Niemal przez cały czas było ciemno.
– Nie miała pani może włączonego radia?
– Nie, a czemu?
– Gdyby słuchała pani radia, może zapamiętałaby pani, jaki wtedy nadawano program.
Zapatrzyła się w przestrzeń przed sobą.
– Ale nie słuchałam radia. Teraz w ogóle go nie słucham. Mam kiepski słuch, a oni i tak opowiadają o samych okropnościach.
– Chciała mi pani opowiedzieć coś jeszcze?
– Tego dnia biegało tam więcej osób, których na co dzień nie widuję.
Peter Berg skupił ponownie uwagę na jej twarzy, włączył długopis i czekał. Kobieta świstała przez nos przy oddychaniu. Czarne kłaczki włosków wystawały jej z dziurek nosa. Może to one przeszkadzały jej w oddychaniu. Na brodzie staruszki również rosły pojedyncze włoski. Do

tego miała ciemne plamy pigmentacyjne zarówno na twarzy, jak i na dłoniach.

– Tak – odezwała się po chwili zastanowienia. – Kobieta, taka szczupła, weszła na podwórze... a po chwili wróciła.

– Brzmi ciekawie.

– Spieszyło jej się – dodała.

– Czemu pani tak sądzi?

– Co?

Staruszka przytrzymała dłoń za uchem.

– Czemu pani sądzi, że jej się spieszyło?

Spojrzała na niego ze zdziwieniem.

– Bo było to oczywiście widać.

– Szła szybko?

– Tak. I była zła.

Peter Berg przytaknął. Woda wciąż kapała z kuchennego kranu.

– Wsiadła do samochodu, a wtedy wyskoczył z niego mężczyzna i wszedł na podwórze.

Postanowił jej nie przerywać, nawet jeśli rozsadzało go w środku i czuł, że jego cierpliwość jest na ukończeniu. Do tego zmęczenie dawało znać o sobie.

– On także powrócił – dodała po chwili. – I odjechali. Jechali o wiele za szybko. Takie osoby powinna złapać policja. Proszę pomyśleć, gdyby bawiły się tam dzieci! Mogliby je przejechać... Ech, no tak – zakończyła westchnieniem i się zgarbiła.

– Przypomina sobie pani, jak wyglądał samochód? Na przykład jaki miał kolor? – zapytał Peter, nie mając jednak większych nadziei na dokładną odpowiedź.

– To był zwyczajny samochód – odpowiedziała Viola Blom zgodnie z jego oczekiwaniami.

– A więc zwyczajny. Zwykły, osobowy samochód.

– Tak. W każdym razie nie był biały.

Nie biały – zapisał Peter Berg.

– Ale ciemny... ale nie czarny.

To również zapisał w notatniku. Zaczął tęsknić za świeżym powietrzem. Zachciało mu się poza tym spać. Zajrzał do notatnika gotowy do zakończenia rozmowy.

– Chce pani coś jeszcze mi opowiedzieć? – zapytał.

– Nie – odrzekła suchymi wargami, które jakby przykleiły się do zębów.

– Aha – odezwał się, gdy ponownie zajrzał do notatnika. – Z tego, co zrozumiałem, nie widywała pani wcześniej dziewczynki, o której mi pani opowiedziała?

– Nie.

– A tę drugą? Dorosłą, która szła z dziewczynką?

– Tę widuję codziennie. Zajmuje się czymś w środku, na podwórzu.

Policjant usłyszał w sobie cichy sygnał alarmowy.

– Wie pani, czym kobieta tam się zajmuje?

– Nie do końca. Dawno tam nie byłam, ale Anton twierdzi, że babka ma na podwórzu warsztat stolarski.

8

Piątek, 12 kwietnia

Louise Jasinski była do tyłu prawie ze wszystkim, teraz jednak się tym nie przejmowała. Postanowiła brnąć do przodu, dopóki starczy jej paliwa. Aktywnością wypędzała z siebie złe samopoczucie.

Miała umówione spotkanie w banku. U osobistego doradcy bankowego – jak się to nazywało. Albo raczej u wspólnej dla niej i Janosa reprezentantki banku: zadbanej i dość bladej kobieciny, która siedziała przy płaskim monitorze na poprawnie pod względem ergonomii ustawionym krześle.

– Zamierza pani pracować na pełny etat? – zapytała policjantka zza ekranu.

– Oczywiście!

Najwyraźniej nie zmieniało to jednak postaci rzeczy. Kobieta w ciszy spoglądała to na rządki cyfr na ekranie, to znowu w papiery, które przyniosła jej Louise. Pracownica banku nie należała do osób, które już na wstępie emanują z siebie ciepłem. Możliwe, że jej dystans pogłębiały przesłanki ekonomiczne do nowego kredytu, które nie były najlepsze, nawet przy pensji Louise za pełny etat.

– Są jakieś inne dochody?

– Nie – odpowiedziała bezsilnie Louise, ponieważ nie

wykorzystała całkowicie możliwości pożyczenia pieniędzy od ojca, co najchętniej by sobie jednak odpuściła.

Topór w końcu opadł.

– Niestety, musimy odrzucić pani prośbę o udzielenie pożyczki – powiedziała kobieta z płaskim biustem, litościwie oszczędzając Louise przepraszającego przechylenia na bok głowy.

Odwróciła krzesło od ekranu, zwracając je w kierunku Louise, która mimo wszystko była przecież klientką banku, a więc zasługiwała na pewną dozę osobistej atencji. Zniknęła jednak uśmiechnięta przymilność, jaką kobieta okazywała przy poprzednich wizytach. Wtedy jednak było ich dwoje. U jej boku siedział mężczyzna. Teraz obowiązywały inne reguły gry i najlepiej było od razu się do nich przystosować. Przyszłość spoczywała w jej własnych rękach, nawet jeśli teraz były one prawie puste.

Nie miała zamiaru poniżać się błaganiem i prośbami o jakieś inne rozwiązania. Dlatego wstała, zarzuciła na ramię torebkę i wyciągnęła przed siebie dłoń.

– W takim razie dziękuję – powiedziała i wyszła z pokoju, zanim kobieta zdążyła nabrać powietrza do ust.

Przebrnęła przez korytarz i schody z wysoko podniesioną głową i wypadła na Mały Rynek. Przecięła wyłożony kostką placyk, tłumiąc w sobie energię, a raczej agresję, nie zwracając uwagi na handlujących o tej porze pełną parą sprzedawców czy na to, że na stoiskach rozkwitły już wszelkie kolory wiosny albo że ludzie zwracali się do siebie miękko, łagodnie, ponieważ zalewało ich światło słońca. Szła lekko pod górę Östra Torggatan, minęła Filadelfię i Stadshotellet i skręciła na Ordningsgatan. Kiwnęła głową doktorowi Björkowi, tej prawdziwej opoce ludzkości, który przyjechał rowerem do przychodni. Szarpnięciem otworzyła drzwi do komisariatu, kiwnęła głową recepcjonistce, zastępczyni Niny Persson, wbiegła po schodach, czując w ustach narastające mdłości, wrzuciła torebkę do pokoju i wybiegła do toalety. W poniedziałek się to skończy – pomyślała. A w każdym razie tego dnia otrzyma medyczną ocenę swojego stanu, potwierdzenie, że się nie myli. Będzie wtedy mogła zaplanować p r z e r w a n i e c i ą ż y. Chłodne sformułowanie, suche jak pieprz, surowy termin medyczny używany do stworzenia dystansu. A kiedy policjantka już tego dokona, potem zajmie się całą resztą.

Nowe zakończenia – Louise potrzebowała właśnie granic.

Janos chciał, aby go spłaciła, jeśli zamierzała mieszkać dalej w szeregowcu. To ty chcesz rozwodu – zaznaczył, oczywiście doprowadzając ją tym do furii. Przecież to on znalazł sobie kogoś na boku, a nie ona! A co z dziewczynkami? Czy nagle przestały go zupełnie obchodzić?

Podchodzący rozumowo do sprawy byczek Janos wciąż był w natarciu. Musiała się pilnować.

Musiała także powoli się z tym oswoić, bo chociaż próbowała przeanalizować obecny stan rzeczy, a przede wszystkim tak zwaną sprawiedliwość, nic z tego nie wychodziło.

Dla niej sprawiedliwości nigdy nie stanie się zadość – wspomniała słowa Moniki. Przyjaciółka miała oczywiście rację, ponieważ była w stanie spojrzeć na te sprawy chłodno, na co zrozpaczona Louise sama nie miała siły. Janos był jej najlepszym przyjacielem, powiernikiem. Teraz to się skończyło. Białe stało się nagle czarne albo czerwone jak krew.

Janos chciał się uwolnić od kredytu. Innymi słowy, miała go spłacić z uwzględnieniem zmian cen rynkowych, co oznaczało wyższą sumę od tej, za którą dziesięć lat temu wspólnie kupili szeregowiec. W takich przypadkach jak ten przyjmowano zazwyczaj, że każdy spłaca dalej swoją połowę długu, ale Louise ponosiłaby odtąd bieżące opłaty. Rzadko kiedy przepisuje się kredyt na kogoś innego – stwierdziła zarówno adwokatka, jak i pani w banku.

Louise opróżniła zawartość torebki na stole, przeglądając papiery i śmieci, wśród których znalazła luźną kartkę z zapisanym numerem telefonu do Folke Roosa. Potrzebowała zająć się czymś innym, aby nie wpaść w dołek.

Wybrała numer i przez całą wieczność czekała przy telefonie. W końcu mężczyzna odebrał. Mówił powoli. Louise przedstawiła się i zapowiedziała z wizytą. Nie była pewna, czy informacja do niego dotarła, ale w każdym razie dowiedziała się, że mogła go zastać w domu.

Folke Roos zamieszkiwał na Marieborgsvägen blisko morza, w parterowej willi o powierzchni – jak oceniła Louise – co najmniej dwustu metrów kwadratowych. Dom został wzniesiony pod kątem, dając osłonę od wiatru znad morza. Louise nawet w marzeniach nie wyobrażała sobie zamieszkania w podobnym. Nie wiedziała nawet, czyby tego chciała – utrzymanie go w porządku wymagało dużo wysiłku i trudu, których najwyraźniej Folke Roos nie wkładał ostatnio w posesję. Wprawdzie ogród nie wyglądał na zupełnie zaniedbany, ponieważ zredukowano go do wielkiego, płaskiego i nudnego trawnika, który teraz, wczesną wiosną, nie musiał jeszcze być przycięty. Jednak szarawa, brudna biel fasady, porośnięty chwastami podjazd i wypłowiałe zasłony, które na stałe zakrywały okna, świadczyły o długotrwałej bezsilności gospodarza. Dom nie był zapuszczony, ale zdawał się temu bliski. Jego dawny blask najwyraźniej zmatowiał. Louise rozumiała, że mężczyzna nie chciał się wyprowadzać – nie należała do tych, którzy uważali, że starszych ludzi należało wbrew ich woli jak przedszkolaki umieszczać w małych, całkowicie przystosowanych mieszkankach z plastikową podłogą. Należało akceptować życie takie, jakie jest.

Folke Roos miał około osiemdziesiątki i poruszał się dość niedołężnie. Natomiast z jego głową zdawało się, że wszystko jest w najlepszym porządku.

Louise wyjaśniła cel swojej wizyty i natychmiast została wpuszczona przez dębową bramę. Spodnie zwisały z tyłka pana Roosa. W kwiecie wieku był najprawdopodobniej rosłym mężczyzną. Ubrał się schludnie w prążkowaną koszulę z wystającym pod szyją białym podkoszulkiem i szary, rozpinany sweter.

– Doris, tak – powiedział jakby do siebie.

Usiedli w kuchni, pomieszczeniu znajdującym się najbliżej drzwi wejściowych. Musieli jedynie pokonać dość spory korytarz, obity tapetami w pasy złote i koloru czerwonego wina.

Szafki kuchenne były zrobione z ciemnego drewna, a kafle nosiły odcień stłumionej zieleni. Wyglądało to mrocznie i deprymująco, ale zostało wykonane z przepychem, z najwyższej jakości materiałów i na pewno musiało kiedyś bardzo dużo kosztować. Louise uznała, że cierpiałaby na chroniczną melancholię, gdyby codziennie piła poranną kawę w tych ponurych, niemo wznoszących się ponad nią ścianach.

– Wie pan, co się przytrafiło Doris? – zaczęła ostrożnie, na wypadek gdyby do mężczyzny nie dotarła jeszcze wiadomość o śmierci kobiety.

Pociągnął za nogawki spodni, wygładzając nieistniejące zmarszczki materiału. Z kieszeni wyciągnął białą chustkę, wydmuchał głośno nos, po czym pedantycznie odłożył ją na miejsce.

– Tak, wiem – odpowiedział ze wzrokiem wbitym w podłogę.

– Prowadzimy dochodzenie, aby wyjaśnić, dlaczego została pobita – powiedziała Louise i zrobiła pauzę. – Próbujemy się dowiedzieć, kto to zrobił. Wszystkie informacje, które nam pan przekaże o Doris, będą wartościowe.

Mężczyzna odchrząknął.

– No tak, co mam powiedzieć...

– Może mógłby pan zacząć od tego, kiedy spotkaliście się po raz ostatni.

– W zeszłym tygodniu.

Mówił miękkim dialektem, który wydawał się pochodzić z północy Szwecji.

– Tak? A dokładniej którego dnia?

Milczał.

– Może trudno to sobie panu przypomnieć... – stwierdziła łagodnie Louise.

– To było tego samego dnia, kiedy...

Pomiędzy nimi zapadła grobowa cisza, w której Louise usłyszała lecący w oddali samolot.

Policjantka postanowiła odpuścić sobie pytanie, dlaczego mężczyzna nie skontaktował się z policją.

– Gdzie się pan z nią wtedy spotkał?

– Miała w zwyczaju odwiedzać mnie tutaj – odpowiedział. – I robiliśmy sobie przejażdżkę.

– Jak często to się zdarzało?

– Różnie.

– A więc była u pana tydzień temu w piątek?

Przytaknął. Jak na swój wiek miał bardzo gęste i grube włosy, ładnie zaczesane z czoła. Był przystojnym mężczyzną. Oczywiście, jego twarz pokrywały zmarszczki, ale nadawało mu to charakteru.

– Mógłby mi pan powiedzieć, o której odjechała od pana w ten piątek, gdy była tu po raz ostatni?

– Naprawdę próbowałem do tego dojść. W zasadzie codziennie – stwierdził, podnosząc pospiesznie wzrok na Louise. – Przykro mi było rozmyślać o tym wszystkim... Nie jest to miłe – podkreślił, jakby do samego siebie.

– Mogę to zrozumieć.

Nagle przestała się niecierpliwić, a nawet odwrotnie – poczuła, że chętnie posiedzi w półmroku z tym opuszczonym człowiekiem, który nie oczekiwał szybkich rozwiązań od życia, a cieszył się przywilejem prowadzenia niespiesznej egzystencji, tak pożądanej w obecnych, zagonionych czasach. Do tego sprawy, które poruszali, nie dotyczyły jej samej. Teraz fakt ten stanowił dla niej wytchnienie.

– I co pan ustalił?

– Sądzę, że było wtedy około czwartej. Może trochę wcześniej. Wracała do domu, do pralni – stwierdził i zaszkliły mu się oczy. Nie były to jednak łzy. Ponownie wyciągnął chusteczkę.

Louise wygrzebała z kieszeni kurtki mały kołonotatnik w linię. Przechowywała podobne notesy wszędzie – we wszystkich torebkach, w samochodowym schowku, przy telefonie, na nocnym stoliku.

– Od jak dawna znał pan Doris?

– Oj, oj, oj, to długa opowieść – powiedział, jakby to była zbyt pasjonująca i długa historia, aby można ją było tak od razu opowiedzieć nad kuchennym stołem policjantce.

– Proszę spróbować! – Louise się uśmiechnęła, zachęcając go odrobiną ciekawości w głosie.

Większość ludzi tęskni za możliwością opowiadania. Trudniej jest trafić na kogoś, kto ma zarówno czas, jak i siły do słuchania.

– No tak, ale od czego mam zacząć?

– Może najłatwiej będzie od początku.

– Poznaliśmy się z Doris, gdy dzieci były małe. Zostałem wtedy sam. Moja żona Catherine zginęła tragicznie. Wypadek samochodowy.

– Przykro mi.

– Nie było w tym jej winy! Maniak szybkości... tak... i zostałem sam z dziećmi. Nie były takie duże, miały około dziesięciu lat. I wtedy spotkałem Doris. Była piękną kobietą. – Uśmiechnął się szeroko, odsłaniając zęby, które wyglądały na jego własne: miał naturalnie równy zgryz z adekwatnymi do wieku przebarwieniami idącymi w kierunku żółtoszarego.

– I zaczęliście się wtedy spotykać?

– No tak, jakby to ująć. Najpierw trochę się ze sobą spotykaliśmy. Miała w sobie tyle radości. I cudownie gotowała! Potrafiła się tak zachowywać... Tak, po pewnym czasie wprowadziła się do mnie i do dziewczynek.

Nagle urwał opowieść. Lekko zszarzałe wargi poruszyły się, zwilżył je językiem, ale dalszy ciąg nie nastąpił.

– Nie będzie to zbyt impertynenckie, jeśli zapytam, jak się państwo poznali? – Louise spróbowała ponownie zachęcić go do mówienia, opierając oba przedramiona o stół i pochylając się do przodu.

Folke Roos sprawiał wrażenie odrobinę zażenowanego.

– Ech, nie było w tym nic osobliwego. Dałem ogłoszenie do gazety.

– No proszę! Wiele osób tak robi. I dzieci były pewnie zadowolone?

Spojrzał na nią niepewnie, po czym jego wzrok powędrował na winylową matę z ceglanym wzorem.

– Wie pani, nie zawsze idzie to tak łatwo.

– Nie – odpowiedziała, zgadzając się z nim.

– W życiu nie zawsze wychodzi człowiekowi tak, jak to sobie zaplanował.

Rzeczywiście – pomyślała Louise.

– Ale co nie poszło tak łatwo?

– Z dziećmi i nową kobietą w domu... Śmierć Catherine była tragiczna. Dzielenie z nią życia nie przysparzało problemów.

– Chce pan powiedzieć, że z Doris tak nie było?

– No, jakby to ująć?

Cisza.

– Doris potrafiła być bardzo zmienna – stwierdził.

– W jaki sposób?

– Miała humory. Nie było to łatwe ani dla dziewczynek, to znaczy moich córek, ani dla niej samej. Moje córki źle się z nią czuły w domu, a jeśli mam być szczery, to

Doris była czasami wręcz diabelnie wkurzająca, okropnie kapryśna. Może dlatego, że miała zbyt mało zajęć. A w międzyczasie potrafiła być najcudowniejszą osobą pod słońcem. Ja mógłbym dać sobie z tym radę, ale nie dzieci. Znacznie dłużej z nią przebywały ode mnie, ponieważ często wyjeżdżałem. Pracowałem niemal na okrągło, mam przez to czasami wyrzuty sumienia, ale co można na to poradzić? Prowadziłem zakład szklarski, śmiem twierdzić, że całkiem duży – powiedział, a ton głosu i wyraz twarzy świadczyły, że odczuwał z tego powodu dumę. – Interes szedł dobrze. A pieczone gołąbki nie lecą przecież same do gąbki, należy sobie na to zapracować! Nauczyłem się tego już jako dziecko.

– Doris miała przecież syna – wtrąciła Louise.

– Tak, Teda. Był już dorosłym mężczyzną i nie mieszkał z nią w domu. Ciekawe, jak mu się teraz wiedzie.

Spojrzał błyszczącymi oczami na stojącą przed nim lodówkę w kolorze awokado.

Louise nie skomentowała tego. Pomyślała, że nawet Folke Roos nie miał kontaktu z synem Doris.

– Po jakimś czasie musiałem dopilnować, żeby zamieszkała na swoim. Nie było to łatwe – zaznaczył pospiesznie, podnosząc głos, który był bliski załamania.

Jego oddech przyspieszył, jakby starszego pana bardziej zdenerwowały, niż zasmuciły wspomnienia, które w nim wezbrały.

– Nie, oczywiście – odezwała się Louise, mając nadzieję, że mężczyzna zaraz się uspokoi.

– To było piekło.

Z jego piersi dochodził cichy świst, ostry i niepokojący.

– To znaczy? – zapytała ostrożnie, ponieważ twarz mężczyzny ściemniała i Louise obawiała się, że od wybuchu uczuć dostanie on zawału serca albo czegoś równie niebezpiecznego.

– Darła się i krzyczała, i...

Nagle urwał, ponownie kierując wzrok na podłogę. Sapał, wyciągając chustkę. Wytarł w nią nos i wyglądał, jakby fizycznie i psychicznie zbierał się w garść. Częstotliwość oddechów zmalała, mężczyzna zapadł się w sobie i odzyskał dawny szary kolor twarzy.

Folke Roos potrząsnął głową.

– Ech, no tak – wyrzucił z siebie, ale tym razem łagodniejszym, bardziej pobłażliwym tonem. – Nie chciałbym z powrotem znaleźć się w tamtych czasach!

Wszyscy mamy taki czas, do którego nie chcielibyśmy wrócić – pomyślała Louise. Dla mnie nastał on właśnie teraz.

– Wszystko się unormowało? – zapytała po chwili.

– Tak.

– To dobrze?

– Nie miałem wyboru. Doris znowu została sama, czy tego chciała, czy nie, chociaż było nam dobrze razem. Wróciła do pracy jako kosmetolog, ale tylko na część etatu. Tak więc było jej ciężko, mam na myśli sprawy czysto finansowe.

W każdym razie ten stary dżentelmen nie mógł zabić Doris – osądziła zdecydowanie Louise. Nie byłby do tego zdolny fizycznie – poruszał się z wysiłkiem o lasce. A gdyby miał to zrobić, uczyniłby to w innych czasach.

– A teraz układało wam się lepiej?

– Ależ tak! Kiedy człowiek się zestarzeje, toczy mniej wojen.

Brzmi to uspokajająco – pomyślała.

– Nie widzieliśmy się jednak przez wiele lat – kontynuował. – Moje córki były temu przeciwne, nie aprobowały naszego związku. Później jednak Doris odezwała się do mnie i nasze stosunki zaczęły się stopniowo poprawiać. Człowiek czuje się w domu samotny. Piliśmy kawę, przywoziła ze sobą smaczne ciastka. Cholernie dobrze piekła – powiedział, a oczy mu się zaświeciły. – I prowadziła... Doris miała samochód, jest przecież... mam na myśli: była przecież żwawsza i młodsza ode mnie. Jeździliśmy na długie wycieczki.

– Jak miło!

– Człowieka ciągnie, aby coś zobaczyć.

– Innymi słowy, dotrzymywali sobie państwo nawzajem towarzystwa – stwierdziła Louise.

– Tak.

Folke Roos podniósł ponownie wzrok na okno. Niestety, nie dało się przez nie wyjrzeć na zewnątrz, ponieważ widok zasłaniały cienkie zasłony. Gdyby je jednak rozsunąć, zapewne pomiędzy sąsiednimi willami i wysokimi drzewami ujrzałoby się gdzieś morze.

Szarozielone falujące morze niemal tuż za rogiem domu. Louise zapragnęła znaleźć się na świeżym powietrzu. Pomyślała, czy powinna dowiedzieć się czegoś więcej, ale z trudem przychodziło jej zebranie myśli. Zajrzała do notatnika. Zanotowała już: „huśtawka nastrojów". Wewnętrzny chaos Doris. Czy powinni zapytać o to więcej osób, aby im potwierdziły? Nie. Czy mógł to być powód do morderstwa? Silne uczucia zawsze stanowiły niebezpieczeństwo. Nienawiść, zemsta, zazdrość – czemu nie? Nigdy nie wiadomo, do czego posunie się człowiek pod presją. Ale kogo Doris mogła do tego stopnia zdenerwować?

Louise wstała, a za nią Folke Roos, który odprowadził ją do wyjścia. W drzwiach uderzyło ją rześkie, zasolone powietrze, które ożywiło mózg.

– Aha, a gdzie teraz znajdują się pana córki?

– Mieszkają w mieście – odpowiedział.

– Można się z nimi skontaktować?

– Oczywiście – odrzekł i pospiesznie podał ich imiona i numery telefonów.

W samochodzie znowu poczuła się samotna. Te dwie dusze się odnalazły, umilając sobie wzajemnie czas, i było im lepiej niż dobrze. Dni Folke Roosa staną się teraz jeszcze dłuższe i bardziej samotne, ale nie skomentował tego. Pewno człowiek się przyzwyczaja – pomyślała, skręcając w dół, ku kąpielisku Havslättsbadet, żeby popatrzeć na fale.

Nie planując tego, Louise zaparkowała przy pomalowanej na żółto kafejce, która jeszcze przez kilka miesięcy będzie zamknięta.

Mdłości chwilowo odeszły. Wysiadła z auta i owiało ją rześkie powietrze o intensywnym zapachu wodorostów, które układały się w ciemne zaspy wzdłuż linii brzegowej. Przed sezonem kąpielowym plaża zostanie oczyszczona, piasek zmięknie od ciepła, a trawa wyschnie, aż zacznie szeleścić. Żeby tylko tego roku nie wylądowało tu znowu stado kaczek kanadyjskich, bo pozostawi na całej plaży odchody!

Louise powoli weszła na jeszcze niewyrośnięty trawnik. Gdzieniegdzie poprzez twardą powłokę ziemi przebiły się już kępki kiełkujących pędów. Policjantka stanęła na skraju wody. Wiatr przedostał się pod sweter, zapięła więc kurtkę. Nie ruszała się z miejsca.

Zapatrzyła się prosto przed siebie, w stronę horyzontu, odwiecznej linii wokół kuli ziemskiej. Spojrzała ku niebu, ku promieniom światła odbijającym się w tafli wody. Nabrało ono ostrości i wpadło jej wprost do oczu, sprawiając, że zwęziły jej się źrenice.

Zamknęła oczy, kiedy powoli popłynęły z nich łzy.

■

Viktoria poczuła, że nauczycielka przystaje tuż obok niej. Pachniała kremem do rąk.

– Obudź się – wyszeptała nauczycielka miłym głosem, lekko dotykając ramienia dziewczynki. – Stałaś się prawdziwą marzycielką, Viktorio!

Patrzyła na dziewczynkę wzrokiem, którego ta nie

potrafiła zinterpretować. Posłusznie podniosła długopis, przygryzając go, i zabrała się do przepisywania liczb z podręcznika do matematyki. Pani pogładziła ją pospiesznie po głowie, zanim ruszyła w kierunku następnej ławki.

Cyfry stały równiutko i porządnie w książce, tymczasem gdy Viktoria próbowała wszystko wyliczyć, poczuła w głowie pustkę. Miała do przemnożenia cały rządek liczb oraz wykonanie złożonego równania. Dziewczynka nie miała problemu z trzy razy cztery albo z cztery razy trzy, ale wszystko komplikowało się, gdy docierała do większych liczb. Siedem razy osiem było tak samo trudne, jak osiem razy siedem, jeśli nie gorsze, nawet jeśli rozumiała, że było to jedno i to samo. Musiała strzelać. Czasami dopisywało jej szczęście. Zapisała w pamięci czwórkę i dziewiątkę. Wyszło jej czterdzieści dziewięć, ale przeczucie podpowiedziało jej od razu, że się pomyliła. Tylko na tyle było ją stać i ani na odrobinę więcej. Nie miała też siły prosić o pomoc – męczyło ją, że ciągle musi to robić. Od tego nie zapamiętywała lepiej liczb.

Lina dobrze się uczyła. Może trudno było w to uwierzyć, ponieważ nie wyglądała na typowego kujona. Nie była chuda i nie nosiła okularów jak Helga, najlepsza uczennica w całej klasie, która miała wszystkowiedzącego ojca, będącego na jakiejś dobrej posadzie.

Lina miała obgryzione paznokcie, z których schodził jaskraworóżowy lakier, do tego nieuczesane włosy. Była jednak bardzo uczynna i zazwyczaj przychodziła Viktorii z pomocą, jeśli ta jej potrzebowała. Były przecież najlepszymi przyjaciółkami. Należy starannie dobierać sobie najlepszego przyjaciela. Bardzo dobrze, że one dwie się ze sobą trzymały, ponieważ wybór nie był zbyt wielki. To znaczy wśród takich osób, które chciałyby się z nimi zaprzyjaźnić.

Lina najczęściej sama czuła, kiedy powinna szturchnąć Viktorię i jej pomóc, ale dziś jakby i to nie pomagało, bo przyjaciółka nie miała nawet siły utrzymać długopisu w ręku. A przecież jadła, więc nie powinno nic jej dolegać. Spaghetti z sosem mięsnym. Wszystkie dzieci w szkole uważały to za najsmaczniejsze jedzenie, choć makaron okazał się dość brejowaty. Keczup był jednak dobry.

Lina w milczeniu obliczała równania, natychmiast zapisując liczby. Nie musiała się zastanawiać, równania wprost niewiarygodnie same jej wychodziły. Viktoria też by tak chciała. Lina znajdowała się już o cały podręcznik matematyki przed Viktorią, nie mówiąc o tym, że wyprzedzała większość uczniów w klasie – nawet Freda i Helgę – i dlatego mogła sobie czasami odpocząć. Wtedy zaglądała do podręczników przyjaciółki i widząc, jak ta morduje się z liczbami, usiłowała jej pomóc.

Dzisiaj jednak Lina nie powiedziała Viktorii, jak powinna rozwiązać zadania. Zostawiła ją w spokoju. Viktoria siedziała więc i głowiła się nad wynikami równań, przygryzając długopis, który zresztą dość dobrze smakował.

W tym stanie świadomości było jej bardzo przyjemnie, ponieważ czuła się jak w świecie nierealnym, jakby nieobecna, jakby wszystko jej się śniło. Czy tak było rzeczywiście, nie miało dla niej żadnego znaczenia.

Wielokrotnie opowiedziała Linie o wizycie w szpitalu. Wprawdzie lekarze nie musieli jej operować, wydobrzała bez tego, ale byli o włos od podjęcia takiej decyzji. Brzmiało to strasznie, ale i fajnie. Viktoria cieszyła się jednak, że udało jej się uniknąć zabiegu.

Już następnego dnia po przyjęciu do szpitala mogła powrócić do domu. Gunnar i mama przyjechali po nią i wtedy pan doktor, ten słodki, z kręconymi włosami, powiedział, że dziewczynka powinna leżeć i odpoczywać i że będzie mogła pójść do szkoły wtedy, kiedy sama poczuje się na siłach. Kiedy do tego dojrzeje – stwierdził, a przecież trudno było określić, kiedy to nastąpi.

Druga pani doktor również porozmawiała z Viktorią, ale jeszcze przed przyjściem mamy i Gunnara – dość wcześnie rano. Usiadła na brzegu łóżka i zapytała, jak się jej ogólnie wiedzie. W szkole, z koleżankami i tak dalej. Dobrze – odpowiedziała Viktoria, opowiadając lekarce, że ma najlepszą na świecie przyjaciółkę. Sprawiła tym radość Linie, gdy jej o tym opowiedziała.

Potem jednak Viktoria nudziła się, odpoczywając w domu, więc równie dobrze mogła pójść do szkoły. W domu i tak nie pozostawią jej w spokoju, nie przez cały czas. Tak więc niemal natychmiast poczuła, że dojrzała już do pójścia do szkoły.

W szpitalu było jej dość smutno – leżała sama w dużej sali. Wwieziono do pokoju telewizor i podarowano jej górę komiksów oraz kilka bardzo dziecinnych książeczek. *Bamsego* przeczytała już w domu. Leżała więc sama jak palec i gapiła się przed siebie, ponieważ matka musiała pojechać do domu w sprawie związanej z pracą czy czymś innym.

Na pewno spieszy się do Gunnara – pomyślała Viktoria. Matka była taka szczęśliwa i niemal żałośnie rozentuzjazmowana, że Gunnar znów się do niej odezwał. Pewnie dlatego nie ma odwagi zostawić go bez nadzoru – kontynuowała przemyślenia dziewczynka. Ona sama równie dobrze mogła pozostać w szpitalu nawet bez towarzystwa, jeśli w przeciwnym wypadku musiałaby przebywać z Gunnarem.

– Wbijali we mnie igły – opowiedziała Linie.

Lina uważała, że ta część opowieści przyjaciółki była najlepsza, i ciągle prosiła, aby Viktoria opowiedziała to jeszcze raz.

Nauczycielka nic nie mówiła, kiedy Viktoria zdała jej pieniądze za majowe kwiatki. Nawet jej nie pochwaliła. Nie miało to właściwie znaczenia, ale dziewczynka po cichu się łudziła, że może zostaną z Liną najlepszymi sprzedawcami.

Viktoria nie była w stanie sprzedać wszystkich kwiatków, bo przecież trafiła do szpitala. Lina zachowała się jednak honorowo, przejęła resztę kwiatków od przyjaciółki i w jakiś zadziwiający sposób się ich pozbyła. W każdym razie nie kupili ich rodzice Liny, bo Viktoria wiedziała, że im się nie przelewało. Mamy tylko długi i dużo dzieci – żartował ojciec Liny, i było to prawdą. Viktoria jednak tysiąc razy bardziej wolałaby wielodzietną rodzinę pogrążoną w długach niż małą rodzinę z Gunnarem.

Czas w szkole ciągnął się jak pozbawiona smaku stara guma do żucia. Jakby nigdy nie miał się skończyć. Na dworze było jednak słonecznie i Viktoria miała na sobie nową kurtkę, o której co najmniej dwie dziewczynki z klasy, Carita i Elinor, powiedziały, że jest ładna.

Nareszcie ostatnia lekcja dobiegła końca.

Viktoria i Lina wspólnie przecięły szkolne podwórko, ale Viktoria była tak zmęczona i zagubiona, że prawie nie miała siły rozmawiać, chociaż nic jej nie bolało. Z trudem powłóczyła nogami. Walczyła z własną słabością, nakazując sobie krok po kroku podnosić nogi i przesuwać je do przodu. Niczym nakręcana lalka przebyła drogę po żwirze do parkingu dla rowerów.

Lina odpięła rower, założyła plecak i wcisnęła na głowę kask, tak że jej policzki przypominały dwa balony. Viktoria stała w miejscu, ogromnie tęskniąc za swoim rowerem. Nadal nie dało się na nim pedałować. Mama obiecała, że odda go do naprawy, ale jeszcze tego nie zrobiła i na ile dziewczynka ją znała, jeszcze nieprędko do tego dojdzie. Viktoria sama będzie musiała to zrobić, ale rower był ciężki – musiałaby go ciągnąć po ziemi, ponieważ wskutek wypadku zablokowało się tylne koło, a do warsztatu rowerowego Brinka było daleko. Do tego później musiałaby pokonać całą tę długą trasę z powrotem i miała wrażenie, że zajmie jej to całą wieczność. Co prawda Gunnar miał samochód, ale był ostatnią osobą, którą poprosiłaby o pomoc.

Lina wspięła się na rower i odjechała, rzucając przyjaciółce „na razie" i tłumacząc się, że się spieszy na umówioną wizytę.

Wlokącą się do domu Viktorię wyminęło rowerami trzech dużych chłopaków ze starszej klasy. Żaden nie drażnił się z nią. Na bagażniku roweru mieli piłkę nożną i wrzeszcząc do siebie, ruszyli na boisko. Roznosiła ich energia.

Szkoła znajdowała się pośrodku parku, otoczona wysokimi, kołyszącymi się drzewami. Po jednej stronie wyjścia z parku na ulicę była biblioteka. Viktoria pomyślała, czyby do niej nie zajrzeć i nie posiedzieć chwilę nad jakąś lekturą, ale nagle ogarnęło ją zmęczenie i przestraszyła się, że nie da później rady dostać się do domu. Chociaż pewnie dałaby radę, przecież kiedyś dzieci radziły sobie, brnąc boso przez śnieg. Będzie to ją jednak kosztowało zbyt wiele wysiłku. Dlatego skręciła w drugą stronę, w Kikebogatan, jej codzienną drogę do domu.

Całe szczęście, że to zrobiłam – pomyślała. Nie uszła daleko, kiedy zdarzyło się coś miłego. Dziewczynka zobaczyła zaparkowany na ulicy biały samochód dostawczy. Miał otwarte tylne drzwi od bagażnika, do którego znajoma dziewczynce postać załadowywała krzesła.

Była to Rita Olsson. Ciekawe, czy mnie rozpozna? – pomyślała Viktoria w chwili, gdy kobieta odwróciła się i jej wzrok padł na dziewczynkę. Wyglądała na bardzo zaskoczoną, ale i ucieszoną jej widokiem.

– To ci dopiero niespodzianka! – wykrzyknęła.

– Tak – odpowiedziała trochę zawstydzona Viktoria.

– A co tutaj robisz?

– Wracam do domu – odrzekła dziewczynka.

– Ach tak. A gdzie masz rower?

– Zepsuł się – wyznała, wpatrując się w buty.

Rita zamknęła drzwi. W tym czasie Viktoria nie ruszyła się z miejsca, jakby wrosła w chodnik. Wyminął ich samochód, poza tym na ulicy nie było ruchu. Znajdowały się tutaj głównie budynki mieszkalne. Po drugiej stronie ulicy pani wyprowadzała na spacer psa, grubego i o krótkich nóżkach.

– Masz spory kawałek do domu – zauważyła Rita. – Na Solvägen. Prawda?

– Tak – przytaknęła Viktoria.

Spory, jak spory – pomyślała. – To zależy. Dzisiaj wydawał jej się nieskończenie długi.

– Wskakuj do samochodu, podwiozę cię – powiedziała Rita, uśmiechając się do dziewczynki, po czym usiadła za kierownicą i otworzyła jej od środka przednie drzwi.

Viktoria pomyślała, że czasami dopisuje jej wprost niewyobrażalne szczęście.

■

– To wszystko brzmi niemal śmiesznie, a nawet w pewnym sensie żałośnie. Z maskami na bal przebierańców, pół milionem w pudełkach i nie wiem czym jeszcze – wyrzuciła z siebie Erika Ljung, wgryzając się w czerwone jabłko. – Jak w Lidze Jönssona*.

– Co to za gatunek? – zapytał Peter Berg, łakomym wzrokiem pożerając jabłko.

– Nie wiem.

– Ingrid Marie – poinformował Lundin z oczami utkwionymi w czerwoną skórkę.

Siedział ze swobodnie wyciągniętymi przed siebie nogami, jakby chciał, żeby ktoś się o nie potknął.

– Choć może bardziej dramatycznie niż śmiesznie albo żałośnie – dodał.

– Co? – zapytała Erika.

– No, mam na myśli, że rekwizyty w tej sprawie przy-

---

* Jönssonligan – grupa składająca się z trzech fikcyjnych przestępców, bohaterów kilku szwedzkich filmów, cieszących się w Szwecji wielką popularnością.

wodzą bardziej na myśl teatr. Nie, że są śmieszne czy patetyczne.

– Nie czepiaj się słówek – odpowiedziała kwaśno Erika. – Wiesz, o co mi chodzi!

– Można by pomyśleć o osiemnastym wieku i zamordowaniu Gustawa III – kontynuował Lundin.

– Anckarström* – uzupełnił Peter Berg.

– No właśnie! – potwierdził Lundin, strzelając w powietrzu palcami. – Bal maskowy.

– Ale Kjell E. Johansson był na znacznie skromniejszej uroczystości – oceniła Erika.

– No tak.

Znajdowali się w pokoju Louise, która siedziała w toalecie. Biegała tam w mniejszych lub większych odstępach czasu. Nie dało się nie zauważyć, że jej twarz stała się koloru żółtozielonego. I nikomu, ale to absolutnie nikomu nie przyszło do głowy, aby ją zapytać, co jej dolega. Nie śmieli nawet obgadywać jej za plecami. Wszyscy wiedzieli, że była w trakcie rozwodu, ponieważ im o tym wspomniała.

– Gdzie jest Ludvigson? – zapytał Lundin.

– Jest wolny – odpowiedziała Erika.

– Co stało się ze śladami krwi, tymi nienależącymi do Johanssona, znalezionymi na białej masce? – zapytał Peter Berg, który siedział po męsku z szeroko rozstawionymi kolanami.

Lundin odwrócił się.

– Czy ktoś wie?

Wszyscy zaprzeczyli ruchem głowy.

– W każdym razie laboratorium nie odnalazło nic w bazie danych – powiedział Lundin. – Dowiedzielibyśmy się o tym.

---

* Jacob Johan Anckarström – zabójca króla Gustawa III; 16 marca 1792 roku strzelił królowi w plecy na balu maskowym w sztokholmskiej operze.

– Niezidentyfikowana krew z maski Johanssona nie dostała się na nią w pralni – odezwał się Berg.

– Nie. W parku Folket. Ktoś z was tam chodził? – zapytała Erika.

Lundin łypnął na nią spod oka.

– A jak myślisz?

– Nie mam pojęcia, jak spędzasz wolny czas.

– Jak sądzicie? Pozgadujmy – zaproponował Berg, aby zaczęli wysuwać propozycje co do możliwego przebiegu zdarzeń.

Lundin przeciągnął po twarzy ręką.

– Te pieniądze się ze mnie podśmiewają.

Peter Berg spojrzał na niego.

– Naprawdę?

– No. Myślę, że jakoś są zamieszane w sprawę – odpowiedział Lundin. – Nie mogło to być włamanie czy rabunek. Nie zrobił tego żaden psychopata. Pieniądze przecież zostały na miejscu. Morderca nie był na tyle opanowany, aby wziąć klucze, spokojnie wejść do mieszkania i po prostu zabrać karton. W takim wypadku nikt by nie wiedział, że pudełko zniknęło.

– Skąd wiesz?

– Wydaje mi się, że to prawdopodobny scenariusz.

– W takim razie pozostawiłby po sobie masę śladów – zauważył Peter w momencie, kiedy weszła Louise i usiadła przy biurku na krześle, które dla niej pozostawili.

– O czym rozmawiacie? – zapytała od razu.

– Zgadujemy, co mogło się wydarzyć. Dlatego przecież się tu zebraliśmy – odrzekł Lundin, unikając patrzenia na jej bladą twarz. – My... albo raczej ja nie sądzę, aby było to dzieło psychopaty, który chciał zdobyć pieniądze. A w każdym nie te w kartonie. Niewykluczone, że zabrał portfel, który przecież zniknął. Może jakiś partacz, który wpadł w panikę, młody mężczyzna. Gdyby ktoś szukał tego pół miliona, spokojnie poszedłby po prostu do mieszkania i ostrożnie zdjął z półki karton. Nie waliłby po wariacku na oślep, zapaskudzając najpierw całą piwnicę.

– Jedyną znaną nam osobą, która teoretycznie mogła dostać się do mieszkania, jest Kjell E. – stwierdził Berg.

– Dziwne, że nie zabrał w takim razie pieniędzy – skomentowała Erika.

– Może babka miała do niego tak duże zaufanie, że dała mu nawet klucz? – zasugerował Berg.

– W takim wypadku to jeszcze bardziej nieprawdopodobne, że pudełko zostało na miejscu – zaznaczyła Erika.

– Zdaje się, że poczciwy Johansson podoba się kobietom. Jakkolwiek wydaje się to dziwne – odezwał się Lundin.

Erika i Louise spojrzały na siebie.

– Ma pewną charyzmę – chciała się drażnić Louise.

– Kobiety są dziwne – skwitował Lundin.

– Tak, czasami takie jesteśmy. Na przykład wychodzimy za mąż za zupełnie nieodpowiedniego człowieka.

Wszyscy zesztywnieli. W ciszy, która nastała, dałoby się usłyszeć upadek szpilki.

– Okej. A co sądzicie o motywie? – podjęła temat Louise.

– Silne uczucia – powiedziała Erika.

– Wytłumacz – zażądała Louise.

– Wiele się działo wokół Doris.

Louise przytaknęła.

– Zgadzam się.

– Ja też – powiedział Berg. – Sprawa syna jest ewidentnie podejrzana.

– Byłam dziś u Folke Roosa. Osiemdziesięcioletni staruszek, relatywnie skromny dżentelmen, który kiedyś posiadał zakład szklarski – oznajmiła Louise.

– W takim razie musi na pewno chodzić o Roosa w zachodniej, przemysłowej części miasta – poinformował Lundin. – To znaczy o jego kontynuatora, a może dziecko, które przejęło po nim interes.

– Nie wiem – odpowiedziała Louise, wyglądając, jakby coś zgubiła. – Cholera! Powinnam zapytać. Łatwo będzie się jednak tego dowiedzieć. Musiałby to być w takim razie zięć, bo Roos ma tylko dwie córki.

– Czemu kobieta nie miałaby prowadzić zakładu szklarskiego? – zapytał Lundin.

Louise zbaraniała w odpowiedzi i w ciszy zapatrzyła się na ścianę, masując małymi, okrągłymi ruchami skórę u nasady włosów.

– Folke mieszkał z Doris przez kilka lat zaraz po tym, jak owdowiał – opowiedziała, zdając potem relację z ich separacji, której dokonali dla dobra dzieci, bo nie dogadywały się z macochą. – Brr, jakie okropne słowo! – stwierdziła.

Dalej opowiedziała, że kontakt pomiędzy Folk Roosem a Doris tym samym wygasł, ale że jakiś czas temu nawiązali go znowu i Roos uważał, że miło było się z kimś spotykać. Uważał jednak Doris za popędliwą i o zmiennych humorach – Louise nie pamiętała, jakiego określenia użył. Kobieta w perfumerii także określiła zamordowaną kobietę jako „trudną".

– Ale pieniądze – zastanowił się Berg. – Pomagała Folke Roosowi ukrywać pieniądze przed skarbówką?

– Nie można tego wykluczyć.

Louise zapisała to sobie. W tej samej chwili do pokoju wszedł Jesper Gren.

– Chciałem jedynie poinformować, że ofiara nie miała żyjącego rodzeństwa. Cała czwórka nie żyje – powiedział Gren.

Zapadła pełna napięcia cisza.

– Chyba zmarli z przyczyn naturalnych. Byli starsi od Doris. W momencie zgonu żadne z nich nie było poniżej siedemdziesiątki.

■

Wieczór zapowiadał się spokojny, wręcz złowróżbnie cichy, aż Louise się obawiała, czy się nie załamie. Zapomniała jednak, że mieszka z dziećmi w wieku szkolnym. Za każdym razem, kiedy podnosiła słuchawkę i uprzejmym głosem informowała, że dziewczynek nie ma w domu, narastała jej irytacja. Jednocześnie było to pocieszenie, że córki miały się dobrze, zostały zaakceptowane przez inne dzieci, nie były samotne czy szykanowane. Louise nie brała pod uwagę odłączenia telefonu z gniazdka, ponieważ chciała być osiągalna i przedkładała te przerywniki ponad niewiedzę, gdyby dzieciom się coś stało.

Do tego chciała mieć otwartą możliwość komunikacji z pracą, jeśli – zupełnie niespodziewanie – miałoby się wydarzyć coś nadzwyczajnego. Zapomniała komórki, zostawiła ją w szufladzie biurka w pokoju na komisariacie. Jej pamięć była jak bateria na wyczerpaniu.

Zawiesili na weekend dochodzenie. Wypracowali już wystarczająco dużo nadgodzin. Jedynie Peter Berg pozostał na służbie – obiecał złapać Teda Västlunda, kiedy w sobotę powróci z Wysp Kanaryjskich. Jeśli się oczywiście pojawi.

Louise zżerała niecierpliwość. Z trudem wytrzymywała z samą sobą, kiedy nie była pochłonięta działaniem.

Stojąc przy kuchennym stole, otworzyła gazetę. Pospiesznie przerzucała strony, niemal je wyrywając. Jej wzrok padł na artykuł *Samotne matki borykają się z problemami finansowymi* i zatopiła się w słowach, które wyglądały, jakby zostały napisane specjalnie dla niej.

Zostanie samotnym rodzicem przypomina degradację na drabinie społecznej, niezależnie, skąd człowiek pochodzi – pisano w gazecie. Louise nie wątpiła w prawdziwość tych słów, nawet jeśli bolało ją uświadomienie sobie, że tak właśnie było.

Łakomie czytała w kolejnych wierszach: „Kupuj jedzenie i ubrania na promocjach. Odpuść sobie odkładanie pieniędzy na fundusz emerytalny. Lata, gdy dzieci mieszkają w domu, są najtrudniejsze. Skoncentruj się na teraźniejszości, potem możesz zacząć oszczędzać na emeryturę. Miej odwagę prosić o pomoc. Myśl pozytywnie. Jeśli będziesz uważać się za ofiarę, nigdy nie przestaniesz cierpieć" .

Nie! Ostatnie, czym chciałaby zostać, to ofiarą!

Poszła odebrać telefon. Oczywiście nie do niej.

Kupiła do domu karton czerwonego wina i teraz mu się przyglądała, przystając przed nim. Czuła się, jakby miał ją zjeść, uczynić ją alkoholiczką tylko przez to, że na niego patrzyła.

Wybawiły ją nagłe mdłości. Żadnego wina. Trzeba to będzie odłożyć na potem. Wtedy upije się do nieprzytomności. Utopi smutki, strach i cały ten kram w rzekach wina. Skorzysta z okazji, kiedy dziewczynek nie będzie w domu, kiedy będzie miała wolną chatę, ponieważ to, co robi w samotności, nikogo nie krzywdzi. A należało mieć jakieś tajemnice.

Gabriella i Sofia osobno wyszły z domu, ale zarzekały się na wszelkie świętości, że wrócą o porach, które wyznaczyła im matka. Louise miała nadzieję, że córki wyczują, że nie zniosłaby kolejnych porażek. Że najlepiej było się pilnować!

Nie wspomniała im jeszcze słowem o ewentualnej przeprowadzce. Nie należy niepotrzebnie martwić dzieci. Nawet nie poruszyła delikatnie tego tematu ani się do niego nie zbliżyła. Nie podjęła też bardziej wysublimowanej próby, pytając, jak jest tam, gdzie mieszkają ich koledzy i koleżanki. Znała odpowiedź. Znała miasto na wylot, o czym córki także wiedziały. Dlatego przejrzałyby ją od razu i pewnie z tego powodu również nic na ten temat nie mówiły. Wszystkie trzy milczały o katastrofie. Jeszcze. W dodatku Louise nie wiedziała, co córkom powiedział Janos.

Żyła jak pod szklanym kloszem. Obserwowała spod niego życie toczące się na zewnątrz, ale w nim nie uczestniczyła, nie naprawdę.

– Cierpliwości! – podnosiła ją na duchu Monica. – Wszystko się ułoży.

Nie ma nic lepszego nad dobre przyjaciółki.

Louise myślała o telefonie do taty i przedyskutowaniu z nim kwestii pieniędzy, ale kiedy przychodziło co do czego, nie mogła się na to zdobyć. Przede wszystkim dlatego, że ojciec był z jej powodu taki smutny, wręcz pogrążony w rozpaczy. I to ona musiała nagle go pocieszać, biednego faceta. Z upływem lat stał się bardziej uczuciowy.

Postanowiła zadzwonić do niego później, może po poniedziałku.

Spacerowała bez celu po domu, weszła do pralni, posegregowała pokaźne tygodniowe żniwo i włączyła pranie kolorowych rzeczy. W ten sposób upierze dżinsy, które były najczęściej używane. Potem przeszła do dużego pokoju, wychodzącego wprost na zachód, o dużych i nadal nieumytych oknach, przez które widać było mały ogródek. Nie ma sensu zabierać się do pracy w nim w tym roku.

Słońce, które dawało boleśnie jasny blask w ciągu dnia, chyliło się teraz ku czubkom drzew. Louise spojrzała na pociągnięte złotem niebo o przygaszonej barwie i coś znów w niej pękło, podobnie jak wcześniej przy kąpielisku Havslättsbadet. Poczuła, jakby musnęło ją skrzydło motyla, i nagle dostrzegła światło, ujrzała zarysowujące się przed nią życiowe możliwości.

Należałoby pozbierać porozrzucane gazety, bluzki, pojedyncze skarpetki, puste opakowania po popcornie, ale pozwoliła rzeczom leżeć. Z przepastnej kanapy narożnej obitej jasną skórą, zaplamionej różnymi wylanymi na nią płynami (kupili ją na przecenach wiele lat temu), wystawał podręcznik Gabrielli. Rano szukały go w popłochu.

Wyjęła książkę i położyła ją na pomalowanej na czerwono komodzie w holu.

Tam, na podłodze, leżała czarna torba na ramię Louise. Miała rozpięty zamek i z jej otwartego wnętrza wystawała zielono-biała torebka z apteki. Przedmioty czasami potrafią przemówić do człowieka, szczególnie kiedy jest się samotnym i przybitym. Zrób to! – zdawało się przemawiać do niej pudełko z torebki. – Teraz, od razu!

Schyliła się, wyszarpnęła plastikową torebkę z torby, otworzyła pudełko, przeczytała instrukcję i natychmiast ruszyła do toalety.

■

Veronika zauważyła, że ciężar siedzącej jej na kolanach córki rozlewał się, że mała zasnęła. Poczuła, że jej też ciąży głowa. Ziemia za oknem przygotowywała się do wiosny. Przebijały się do światła młode pędy, a na ogrodzonych pastwiskach powoli rosła trawa. Następne w kolejce będą podbiał i przylaszczki.

Przez pierwsze dwa tygodnie Veronika pracowała bardzo intensywnie – był to typowy szybki start. Lekarka lubiła duży wysiłek, ale możliwe, że trochę przesadziła. Kiedy tak siedziała w pociągu, a za oknem przewijał się krajobraz Smalandii, miała wrażenie, że czegoś zapomniała albo zaniedbała, choć było to raczej przeczucie niż konkretna wiedza. Prawdopodobnie zapomniała po prostu, jak to jest odczuwać subtelne i całkowicie bezsensowne wyrzuty sumienia, które wcinały się w nią coraz głębiej. Znów doznawała uczucia, że nie widać efektów jej pracy, że może stawia sobie zbyt wysokie wymagania. Chciała spełnić życzenia wszystkich. Oczywiście w praktyce nie mogło się to sprawdzić – była tego całkowicie świadoma.

Na wysokości Alvesty dotychczasowe złe samopoczucie zaczęło ją opuszczać. Pozostały jedynie ogólne rozważania. Oparła głowę o zagłówek, próbując ciutkę wyprostować nogi, tak aby nie zjechała z nich Klara i żeby korpulentny mężczyzna siedzący naprzeciwko niej nie musiał się przesuwać.

Veronika wyjęła książkę, ale myśli wypierały przeczytane słowa.

Atmosfera w klinice zmieniła się od czasu, gdy rok temu rozpoczęła urlop macierzyński. Że też mogło się to tak szybko zmienić! Próbowała wskazać, na czym właściwie polegała ta zmiana. Znaleźć wyjaśnienie, ale nie było to takie proste.

W klinice zaczęły pracować dwie nowe lekarki, co było dobre, bo kobiety były w mniejszości: pozostały tylko Else-Britt i Veronika, odkąd dwa lata temu zmarła Maria Kaahn. Jednak przybyło też lekarzy mężczyzn o dobrych kwalifikacjach, w większości dawnych przyjaciół Petréna. Ekscytujące osoby, które wnosiły do kliniki nowe umiejętności i doświadczenia. Ale nie tylko to. Do kliniki wkradła się atmosfera konkurencji. Niewidoczne, ale odczuwalne zachwianie równowagi.

Ogromne niezadowolenie Veroniki wynikało z tego, że pojawienie się nowych kolegów wpłynęło również na jej własne zadania w pracy – stawało się to dla niej coraz bardziej oczywiste. Zmieniła się hierarchia osób liczących się w klinice. I, niestety, najwyraźniej nie działało to na korzyść ani jej, ani Else-Britt. Nie miałyby jednak odwagi choćby słówkiem napomknąć, że nowe podziały miały coś wspólnego z płcią – musiałyby być wtedy przygotowane na porządną burę od kolegów, a w każdym razie od ich części. Mało jest obszarów tak silnie związanych z emocjami jak równouprawnienie – pomyślała. Jeśli ona i Else-Britt będą milczeć, nic się nie zmieni. Ale jeśli podniosą głos, wszystko stanie w miejscu.

Jeśli dobrze zrozumiała Petréna, to w przyszłości zakres jej obowiązków miał oznaczać mniej operacji na mózgu, a więcej drobnych zabiegów. Większa liczba zabiegów ambulatoryjnych, między innymi chirurgii endoskopowej, i więcej ogólnego dbania o stan zdrowia pacjentów.

Siedziała przed Petrénem i czuła ucisk w żołądku, obserwując, jak z uśmiechem owija przesłanie w miłe słówka. Stwierdzał, że właśnie ona z całej kliniki najlepiej się do tego nadaje. Jego słowa nie pomagały – Veronika rozumiała, że Petrén zamierzał pozwolić innym zajmować się tym, co coś znaczyło, co było zabawne, dawało zadowolenie, a nie jedynie powolne wyczerpanie.

– Kto będzie w stanie lepiej sobie poradzić z badaniami pacjentów niż ty? – zapytał wciąż uśmiechnięty Petrén, a im więcej się uśmiechał, tym większa narastała w niej irytacja. Czy nie była wystarczająco dobra? Czy Petrén chciał się jej pozbyć?

Siedząc w pociągu z Klarą na kolanach i mając czas na wszystkie bolesne rozważania, zdała sobie sprawę, że została pozbawiona prawa wyboru, ponieważ nikt z nowych lekarzy mężczyzn nie zamierzał zajmować się tak zwanymi ciężkimi psychicznie pacjentami. Przecież nie po to przyszli do kliniki!

Pociąg był pełny. Ona i Klara otrzymały miejsca naprzeciwko brzuchatego – i sądząc z wyglądu – miłego wujaszka, który podczas całej podróży bez skrępowania poszukiwał wzrokiem spojrzenia Veroniki. Lekarka czekała na przełom, kiedy mężczyzna już dłużej nie będzie w stanie się powstrzymywać. Dało się zauważyć, że chciał sobie pogadać.

Przyglądanie się ludziom i ocenianie ich sprawiało Veronice prawdziwą przyjemność. Na ukos, po drugiej stronie, prowadzono ożywioną debatę społeczną, do której każdy mógł się przyłączyć. Dyskusja o zgryzotach: o skąpstwie społeczeństwa na wszystkich szczeblach, o rosnącej przestępczości, policji, która siedziała z założonymi rękami, o służbie zdrowia, której działania były niewystarczające, o personelu, który nieodpowiedzialnie odsyłał za wcześnie pacjentów do domu, tak że umierali, gdy tylko przekroczyli jego próg, o staruszkach, którzy usychali w domach opieki. I tak bez końca. Do tego wszystko to było prawdziwe – nie padło żadne kłamstwo, choć serwowano tylko fragmentaryczną prawdę.

Tak więc kiedy w pociągu zabrakło już wolnych miejsc, a młody mężczyzna zapytał, czy mógłby usiąść na miejscu Klary, pojawiła się sposobność do nowej dyskusji.

– To miłe, że tak dużo osób jeździ koleją – odezwał się mężczyzna siedzący naprzeciwko, który sprawiał wrażenie szacownego emeryta.

– Oczywiście, jak najbardziej – odpowiedziała Veronika.

– Na szczęście człowiek ma miejsce siedzące – dodał. – Zawsze takie załatwiam, ponieważ jestem byłym pracownikiem kolei.

– A więc pracował pan dla SJ*? – zapytała z ciekawością lekarka, gdyż zapamiętane z dzieciństwa stare, rzetelne zawody nadal oddziaływały na jej wyobraźnię.

– No, w samej rzeczy! – odpowiedział mężczyzna. – Jestem maszynistą – dodał z wyraźną dumą, na co Veronika uśmiechnęła się z ulgą, ponieważ ten temat wydawał jej się daleki od możliwości nieprzyjemnych dyskusji.

Nawet młody mężczyzna, któremu niechętnie pozwolono na zajęcie miejsca Klary, obudził się do życia. Pociągi były jego hobby. Mężczyźni zaczęli wymieniać się doświadczeniami oraz nabytą wiedzą o starych lokomotywach. Ogromne, ciężkie i obdarzone wielką mocą lokomotywy parowe budziły w nich najsilniejsze emocje. Wspominali tory, które położono i zerwano, społeczności, które wzrastały wokół stacji kolejowych i zanikały, nastające i przemijające rodzaje paliw. Veronika również włączyła się do dyskusji, choć nie miała wiele do dodania. Za to słuchała z prawdziwą ciekawością. Minęli w miłej

* SJ – Statens Järnvägar – szwedzkie koleje państwowe.

atmosferze Älmhult, Osby i Hässleholm, nadal nie przeskakując na deprymujący temat opóźnień pociągów. I już było Eslöv, a potem Lund. Klara marudziła, kiedy Veronika obudziła ją ze snu. Młody mężczyzna pomógł lekarce wynieść spacerówkę.

Kiedy tylko wyszły na peron, poczuły wiosnę w jej pełnym rozkwicie. Skania wyprzedzała Oskarshamn o co najmniej dwa tygodnie. Wysoka, szczupła i wesoła Cecilia oczekiwała na peronie. Veronika natychmiast poczuła, jak bardzo brakowało jej starszej córki. Bardzo się ucieszyła, że ją widzi.

Veronika pozostawiła za sobą pracę gdzieś w okolicach Älmhult i obejmując Cecilię, czuła się lekka jak piórko. Klara przyglądała się im w ciszy, popatrując z rezerwą to na mamę, to znów na kobietę, której do końca nie rozpoznawała, i w końcu zaczęła krzyczeć.

Veronika ją podniosła.

– To jest Cecilia – powiedziała. – Twoja siostra.

Cecilia uśmiechnęła się i poklepała dziewczynkę po policzku.

– Niedługo pękną pierwsze lody – stwierdziła Veronika i zawiesiwszy torbę na rowerze starszej córki, usadowiła Klarę w spacerówce.

Opuściły tętniący życiem teren na zewnątrz białego budynku stacji, gdzie w ciągłym ruchu kłębiły się rowery i taksówki. Ruszyły prosto na południe ku Stadsparken. Przeszły wzdłuż parku, aż dotarły do wysokich budynków z przełomu dziewiętnastego i dwudziestego wieku w eleganckiej okolicy na Gyllenkroks allé, o rzut beretem od sławnej katedry.

Cecilia razem z dwójką znajomych wynajmowała czteropokojowe mieszkanie od rodziny naukowców, którzy wyjechali do USA. Jeden pokój zwolnił się na weekend. Wstawiły tam torbę i ruszyły na spokojny spacer do Stadsparken, oglądając kaczki w sadzawce, a następnie kierując się na plac zabaw, gdzie Klara mogła się pobujać na huśtawce i pobyć wśród innych dzieci.

Wróciły potem do domu, nalały sobie wina, a Veronika pościeliła łóżko, które miała dzielić z Klarą. Zabrały się do gotowania. Veronika zadzwoniła do Claesa, który miał się dobrze i właśnie dojechał do Sztokholmu. Potem wyłączyła komórkę, nalała sobie kolejne pół kieliszka wina i w miłym nastroju popatrywała to na piekarnik, to na Klarę, to znów na piekarnik. Cecilia stała się znacznie lepszą kucharką od Veroniki, co w sumie nie było takie trudne.

Tej nocy Veronika spała kamiennym snem, niezmąconym rozgrzebywaniem się w pościeli śpiącej obok niej Klary.

▪

Dokładnie o dwudziestej drugiej pięćdziesiąt cztery oficer dyżurny Lennie Ludvigson otrzymał zgłoszenie o zaginięciu prawie jedenastoletniej dziewczynki o imieniu Viktoria. To jej matka dzwoniła z domu.

Ludvigson skontaktował się z Connym Larssonem, który krążył radiowozem po mieście oraz przedmieściach Oskarshamn, prosząc, aby pojechał pod wskazany adres: Solvägen 34.

Larsson i aspirant Lena Jönsson zawrócili więc przy Skeppsbron, powoli kierując się samochodem poprzez półmrok, ponieważ oświetlenie w porcie było oszczędne. Czarne morze napierało na nich z jednej strony, a przy odległym nabrzeżu w żółtawym świetle widzieli zarys dwóch kadłubów statków. Doświadczenie mówiło Conny'emu Larssonowi, który pracował już w mieście od jakiegoś czasu, że nagle spomiędzy magazynów może się wytoczyć jakiś pijaczek.

Był późny piątkowy wieczór i życie w pubach toczyło się na całego – nie kłębiły się tam wprawdzie tłumy, ale dało się zauważyć pewną migrację pomiędzy nielicznymi, ale chętnie uczęszczanymi miejscami w porcie. Czasem ktoś się tu skąpał, ale głównie przydarzały się bójki i kłótnie gangów, które zmuszały policję do interwencji.

– Wróci pewnie do domu, gdy tylko upłynie trochę czasu – odezwał się Conny Larsson silnym värmlandzkim dialektem do aspirantki Jönsson, która nie miała odwagi nic odpowiedzieć, więc tylko przytaknęła, bo cóż ona wiedziała? – Zazwyczaj tak się dzieje, dziewczynka zapewne pogniewała się na matkę – skomentował, jakby żywił nadzieję, że tak właśnie było.

Conny Larsson znał jednak bardzo dobrze statystyki. Był jednym z tych, którzy najwcześniej przeszli specjalistyczne szkolenie w poszukiwaniach prowadzonych amerykańską metodą, która oznaczała systematyczne działania, oparte na wieloletnich obserwacjach i długim doświadczeniu nabytym w podobnych sytuacjach. Odkąd poszukiwania zaginionych osób zaczęto prowadzić według tej metody, liczba odnalezień się podwoiła. Przez trzy doby policja dzień i noc pracowała w pełnej mobilizacji. Potem kontynuowano poszukiwania zależnie od okoliczności, które oczywiście były różne.

Larsson wiedział również, i to ciążyło mu najbardziej, kiedy teraz siedział w samochodzie, że z zaginionych osób odnalezionych w ciągu pierwszej doby, połowa już wtedy nie żyła. Oczywiście, niektórzy z nich byli starzy. W stanie długotrwałego stresu, choroba serca albo inne niedomagania nasiliły się, szczególnie gdy człowiek ulegał panice.

Z dziećmi zaś nigdy nic nie wiadomo – mogło się zdarzyć cokolwiek. Mogła się nie tylko zgubić. Do tego dziewczynka! Wokół jest wielu zdeprawowanych ludzi – chorych, zepsutych. Takich, którzy używali przemocy wobec małych dzieci, a potem nawet nie mieli oporów je zabić.

O wszystkim tym myślał Conny Larsson, który w środku swojej pacyfistycznej duszy częściowo już tym hipotezom stawiał opór. Jedynym rozwiązaniem, na jakie się teraz nastawiał, było odnalezienie dziewczynki żywej – nie było żadnej innej możliwości. Całej i zdrowej, choć pewnie przerażonej. Oczywiście najbardziej sobie życzył, aby dziewczynka sama powróciła do domu.

Na Solvägen wznosiły się mniej więcej trzydziestoletnie bloki, efekt budownictwa masowego, które stanowiły własność gminnego przedsiębiorstwa mieszkaniowego. Przedsiębiorstwo to było dalekie od utrzymywania niskich czynszów, nawet jeśli mieszkania prawdopodobnie zostały częściowo wykupione i trudno je było wynająć. Większość najemców otrzymywała zasiłek mieszkaniowy, tak więc dochody z wynajmu spływały stabilnie. Okolica wyglądała na odrobinę wymarłą, szczególnie o tej porze.

Na klatce unosił się zapach smażonego jedzenia, który zanikł już na drugim piętrze. Grube buty Larssona i Jönsson niosły się echem po klatce schodowej. Pokonywali po dwa schodki na raz, oboje równie się spiesząc, mimo że właściwie już sobie wmówili, że pewnie nie chodzi o nic poważniejszego, że uczennica straciła poczucie czasu i zasiedziała się zbyt długo u koleżanki.

Conny Larsson zadzwonił. Drzwi natychmiast się otworzyły i wyjrzała zza nich zapłakana i śmiertelnie wystraszona twarz.

– Nigdy się nie zdarzyło, żeby nie zostawiła mi chociaż karteczki – załkała matka.

Ze strachu jej ciałem targały dreszcze.

– Usiądźmy – zarządził stanowczo Conny Larsson.

– Mam przeczucie, że coś jest nie tak – prawie wykrzyczała matka, próbując się jednak opanować ze względu na późną porę.

Stała przy zlewie napięta niczym struna. Conny Larsson objął ją przyjacielsko za ramiona i posadził na kuchennym krześle. Następnie usiadł sam i wyciągnął notatnik, który położył na stole. Gestami nakazał Lenie Jönsson usiąść u boku zrozpaczonej matki, aby w ten sposób, poprzez bliskość drugiej osoby, wesprzeć ją.

Już kiedy miał zacząć zadawać pytania, w drzwiach ukazał się nagle mężczyzna. Larsson powstał, rozpiął guziki służbowej kurtki, która opinała mu się na brzuchu, po czym, zakładając, że ma do czynienia z ojcem dziewczynki, uścisnął mu dłoń.

– Proszę bardzo, niech pan usiądzie – powiedział policjant. – Zadamy państwu kilka pytań, abyśmy mogli stwierdzić, jak możemy pomóc.

– Jestem Gunnar – przedstawił się mężczyzna.

Larsson w milczeniu kiwnął głową.

– A więc państwa córka ma na imię Viktoria? – zaczął.

– Moja córka – poprawiła go matka, wyrzucając zaraz z siebie kolejne informacje. – Gunnar jest tylko bliskim przyjacielem. – Mówiąc to, rzuciła spojrzenie na mężczyznę o imieniu Gunnar.

– I nigdy dotąd nie zniknęła?

Matka pospiesznie potrząsnęła głową i chwycił ją szloch. Kuchnię przepełniła atmosfera lęku i niepewności.

– Proszę powiedzieć, kiedy zaczęła pani podejrzewać...

– Wróciłam z pracy do domu około wpół do dziesiątej. Nie było jej w domu. Żadnej kartki, nic.

– Czy Viktoria jest pani jedynym dzieckiem?

Potaknięcie głową, przypominające skurcz.

– I zazwyczaj jest w domu, kiedy pani wraca?

– Zawsze! Albo karteczka. Tak się umówiłyśmy i ona się tego trzyma.

– Próbowała się pani z nią skontaktować?

– Biegałam po okolicy – odpowiedziała, wskazując za okno. – Szukałam, jeździłam wokół rowerem, ale... Zadzwoniłam do Liny, jej najlepszej przyjaciółki, ale dziś po południu się nie widziały.

– Czy zazwyczaj się spotykają?

– Tak... najczęściej.

– Czy pani córka ma komórkę?

Potrząśnięcie głową. A więc nie mogli wykorzystać śladów, które pozostawiała po sobie komórka.

– Tak więc po raz pierwszy Viktorii nie ma w domu, a pani nie ustaliła z nią, gdzie mogłaby przebywać?

– Nie, przecież mówię! – Z oczu kobiety leciały łzy, a usta wykrzywił grymas bólu.

Larsson nie miał ochoty jej informować, że liczba uciekających z domu dzieci, a przede wszystkim dziewczynek między dwunastym a czternastym rokiem życia, wzrosła. Z reguły nie było ich przez tydzień, potem same wracały. Być może dotyczyło to głównie dużych miast. Powodem były konflikty rodzinne: kłótnie z matką czy złe traktowanie przybranych rodziców.

Co prawda Viktoria była młodsza, ale mógł to być pierwszy raz, kiedy dziewczynka z własnej woli nie chciała wrócić do domu. I lepiej, aby tak było, niż żeby miało jej się przydarzyć coś naprawdę nieprzyjemnego – dodał pospiesznie w myślach Larsson.

Wiedział jednak, że sprawa jest poważna. Właśnie z tego powodu, że zdarzyło się to po raz pierwszy. Był gotów wykonać ocenę ryzyka.

– Moglibyśmy przeanalizować, jak ten dzień mógł upłynąć Viktorii?

– Jak zwykle, poszła do szkoły, a potem nic nie wiem. – Matka się rozpłakała.

– Czy spotkała ją pani rano?

Potaknięcie.

– Nic specjalnego się wtedy nie wydarzyło?

– Nie, wszystko było jak zwykle – odpowiedziała, wpatrując się przed siebie z namysłem.

– Nie pokłóciłyście się? Zdarza się przecież, że dzieci i rodzice nie zgadzają się ze sobą nawzajem, i nie ma w tym nic dziwnego – powiedział ostrożnie.

– Nie – odrzekła pewnie. – Nie pokłóciłyśmy się. Nie sądzę również, żeby była na mnie obrażona. A w każdym razie tak nie uważam.

– I poszła do szkoły jak zwykle?

– Tak.

– Pieszo?

Matka się zawahała.

– No tak, pieszo. Rower został oddany do naprawy... chociaż... nie, musimy go dopiero oddać... Viktoria przewróciła się na nim jakiś czas temu i z czymś się zderzyła... tak, pedały się nie kręcą... czy coś innego się w nim zepsuło...

Ściszyła głos, a jej wzrok zrobił się mętny. Straciła koncentrację.

– Okej – powiedział Larsson. – W każdym razie nie da się na nim jeździć?

– Nie.

– Do której szkoły chodzi Viktoria?

– Valhalla.

– Czy orientuje się pani, którą drogą córka chodzi do szkoły?

– Najkrótszą. Idzie pewnie na przełaj przez tutejszą okolicę – odpowiedziała, wskazując za okno. – I pod Ingenjörsvägen, jak sądzę.

– Nie jest pani pewna?

– Nie da się przecież skontrolować wszystkiego, gdy dzieci osiągają ten wiek. Nakazałam jej jeździć ścieżkami rowerowymi, ale...

– Powiedziała pani, że dziewczynka szła – powtórzył Conny Larsson.

– Tak.

– Czy sądzi pani, że Viktoria poszła tą samą drogą, którą jeździ rowerem?

Kobieta wpatrzyła się w niego zaczerwienionymi od łez oczami.

– Chciałabym móc panu na to odpowiedzieć...

Oderwała kawałek papieru kuchennego z rolki na stole, wytarła nim nos i oczy. Minęło pół minuty.

– Czy ma pani może album szkolny? – zapytał potem Larsson głosem energicznym i pewnym, dającym nadzieję na rozwiązanie, niosącym swego rodzaju zapewnienie, że sytuacja znajduje się pod kontrolą albo że w każdym razie zamierzają ją opanować.

– Mógłbym również dostać plan lekcji córki oraz imiona i numery telefonów do jej kolegów i koleżanek oraz nauczycieli? – kontynuował.

– Głównie trzyma się z Liną – odpowiedziała kobieta, a jej twarz wykrzywiło na powrót zwątpienie. – Ciągle razem przebywają. Chodzą do tej samej klasy.

Wstała i lekko chwiejnym krokiem wyszła na korytarz. Usłyszeli, jak wyciąga i zamyka szuflady, po czym zniknęła w innym pokoju.

W kuchni zapanowała cisza i pełna napięcia powaga.

– Jak dobrze zna pan Viktorię? – Conny Larsson skorzystał z okazji, aby skierować pytanie do Gunnara.

– Dość dobrze, można by powiedzieć – odrzekł mężczyzna, nieznacznie się uśmiechając.

Larsson nie kupił jego dwuznacznego i zbyt gładkiego uśmieszku, który wręcz wzbudził w nim niechęć.

– Pan także tutaj mieszka? – zapytał.

– Nie, wcale. Przyjechałem, żeby wesprzeć matkę Viktorii. Czasami się spotykamy. – Gunnar uśmiechnął się ponownie.

– A kiedy widział pan dziewczynkę po raz ostatni?

Nastąpiła chwila ciszy.

– Dwa dni temu. Byłem tu na kolacji.

– Ma pan własne dzieci?

– Nie, ale mogę zrozumieć, jakie to okropne. Do tego przecież ją znam – dodał złamanym głosem Gunnar.

Brzmiało to jednak tak, jakby mężczyzna był bardziej skoncentrowany na sobie niż na biednym dziecku. Właśnie przez ten przesadnie załamany ton głosu – pomyślał policjant, mając przeczucie, że najrozsądniej będzie mieć na niego oko.

Matka Viktorii powróciła ze szkolnym albumem. Conny Larsson przerzucał strony, na których matka pokazała mu klasę córki. Aspirantka Jönsson nachyliła się, aby również zobaczyć zdjęcia. Rzędy na przemian poważnych i uśmiechniętych dzieci, część z nich robiących miny, jakby wzbraniały się przed górnolotnością sytuacji. Nauczycielka z szerokim uśmiechem na ustach stała na samym końcu. Była wysoka i szeroka w ramionach, ubrana w sweter w poprzeczne paski.

Matka przyniosła nawet ze sobą duży kolorowy portret Viktorii, jaki co roku wykonuje się w szkołach w całym kraju. Tło było szarobure, jakby przedstawiało smętnie zachmurzone niebo, ale zdjęcie nie zostało zrobione na dworze – zapewne przy ścianie z tłem albo planszy. Dziewczynka miała jasne, cienkie, średniej długości włosy, opadające gładko na ramiona. Ubrana była w różowy sweterek, który wyglądał tak, jakby miał kaptur. Nie uśmiechała się do obiektywu, zapewne fotograf się spieszył – w krótkim czasie miał do zrobienia dużo zdjęć dziecięcych twarzy w trudnych warunkach. Oczy dziewczynki, które zdawały się szaroniebieskie, podobne kolorem do tła, były osadzone nisko nad okrągłym nosem. Na grzbiecie nosa można było prawdopodobnie dojrzeć leciutkie piegi.

Spojrzeniu skierowanemu w obiektyw brakowało siły i pewności siebie. I pomyśleć, jak wiele potrafi odsłonić fotografia!

Dzięki niej Larsson miał już obraz wzrostu i postury dziecka. Można było stwierdzić, że Viktoria jest chuda. Policjant zapytał, czy może zatrzymać na jakiś czas zdjęcia. Chciał także wiedzieć, w co dziewczynka była ubrana, kiedy wyszła rano z domu. Dżinsy i sweter, ale matka nie pamiętała jaki. Wiedziała natomiast, w jaką była ubrana kurtkę: świeżo kupioną w neutralnym kolorze, jakby beżowym, a może khaki, wyglądem przypominającą kurtkę dżinsową.

– Tak więc nie była zbyt ciepło ubrana?

Matka przytaknęła.

– Tak się boję, że zmarznie.

Ponownie załkała. Jej twarz zrobiła się mokra i czerwona, z oczu lały się łzy. Najwyraźniej przechodziła męczarnie.

– Mógłbym się spytać, gdzie jest ojciec Viktorii? – zapytał Larsson.

– Nie utrzymujemy z nim kontaktu – ucięła matka.

– Tak więc pani córka nie może przebywać teraz u niego?

– Nie.

Odpowiedź niemal rozległa się echem po kuchni.

– Na pewno? Musimy dowiedzieć się wszystkiego. – Larsson nie ustępował.

– Nie – powtórzyła krótko i zdecydowanie matka.

– Jak długo nie są państwo małżeństwem?

– Nigdy się nie pobraliśmy.

– Mieszkali państwo razem? – spróbował. – Sprawa jest poważna – podkreślił, ale kobieta nie odpowiedziała. – Musimy ustalić, czy może Viktoria poszła do domu ojca, nawet jeśli pani nie lubi o tym rozmawiać – nie poddawał się.

– Nie poszła.

Usta zacięły się, a łzy nagle zniknęły. Trudno było stwierdzić, czy kobieta się bała, czy też była zła, ale definitywnie dokonała się w niej zmiana nastroju. Stała się ostrożna i podejrzliwa.

– Nie? A może wolałaby pani porozmawiać o tym na osobności? – zapytał Larsson, rzucając krótkie spojrzenie na Gunnara, który zdążył go jeszcze bardziej zdenerwować.

– Gunnar może zostać, on wie – powiedziała matka, patrząc w kierunku mężczyzny, który przytaknął na znak zrozumienia.

– A więc dobrze. To pani decyduje.

– Viktoria nie wie, kim jest jej ojciec.

– A więc to tak – stwierdził Larsson, uważając, że mogła tak powiedzieć od razu.

Zadzwonił telefon. Matka zerwała się i wybiegła na korytarz, ale szybko ściszyła głos. Powiedziała, że nie ma czasu rozmawiać.

– Teraz dzwonią, żeby się dowiedzieć, czy wróciła do domu – zapłakała. – To był mój ojciec.

Larsson i Jönsson weszli do pokoju dziewczynki. Boże, ile to dzieci mają teraz rzeczy! – pomyślał Conny Larsson. Poczuł się jakiś wielki, kiedy przystanął pomiędzy wszystkimi dziewczęcymi przedmiotami.

Na wytapetowanych na żółto ścianach wisiały dwie tablice z powbijanymi w nie szpilkami. Z jednej spoglądał na nich biały szczeniak z przekrzywionym na bok łebkiem, na drugiej zaś Kubuś Puchatek jadł miód. Nad łóżkiem wisiała plastikowa lampa ścienna w kształcie dużego czerwonego serca i kilim z wyszytym na nim wielkimi zielonymi krzyżykami imieniem dziewczynki. Zapewne dziewczynka sama zrobiła to na pracach ręcznych w szkole. Maskotki zwierząt wszelkiej maści i kształtów kłębiły się na niepościelonym łóżku. Na podłodze leżał jasny puszysty dywan z ciemną plamą w kształcie Afryki. Na fotelu walały się porozrzucane ubrania, na podłodze gazety, a różnorakie bibeloty pokrywały parapet i niewielkie biurko. Z nocnego stolika dochodziło nieubłagane tykanie różowego budzika.

Policjanci dostali zapisany na kartce numer telefonu do Liny, chociaż można go było przeczytać w szkolnym albumie, tak jak i numer do nauczyciela.

Właściwie to nie zabawiliśmy tutaj zbyt długo, ale zdawało się to trwać wieczność – pomyślał Conny Larsson, kiedy wraz z aspirantką Jönsson szli do radiowozu.

Wokół samochodu zdążyła się już zebrać mała grupka ludzi. Zawsze go dziwiło, skąd się brali ci wszyscy gapie? Czyżby nie mieli nic innego do roboty w piątkowy wieczór?

Niebo było bezchmurne, nadchodząca noc zapowiadała się zimna. Dziewczynka była mała, chuda i zbyt cienko ubrana. Noc nie okaże się dla niej łaskawa, jeśli zabłądziła w lesie. Ale czemu miałaby to zrobić? Nie wydawała się należeć do rodziny, która spędzała dużo czasu na łonie przyrody.

Coś musiało się wydarzyć! Czy ktoś ją zwabił?

Conny Larsson skontaktował się z Lenniem Ludvigsonem, zdając mu raport z wizyty: dziewczynka po raz pierwszy zniknęła z domu, co uważano samo w sobie za bardzo poważną sprawę. Po raz ostatni matka widziała ją dziś rano, a najlepsza przyjaciółka zapewne po szkole. Od tego czasu minęło już wiele drogocennych godzin.

Zdaniem matki nie wyglądało na to, żeby dziewczynka wróciła ze szkoły do domu. Trudno było to jednak z całą pewnością stwierdzić – powiedziała. Larsson zakładał, że zapewne matka wolałaby wierzyć w to, że córka wróciła do domu. W każdym razie nie odnaleźli tam szkolnej torby. Według matki rzadko kiedy Viktoria udawała się do domu innej koleżanki niż Lina. Conny Larsson odniósł wrażenie, że dziewczynka była bardzo samotna, a Lena Jönsson zgadzała się z nim.

Ludvigson skontaktował się z komendantem policji Ollem Gottfridssonem, który miał, przynajmniej z początku, stanąć we własnej wysokiej osobie na czele akcji ratowniczej, dopóki nie będą wiedzieli, jakich ludzi przydzielą im do poszukiwań. W międzyczasie Larsson i Jönsson kontynuowali budzenie sąsiadów w okolicy. Larsson przygotowywał się do objęcia funkcji kierownika operacyjnego w terenie.

■

Zmobilizowano wszystkich, których się tylko dało. Komendant policji Gotte natychmiast powierzył stanowisko szefa akcji ratunkowej Brandtowi. Lenniemu Ludvigsonowi udało się tymczasem skontaktować ze szpitalem. Nie leżała tam żadna dziewczynka, która mogłaby być Viktorią.

Nagłe zniknięcie dziewczynki, zdrowego i niesprawiającego problemów dziecka, oznaczało pełną mobilizację oraz to, że zostaną użyte wszelkie dostępne środki i podjęte wszystkie potrzebne kroki.

Rysopis Viktorii został przekazany lokalnemu radiu, choć jeszcze bez wymieniania jej z imienia i nazwiska. Skontaktowano się z Ligą Obrony Kraju i klubem przewodników terenowych. Byli przeszkoleni przez samego Conny'ego Larssona, kierownika operacyjnego w terenie, w poszukiwaniach zaginionych osób zgodnie z najnowszymi metodami amerykańskiej policji. Zwrócono się także do klubu zrzeszającego przewodników psów ratowniczych. Wszyscy chętni do pomocy byli mile widziani, szczególnie z psami.

Innymi słowy, z otwartymi ramionami przyjmowano każdą dostępną pomoc.

Zorganizowano grupy poszukiwawcze. Za najważniejszy uznano obszar wokół miejsca zamieszkania dziewczynki i wokół jej szkoły. Wyznaczono również zewnętrzny okrąg terenu poszukiwań, a więc granicę, której Viktoria nie powinna zdążyć przekroczyć. Ludzie z silnymi latarkami, radiowozy z zapalonymi reflektorami, przewodnicy z psami, wszyscy oni rozpierzchli się po ciemnym Stadsparken i terenie wokół szkoły oraz sąsiadującym z nią cmentarzu.

Nadzieję dawały strumienie światła przeszukujące ciemności i wytrenowane psy, których węch pozwalał złapać trop w promieniu niemal pół kilometra. Odnajdą ją! Nie padły jednak żadne obietnice, ludzie milczeli. Wciąż mieli nadzieję. Wszyscy jednak zdawali sobie sprawę, że mogło wydarzyć się najgorsze, to, co nie powinno mieć miejsca.

Brandt najpierw skontaktował się z nauczycielką, którą obudził i która oczywiście strasznie się zmartwiła i zapytała, czy ona albo jej mąż mogliby jakoś pomóc. Niestety, mogła tylko powiedzieć, że Viktoria była przez cały dzień w szkole i że wyglądała na trochę bardziej zmęczoną niż zwykle, ale przecież niedawno leżała w szpitalu. Nauczycielka uważała, że dziewczynka jeszcze nie wróciła całkiem do zdrowia. To był kolejny niepokojący fakt. Może dziecko leży gdzieś chore czy nieprzytomne? O tej porze roku różnice temperatur między dniem a nocą były największe.

Nauczycielka potwierdziła, że Viktoria spędza czas głównie z Liną. Dodała, że Lina jest dobrą przyjaciółką, ale też dobrze ułożoną i uzdolnioną uczennicą. Nauczycielka nie chciała mówić o dziewczynkach nic złego, starając się udzielić policji informacji, które mogły naprowadzić ją na właściwy kierunek, aby odnaleźć zaginioną.

– Viktoria nie jest zbyt silna, lecz delikatna, nie tak jak Lina. Ale na Viktorii również na swój sposób można polegać. Nie wagarowała ani nie sprawiała kłopotów – powiedziała nauczycielka. – Codziennie przychodziła do szkoły, starała się jak mogła.

Nauczycielka nie dodała natomiast, że dziewczynka nie grzeszy bystrością czy też że ma problemy z czytaniem i matematyką. Nie wspomniała o tym, ponieważ nie miało to najmniejszego znaczenia – nie teraz.

Znowu skontaktowano się z Connym Larssonem w radiowozie i poproszono go o dopilnowanie, aby jakiś policjant porozmawiał z matką Viktorii o wizycie dziewczynki w szpitalu i w razie potrzeby nakłonił ją do zezwolenia na ominięcie tajemnicy lekarskiej. Możliwe, że policja będzie musiała wypytać personel szpitalny o to, co było nie tak z dziewczynką, nawet jeśli funkcjonariusze wierzyli w wersję zdarzeń przedstawioną przez matkę. Ostrożności jednak nigdy za wiele. Wszystko, czego dowiedzą się o Viktorii, może okazać się ważne.

Niestety, dziewczynka nie miała telefonu komórkowego, bo wtedy dałoby się go wyśledzić poprzez operatora, który mógłby udzielić im informacji, czy w aparacie wyładowała się bateria albo czy nagle przestał funkcjonować. Mógł na przykład nagle wylądować w wodzie albo po prostu go wyłączono. Informacje te są jednak dla nas niedostępne, a szkoda – pomyślał Larsson.

Uczucie dyskomfortu kładło się niczym ciężki całun na pracy policjantów. Sprawa mogła się potoczyć w każdym kierunku, a możliwe złe zakończenie budziło w nich lęk, który wszyscy próbowali utrzymać z dala od siebie. Byli do tego przeszkoleni. Nauczyli się pracować w pobliżu katastrofy, a nawet w jej centrum.

Nieprzerwanie kontynuowano pracę, kierując nią z komisariatu i organizując ją w terenie. Poinformowano już służby w helikopterach, że rozpoczną poszukiwania rankiem, gdy zrobi się jasno. Zawsze to trochę trwało: helikopter musiał przylecieć do nich ze Sztokholmu lub z Malmö.

Przygotowywano się do poszukiwań w innych miejscach. Skontaktowano się z sąsiednimi rejonami policji, prosząc o wsparcie wszystkich, bez których w danej chwili sąsiednie komisariaty mogły się obejść.

O wpół do trzeciej nad ranem siedzący w komisariacie Lennie Ludvigson czuł się już dość obolały. Miał zaczerwienione oczy niczym królik, ale nie chciało mu się spać. Czuł się raczej pobudzony. Wreszcie trafili na jakiś trop! Zadzwoniła kobieta, która powiedziała, że obudziła się w nocy i nie mogąc powtórnie zasnąć, wyśliznęła się do kuchni i włączyła radio. Była tak zmęczona, że w pierwszej chwili nie dotarło do niej, o czym mówiono. Ale potem, kiedy powtórzono komunikat, wreszcie zareagowała. Samotna dziewczynka, która pasowała do przedstawionego opisu, przechodziła dziś przez ulicę Hantverksgatan w pobliżu biblioteki. Było to około trzeciej po południu – stwierdziła kobieta. Jeśli jej pamięć nie myli, to dziewczynka ruszyła dalej w dół Kikebogatan – tak, była tego pewna.

Wezwano także Erikę Ljung. Na krótko przed północą poproszono ją, aby pojechała do domu Liny. Najwyraźniej jej rodzina odgrywała ważną rolę w życiu Viktorii. Zamieszkiwała ona typowy zbudowany w latach czterdziestych dom jednorodzinny. Był ciasny, ale usytuowany w centrum, a jego otoczenie sprawiało przyjemne wrażenie. Do domów przylegały wypielęgnowane ogródki, choć w tej chwili Erika niezbyt wiele dostrzegła tam roślinności. Co prawda świeciły gwiazdy, ale było ciemno i zimno, a jej się spieszyło.

Czuła skurcz w żołądku, kiedy tego późnego wieczoru, który zdążył już przejść w noc, zapukała do drzwi. Przed domem stał ford escort. Drzwi otworzył jej okrągły niemal jak piłka, nieogolony mężczyzna. Erika przeszła przez próg i zrzuciła buty w wąskim korytarzu, gdzie jej czterdziestki jedynki zniknęły w morzu innych butów, leżących na stosie na podłodze. Głównie było to obuwie dziecięce, a dokładniej rzecz biorąc, należące do czwórki dzieci – jak się dowiedziała.

Mama i tata byli na nogach, Lina także gruba i dość wysoka jak na swój wiek dziewczynka. Wyglądała na bystrą, ale była też przestraszona i smutna. Rodzice dziewczynki również byli słusznego wzrostu. Otyłość jest dziedziczna – to znany fakt.

Przede wszystkim Erikę uderzyło silne i autentyczne zaangażowanie oraz niekłamany niepokój rodziców Liny.

– Nie możemy spać – powiedział ojciec. – Jeśli potrzebujecie mojej pomocy, to służę. Najwyżej nie pójdę jutro do pracy. Viktoria również należy do rodziny...

Głos przycichł. Oczy mężczyzny były zaczerwienione ze zmartwienia.

– Jestem murarzem – oznajmił. Miał własną firmę. – Moja żona opiekuje się w domu najmłodszą córeczką – dodał.

Erika podziękowała za jego ofertę pomocy, mówiąc, że się przyda.

– Łatwiej jest czymś się zająć niż tylko czekać – stwierdził.

– To znaczy, że dobrze znają państwo Viktorię? – zapytała policjantka.

– Przychodzi do nas niemal codziennie – odrzekła krągła matka, która miała rzucającą się w oczy bujną grzywę włosów. Długie do pasa, grube i barwy jasnego żyta włosy układały się rozłożyście na plecach jak na nimfie leśnej.

Kobieta zamrugała powiekami, jakby miała tik, ale zapewne zrobiła tak ze zdenerwowania. Otuliła się szczelniej czerwonym swetrem na piersi. Na T-shircie pod spodem staruszek w czarnym, wysokim kapeluszu wspinał się po drabinie.

– Wczoraj jej u nas nie było. Lina zaraz po szkole musiała jechać do dentysty – powiedziała matka.

– To prawda? – zapytała Erika dziewczynkę, chcąc ją wciągnąć w rozmowę.

– Tak – odpowiedziały małe malinowe usteczka wychylające się z okrągłych, zaróżowionych, jak baloniki policzków.

– Mogłabyś mi powiedzieć, kiedy widziałaś Viktorię po raz ostatni? Najpóźniej? Gdzie wtedy byłyście?

– Przed szkołą. Nie miała roweru, jest przecież zepsuty. Odprowadziła mnie na parking dla rowerów. Wskoczyłam na rower, bo spieszyło mi się... powiedziałyśmy sobie „cześć"... i...

– Odjechałaś rowerem?

– Taaa.

– Zdążyłaś zobaczyć, co zrobiła Viktoria? W którą stronę poszła?

– Nie, już byłam spóźniona, musiałam zdążyć do dentysty na trzecią.

– A więc się nie odwróciłaś?

– Nie.

– Rozumiem – powiedziała Erika. – Gdy człowiek się spieszy i jedzie szybko rowerem, powinien skoncentrować się na drodze i nie odwracać niepotrzebnie do tyłu.

Dziewczynka wyglądała na zadowoloną.

– Powiedziałaś, że miałaś być u lekarza na trzecią?

– Tak. I nie spóźniłam się. Weszłam dokładnie o trzeciej... no, prawie.

– Można więc stwierdzić, że rozstałyście się z Viktorią po szkole przy stojaku na rowery mniej więcej za kwadrans trzecia?

– Tak, można.

– Lino, gdybyś miała zgadywać – zaczęła Erika, zwracając na dziewczynkę duże, aksamitne oczy – jak sądzisz, dokąd Viktoria mogła pójść?

Lina spuściła wzrok na ceratę w kolorze kwiatów lipy. Dziewczynka siedziała na klasycznym taborecie i miała na sobie turkusową pidżamę, która opinała jej mocne uda. Stół był długi, ale bardzo wąski, pewnie po to, aby lepiej wyglądał w ciasnej kuchni. Wzdłuż jednej z podłużnych ścian pomieszczenia stała kuchenna kanapa o wypłowiałym niebieskim kolorze.

Dziewczynka milczała.

– Jeśli nic ci nie przychodzi do głowy, to nie odpowiadaj – powiedziała Erika.

– Nie wiem – odrzekła wtedy Lina, a jej głos był ledwie słyszalny. – Może od razu poszła do domu... a może do biblioteki.

– Czy często tam zagląda?

– Czasami tam chodzimy. Można sobie tam na przykład posłuchać muzyki i są mili ludzie. I można sobie poczytać.

Erika, która do tej pory niczego nie zanotowała, wypełniła teraz raport, po czym go sprawdziła. Rodzice Liny trzymali się na uboczu. W kuchni panowała atmosfera niezmąconego bezpieczeństwa. Jakby nie wytykało się tutaj błędów i wad nadaremno.

– Lino – odezwała się po chwili Erika – czy w szkole wydarzyło się coś niecodziennego z Viktorią? Czy bawiła się z kimś nowym, może coś innego?

Dziewczynka skrzyżowała przed sobą na stole pulchniutkie rączki i wsparła na nich głowę.

Była to późna pora dla jedenastolatki.

– Nie, nie sądzę – odpowiedziała. – Może była trochę zmęczona.

– To znaczy?

– Nawet nie starałam się jej pomóc z matmą – wyznała dziewczynka, unosząc głowę.

– A zazwyczaj tak robisz?

Przytaknęła.

– Viktoria leżała przecież w szpitalu. Groziła jej operacja – wyjaśniła dziewczynka, a jej oczy zrobiły się duże jak spodki i nabrały powagi. – Nie miała więc zbyt wiele sił – dodała zachrypniętym ze zmartwienia głosem starej maleńkiej.

9

Sobota, 13 kwietnia

Nastał taki dzień, w którym człowiek od początku nie wiedział, dokąd go zaprowadzi. Pod żadnym względem.

Peter Berg leżał w łóżku i patrzył przez okno na zmieniające się niebo, z zakrywającymi słońce chmurami. Miał ociężałą głowę i był niewyspany. Budzik, który dopiero co zabrzęczał, wskazywał kwadrans po dziesiątej. Peter od razu podciągnął żaluzje, które gwałtownie podskoczyły do góry, tak że sznurek wciąż majtał w powietrzu. Jego nastrój odpowiadał niebu za oknem – był częściowo zachmurzony.

Zdał sobie sprawę, że dość często tak się czuł. Budził się ponury i ociężały, nawet jeśli się wyspał. Z rana dopadało go zniechęcenie, które z reguły litościwie przechodziło mu w miarę, jak się zbliżał wieczór. Peter zastanawiał się, dlaczego tak się dzieje. Może po prostu już się taki urodził? Gdy tylko wmusi w siebie jedzenie, ubierze się i wyruszy w drogę, to dzień jakby dalej sam szedł swoim torem – w każdym razie prawie.

Leżąc na łóżku i nie mogąc się zmusić, aby z niego wstać, zastanowił się nad umiejscowieniem w ciele owego brunatnoszarego ciężaru, który utrzymywał się w nim w większych lub mniejszych dawkach, odkąd stał się nastolatkiem. A może jeszcze dłużej.

Może w przeponie, tuż pod sercem.

Przyłożył tam rękę, uciskając miejsce nadgarstkiem, ale niczego to nie zmieniło. Wiedział przecież, że to nic nie da.

Czy dręczyła go samotność? Zimna jak lód, której doświadczał nie z własnej woli, ale która została mu narzucona, była wrodzona?

Do tego teraz odczuwał zmęczenie. Położył się spać o trzeciej. Po kilku godzinach w jego grupie odwołali poszukiwania. Wysłano ich do domu, aby odpoczęli i mogli później ponownie wrócić do pracy. Inni przejęli po nich poszukiwania, które trwały dwadzieścia cztery godziny na dobę.

Teraz miał inne zadanie. Musiał się przygotować do przesłuchania syna Doris Västlund. Samolot z Wysp Kanaryjskich wylądował kilka godzin temu na lotnisku Kastrup. Samoloty czarterowe z reguły przylatywały o barbarzyńskiej porze wcześnie rano albo nienormalnie późno w nocy, ale od kiedy otwarto Öresundsbron, pojawiła się możliwość uzyskania sensownych dalszych połączeń. Nie trzeba już było godzinami czekać po złej stronie cieśniny na odejście promu. Peter to wiedział, ponieważ rok temu w ten sposób podróżował z Sarą. Uświadomili sobie wtedy, nawet o tym nie rozmawiając, że ich związek się zakończy, kiedy powrócą do domu i pod stopami poczują twardy grunt. Jakby coś nieokreślonego wkradło się pomiędzy nich. Nagle nie mieli już sobie zbyt dużo do powiedzenia. Dziwne, jak mogą potoczyć się sprawy.

Co prawda zmiana nie nastąpiła wcale tak gwałtownie. Do tego Sara miała jeszcze synka, którego Peter bardzo lubił. To jednak nie dziecko było powodem końca ich związku – w każdym razie Peter tak nie uważał.

Potem Peter niemal każdej minuty zastanawiał się, jaki popełnił błąd. Nadal zdarzało się, że jego myśli biegły tym torem, do niczego jednak nie doszedł – poza tym, że właściwie odczuwał pewną ulgę, że stało się to, co się stało. Jakkolwiek mogło się to wydawać dziwne, w głębi duszy nie życzył sobie, aby dalej się ze sobą spotykali, chociaż od początku był zbyt tchórzliwy, aby się do tego przyznać. Nie miał na tyle odwagi, żeby zakończyć związek, żeby wypowiedzieć te słowa na głos.

Pomimo ciągłego poczucia osamotnienia, które może stanowiło nieodłączną część życia, Peter nie chciał się dalej spotykać z Sarą. A w każdym razie nie częściej niż od czasu do czasu, kiedy przychodził do jej domu i razem jedli albo pili kawę, a on bawił się z chłopcem i było przyjemnie i miło. Ale to nie wystarczało, i może Sara również zdawała sobie z tego sprawę. Wyczuwała, że w środku Peter był niepełny, że tak naprawdę nigdy nie miał sił, aby się przed nią otworzyć. Że płynął z prądem.

O dwunastej trzydzieści trzy miał przybyć na stację pociąg z państwem Västlund – dowiedział się tego w biurze podróży. Zapewne wezmą taksówkę do domu, a zaraz potem zamierzał zapukać do ich drzwi.

Taki miał plan, którego postanowił się trzymać pomimo wydarzeń związanych z zaginioną dziewczynką. Peter skontaktował się z Louise Jasinski i byli zgodni, aby przynajmniej syna poinformować o tym, co się wydarzyło. Musieli tak postąpić. W przeciwnym wypadku sprawę zamordowania Doris Västlund odłożą na kilka dni. Nie do piwnicy, ale na półkę – na tak długo, dopóki nie odnajdą zaginionej dziewczynki.

Może ją odnajdą nawet już dziś? Petera ogarnął nagły entuzjazm na myśl o szczęśliwym zakończeniu, które mogło nastąpić: odzyskają dziewczynkę całą i zdrową. Uśmiechnął się.

Ach, żeby właśnie tak mogło się to zakończyć! Zamknął oczy i pomodlił się do Boga.

■

Ted Västlund sprawiał wrażenie opanowanego i przygotowanego do rozmowy.

Peter Berg siedział na kanapie, mając przed sobą syna Doris oraz jego żonę, którzy zajęli miejsca w skórzanych fotelach. Kolor obicia nazywał się krew byka i był trochę ciemniejszy od jasnoczerwonej krwi ludzkiej, wchodzący bardziej w brąz.

W podobnym kolorze był perski dywan, rozłożony pod szklanym stolikiem, a zakrywający niemal cały parkiet. Dźwięki w pokoju były przytłumione i wysublimowane. W takim otoczeniu Peter Berg czuł się niezręcznie i obco.

Nie pamiętał, ile to już razy w pracy policjanta zdążył udzielić komuś informacji o śmierci bliskiej osoby, ale wiedział, że nigdy się do tego nie przyzwyczai.

Przygotował się – wytłumił wszystkie problemy, nastawił się na otwartość. Wiedział, że może to zająć trochę czasu. Zamierzał jak najlepiej odpowiadać na pytania, które zawsze padały. Nie znał jednak odpowiedzi na pytanie zadawane najczęściej:

Dlaczego?

Opalenizna Västlundów gryzła się z sytuacją podobnie jak jasne, letnie barwy ich ubioru. Ted Västlund włożył jasnozieloną koszulkę tenisową, a jego żona różową. Kobieta miała duży biust, a opaloną na brązowo szyję opasała sznurem pereł. Czerwone usta, kręcone blond włosy – ogólnie rzecz biorąc, prezentowała się bardzo kobieco i miło. Niemal radośnie, jakkolwiek mogło to być nie na miejscu.

– Wiemy, w jakim celu pan przybył – stwierdziła, zbijając go tym z tropu, gdy tylko otworzyła drzwi.

Västlundowie sprawiali wrażenie, jakby jak najszybciej chcieli już mieć problem z głowy.

Siedzieli teraz w trójkę, a przed nimi, na szklanym lśniącym blacie, stały trzy szklanki soku. Tylko tyle znaleźli w lodówce po przyjeździe. Peter właśnie wyjaśnił cel wizyty i poinformował małżonków o śmierci Doris, nie mogąc otrząsnąć się z lekkiego absurdu towarzyszącego sytuacji.

– No tak, wiedziałem, że do tego dojdzie – skomentował syn, zachowując spokój, nie dopytując się również, gdzie, kiedy i jak to się stało. – Lekarka stwierdziła wyraźnie, że rany były ciężkie – skonstatował, a ton jego głosu nie świadczył, że był wzburzony czy smutny.

Peter Berg obserwował go jak zafascynowany. Zero pasującego do sytuacji wzdychania czy żałośnie obciągniętych ku dołowi kącików ust.

– Ach tak – wydobył tylko z siebie.

– Pewnie uważa pan, że przyjęliśmy to obojętnie – odezwała się żona Teda – ale robiliśmy co w naszej mocy dla Doris, kiedy żyła. Próbowaliśmy z nią wytrzymać, tak więc gdy wyjeżdżaliśmy, nie czuliśmy wyrzutów sumienia.

– Nie?

– Naprawdę potrzebowaliśmy tego wyjazdu – kontynuowała. – Wakacje zaplanowaliśmy już dawno temu.

Berg wyciągnął papier i długopis, aby jakoś zaznaczyć, że mimo wszystko sprawa jest poważna i że nie była to taka zwyczajna śmierć.

– Prowadzimy dochodzenie w sprawie morderstwa – podkreślił, aby usadzić zrelaksowaną i opaloną na brązowo parę na miejscu i zdynamizować żenującą sytuację rozgrywającą się w eleganckim salonie.

– No tak, tak zrozumiałem – odpowiedział Ted Västlund. – Nie jesteśmy jednak zamieszani w morderstwo matki. Jak już powiedzieliśmy, zaplanowaliśmy podróż już dawno temu. Potrzebowaliśmy wyjazdu – powtórzył, a jego żona przytaknęła, uśmiechając się pociągniętymi szminką ustami. – Matka wcześniej tak często stawała nam na przeszkodzie, że już jakiś czas temu zadecydowaliśmy, aby przestać się do niej dostosowywać. Nie tym razem. Tak więc wyjechaliśmy zgodnie z planem.

Co nie wyklucza, że mogli ją wcześniej zabić – pomyślał Peter Berg. – Najpierw zabić, a potem uciec.

Västlundowie mieli jednak niepodważalne alibi. Zanim do policjantów dotarło, że syn ofiary i jego żona uciekli z pola bitwy, zdążyli zasięgnąć o nich języka w miejscach ich pracy. Osoby, z którymi rozmawiali, zapewniły ich, że Ted z żoną pracowali w czasie, kiedy przypuszczalnie nastąpiło pobicie. A wieczorem zasiedli do wystawnej kolacji razem z kilkoma dobrymi przyjaciółmi.

Oczywiście mogliby w tym czasie zrobić rundkę do pralni – zapewne nie było to całkiem niemożliwe. Przeczucie mówiło jednak policjantowi, że para nie kłamie. Wrażenie było silne, choć oczywiście mógł się mylić.

– Oczywiście na wakacjach bardzo dużo o tym rozmawialiśmy. Wieść o śmierci matki jednak by mnie zasmuciła. Mogłoby się stać jeszcze gorzej: gdyby wylądowała w szpitalu jako warzywo. Mimo wszystko pozostałaby po niej jakaś pustka. Jesteśmy w końcu przyzwyczajeni, że matka wypełnia sobą przestrzeń – kontynuował syn. – Ogromną przestrzeń – podkreślił.

– Tak? A w jaki sposób?

– Zawsze była osobą kłopotliwą. Przepraszam za wyrażenie.

Berg przytaknął.

– Zawsze manipulowała otoczeniem. Wtrącała się. Egzekwowała swoją wolę. Kiedy wyjeżdżaliśmy, kładła się do łóżka z jakąś chorobą albo w inny sposób sprawiała, że nie mogliśmy jej zostawić. Osoba, która tak postępuje, trzyma ludzi krótko przy sobie i bardzo trudno z nią wytrzymać. Brakuje jej samouświadomienia, jak to określają psycholodzy – powiedział Ted Västlund, a widząc reakcję policjanta, dodał: – tak, rozmawialiśmy z psychologiem. Matka manipulowała naszymi wyrzutami sumienia: zawsze wszystko było winą innych, a niej jej. Długo jej wierzyłem. Jeśli tylko postępowałem tak, jak chciała, a najlepiej, jeśli wykoncypowałem z wyprzedzeniem, czego chciała, wszystko stawało się prawdziwą idyllą, ponieważ potrafiła być zabawna i radosna. Dorastałem jak na tykającej bombie. Nigdy nie było wiadomo, kiedy zmieni jej się nastrój. Do tego jeśli jest się takim, jak moja mama... jaka była, zawsze postrzega się siebie jako ofiarę. Ciągle najbardziej żal było mamusi. Tak mnie wychowała i próbowałem z tym żyć, a nawet się tego wyzbyć. To, że udało mi się wyjść z tego w miarę cało, zawdzięczam temu, że ja... że my otrzymaliśmy pomoc. Choć dopiero w ostatnich latach. Ale nie opłakuję jej... nie za bardzo. Kiedyś w końcu musiałem powiedzieć: dość!

Brzmi to jak opis klasycznej psychopatki – pomyślał Peter Berg, choć nie przypuszczał, żeby kobieta z pochodzeniem Doris Västlund oraz w jej wieku mogła być zaklasyfikowana do tej przegródki. Zazwyczaj takie cechy wyrównywały się z biegiem lat, łagodziły.

Nagle ciężko mu było kontynuować przesłuchanie Västlundów, które wyślizgiwało mu się z rąk.

– Mogę zrozumieć, że ktoś uderzył ją w głowę czymś twardym – neutralnie zabarwionym głosem skomentował syn, co oczywiście zabrzmiało jak wyznanie bez serca, ale jednocześnie szczere.

Pytanie: czy szczerość zawsze popłaca?

– I nie wie pan, kto mógłby to zrobić? – zapytał Berg.

Mężczyzna powoli potrząsnął głową.

– Nie, nie mam pojęcia.

Berg spojrzał badawczo w oczy mężczyzny za oprawkami o stalowych łukach.

– Zamierzam jednak zadbać, w końcu jestem jej synem, o godziwy pogrzeb – kontynuował Ted Västlund spokojnym i zrównoważonym głosem.

Zawsze to coś – pomyślał Peter, jednocześnie zastanawiając się, kto inny, zdaniem syna, miałby to zrobić. Może społeczeństwo?

– Czy zna pan Folke Roosa? – zapytał.

– Znam to za dużo powiedziane...

Ted Västlund urwał wypowiedź, najwyraźniej się wahając.

– Co pan o nim wie?

– Miła osoba, która przez przypadek zbliżyła się do mojej matki.

– Wie pan, że się spotykali? Także ostatnio?

– Tak. Matka dość często do nas występowała, brakowało jej towarzystwa. Nie dało się jej powstrzymać. Opowiadała głównie o sobie i o swoich sprawach, więc szybko to nas męczyło. Rzadko kiedy pytała, co robią albo czego chcą inni. Naturalnie wspomniała jednak o Folke, o tym, że zaczęli się znów spotykać.

– Ma pan coś do powiedzenia na ten temat?

– Absolutnie nic.

– Nie miał pan nic przeciwko temu?

– Nie, a czemu?

Jego zdziwienie sprawiało wrażenie szczerego.

– Czy sądzi pan, że komuś mogło się to nie podobać?

Ted przyglądał się swoim paznokciom, zanim odpowiedział.

– Nie.

Odpowiedź była krótka, najkrótsza z dotychczasowych, więc Berg to sobie zanotował. Inaczej szczegół ten wyleci mu z pamięci, kiedy będzie referował przebieg rozmowy Louise Jasinski.

– Wie pan, kiedy mniej więcej zaczęli się spotykać?

Ted Västlund wyjrzał przez duże okna salonu.

– Nie, ale myślę, że było to parę lat temu.

– A więc tak – powiedział Peter Berg niemal tylko do siebie.

– Słucham?

– A więc tak dawno – powtórzył głośniej.

– Myślę, że co najmniej pięć lat temu – policzył na nowo Ted Västlund, ponownie lustrując paznokcie. – Czas leci.

Peter Berg ograniczył się do potaknięcia głową.

– Tak więc mogło to być zarówno dłużej, jak i krócej?

– Zapewne. Jak sądzisz?

Ted Västlund zwrócił się do żony, która niepewnie wzruszyła ramionami.

– Jeśli to ważne, pewnie lepiej zapytać o to samego Folke Roosa. Choć może szwankuje mu pamięć.

– Ma demencję?

– Nie wiem. Dawno go nie widziałem. Porządny mężczyzna, choć pewno łatwo daje się oszukać. Sympatyczni ludzie najczęściej tacy są.

Nie mógł być jednak taki skapciały, skoro kierował dobrze prosperującym przedsiębiorstwem – uderzyło Petera. Co prawda interesy i życie rodzinne należały oczywiście do zupełnie innych obszarów egzystencji. Poza tym mężczyzna był już wiekowy, może zmiękł? I był samotny – pomyślał, a przed oczami duszy natychmiast pojawił mu się inny rodzaj samotności niż ta, na którą sam cierpiał. Ostateczne opuszczenie, samotność i wyizolowanie, kiedy już wszyscy zniknęli z życia człowieka.

– Mam jeszcze jedno pytanie – powiedział Peter Berg. – Wie pan, czy Doris piła alkohol albo brała dużo lekarstw?

– Nie. Nie piła dużo ani nie zażywała za wiele tabletek przeciwbólowych, jeśli o to panu chodzi. Na pewno nie więcej od innych w jej wieku. Raczej była zdrowsza od większości.

Berg nabazgrał coś pospiesznie w notatkach. W krwi ofiary nie odnaleziono alkoholu, a tylko ślady leków uspokajających, które Doris otrzymała w trakcie leczenia w klinice neurochirurgii.

– Pański ojciec zmarł ponad rok temu – kontynuował Peter Berg.

– Zebrali państwo dużo informacji – skomentował Ted Västlund bez cienia szyderstwa w głosie.

– Taka jest procedura w dochodzeniu w sprawie morderstwa.

– Dobrze to brzmi i wzbudza zaufanie. Proszę wierzyć, nie mam nic przeciwko temu, żeby policja złapała mordercę matki.

– Mógłby mi pan opowiedzieć o relacjach z ojcem?

– Czyich? Jej czy moich?

Peter Berg przygryzł dolną wargę.

– Czemu nie obojga?

– Można powiedzieć, że mój kontakt z ojcem był całkiem dobry, zważając na to, że tak rzadko się widywaliśmy, kiedy byłem mały. Matka starała się jak najefektywniej temu przeciwdziałać. Rozwód był wstrząsem. Nie sądzę, żeby kiedykolwiek pozbierała się po tym, że została porzucona. Do tego rozwód niósł ze sobą degradację społeczną. W tamtych czasach matkę uważano za piękność, była przyzwyczajona, że ma powodzenie. Dla niej, wywodzącej się z tak zwanych niższych warstw społecznych, wygląd był bardzo ważny. Stał się jej jedynym zasobem, jedyną szansą. Jej ojciec był marynarzem, zniknął z jej życia, gdy miała kilka lat. Nie wiem, po jakich pływał morzach czy oceanach. Jej matka utrzymywała się dzięki dorywczym pracom, oszczędzaniu i uporowi, w tamtych czasach było to całkiem normalne. Twarda z niej była babka. Przypuszczam, że potrafiła nawet rozpieszczać dzieci, choć bywało jej ciężko. Dlatego dla mojej matki, która awansowała społecznie przez małżeństwo z ojcem, wykształconym i z bogatej rodziny, było bardzo ważne, że „dobrze im się żyło". Ku jej ogromnemu żalowi po rozwodzie nie powodziło jej się za dobrze, w każdym razie nie z początku. Nawet jeśli ojciec płacił alimenty, nie wystarczało to jej na utrzymanie takiego standardu, do jakiego została przyzwyczajona. Znalazła jednak pracę w perfumerii, po jakimś czasie dostała pełny etat, sądzę, że w miarę zdawało to egzamin. Na pewno tam też bywała trudna we współżyciu, ale także czarująca i miła. Nie mogli się jej tak po prostu pozbyć, takie są przepisy.

Zadzwonił telefon i żona Teda zniknęła w pokoju obok. Peter Berg zajrzał tam przelotnie wcześniej i zrozumiał, że pokój był pracownią albo biblioteką – wiedział, że wiele osób o społecznych ambicjach tak wolało nazywać biuro. Głos żony był ściszony, ponieważ zasunęła drzwi.

– Teraz, po czasie, rozumiem, dlaczego uciekł mój ojciec – kontynuował Ted Västlund. – Małżeństwo z nią musiało być piekłem. Ale porzucił także mnie.

Mężczyzna siedział pochylony do przodu. Jego ciemne, proste włosy były zaczesane do tyłu, a u ich nasady odsłaniały się głębokie zakola. Västlund był wysoki i wręcz chudy. Oparł ciężko przedramiona o uda, wpatrując się w dywan i splatając ze sobą opalone na brązowo palce.

Każdy człowiek odczuwa potrzebę, aby opowiadać, jeśli tylko znajdzie kogoś, kto go wysłucha. Dotyczyło to również przestępców – wiedzieli o tym wszyscy policjanci.

Móc wyznać prawdę i odpowiadać za popełnione czyny. Odpokutowanie za swoje winy jest nie tylko domeną rycerzy – pomyślał. Nikt nie jest bez winy, ale wyznanie jej to jedyny sposób, aby zaprzyjaźnić się z samym sobą i dać sobie możliwość pójścia dalej.

– Zostawił mnie z nią, oddał jej w zastaw – kontynuował Ted Västlund. – Nigdy mu tego nie wybaczyłem.

Peter Berg milczał. Jeśli nie odezwie się wystarczająco długo, mężczyzna sam podejmie opowieść.

– Poznał rozsądną kobietę i zostawił matkę. Zapewne nie mógł postąpić lepiej. Urodziły mu się nowe dzieci, moje przyrodnie rodzeństwo. Długo żyłem w przekonaniu, że mój ojciec jest diabłem. Matka zdecydowała, że nie będę się mógł z nim spotykać. Pilnowała mnie zazdrośnie. Mogę ją w pewnym sensie zrozumieć, ojciec odstawił ją na bok, kiedy przestała mu pasować. Kupił sobie wolność, tak mężczyźni postępowali zawsze... Kiedy jednak stałem się nastolatkiem, wyszukałem jego numer telefonu.

W tych czasach nie było komórek, a matka pilnowała telefonu, a może raczej mnie. Musiałem wykorzystywać okazję i dzwonić, kiedy nie było jej w domu. Z czasem, kiedy podrosłem, zacząłem chodzić do budki telefonicznej. Ale było to trudne, ponieważ miasto jest małe i w budce przy sklepiku Kirrego przyuważyła mnie przyjaciółka matki. Puściła plotkę. Przyjaciółka uważała, że pewnie poznałem jakąś dziewczynę. Byłem w tym wieku. Skłamałem, że tak. Matka prześladowała mnie pytaniami. Ględziła mi nad głową dzień i noc. Jak długo jest się dzieckiem i mieszka w domu, człowiek nie ma drogi ucieczki. Jeśli się ma, tak jak ja, matkę, która się we wszystko wtrąca.

– A więc utrzymywał pan kontakt z ojcem w tajemnicy?

– Tak.

– Przez cały czas?

Mężczyzna przytaknął.

– Raczej tak. Matka musiała zrozumieć, że się kontaktujemy, ale chyba nie chciała o tym wiedzieć. Prawda nie była czymś dla niej, a w każdym razie nie ta o ojcu i o mnie. Za bardzo się bała tego dowiedzieć. Należałem do niej, wszystko inne było wykluczone. Ojciec niemal ją zniszczył, nigdy nie przestała tak na to patrzeć. Zabrał jej dumę, więc nie dostanie jeszcze i mnie. Nigdy, ani razu, nie dotarło do niej, że nie można podejmować decyzji dotyczących czyjegoś życia. No... może ostatnio – poprawił się. – A jeśli chodzi o nią, najbardziej tragiczne jest, że zbudowaliśmy z ojcem lepszą relację, niż kiedykolwiek miałem z nią. Życie potrafi być takie niesprawiedliwe! Z początku kontakt z ojcem nie był harmonijny. Miałem zbyt wyidealizowane wyobrażenie o nim, bez szans, żeby mógł temu sprostać. Nie był nadczłowiekiem. Przypominał mnie. Do tego byłem zazdrosny o przyrodnie rodzeństwo; oni mieli go dla siebie przez cały czas. Od samego początku mieli ze sobą naturalne relacje. Nie potrzebowali udowadniać, że warto ich kochać.

Ciężko westchnął. Smutna opowieść, która w dzisiejszych czasach nie była czymś wyjątkowym, bardzo przybiła Petera. Nie wszystkie rozwody okazywały się udane, nawet jeśli się udawało je przeprowadzić. On sam dorastał z obojgiem rodziców, ale z pewnością nie było to stuprocentowo szczęśliwe rozwiązanie. Nie było też zdrowe. Może dlatego czasami dopadały go czarne myśli? Istniały podobieństwa pomiędzy Doris a jego własną matką, choć jego ojciec zachowywał się znacznie bardziej pasywnie. Nie miał odwagi porzucić swojej lekko szalonej, skoncentrowanej na sobie małżonki. A może ją kochał? – uderzyło Petera. Chciałby wierzyć, że został wychowany w kochającej się rodzinie, nawet jeśli nie była normalna. A może jego ojciec oceniał rozwód jako przedsięwzięcie niemożliwe? Peter miał przecież liczne rodzeństwo, poza tym nie sposób było nie wziąć pod uwagę społecznej kontroli zgromadzenia parafialnego, nie bez podjęcia ryzyka wykluczenia z niego.

– Ale mam to już za sobą – zakończył Ted Västlund, kiwając głową do Petera, który szybko odciął się od rozmyślań nad własnym okresem dorastania.

Słońce przebiło się przez chmury, a jego białożółte promienie padły na kryształowy żyrandol, sprawiając, że rozbłysnął wszystkimi kolorami tęczy.

Peter zamierzał również zadać kilka pytań na temat finansów Doris, o jej pieniądze. Nie wiedział tylko, jak zacząć, aby nie zniszczyć nastroju.

– Co wie pan na temat sytuacji finansowej matki? – zapytał w końcu prosto z mostu.

– Ale o co chodzi?

– Co pan wie o jej sytuacji finansowej?

– Zapewne wygląda całkiem przeciętnie. Tak jak u większości ludzi – odpowiedział syn.

Berg zapytał, co dokładnie przez to rozumie.

– No, nie wiodło jej się najgorzej. Można powiedzieć,

że rozsądnie gospodarowała pieniędzmi. Dawała sobie ze wszystkim dobrze radę. Nie miała dużo do wydawania, szczególnie po śmierci ojca, kiedy przestała otrzymywać alimenty, na które został dożywotnio skazany. W tamtych czasach tak było. Ale to, co miała, jej wystarczało. Może nawet dysponowała drobnymi oszczędnościami. Ale chyba niezbyt dużymi. To tylko moje przypuszczenia, rzadko kiedy rozmawialiśmy o pieniądzach.

Peter Berg uznał to za dziwne, zważywszy, że Ted Västlund na co dzień zajmował się pieniędzmi – był chyba ekonomistą. Możliwe jednak, że finanse w firmie i prywatne to dwie różne rzeczy.

– Może odłożyła trochę grosza – powtórzył Västlund, tym razem spoglądając z pewną ciekawością na Petera, jakby podejrzewał, że policjant trzymał przed nim w sekrecie informację o przyszłym spadku. – Ale z pewnością niedużo – powtórzył.

Przed oczami Petera stanęło to „trochę grosza" – niemal pół miliona koron. Roszczenia ludzi mogą być jednak różne.

– Aha. Tak więc z tego, co się pan orientuje, pańska matka nie miała żadnych większych oszczędności?

– Nie wiem, ale myślę, że odłożyła trochę pieniędzy. Ale z pewnością niezbyt dużo – powtórzył po raz trzeci, spoglądając niepewnie i z widocznym zmieszaniem na policjanta.

Zapewne zrozumiał, że policja zna odpowiedź, ale Peter Berg nie wspomniał o tym słowem.

■

Kjell E. Johansson znów stał przed lustrem w łazience i próbował się ogolić. Ostatnio goliłem się ponad tydzień temu – uświadomił sobie. A dokładniej przed tą imprezą, makabrycznym balem przebierańców. Wielokrotnie ostro łajał potem samego siebie, że był na tyle głupi, aby tam pójść. Dał się oszukać. Poczuł negatywne wibracje jeszcze przed wyjściem z domu. Po prostu Kjell nie był typem, który nadawał się na maskarady. W jego kręgach nie przebierano się i nie udawano, że jest się piratem albo damą z haremu. Nic dziwnego, że poniosło go i wdał się w bójkę z typem, który uważał, że zna odpowiedzi na wszystkie pytania świata. Inżynier mechanik. Powiedział to z takim samozadowoleniem, że Kjell E. Johansson nie mógł tego odebrać inaczej, niż że mężczyzna sam się dopraszał o manto.

Odkręcił maksymalnie kran, podkładając ostrze brzytwy pod strumień wody, która była tak gorąca, że niemal się sparzył. Ostrożnie wmasował piankę do golenia w skórę nad wargą.

Nadal odczuwał ból, a niektóre partie twarzy były jak znieczulone. Po jakimś czasie znowu powróci tam czucie, a jeśli nawet nie, to nic strasznego – mógłby z tym żyć. Kolor twarzy powoli zmieniał się z fioletowego na żółtozielony. Poza tym skóra go swędziała, co dobrze wróżyło. Podrapał się ostrożnie nadłamanym paznokciem wskazującego palca. Rany się goiły. W najbliższym tygodniu przypadał termin wizyty kontrolnej. Dla pewności zamierzał się na nią stawić.

Golenie było delikatnym zajęciem. Ostrożnie przejeżdżał ostrzem brzytwy wzdłuż policzków, uważając, aby się nie zaciąć albo nie zedrzeć któregoś z licznych małych strupków. Uważnie golił się wokół zranionych partii, które zaczęły się już goić, tworząc jasnoróżowe rysy w zaroście. Niektóre rany były zszyte cienkimi nićmi, inne jedynie zaklejone taśmą chirurgiczną, która odklejała się u końców i nabierała koloru brudnego śniegu w czasie odwilży – dlatego po prostu bezceremonialnie ją zerwał.

Nie miał żadnej większej przyjemności z kontaktu z Alicią, co teraz w ogóle go nie martwiło. Położył już na niej krzyżyk, jako że była zbyt młoda. Przyznał się przed samym sobą, że jest głupi i próżny. Była niezła, ale młodziutka i nie zamierzał się do niej w nieskończoność mizdrzyć.

Tak więc bal przebierańców stanowił rozdział w życiu Kjella, który zamierzał jak najszybciej wymazać z pamięci. Byleby tylko odzyskał dawny kształt twarzy i poszedł do dentysty, to wszystko się jakoś ułoży. Z pewnością dużo u niego zapłaci – stracił dwa zęby! Delikatnie dotknął pozostałych kłów i z zadowoleniem stwierdził, że są na miejscu, nawet jeśli były trochę luźne.

W minionym tygodniu, po okropnych nocach spędzonych w areszcie, udało mu się mimo wszystko wywiązać z podjętych zobowiązań dotyczących mycia szyb. Wiosna dla kogoś takiego jak on stanowiła gorący okres. I Boże Narodzenie. Tym zleceniodawcom, którzy z ciekawością pytali, co zrobił z facjatą, odpowiadał bez mrugnięcia, że – niestety – spadł z drabiny. Ale miałem też szczęście w nieszczęściu – dodawał, wyszczerzając w uśmiechu przerzedzone i niezbyt piękne uzębienie. Nie skręcił karku. Opowiedział tę historię tak wiele razy, że sam już niemal zaczął w nią wierzyć.

Spotykał się nawet z pewnym współczuciem, choć wcale o nie nie prosił. Teraz potrzebował głównie pieniędzy.

Na sobotę nie miał zaplanowanej żadnej pracy. Trzeba się było czymś zająć, aby nie wpaść w dołek i nie zacząć się zamartwiać o ewentualne kolejne zatrzymania. Działania policji są nieobliczalne. Nie pomagało, że jego sumienie było czyste jak świeży śnieg.

Więc kiedy tego poranka włączył radio i usłyszał komunikat o poszukiwaniach zaginionej osoby, zmiękło mu serce, które w gruncie rzeczy nigdy nie było zbyt twarde, i wzięła w nim górę rycerskość. Chciał pomóc! Weźmie udział w poszukiwaniach, nawet jeśli oznaczało to, że ponownie znajdzie się w polu widzenia policji. Ale jeśli dopisze mu szczęście, nikt go nie rozpozna. Choć gdyby go jednak poznali, to z drugiej strony mógłby właśnie pokazać policji, że jest osobą poważną, która chętnie pomaga innym.

Dlatego włożył codzienne ubranie i tenisówki. Przez chwilę zastanawiał się, czy nie powinien włożyć kaloszy na wędrówki po lesie i polach. Porzucił jednak ten pomysł, kiedy uświadomił sobie, że ich nie ma. Nie wiedział, komu je wypożyczył, a może po prostu gdzieś ich zapomniał? Cholera, nieważne!

Ruszył w kierunku pobliskiego centrum. Postawny mężczyzna idący szybkim krokiem, pewny siebie, wyprostowany. Przeszedł koło sklepiku Kirrego, mijając róg, na którym zawieszone były rzędem plakaty.

Gwałtownie przystanął. Czyżby przejawiał objawy jasnowidzenia i to przeczuwał? Zawsze miał dobrego nosa do wielu spraw, który czasami jednak zawodził, jak wtedy, gdy nie podpowiedział mu, że nie powinien iść do parku Folket. A w każdym razie nie na maskaradę.

Teraz stał jednak w obliczu czegoś zupełnie innego.

Na wszystkich plakatach widniało zdjęcie zaginionej dziewczynki. Tłustym drukiem napisano jej imię: Viktoria. Gruba, czarna czcionka, jakby żałobna.

To była ona. Dziewczynka.

Poczuł, że brakuje mu tchu, ale po kilku głębokich oddechach odzyskał kontrolę nad ciałem.

Muszą ją odnaleźć! On już tego dopilnuje. Tak się przejął tym zadaniem, że litościwie opuściły go zmartwienia dotyczące własnej przyszłości. Pragnął uratować dziewczynkę, odszukać ją, nawet gdyby miało to oznaczać harówkę dniem i nocą.

Szalał w nim silny, palący niepokój, który nadał tempo maszynerii ciała i wydłużył mu kroki.

Czasami wszystko zależy od tego, żeby człowiek się nie spóźnił.

■

Gdy Lennie Ludvigson poszedł do domu, Jesper Gren przejął po nim odbieranie telefonicznych zgłoszeń na komisariacie. Dopiero co przyniósł sobie filiżankę kawy, kiedy przełączono do niego rozmowę z mężczyzną o imieniu Birger Berg. Najpierw, zupełnie idiotycznie, zastanowił się, czy może to być ojciec Petera, ale zdał sobie sprawę, że nazwisko to jest dość popularne.

Birger Berg, który mówił powolnym i okrągłym smalandzkim, rozpoznał zaginioną dziewczynkę. Była u niego i jego żony w domu, sprzedając majowe kwiatki.

– Kiedy to było? – zapytał Jesper Gren, czując nagły przypływ adrenaliny. Nie mogło to raczej być dziś rano, ale może wczoraj po południu?

Jego nadzieje szybko legły jednak w gruzach. Birger odpowiedział, że wydarzyło się to ponad tydzień temu.

Informacja nie jest zbyt interesująca, zważywszy na to, że dziewczynkę widziano żywą jeszcze wczoraj o trzeciej – pomyślał Jesper Gren. Z obowiązku wypełnił jednak wszelkie dane zgłoszenia: adres mężczyzny, czas i datę wydarzenia, grzecznie podziękował za telefon i odebrał następną rozmowę. Dzwoniła pani, która kupiła majowy kwiatek od dziewczynki na zewnątrz supermarketu tego samego dnia co Birger Berg. Jesper zanotował informację, siorbnął kawy i ułamał sobie kawałek czekolady z całymi orzechami laskowymi, który przemielił między szczękami, po czym wziął kolejną kostkę. Dla pewności kupił sobie największą, dwustugramową czekoladę. Zapowiadał się długi wieczór. Aby na pewno nie umrzeć z głodu, miał jeszcze ze sobą drugą w rezerwie. Przy kasach w Kvantumie wyeksponowano w rządkach tabliczki czekolady. Były w promocji, jeśli kupiło się dwie.

Otarł brudne palce o nogawkę spodni, po czym połączył kolejną rozmowę. Dzwonił mężczyzna mieszkający w górnej części Kikebogatan. Zdecydowanym głosem twierdził, że dziewczynka wskoczyła poprzedniego dnia do samochodu i odjechała.

– O której to było?

– Myślę, że tuż po piętnastej. Akurat skończyłem słuchać wiadomości, które nadają o tej godzinie.

– Widział pan, kto ją zabrał?

– Nie. Z mojego okna kierowcę zasłaniał samochód, a potem wskoczył on za kierownicę.

– Zauważył pan, jaki to był model samochodu?

– Nie, one są do siebie dosyć podobne, ale był to biały samochód dostawczy.

– A jak się zachowywała, mam na myśli dziewczynkę? Czy wyglądało na to, że wsiadła z własnej woli?

– Jak najbardziej. Wsiadła do samochodu sama, zajęła miejsce obok kierowcy, zatrzasnęła drzwi i ruszyli. Jej mowa ciała zdawała się... hm... energiczna. Jakby wesoło wskoczyła do samochodu. Oczywiście, mogę się mylić.

Jesper Gren zapisał dane mężczyzny i poprosił go, aby nie wychodził z domu. Następnie zabrał wypełniony formularz i zaniósł go do Brandta, który wciąż tkwił na swoim stanowisku po długiej nocy – nie wiadomo, ile jeszcze ten facet wytrzyma. Z kolei Brandt skontaktował się z kierownikiem operacyjnym w terenie, z którym podjęli decyzję, aby wysłać do domu mężczyzny któregoś z policjantów. Niech wyjrzy przez wspomniane okno, a może i zapuka do drzwi kolejnych sąsiadów. Do tego znów poślą psa tropiącego na Kikebogatan. Przeszukano dziś teren wczesnym rankiem, lecz teraz zrobią to ponownie. Może coś ominęli?

Kolejne informacje nadchodzące od świadków potwierdziły, że dziewczynka pasująca do rysopisu Viktorii wsiadła do białego samochodu dostawczego na Kikebogatan. Jedna z nich pochodziła od kobiety, która – jak mówiła – przechodziła z psem zaledwie o kilka metrów od niej.

Policja skoncentrowała swoją uwagę na tej ulicy i zainteresowała się jej okolicą.

Jeśli dziewczynka zniknęła w samochodzie, narzucało się pytanie, czy zabrał ją ktoś, kogo znała. W takim razie czemu ta osoba nie zadzwoniła na policję? Czy dziewczynka została zwabiona do wejścia do samochodu i co to mogło oznaczać?

Pojawił się Conny Larsson. Wyglądał na wyczerpanego, ale emanował zarówno optymizmem, jak i spokojną chęcią działania. Nie pozwoliłby sobie na żadną inną postawę, jeszcze nie na tym etapie.

Gren i Larsson przez chwilę prowadzili luźną wymianę zdań na temat ostatniej informacji. Co zrobią, jeśli do niczego ich ona nie zaprowadzi?

– Będziemy kontynuować poszukiwania w innych miejscach – ocenił logicznie Larsson.

– Człowiekowi zawsze żal rodziców – stwierdził Gren.

– No – zgodził się Larsson. – Matka była w tak kiepskim stanie, że musiałem poprosić Jönsson, wiesz, Lenę, tę dzielną aspirantkę, aby zawiozła ją do przychodni.

– I co tam z nią zrobili? – zapytał sceptycznie Gren.

– Rozmawiał z nią doktor Björk.

– Pomogło?

– Nie, nawet wspaniały Björk, mimo najlepszych chęci, nie jest w stanie wyczarować dziewczynki. Przepisał jednak kobiecie tabletki nasenne.

– Aha. Ale i tak nie położy się spać. W każdym razie ja bym tego nie zrobił.

– Nie, zapewne nie. Nie, dopóki jej nie odnajdziemy.

– Ale jest jeszcze nadzieja, prawda? – stwierdził Gren.

Odwrócił głowę, przyglądając się uważnie Conny'emu Larssonowi.

■

Louise Jasinski i Peter Berg siedzieli naprzeciwko siebie. Pomiędzy nimi stało biurko policjantki, którego blat był dziś nietypowo sprzątnięty. Louise zabrała z niego akta i skoroszyty. Dość często w ciągu roku siadali z Peterem w ten sposób.

Z parapetu okiennego śmiały się do nich z fotografii oprawionych w czerwone ramki obie córki Louise. Dziewczynki miały błyszczące czarne włosy i zawstydzone uśmiechy. Były całkiem ładne. Peter Berg rzucił na nie okiem.

– Jak się czują?

W oczach Jasinski pojawił się znak zapytania.

– Twoje dziewczynki – wyjaśnił Peter.

– Aha, one! No, dobrze. W ten weekend ma je Janos – ucięła krótko, żeby nie zadawał więcej pytań.

Ogólnie rzecz biorąc, można by przypuszczać, że Louise martwi się o nie jeszcze bardziej teraz, kiedy zaginęła uczennica. Takimi torami biegły myśli Petera. Ale co on wiedział? Nie miał przecież dzieci.

Louise była typem osoby, której trudno usiedzieć w miejscu. Czasami odnosiło się wrażenie, że wciąż gdzieś biegnie. Dlatego szczególnie ją irytowało, gdy inni byli tak samo żywi jak ona. Na przykład to ona najgorzej znosiła nieustanne bujanie się na krześle Janne Lundina i jako pierwsza zwracała mu wtedy uwagę. Zazwyczaj Louise sama wierciła się na krześle, obracała w kierunku drzwi, ku rozmówcy, albo w stronę okna – niezależnie od tego, na jaki temat prowadzili konwersację. Dzisiaj policjantka była jednak spokojniejsza niż zwykle. Rozmawiali o poszukiwanej dziewczynce. Konwersacja się nie kleiła, często zapadała cisza, jakby Louise nie była do końca obecna duchem. Trudno jednak było stwierdzić, czy działo się tak z powodu ich ogólnego zmęczenia, sprawy zaginionej dziewczynki, odłożonego na bok śledztwa w sprawie Doris Västlund czy też czegoś zupełnie innego. Berg przypuszczał jednak, że to nie praca wytrąciła ją z równowagi. Musiało to być coś więcej – z pewnością życie prywatne. Sprawy osobiste zawsze najgorzej trafiały w człowieka.

Przerwy w rozmowie zdawały się coraz bardziej puste,

a nie wynikające z potrzeby namysłu. Peter nie zamierzał siedzieć tu dłużej, ale z drugiej strony nie było mu łatwo po prostu wstać i sobie pójść. Zawsze było nieprzyjemnie przebywać w jednym pomieszczeniu z kimś, kto stracił wewnętrzną równowagę, szczególnie kiedy nie znało się przyczyny. Peter czuł się z tym wręcz niezręcznie, ale wiedział, że tak już widocznie musi być. Oboje całkiem dobrze tolerowali ciszę, ponieważ się znali. W pewien sposób było to również odprężające, że nie musieli prawić sobie na okrągło zapewnień o własnej uczciwości, udowadniać, jacy są mądrzy czy ciągle aktywni.

Peter dopiero co poszedł do automatu, gdzie nacisnął sobie przycisk „kawa", podczas gdy Louise nadal ograniczała się do herbaty. Oczywiście zauważył tę zmianę, której Louise zdawała się trzymać, lecz tego także nie skomentował. „Herbatę piją jedynie chorzy" – mawiała policjantka. Był to jej standardowy komentarz w stosunku do tych, którzy pili w komisariacie herbatę. Mógłby oddać jej pięknym za nadobne i zapytać, co słychać u chorej. Naturalnie, tego jednak nie zrobił. Przeczucie podpowiadało mu, że najlepiej sprawę przemilczeć.

W oddali na korytarzu dały się słyszeć głosy. Na komisariacie panowała duża aktywność, aż niemal wibrowały ściany. Otrzymali wsparcie z różnych stron. Organizowano nowe grupy, które następnie kierowano w teren, aby przeczesywały nowe obszary. Wypuszczano nowe szpalery poszukujących złożone z wypoczętych ludzi, psów tropiących i ich przewodników. Wszyscy byli podnieceni myślą, że to oni odnajdą dziewczynkę. Najlepiej żywą. Peter Berg niedługo również ponownie wyruszy w teren.

Nagle ciszę za oknem rozdarł zbliżający się hałas łopat wirnika. Peter i Louise stanęli przy oknie, ale nie mogli dostrzec nic ponad niebo i wystraszone ptaki: wrony albo gawrony czy też inne ptaszyska, które zerwały się do ucieczki.

– No to przyleciał helikopter – zauważył Peter Berg, spoglądając na zegarek.

– Jest tu już jakiś czas – odpowiedziała Louise.

– Nic się nie wydarzyło?

– Nie.

Znów zapanowała ponura atmosfera. W końcu jednak Peter wyrwał się z przygnębienia i złożył raport z domowej wizyty u Teda Västlunda. Właśnie po to przyszedł do Louise. Opowiadał jej ze szczegółami, ponieważ zafascynowała go tragiczna historia o zamordowanej kobiecie i o synu, który wyglądał na całkowicie nieporuszonego śmiercią matki.

– On w każdym razie twierdzi, że morderstwo matki nie ma dla niego znaczenia. Nie wygląda też na specjalnie tym załamanego – stwierdził.

Louise nagle cała zamieniła się w słuch, wchłaniając słowa i ich konteksty, jakby ssała twardy cukierek, który miał na długo starczyć. Nareszcie jej myśli mogły się czegoś uchwycić.

Kiedy dość krótkie sprawozdanie Petera zdawało się zmierzać ku końcowi, położyła dłonie na karku i wstrzymała oddech, aż jej twarz nabrała koloru purpury, a następnie z głośnym westchnieniem opuściła ramiona.

– To dość szokujące – podsumował Peter Berg.

– No, człowiek wyobraża sobie, że przynajmniej dzieci będą go opłakiwać, kiedy umrze – odezwała się Louise.

– Jasne – słabo przytaknął Berg, zastanawiając się, kto w takim razie będzie jego opłakiwał.

Odgłosy na korytarzu zamarły, zapewne wszyscy wyszli.

– Najwyraźniej musimy dowiedzieć się więcej o życiu Doris, niż przeczuwaliśmy – zaznaczyła Louise.

– Nie sądzę, żebym tu cokolwiek przeczuwał – stwierdził neutralnie Peter.

Oczy Louise się zaświeciły.

– Okej, ja pewnie też nie, tak tylko powiedziałam.

Zabrzmiało to głupio. Przeklęła w myślach samą siebie, że tak dziecinnie zaczęła się bronić. Była czuła na punkcie zwracanej sobie uwagi – chciała postępować słusznie, najlepiej przez cały czas. Zwłaszcza że zdawała sobie sprawę, że do pewnego stopnia dopisało jej szczęście. Nigdy nie zostałaby obdarzona takim zaufaniem, gdyby Claesson na stare lata nie załatwił sobie małego dziecka. Kto mógł przypuszczać? Uważała, że nie było sensu planować swojej kariery. Nigdy przecież nie wiadomo, co się wydarzy. Albo raczej: co się nie wydarzy – zdaniem jej lekko zgorzkniałych, starszych koleżanek po fachu. Aż do czterdziestki przypuszczały, że wystarczyło robić wszystko, jak należy. Ale to jednak faceci otrzymywali ważniejsze funkcje.

W każdym razie Louise dopisało szczęście. Z drugiej strony było to bardzo tendencyjne, kobiece, żeby osobisty sukces kłaść na karby szczęścia. Jej przyjaciółka Monica tłumaczyła to jej wielokrotnie. Jesteś bystra – mówiła. – Zrozum to! Znasz się na swojej pracy. Nie doszukuj się w tym niczego bardziej skomplikowanego.

Prowadzenie dochodzenia wymagało od Louise dużo energii: nie można było działać za bardzo gorączkowo, bez zastanowienia rozwijać zbyt wielu kolejnych wątków. Mimo że Louise od lat pracowała w policji i dobrze znała swój fach, czuła teraz pewne zdenerwowanie. Ale i podniecenie, które szarpało nią, zachęcało do działań, jednocześnie budząc niepokój i zakłócając nocny sen. Wyzwania już takie są. Biorąc pod uwagę wszystkie okoliczności, sen Louise i tak był wywrócony do góry nogami.

Napięcie, podniecenie, jej grupa, praca zespołowa – dlatego w ogóle pozostała w tej pracy, wciąż czerpiąc satysfakcję z bycia policjantką. Kiedy była pielęgniarką – co prawda bardzo dawno temu – czuła się zamknięta jak zwierzę w klatce. Wszystkie te kobiety były przepełnione troską i dobrymi chęciami, tłamsiły jednak siebie nawzajem, trzymając się koleżanki na krótkiej smyczy i nie pozwalając nikomu odstawać, być lepszym od innych. Louise nigdy nie żałowała tej zmiany.

Wiedziała, że zawsze dobrze się sprawdza w marszu pod górę, ale ostatnio wzniesienia zdawały się o wiele za długie, a nawet zbyt strome.

W tej chwili miała jednak przed sobą Petera, który stanowił dla niej opokę – tak jak Lundin.

– Co myślisz? – zagaiła go przymilnie, żeby jakoś rozpocząć dyskusję.

Nawet Louise odczuwała panującą w pomieszczeniu atmosferę ostrożności. Orientowała się też, że chodziło o nią. Odwróciła do kolegi głowę, spojrzała mu w oczy i obdarzyła krótkim uśmiechem, jakby prosząc, aby miał dla niej trochę wyrozumiałości.

Do diabła, ale jest blada – uderzyło Petera.

Tak, o czym myślał? Właściwie to o wielu sprawach. Starał się poukładać myśli.

„Co myślisz?" było pytaniem, którego używała cała grupa, a oznaczało przyzwolenie na puszczenie swobodnie wodzy fantazji, nie dostając przy tym od innych po łapach. Można było zgadywać, zakładać i wymyślać prawdopodobne scenariusze.

– Myślę, że jakikolwiek by się wiodło żywot, u większości ludzi można by się dopatrzyć powodu, aby ich zabić. W każdym razie, jeśli się porządnie poszuka. Do tego istnieją i zawsze będą istniały typy nadwrażliwe, które łatwo urazić i których irytują sprawy i rzeczy, jakich my nie jesteśmy w stanie pojąć. Nieopatrznie rzucone słowo, przekroczony czas prania, który to powód zresztą tu wykluczyliśmy. Człowiek zabierający miejsce parkingowe tuż przed nosem wybuchowej osoby, prześladowane dziecko, które po wejściu w wiek dorosły mści się i tak dalej... Obecnie życie Doris pod wieloma względami sprawiało wrażenie poukładanego i normalnego, cokolwiek to oznacza. Prawda?

Louise przytaknęła.

– Ale jednocześnie groźnego, biorąc pod uwagę jej niestabilny charakter. Na pewno wielu ludziom nadepnęła na odcisk. Żeby jednak kogoś zabić, potrzebna jest jakaś mocniejsza zadra, a nawet wściekłość. Moglibyśmy opracować profil mordercy. To ktoś, kogo napędza silna agresja albo kto przeszedł przez dziedziniec i z jakiegoś powodu stracił panowanie na widok Doris... Takie jest moje zdanie. Mordercą może też być jakiś szaleniec. Może osoba cierpiąca na demencję starczą?

– Kto?

– Teraz zajmuję się synem. Relacja pomiędzy nim a matką nie należała do obojętnych. Nazwałbym ją niezwykle dziwną.

– Ale on nie mógł tego zrobić.

– Nie, ma przecież alibi.

– Z tego, co wiemy, to tak. Ale może uda nam się je zakwestionować.

– Tak. W takim razie musimy go sprawdzić jeszcze raz, minuta po minucie, i porozmawiać z osobami, które go kryją. W przeciwnym razie powinniśmy poszukać jakiejś innej bliskiej osoby albo kogoś zamieszkującego blisko Doris, kierując się zasadą, że sprawcę najczęściej można znaleźć w najbliższym kręgu ofiary.

– A nieodnaleziony portfel?

– Jasne! Oczywiście niewykluczony jest rabunek.

– Co sądzisz o narzędziu zbrodni? – kontynuowała Louise.

– Uważam, że warsztat ma pod tym względem wręcz idealne położenie – orzekł Peter Berg.

– Zgadzam się z tobą. Leży po drodze. Wystarczy zwędzić młotek. Bardzo kusząca teoria, zważywszy, że to warsztat meblowy – kontynuowała Louise na wpół marzycielsko. – Może Rity Olsson nie było jednak w środku przez chwilę, mimo iż twierdzi coś przeciwnego? Wystarczyła chwila.

– Właśnie.

– Niewykluczone, że Rita jest w to zamieszana. Czy coś może znalazłeś na ten temat?

– Nie – zaprzeczył potrząśnięciem głowy.

– To Lundin i kryminalistyk Benny tam byli. Powinnam chyba dowiedzieć się czegoś więcej na temat konserwatorki mebli. Może Benny coś znalazł. I jeszcze pieniądze. Skąd pochodzą?

– Hm, pieniądze powinny mieć tu jakieś znaczenie. Bezpośrednie, a może pośrednie. Pół miliona koron to sumka nie do pogardzenia. Możliwe jednak, że nie mają ze sprawą nic wspólnego. Może to czysty przypadek, że u Doris leżała kupka pieniędzy w pudle? Staruszkowie chowają oszczędności w skarpecie. Banki przecież i tak nie dają żadnych procentów. Gdyby jej nie zamordowano, to syn albo ktoś od inwentaryzacji spadku w końcu odkryłby pieniądze po jej śmierci. Jeśli chodzi o Teda Västlunda, to tragiczna śmierć matki była dla niego pechowa. W przeciwnym wypadku mógłby wziąć pieniądze w tajemnicy, a później w razie potrzeby unosić wieczko kartonu i wyciągnąć z niego po kilka banknotów.

– Niegłupie – odpowiedziała Louise. – Ale skąd wzięła te wszystkie banknoty?

Oparła przedramiona na blacie biurka wykonanego z drewna brzozy i pochyliła się ku Peterowi. Odpowiedział jej uniesieniem brwi.

Ich myśli często wędrowały tym samym torem.

Dzwonek telefonu przerwał ich rozmowę. Louise odebrała, ruchem głowy dając znak Peterowi, który wstał i opuścił pokój. Dzwoniła jedna z córek, prosząc, aby mama kupiła jej prowiant na poniedziałkową całodzienną wycieczkę klasową.

Obie dziewczynki wybrały się z Janosem na weekend do Sztokholmu. Uwolnił się od nowej kobiety, od Pii, i wyjechał sam z córkami. Louise wściekała się na samą myśl o Pii. Dziewczynki pojechały z Janosem ekspresowym autobusem. Planowali nocować w schronisku.

Louise zrozumiała, że jedzenie nie było główną sprawą, z jaką zadzwoniła do niej córka. Sofia pytała, jak szło im z Viktorią. Czy ją odnaleźli? Córki nie mogły nie zauważyć nagłówków gazet. Pochodząca z ich miasta zaginiona dziewczynka. Tytuły pierwszych stron gazet wręcz do nich krzyczały.

– Znasz ją? – zapytała Louise.

– Nie, ale wiem, która to.

– Aha, to ją kojarzysz? A gdzie ją spotkałaś?

– Chyba nigdy jej nie spotkałam – wyraziła wątpliwość córka. – Ale Malla z mojej klasy wie, kim ona jest. Są jakoś spokrewnione. Chyba są kuzynkami – dodała gorliwie.

Świat jest mały, jak w każdym niewielkim mieście. Louise pomyślała, że sprawa sama z siebie nie przebrzmi, tylko będzie musiała porozmawiać o tym z córkami. Zrobi to po powrocie do domu.

– Mamo, ale myślisz, że ją znajdziecie?

Louise przygryzła dolną wargę. Co miała odpowiedzieć?

– Szukamy jej pełną parą.

– Ale, mamo, obiecaj mi, że ją znajdziecie.

– Robimy, co w naszej mocy, Sofio. No jasne, że ją znajdziemy – pocieszyła córkę.

– To super – odpowiedziała weselej dziewczynka. – Powiem Gabrielli.

Nie, Louise nawet przez chwilę nie wątpiła, że odnajdą dziewczynkę. Pytanie tylko, kiedy i w jakim stanie.

Oczywiście mass media zaczęły już oddawać się spekulacjom na temat losów dziewczynki. Louise przestało to denerwować. Wiele reportaży było dobrych. Najbardziej się wkurzała, kiedy czyste fantazje podawano jako fakty. Teraz z kolei gazety opisywały przypadki zaginionych dzieci z ostatnich lat; niemal żadna sprawa nie doczekała się szczęśliwego zakończenia. Naturalnie zadawano sobie pytanie, czy nie chodziło o jakiegoś maniaka seksualnego. Z tego, co było wiadomo, żaden znany policji gwałciciel albo pedofil nie chodził wolno po okolicy. Ale ci wszyscy nieznani? Ci, którzy czaili się za rogiem?

Louise wstała i zeszła do sztabu ratunkowego. Na dole dała się wciągnąć w rzucającą się w oczy intensywność pracy i przyspieszyła kroku.

Brandt poprosił ją o zebranie więcej informacji na temat wizyty dziewczynki w szpitalu, ponieważ jeszcze nie zdążyli tego zrobić. Możliwe, że nic to nie da, ale należało dowiedzieć się wszystkiego i sprawdzić wszelkie możliwości. Brandt potrzebował również więcej faktów z życia Viktorii.

Peter Berg powoli szedł korytarzem, w którym na jasnych ścianach grupa artystów zawiesiła niedawno, bo zaledwie rok temu, namalowane przez siebie obrazy. Motywy o jaskrawych kolorach ożywiały neutralny, publiczny charakter pomieszczenia.

W pokoju socjalnym stały cztery osoby, każda z obowiązkowym kubkiem letniej kawy z automatu w dłoni. Peter Berg nie rozpoznawał żadnej z nich. Pospiesznie kiwnął im głową. Wypożyczeni policjanci, sami mundurowi – trzech mężczyzn i niska kobieta z włosami upiętymi w jasną kitkę.

Po chwili przyszedł Brandt i przedstawił Petera grupie, informując, że ruszą razem w teren. Mieli przeszukać zachodnie tereny leśne. Był to duży obszar do przeczesania przy pomocy ochotników, którzy znajdowali się już na miejscu.

– Nasz trop urywa się gwałtownie gdzieś na Kikebogatan – poinformował ich Brandt. – Prawdopodobnie zabrano stamtąd dziewczynkę samochodem. Musimy jednak nadal kontynuować nasze poszukiwania na szerszą skalę. Nie wiemy, dokąd ją wywieziono, więc szukanie jej zajmie nam sporo czasu.

Peter Berg wyciągnął po kolei do wszystkich rękę i się przywitał. Najpierw z dziewczyną z kitką, a potem z mężczyznami, którzy mieli mniej więcej tyle samo lat co on, oprócz może jednego, jakieś dziesięć lat od niego starszego.

Jako ostatni przedstawił się Nicko.

– Miło mi – padło z ust Petera.

Nicko miał silny uścisk dłoni.

– Nawzajem – odpowiedział.

Jego oczy mają zielony odcień – zdążył zauważyć Peter.

■

Veronika szła chodnikiem u boku Cecilii. Powietrze w tę sobotę było przejrzyste. Spacerowały po centrum Lundu, mijając Szkołę Katedralną i kierując się w górę, w kierunku Grand Hotelu. Szły powoli, pchając przed sobą wózek z Klarą. Zalewało je wiosenne słońce. Wokół mrowiło się od ludzi. Ruch samochodowy i rowerowy był znacznie większy niż w Oskarshamn. Niektóre kawiarnie wystawiły już na chodniki białe, plastikowe krzesła. Veronika przez chwilę miała wrażenie, że wyjechała za granicę. Nad tym południowym, nieobcym jej miastem – choć od jej pobytu tutaj minęło dużo czasu – unosiła się delikatna, kontynentalna atmosfera.

Nieco ponad dwadzieścia pięć lat temu Veronika krótko studiowała w Lundzie, zanim przeniosła się na studia medyczne do Sztokholmu. Rozglądała się teraz wokół siebie zarówno jak turystka, jak i ktoś, kto powrócił na stare śmieci.

Cecilia zrobiła rozeznanie, dokąd powinny się udać. Sprawa była trochę krępująca – uważała Veronika. Wymagała odwagi. Pragnęła się jedynie rozejrzeć i zaakcentowała to córce. Chciała tylko zobaczyć i nie podejmować żadnych decyzji.

Przemierzały Bytaregatan, wąską i zacienioną uliczkę, kierując się ku rynkowi Clemenstorget. Cecilia przejęła od niej spacerówkę, bez skrępowania prowadząc dziecięcy wózek z siostrą. Szły powoli, nieustannie przystając, aby przywitać się ze znajomymi Cecilii, którym dziewczyna prezentowała swoją mamę wraz z małą siostrzyczką.

Na koniec przecięły rynek i dotarły do małego, poleconego Cecilii sklepu na ulicy Karola XI.

Sklep był niewielki, ale miał obiecującą wystawę. Veronika i Cecilia zagapiły się na kreacje, podążając wzrokiem za opadającym ciężko jedwabiem, oglądając wyszywane perłami sukienki czy zwoje cienkiego jak pajęczyna szyfonu.

Cecilia podniosła Klarę i weszły do sklepu.

Były jedynymi klientkami. Osłonięte ochronną folią sukienki wisiały ciasno wzdłuż ścian. Czarująca kobieta z pięknie upiętymi siwymi włosami wyszła im na spotkanie.

– W czym mogę pomóc? – zapytała, uśmiechając się do nich, gdy stały zbite w grupę tuż przy drzwiach, jakby nie miały odwagi wejść do sklepu.

– Chciałyśmy obejrzeć suknie ślubne – wydukała Veronika.

– Oczywiście! – odpowiedziała kobieta. – Mogłabym zapytać... dla której z pań?

Jej miłe oczy wędrowały z ciekawością od Veroniki do Cecilii, trzymającej na ręku Klarę. Jasne, że nie tak łatwo zgadnąć – zdała sobie sprawę Veronika.

– Eh, dla mnie – odpowiedziała, czując się jak słoń w składzie porcelany.

– Wybierzemy coś, co się pani spodoba. – Właścicielka butiku się uśmiechnęła. – Może pani tam usiąść – wskazała Cecilii. – Zazwyczaj to trochę trwa, a z tak ważnym zakupem nie należy się spieszyć.

Dziewczyna opadła na rokokowe krzesło i posadziła sobie na kolanach Klarę. Rozpięła siostrzyczce kurtkę i zdjęła jej czapkę, ponieważ – jak usłyszała – miało to zająć sporo czasu.

– O czym pani myślała? – zapytała miła kobieta, zwróciwszy się do Veroniki, która absolutnie nie miała żadnych wyobrażeń co do sukienki i stała teraz jak zagubiona owieczka na samym środku sklepu, nie mając siły nic zaproponować.

To Claes zażyczył sobie ślubu kościelnego, co wyszło na jaw dopiero później. Wprawdzie będzie skromny, ale jednak. Piętnaście lat temu stałoby się to przyczyną kłótni. Odmówiłaby. Albo cywilny w ratuszu, albo w ogóle żadnego ślubu. Ale wraz z wiekiem złagodniała i stała się trochę bardziej otwarta na inne rozwiązania. Uzmysłowiła sobie, że zasady były nie tylko po to, aby się ich trzymać, ale też po to, aby od nich odstępować.

– Mamy duży wybór. Jest pani zarówno wysoka, jak i szczupła, więc będzie na panią pasowało wiele kreacji – stwierdziła zachęcająco kobieta, wyjmując na wierzch kilka sukienek i pokazując je klientce.

– Chodzi mi o coś prostego – wiła się Veronika. – I w żadnym wypadku nie białego.

– Nie, oczywiście! Jest wiele innych eleganckich kolorów – zaznaczyła pani.

Czerwony, szmaragdowozielony, ciemnozłoty, jasnożółty, bordeaux, jasny szarozielony o nazwie „sage". Sprzedawczyni zawiesiła kreacje rzędem obok siebie. Wszystkie były sukniami księżniczek, a Veronika nią się nie czuła. Blichtr prezentowałby się dobrze na Cecilii, na jej ślicznej córeczce, ale nie na niej.

Nagle poczuła, że lata działają na jej niekorzyść. Była kobietą w średnim wieku i nie powinna sobie wmawiać niczego innego. Nie będzie się wywyższać.

Pożerała jednak wzrokiem delikatne kolory sukienek, ich proste linie, elegancję i rozkloszowane u dołu spódnice. Koniuszkami palców wodziła po gładkich materiałach, czując, jakie są lekkie. Kąciki ust uniosły się jej do góry, powoli budziła się do życia, odnajdując przyjemność w możliwości wystrojenia się. Postanowiła pozwolić sobie, żeby dawno temu uśpione dziewczęce marzenie stania się księżniczką urzeczywistniło się – nawet jeśli tylko na jeden dzień. Wprawdzie w dość podstarzałej formie, ale mimo wszystko na wiele rzeczy nie było w życiu za późno.

Jedna sukienka była całkiem ciekawa i miała bardziej zachowawczy, beżowy kolor. Do tego Veronika poczuła, że nie bałaby się jej włożyć. Chwyciła palcami materiał.

– Tak, ta sukienka ma bardzo ładny, nowy kolor. Nazywa się toffee albo ciemny szampan. Ciepła, a zarazem stylowa barwa. Do tego sukienka jest uszyta z bardzo dobrej jakości satyny.

Kobieta pokazała ją Veronice. Sukienka nie miała rękawów, ale ramionka były dość szerokie, co przypadło jej do gustu. Materiał spódnicy ciężko opadał ku dołowi. Sukienka miała kanciasty, niezbyt wycięty dekolt.

– Ma bardzo twarzowy krój. Dekolt sprawia, że jest mniej szykowna, a bardziej surowa. Można też do niej włożyć bolerko – dodała kobieta, unosząc przezroczysty, wiązany materiał w takim samym odcieniu co sukienka. Jest z szyfonu... jeśli kobieta czułaby się zbyt obnażona bez zakrytych ramion – wyjaśniła.

Veronika zdała sobie sprawę, że pozostało jej tylko zacząć przymierzać. Nie mogła się teraz wycofać. Ostrożnie wypytała, co zazwyczaj wybierały kobiety w jej wieku, i otrzymała dyplomatyczną odpowiedź, że z tym było zawsze bardzo różnie: od czegoś dyskretnego, może kostiumu, po długie, białe kreacje z welonem, trenem i koroną.

Kobieta włożyła sukienkę na Veronikę, wyprostowując brzegi materiału i pomagając jej z zamkiem i haftkami. Veronika pomyślała, jakie to szczęście, że nie ma tu Claesa. Czułaby się przy nim straszliwie skrępowana, jakby przed oczami widowni przymierzała stroje na bal przebierańców. Natomiast Cecilia kibicowała jej z krzesła, próbując sprawić, by matka się odprężyła i uwierzyła, że rezultat nie będzie przeciętny, ale wyjątkowy, odpowiadający stylowi Veroniki. Będzie niezmiernie szykowną panną młodą. Dojrzałą, lecz nie przejrzałą. Piękną na miarę swoich możliwości.

– Człowiek nigdy nie staje się przejrzały – odezwała się sprzedawczyni, cofając się o krok, aby lepiej przyjrzeć się Veronice.

Klarze zaczęło być gorąco, zaczęła marudzić i wyślizgiwać się z kolan Cecilii, która wypuściła ją na podłogę.

– Jaka słodka dziewczynka! – wykrzyknęła właścicielka butiku, starannie unikając pytania o to, kto jest mamą maleństwa.

Veronika uśmiechnęła się do Klary.

– Niedługo skończę – powiedziała do małej, stojącej chwiejnie na podłodze. – Uważasz, że jestem ładna? – zapytała, obracając się w brązowej cudowności toffee tuż przed stopami córki.

Klara wpatrywała się w mamę. Veronika nie spodziewała się żadnej odpowiedzi.

– Musimy tu trochę dopasować – stwierdziła sprzedawczyni, chwytając za materiał pod pachami. – Ma pani bardzo szczupłe plecy. Mogłabym spytać, na kiedy zaplanowany jest ślub?

– Nie przed końcem sierpnia – odpowiedziała Veronika.

– To dobrze. Zdążymy z przeróbkami.

Następnie sprzedawczyni podjęła temat upięcia włosów, na co Veronika natychmiast się spięła, chcąc się sprzeciwić. Ale po chwili znowu zmieniła zdanie. W koszyku na szklanej ladzie znajdowały się drobne i piękne, przyozdobione perełkami spinki, które można było zamocować nawet na krótkich włosach.

– Można do nich przypiąć kwiaty – dodała kobieta, pokazując w magazynie, jak małe niezapominajki mogły przyozdabiać skronie. – Są niezliczone możliwości – uśmiechnęła się do klientki.

Veronika zastanowiła się, dlaczego przez cały czas miała zaciągnięty hamulec. Dlaczego nie miała odwagi się wyluzować? Dlaczego na jeden dzień nie mogłaby całkowicie odłożyć na bok swojego normalnego, naturalnego wizerunku? Była wolna, co ją więc powstrzymywało? Czy było to zażenowanie, czy wstyd przed byciem próżnym?

– Okej – zgodziła się w końcu. – Wezmę spinki. Obie.

Nieważne, co będzie – zamierzała upiększyć się na ten dzień, jak się tylko da.

Kiedy chwilę potem wyszły ze sklepu na ulicę, czuły się oszołomione po obejrzeniu tych wszystkich pięknych sukienek i od sympatii, z jaką obsługiwała ich sprzedawczyni. Veronika zamówiła sukienkę i obie z Cecilią cieszyły się z podjętej decyzji.

– W pracy raczej nie doświadczam zabiegów upiększających – odezwała się Veronika. – Pomyśl, jaka to wdzięczna praca móc upiększać inne osoby! Spełniać ich marzenia. Obłoki z oganzy i pocałunek na kościelnych schodach, tak jak w bajkach. Szkoda tylko, że tak wielu ludzi jest potem rozczarowanych.

Gdy tylko usiadły przy nasłonecznionym stoliku przy galerii sztuki na Mårtenstorget i zamówiły danie dnia, zadzwoniła komórka.

Z policji w Oskarshamn. Veronika poczuła zmieszanie.

Dzwoniła Louise Jasinski, chcąc zadać jej kilka pytań o pacjenta. Veronika natychmiast zaczęła się bronić, ale Louise nie ustępowała, pytając, czy lekarka pamięta uczennicę, z którą miała styczność tydzień temu w szpitalu, i czy byłaby w stanie się o niej wypowiedzieć, nie mając przed sobą jej historii choroby.

– Nie możemy złapać pani kolegi Daniela Skottego – dodała Jasinski.

– Jest w Londynie.

Veronika dobrze pamiętała dziewczynkę.

Wtedy padło trudne pytanie:

– Czy według pani oceny dziewczynka chorowała na coś, co czyniło ją bardziej wrażliwą?

– W jakim sensie?

Veronika poczuła, jak jej pierś uciska zimny strach. Czy coś przeoczyła?

– Dostaliśmy zgłoszenie o jej zaginięciu – odpowiedziała Louise Jasinski, pokrótce opowiadając, co się stało.

Veronika poczuła się jak sparaliżowana. Nie wiedziała, co odpowiedzieć.

– No tak, kiedy przyszła do mnie z matką, właściwie trudno było powiedzieć, co jej dolega – odezwała się w końcu. – Ale nie uważałam, że jest poważnie chora, nie fizycznie. W każdym razie nie wtedy. Jeśli jednak jakaś choroba rozwinęła się w niej później, to ja oczywiście nic o tym nie wiem. Mama i dziewczynka wiedziały, żeby w takim wypadku ponownie się zgłosić do szpitala.

Myśli Veroniki biegły we wszystkie strony. Przyciskała palcem drugie ucho, aby wyciszyć szum samochodów. Do tego handel na rynku szedł pełną parą. Rozpromienieni, rozluźnieni ludzie.

– Myślicie, że ją odnajdziecie?

– Wcześniej czy później – odpowiedziała Louise.

Nie trzeba było nic więcej mówić.

10

Niedziela, 14 kwietnia

Louise włączyła stojące na kuchennym blacie radio tranzystorowe i właśnie zasiadła do skromnego śniadania składającego się z herbaty i suchego chrupkiego pieczywa, kiedy zaczęto nadawać sumę. Wstała i spróbowała nastawić inną stację. Dzisiaj, kiedy była zdekoncentrowana, w ogóle nie docierało do niej Słowo Boże, które zresztą nie docierało do niej także i w inne dni. Louise była ateistką.

Na stole leżał stosik wydruków z internetu z ogłoszeniami o wynajmie bądź sprzedaży mieszkań. Przeglądała kartki, sprawdzając dzielnice i rozkład mieszkań. Część prospektów powędrowała od razu do kosza. Były to mieszkania albo raczej dzielnice, do których gdyby się wprowadziła – wiedziała to już teraz – wpadłaby od razu w jakąś łagodniejszą odmianę depresji. Znała swoje miasto. Przez wiele lat krążyła po nim radiowozem. Mimo wszystko była uprzywilejowana – wielu ludzi nie miało możliwości, aby móc wybrać sobie mieszkanie.

Czteropokojowe mieszkanie, które leżało w centrum, ale nie na żadnej z głównych ulic, sprawiało przyjemne wrażenie. Budynek został zbudowany na przełomie wieków dziewiętnastego i dwudziestego. Trzecie piętro bez windy. Prawdopodobnie wielu osobom to nie odpowiadało, ale Louise i jej córki miały sprawne nogi. Cena była wysoka, jednak pieniędzy na jego kupno starczyłoby jej z nawiązką, gdyby szeregowiec poszedł za przynajmniej tę samą kwotę, co poprzedni dom z sąsiedztwa.

Sprzeciw, aby sprzedać szeregowiec, trochę w niej zelżał. Gdyby go zatrzymała, poczułaby ogromne pustki w portfelu, a ona i dziewczynki nie mogłyby sobie na nic pozwolić. Negatywna wiadomość od pani pracującej w banku – żadnych dodatkowych pożyczek – w końcu dotarła do świadomości Louise i sprawiła, że zaczęła dostrzegać też inne rozwiązania.

Do tego dochodził pewien nie bez znaczenia aspekt psychologiczny, z którego Louise powoli zdawała sobie sprawę. Gdyby zatrzymała dom, to tak naprawdę nie poszliby oboje z Janosem oddzielnymi drogami. Jego dostęp do ich wspólnego świata, do ich przeszłości, byłby dla niej uwiązaniem. Nawet jeśli Janos nie miałby już klucza do domu, a jedynie by ją „odwiedzał".

Mieszkanie było nawet z balkonem – ujrzała na rysunku, popijając powoli herbatę. Chyba wychodził jednak wprost na ulicę. Darmowe spaliny do porannej kawy. Dziewczynki miałyby znacznie dalej do szkoły, ale za to bliżej na basen, gdzie trenowały pływanie. Prawdopodobnie nie przyjdzie mi łatwo je przekonać – zdała sobie sprawę. Przeprowadzka w samym środku rodzinnego kryzysu. Ona sama miałaby za to około czterystu metrów na komisariat, więc nie musiałaby jeździć samochodem. Oszczędziłaby na tym trochę grosza.

Oddała się kalkulacjom, które wręcz podniosły ją na duchu. Jej wzrok powędrował na kuchenne okno, za którym sąsiad z naprzeciwka polewał wodą samochód, po czym tarł go gąbką, aż się pieniło. Jej brzuch uspokoił się, powoli ustępowały też poranne mdłości.

Kiedy wreszcie wyszła przed dom, była już w lepszym nastroju. Wyciągnęła rower z garażu, po czym pospiesznie ruszyła ku kąpielisku Havslättsbadet, gdzie przystanęła i przez kilka minut kontemplowała fale. Po chwili zawróciła rower i równie energicznie wróciła do domu. Wrzuciła do torby banana na lunch, po czym wzięła samochód i pojechała na komisariat.

Czy poszukiwania Viktorii zamienią się w dochodzenie w sprawie morderstwa? – zadała sobie pytanie, w głębi duszy mając jednak nadzieję, że tak się nie stanie. Czas jednak upływał, a wciąż nie odnaleźli żadnych śladów dziewczynki. Urywały się definitywnie na Kikebogatan, w pobliżu biblioteki i szkoły. Biały samochód dostawczy. Kryminolodzy pojechali oczywiście na to miejsce w poszukiwaniu odcisków buta czy śladów opon na asfalcie.

Louise wzięła do ręki segregator z wszystkimi informacjami na temat Viktorii z telefonicznych zgłoszeń, które zalały komisariat. Otrzymała także trochę dodatkowych wiadomości, między innymi nowe fakty o życiu dziewczynki. Zamknęła drzwi swojego pokoju. Czytała, przekładała kartki, robiła notatki i dzwoniła w różne miejsca. Przez kilka godzin siedziała skoncentrowana nad pracą.

Około trzeciej odniosła pierwsze, choć dość ogólnikowe wrażenie, że odnalazła powiązanie. Poczuła, że narasta w niej podniecenie.

Gdy ruszyła do samochodu, czuła, że ma czerwone policzki. Najpierw zajechała do małego sklepu i kupiła jeszcze kilka bananów – czuła ssanie w żołądku, ale nie byłaby w stanie niczego innego przełknąć – później ruszyła w stronę wieży ciśnień.

Kiedy wrzuciła trójkę, poczuła opór skrzyni biegów. Tylko jeszcze nie to! – pomyślała. Kalkulowała na zimno, że samochód powinien wytrzymać jeszcze przez jakiś czas.

Jutro będzie wiedziała. O jedenastej miała umówioną wizytę w poradni „K". Zastanawiała się, jak powinna rozplanować rozmowy na komisariacie, żeby koledzy nie zauważyli jej nieobecności. Zapewne będzie mogła wykorzystać fakt, że cała energia szła na poszukiwania zaginionej dziewczynki. Na szczęście Louise nie należała do sztabu ratowniczego, co utrudniłoby jej zniknięcie z komisariatu.

W koszarach dla najemców na Solvägen panowała równie wymarła atmosfera, jakby odbyło się tu odszczurzanie i dym wszystkich przegonił, a przecież była niedziela i przepiękna pogoda. Trochę dalej, w dzielnicy willowej, przygotowania do wiosny szły za to pełną parą. Rozniecono ogniska, w którym palono stare gałęzie i liście, a słupy dymu wzbijały się ku niebu. Zbliżał się ostatni dzień kwietnia, noc Walpurgii.

Louise sama poczuła ochotę, aby wbić łopatę w ziemię, zagrabić skromny trawnik przy domu, uciąć zwiędłe gałęzie i przyciąć róże. Niewiele zajęć tak odprężało jak praca w ogródku. Oczywiście nie bez przyczyny właśnie teraz jej myśli skoncentrowały się na ogrodzie. Czasami odbierała go jako ciężki obowiązek, ale teraz, gdy miała opuścić dom, pewne sprawy zaczynały jej się jawić zupełnie inaczej. Jak bardzo będzie jej brakować ogródka? Może z czasem zdoła sobie kupić działkę na łatwym do utrzymania skrawku ziemi? Niezbyt wymagającą, ale jednak dając ujście potrzebie pracy w ogrodzie.

Nawet klatka schodowa sprawiała wrażenie wymarłej. Uderzenia obcasów wzniecały echo. Zawstydziło ją to, jakby przeszkadzała tu swoją bytnością, nadeptywała na odcisk, dokładała bólu. Delikatnie stawiała jak najciszej stopy, powoli wspinając się po schodach. Nie zadzwoniła, aby uprzedzić o przyjściu, zapewne głównie dlatego, że sama wzbraniała się przed stojącym przed nią zadaniem.

Głęboko odetchnęła i zadzwoniła do drzwi mieszkania zaginionej dziewczynki. Czuła, jak nerwowo łomocze jej serce. Nie miała dla kobiety żadnych pocieszających informacji.

Nikt jednak nie otworzył. Louise zadzwoniła ponownie, nastawiając się na czekanie. W końcu uświadomiła sobie, że powinna się poddać. Jednak gdy była w połowie schodów w dół, usłyszała dźwięk przekręcanego w zamku klucza. Przez małą szparę w drzwiach dostrzegła w półmroku parę wystraszonych oczu.

Pospiesznie wyjęła policyjną legitymację. Zamachała nią, jakby chciała przekonać kobietę co do tego, kim była. Po chwili wahania drzwi otworzyły się szeroko, a złamana niepokojem matka Viktorii przyszpiliła Louise spojrzeniem.

– Znaleźliście ją? – zapytała.

Louise poczuła, jak opuszcza ją odwaga. Ujrzała, że świeżo rozbłysła w oczach kobiety nadzieja gaśnie, i przeklęła samą siebie, iż była na tyle głupia, że nie poprzedziła wizyty telefonem.

– Nie – zdobyła się na odpowiedź. – Chciałabym jednak na chwilę do pani wejść.

Kobieta drżała jak liść na wietrze, kiedy z bezradnie opuszczonymi rękami przemierzała półmrok w kierunku salonu. Louise zdjęła buty i ruszyła za nią.

– Oni nie są normalni – stwierdziła mama Viktorii. – Dziennikarze są jak robactwo, wciskają się wszędzie. Przez chwilę pomyślałam nawet, że będę musiała się stąd wyprowadzić, zamieszkać gdzie indziej. Że też nie można zaznać spokoju we własnym domu! A chcę być przecież w domu... blisko pokoju Viktorii... w pobliżu jej rzeczy... być przygotowana na jej powrót.

Wezbrał w niej znów płacz, spowodowany ciągłym niepokojem o życie córki, mijającymi powoli minutami – czterdzieści pełnych godzin, ponad półtorej doby. Zbliżały się wieczór i noc z ich nieubłaganym chłodem, który zaatakuje cienko ubraną dziewczynkę. Szczypiący mróz, który będzie ją dręczył, sprawi, że córka zatęskni za domem, za swoją matką, która nie mogła być teraz przy niej.

Matka Viktorii stała sztywno w miejscu z rozłożonymi

na bok pustymi rękoma, jakby gotowymi do przytulenia, podczas gdy jej twarz wykrzywił grymas. Wewnętrzne napięcie spowodowało że zadrżała.

Louise milczała, zdając sobie sprawę, że kobieta jest bliska załamania.

– A czego teraz pani chce ode mnie? – zapytała matka.

Jej głos był ochrypły. Wpatrywała się w Louise zaczerwienionymi od płaczu oczami, podczas gdy jej ramiona powoli opadły.

Widok był bolesny.

– Jest pani sama? – zapytała cicho Louise.

– Tak, w tej chwili tak. Eva przyjdzie później. Próbowałam się na chwilę położyć.

Louise objęła wąskie ramiona kobiety, posadziła ją i zajęła miejsce obok niej.

– Kim jest Eva? To pani siostra?

– Nie, moja przyjaciółka. Ale czasami musi iść do domu, do swojej rodziny.

– A więc niedługo wróci?

– Tak w każdym razie powiedziała.

Louise dalej obejmowała kobietę ramieniem, nie wiedząc, jak powinna się zachować. Sama czuła się rozbita, choć powinna być przecież przyzwyczajona do takich sytuacji. Człowiek jednak nigdy nie jest się w stanie oswoić z bólem i ludzką tragedią.

– Chciałabym panią zapytać o ojca Viktorii – odezwała się w końcu.

– O co chodzi?

Czerwona, opuchnięta twarz wpatrywała się w policjantkę.

– Nie chciała nam pani powiedzieć, kim on jest.

– Nie ma to przecież żadnego związku ze sprawą.

– Nie wiem – odpowiedziała spokojnie Louise.

– Nie odnajdziemy szybciej Viktorii przez wciąganie jego w to wszystko, prawda? Córka nie może u niego być, ponieważ nie ma pojęcia, kim jest jej ojciec. Nigdy go nie spotkała. Opiekowałam się nią sama – powiedziała nie bez dumy.

Wypowiadała zdania szybko, ze źle skrywaną agresją.

– A pomyślała pani, czy on wie, kim ona jest? – zapytała Louise.

Matka, która być może straciła dziecko, zapatrzyła się pusto przed siebie.

– Nie sądzę – odpowiedziała.

Nagle jednak przestała płakać i zamrugała powiekami. Jak przebłysk światła w ciemnościach pojawiła się nowa możliwość.

– Czemu o tym nie pomyślałam? – odezwała się.

Zaczęła kiełkować w niej nadzieja, jedyna, która jeszcze nie legła w gruzach. I wiązała się z ojcem dziewczynki, do którego nienawiść zabrała jej tyle energii, z którym wcześniej nie chciała mieć nic wspólnego. Była na to o wiele za dumna. Do tego wmawiała sobie, że może będzie chciał wyrwać od niej córkę, jej maleńką dziewczynkę, o którą dbała zupełnie sama. Gniew i gorycz jednak ustąpiły.

– Kiedy po raz ostatni miała z nim pani kontakt? – kontynuowała Louise.

Zakłopotana matka wbiła wzrok w podłogę. Poza tym siedziała sztywno, bez ruchu. Louise czekała, omiatając wzrokiem duszny pokój z przepełnionymi popielniczkami i brudnymi filiżankami po kawie. Drzwi balkonowe były zamknięte, otwarty był jedynie mały lufcik. Zadymione powietrze w pokoju niemal dało się ciąć nożem.

– Pamięta pani? – zapytała Louise.

– Jakiś czas temu – wyszeptała kobieta.

– Jak dawno?

Matka Viktorii milczała, więc Louise ponowiła pytanie.

– Jak dawno temu się z nim pani kontaktowała?

– Jakieś kilka tygodni temu – wyszeptała matka.

– I co wtedy powiedział?
Kobieta się zawahała.
– Nic.
– Nic?
– Tak, nic.
– A czego pani od niego chciała?
Szybkie wzruszenie ramion, po czym kobieta się wyprostowała.
– Chciałam, żeby pomógł.
– Dlaczego chciała pani, żeby pomógł właśnie teraz? Mam na myśli to, że aż do tej pory dawała sobie pani radę bez jego pomocy.
– Dlatego – odpowiedziała matka jak małe dziecko.
– To znaczy dlaczego?
– Dlatego, że samemu jest dość drogo. Szczególnie teraz, kiedy Viktoria trochę podrosła. Potrzebuje tak wielu rzeczy... a mnie nie stać na wszystko. Nie teraz, od kiedy...
– Od kiedy co? – przynaglała Louise.
– Odkąd Gunnar się wyprowadził.
Usta jej zadrżały, wyciągnęła nowego papierosa.
– Wyprowadził się jakiś czas temu – dodała, a z jej oczu znowu trysnęły łzy.
– Tak więc nie utrzymują już państwo kontaktu, pani i Gunnar? – zapytała Louise.
– Utrzymujemy, ale nie mieszkamy już razem.
– A więc mają państwo ze sobą kontakt? A kiedy Gunnar się wyprowadził?
– Pięć, sześć tygodni temu.
– Od tego czasu nie kontaktowali się państwo ze sobą?
– Nie, dopiero ostatnio. Zaczęliśmy się znowu spotykać.
– Kto postanowił, że Gunnar się wyprowadzi?
– On. Chciał, jak powiedział, być wolny i udało mu się znaleźć mieszkanie.
– A pani?

– Brakowało mi go. Czułam się samotna.

– A kto z państwa postanowił, żeby się znów spotykać? – zapytała Louise.

Matka kilkakrotnie porządnie się zaciągnęła.

– No, on.

– A więc wrócił do pani i do Viktorii?

– Tak.

– Jak to się stało?

– Poprosiłam go, żeby przywiózł Viktorię, kiedy przewróciła się na rowerze. Gunnar ma samochód. Nie mogłam wyrwać się z pracy, byłam wtedy jedyną opiekunką z podopiecznymi, więc nie mogłam się stamtąd zmyć.

– Więc zadzwoniła pani do niego?

– Tak.

– Kiedy to było?

– Tydzień temu. Zajęła się nią sympatyczna pani.

– A w tym czasie, to znaczy zanim Gunnar powrócił, zdążyła się pani skontaktować z ojcem Viktorii? Czy tak?

– Tak.

– Ale nie zdążyła się pani z nim spotkać?

Przeczący ruch głową.

– Możemy się dowiedzieć, jak się nazywa ten mężczyzna? Chcielibyśmy z nim porozmawiać.

■

Louise zaparkowała na Friluftsgatan, pomiędzy dwoma samochodami. Nie była jednak dumna z efektu, chociaż udało jej się w końcu wpasować auto.

Czy to przypadek sprawił, że znalazła się tutaj znowu? Zapewne nie.

Spojrzała w górę na mieszkanie Doris Västlund. Zniknęły rośliny w doniczkach, poza tym jednak nadal sprawiało wrażenie zamieszkanego. Zasłony wisiały tak jak wcześniej, nie były bardziej odsłonięte czy zasłonięte. Okna były jednak zamknięte, w odróżnieniu od uchylonych okien sąsiadów, ponieważ w ciągu dnia świeciło słońce, które nagrzewało mieszkania.

Tym razem jednak Louise nie zmierzała do mieszkania Doris Västlund, tylko piętro wyżej. Weszła do budynku od strony Friluftsgatan tak zwanym wejściem dla państwa, w odróżnieniu od wejścia dla służby od strony ogrodu, na którym skoncentrowali się w trakcie dochodzenia w sprawie morderstwa w pralni, które, prawdę mówiąc, zupełnie wytraciło impet. Co prawda nic się jeszcze nie stało – minął dopiero tydzień. Oczywiście istniało ryzyko, że wypadnie jeszcze coś innego, co będzie wymagało natychmiastowych działań. Louise była świadkiem, że nieraz już tak się zdarzało. Szczególnie jeśli zbrodnia była pozbawiona większej wagi społecznej albo politycznej, nie dotknęła znanych osobistości albo nie zelektryzowała z jakiegoś powodu mass mediów.

Czasami zdarzało się, że jakiś gorliwy albo chwilowo bezczynny policjant wyciągał na wierzch stare akta niewykrytych spraw, podekscytowany ich zawartością albo wyjaśnianiem problemów samych w sobie. Przypomina to rozwiązywanie krzyżówki – stwierdził kiedyś Lundin. Louise nie rozwiązywała krzyżówek, ale bez problemu rozumiała istotę sprawy. Oceniała większość kolegów jako bardzo obowiązkowych. Po prostu każdy chciał dobrze wykonać swoją pracę. Wszyscy odczuwali również frustrację z powodu nierozwiązanych spraw, które ciążyły jako symbol nieudolności komisariatu.

Wspinając się po schodach do mieszkania Kjella E. Johanssona, Louise wyobraziła sobie, że wyciąga akta Doris Västlund tak gdzieś około Bożego Narodzenia. Nie zamierzała jednak tak łatwo się poddawać. Kiedy dziewczynka zostanie odnaleziona, Louise dopilnuje, aby natychmiast powrócili do sprawy morderstwa. Jeśli oczywiście nie istniało jakieś powiązanie pomiędzy obiema sprawami.

Myśl ta była tak nowa i niespodziewana, że policjantka nie miała jeszcze odwagi w nią wierzyć.

Pachniało czystością, jakby kamienne szare schody właśnie wyschły po szorowaniu. Miłe miejsce. Z pietyzmem odrestaurowany tak zwany szereg pracowniczy.

Louise zadzwoniła do drzwi, ale nikt nie otworzył. Kjella E. Johanssona najwyraźniej nie było w domu, co jej nie zdziwiło. Możliwe, iż to prawda, że bierze on udział w poszukiwaniach na zachodnich terenach leśnych. Louise myślała, że się przesłyszała albo że jej informator się pomylił. Czemu jednak nie?

Louise nie ufała Johanssonowi. Należał do tego typu osób, które wyniosły kłamanie do poziomu sztuki. Ale nawet bandyta mógł czasem zabłysnąć.

Spróbuję trochę później – pomyślała, wychodząc na chodnik. Przystanęła i wciągnęła do płuc powietrze. Przez chwilę była niezdecydowana, co teraz powinna zrobić. Ochłodziło się. Ciepło nie utrzymywało się przez noc, było na to jeszcze zbyt wcześnie. Na ulicy nadal panował spokój.

Ociągała się przed wejściem do samochodu. Z pewnością ktoś stoi za zasłonami w domu naprzeciwko – pomyślała. Patrzy, jak Louise tkwi bezczynnie na chodniku. Z dala usłyszała ciche rozmowy i odgłosy grabienia oraz mioteł. Dochodziły one chyba z dziedzińca na tyłach domu. Ruszyła więc na północ wzdłuż posiadłości, za której rogiem skręciła w Länsmansgatan i przeszła wąskim pasażem oddzielającym sąsiedni dom. Przez ten pasaż sporo się nabiegała w minionym tygodniu. Zdawała sobie sprawę, że wzbudzi zainteresowanie, gdy znów się pojawi.

Na dziedzińcu praca szła pełną parą. W tydzień po morderstwie Doris Västlund mieszkańcy najwyraźniej wspólnie sprzątali podwórze. Zamiatano kamienny bruk, sadzono pelargonie do glinianych doniczek, malowano i czyszczono meble ogrodowe. Louise rozpoznawała wielu z pracujących, a szczególnie nadgorliwego przewodniczącego Siggego, którego praca teraz ograniczała się do nadzorowania innych. Dość typowe – pomyślała. Zaraz jednak poczuła zakłopotanie. Praca całkowicie ustała. Wszyscy wpatrywali się w nią niepewnie, jej obecność wzbudziła niepokój.

Postanowiła jedynie ogólnie kiwnąć im głową. Zobaczyła, że drzwi do warsztatu meblowego są uchylone, i nagle poczuła, że powinna tam wejść. Przede wszystkim wiodła ją ciekawość, lecz także pragnęła sprawiać wrażenie, że ma coś do załatwienia. Do tej pory tam nie była, ponieważ zajęli się tym Lundin i Benny Grahn.

Gdy już miała wejść, odezwała się komórka. Dzwonił Janne Lundin, którego z powodu zaginięcia dziewczynki również wezwano do pracy w niedzielę. Był teraz w komisariacie, gdzie sprawdzał pewną wiadomość. Świadek z ulicy, z której dziewczynka prawdopodobnie została zabrana, uważał, że samochód dostawczy był biały.

– To wiem – odpowiedziała Louise.

Ale teraz kolejny sąsiad twierdził, że samochód prowadziła kobieta, która chwilę wcześniej coś do niego wniosła. Mebel, możliwe, że krzesło.

Louise zamilkła, przyciskając silnie telefon do ucha i odwracając się plecami do podwórza.

– Słyszysz mnie? – zapytał Lundin.

– Tak – odrzekła, czując na plecach spojrzenia.

– Możesz rozmawiać?

– Nie, ale zaczekaj chwilę – powiedziała i ruszyła z powrotem na Länsmansgatan. – Udało się zdobyć informację, kogo zatrudniono do zabrania mebla? – zapytała, jednocześnie przypuszczając, że zna odpowiedź.

– Tak, naszą znajomą z Friluftsgatan, Ritę Olsson.

– Właśnie tutaj jestem, przed warsztatem meblowym. Na dziedzińcu jest pełno ludzi, którzy go sprzątają.

– A skąd się tam wzięłaś?
– Szukałam ewentualnych korzeni dziewczynki.
– Ojca?
– Tak.
– Ktoś, kogo znamy?
– Tak, ale pogadamy o tym później. Idę do warsztatu i sprawdzę Ritę. Przyjedziesz?
– Oczywiście.
Louise wróciła na podwórze i skoncentrowana otworzyła szerzej drzwi do warsztatu. Zawołała do środka, jednocześnie myśląc, że kawałki układanki zupełnie do siebie nie pasują. Nie teraz, ale może z czasem to się zmieni.
– Nie ma jej w środku – powiedziała młoda matka, którą Louise przesłuchiwała tydzień temu i która, jak policjantka pamiętała, była bardzo zestresowana pobiciem w pralni. Na pewno nie bez przyczyny. Louise nie mogła sobie od razu przypomnieć, jak się nazywała kobieta, ale pamiętała, że była pod wrażeniem, jak szybko znalazła sobie kozła ofiarnego. Bez zażenowania wskazała skarżącą się na hałasy Brittę Hammar, która mieszkała nad pralnią. Niezgoda zdawała się jednak krótkotrwała. Obie kobiety stały z ubrudzonymi ziemią rękoma nad różnej wielkości glinianymi doniczkami, niektórymi pokrytymi niebieską glazurą, innymi w kolorze terakoty. Sadziły różowe pelargonie, których odmiana, jak Louise wiedziała, nazywała się Mårbacka.
– A gdzie jest? – zapytała Louise.
– Chyba wyszła do samochodu. Myślę, że może pani przejść wprost przez warsztat – doradziła pomocnie Britta Hammar.
Czy rada mieszkańców zajmie się teraz hałasem w pralni? Louise nie była tego taka pewna. Często sprawy się nie zmieniały, jeśli nie zaangażowano w nie władz, które powinny zmierzyć natężenie hałasu, podpierając się prawami i przepisami. Prawdopodobnie tylko to mogłoby

dotrzeć do przewodniczącego, który sprawiał wrażenie typowego służbisty.

Kiedy Louise weszła do warsztatu meblowego, uderzył ją unoszący się tu zapach. Pachniało dzieciństwem, delikatną wonią chemikaliów. Jej ojciec lubił przebywać sam w swoim warsztacie stolarskim. Dzisiaj stwierdziłaby, że tam uciekał. Na matkę spadały wszystkie obowiązki domowe, dzieci i sprawdzanie ich lekcji, podczas gdy on czerpał przyjemność z tworzenia, strugania męskich figurek, produkcji taboretów, luster i półek dla niej i jej rodzeństwa. Chętnie przesiadywali u niego w warsztacie, majtając nogami ze stołków, na które się wspinali, grzebiąc w miękkich trocinach, obserwując, jak heblował albo spokojnie i metodycznie szlifował przedmioty papierem ściernym, wygładzając krawędzie i sprawdzając, czy powierzchnia drewna zyskała już gładkość aksamitu. Na tyłach pomieszczenia często stało radio, stary, czarny grundig pokryty wieloma powłokami kurzu, z posrebrzanym widelcem, przedłużającym antenę. Radio grało nieustannie.

W warsztacie Rity Olsson także dało się słyszeć radio w tle. Leciał kanał muzyczny. Podparte na dwóch wspornikach leżało krzesło, najwyraźniej w połowie już zrobione. Jego oparcie i połowa siedzenia miały głębszy i czystszy odcień.

Zanim Louise zdążyła otworzyć drzwi na ulicę, pojawiła się w nich kobieta. Spojrzała ze zdziwieniem na intruza.

– Dziś jest zamknięte – powiedziała, a jej oczy się zwęziły.

– Wiem – odrzekła Louise, po czym się przedstawiła.

Rita Olsson przyjrzała się jej sceptycznie. Nagle okazało się, że Louise nie bardzo wie, co powiedzieć, jej wzrok natomiast przykuły rzędy narzędzi zawieszone na ścianach.

Przejdę od razu do rzeczy – pomyślała.

– Jaki ma pani samochód?

Kobieta zbladła.

– Mogę wiedzieć, dlaczego pani pyta?

– To tylko rutynowe pytanie. Poszukujemy dziewczynki, może pani o tym słyszała.

Rita Olsson wpatrywała się w nią sztywno.

– Usłyszeliśmy, że zabrała ją do samochodu kobieta, która ładowała meble przy...

– Volkswagen – przerwała jej głosem pozbawionym wyrazu Rita Olsson.

– Kolor?

– Biały.

– Ma go pani tutaj?

– Tak. Na ulicy.

– Ma pani więcej samochodów?

– Nie.

– Przyznaje się pani do zabrania samochodem dziewczynki o imieniu Viktoria?

– Oczywiście. Z Kikebogatan – stwierdziła jak najnaturalniejszą rzecz pod słońcem. – Odwiozłam ją do domu.

Louise sądziła, że się przesłyszała.

– A więc nie wie pani, że dziewczynka zaginęła?

Rita Olsson zwróciła na nią wzrok.

– Nie. Nie miałam pojęcia – odpowiedziała, sprawiając wrażenie naprawdę zaniepokojonej.

■

Niektórzy gangsterzy wynieśli kłamanie do rangi sztuki. Najczęściej polegało to na nadmiernym, wręcz męczącym gadaniu.

W swoim pokoju w komisariacie Louise Jasinski miała teraz przed sobą – o ile mogła to ocenić – kobietę bez skazy, w średnim wieku, solidnego rzemieślnika. Policjantka zasiadła w jednym z foteli, a Rita Olsson w drugim. Były na wpół do siebie obrócone, dzielił ich maleńki stolik.

Umożliwiało to odwrócenie wzroku od prowadzącego przesłuchanie, aby przemyśleć pewne sprawy.

– Tak więc zabrała pani Viktorię do samochodu na Kikebogatan około trzeciej w piątek i wypuściła ją pani w pobliżu jej domu, czy tak? – zapytała Louise.

– Tak.

– I podtrzymuje pani, że nie opowiedziała nam pani tego wcześniej, bo nie wiedziała pani, że zgłoszono zaginięcie dziewczynki?

– Oczywiście. Jest mi naprawdę przykro, ale głównie jeździłam, dostarczałam i odbierałam meble. W piątek pracowałam do późna, a po powrocie do domu położyłam się od razu do łóżka.

– Nie czytała więc pani nagłówków ani nie oglądała wiadomości?

Rita potrząsnęła głową. Niech jej wierzy, kto chce! – pomyślała Louise.

– Jak to się stało, że ją pani zabrała? Mogłaby pani opowiedzieć?

– Trochę się znałyśmy. Pomogłam jej, kiedy przewróciła się na rowerze tydzień temu. Znalazłam wtedy na ulicy dziewczynkę, która nie mogła sama wstać. Najpierw myślałam, że będę musiała wezwać karetkę, ale nie było aż tak źle. Nie miała jednak nikogo, kto mógłby ją od razu zabrać, więc poszła ze mną do warsztatu i została tutaj do czasu, aż przyjechał po nią pewien mężczyzna.

– Kim był?

– Nie pamiętam jego imienia, wypadło mi z pamięci.

– Ale czy był to ktoś, kogo znała?

– Oczywiście, tego jestem pewna.

– To nie był jej ojciec?

– Wydawało mi się, że nie.

– Jak to?

– Viktoria opowiadała tylko o matce, próbowałyśmy się do niej przez cały czas dodzwonić. Ani razu do ojca.

– A więc ten mężczyzna zabrał ją razem z rowerem?
– Tak.
– Czy mógł mieć na imię Gunnar?
– Tak, tak się chyba nazywał albo jakoś podobnie. Tak zwyczajnie.
– O której godzinie odebrał on Viktorię?
Rita wydęła usta i wyjrzała przez okno.
– Może około piątej lub szóstej.
Louise przyswajała odpowiedź.
– To było tego samego dnia, kiedy odnaleziono Doris Västlund – skomentowała po chwili.
Rita Olsson zastygła bez ruchu.
– Tak, to było wtedy.
– Dlaczego nam pani o tym nie opowiedziała?
– O czym?
– Że była u pani Viktoria. Dlaczego nie wspomniała pani o tym podczas przesłuchań świadków po pobiciu Doris Västlund?
– Nikt się o to nie pytał. Nie mogłam przecież wiedzieć, że ma to coś wspólnego ze sprawą. Kiedy zaroiło się tu od policjantów, i ona, i ja byłyśmy już w domu.
Louise przełknęła odpowiedź kobiety, ale nie bez pewnej dozy sceptycyzmu.
– Jak ją pani odebrała? Proszę opowiedzieć o swoich odczuciach.
Rita Olsson obciągnęła rękawy swetra. Była wątłej budowy. Kobiety w jej wieku sprawiały wrażenie lekko zmęczonych, kiedy były zbyt szczupłe. Miały ciemne i niewyraźne cienie nad ustami i pod oczami.
– Była chyba trochę niespokojna. Sprawiała wrażenie przyzwyczajonej do radzenia sobie samej. Jej mama najwyraźniej dość często pracowała wieczorami. Dziewczynka nie skarżyła się, ale sprawiała wrażenie trochę samotnej. Nie sądzę, aby miała jakieś rodzeństwo. Sprzedawała z koleżanką majowe kwiatki przed Kvantumem. Chyba

nie powiedziała mamie, że pojechała tak daleko na rowerze. W drodze powrotnej do domu została potrącona. Jeśli dobrze zrozumiałam, jej przyjaciółka pojechała rowerem w innym kierunku.

– Czy Viktoria opowiedziała, komu w tym domu sprzedała majowe kwiatki?

O dziwo, kobieta się zaczerwieniła.

– Nie. Stwierdziła tylko, że sprzedaż dobrze jej poszła.

Louise nachyliła brodę do piersi i zaczęła owijać grzywkę wokół palców.

Rita Olsson siedziała w całkowitym milczeniu.

– Nie, na tę chwilę nie potrzebuję się już pytać o nic więcej – stwierdziła Louise, wypuszczając grzywkę i obracając głowę w kierunku Rity Olsson. – Ma pani jakieś pytania?

– Nie – odpowiedziała krótko kobieta.

Louise włączyła komórkę. Dwie nieodebrane rozmowy. Zadzwoniła pod pierwszy numer. Odebrał Peter Berg, który chciał poinformować, że skontaktował się z nim Ted Västlund. Syn postanowił mimo wszystko zobaczyć ciało matki. Wymagało to pozwolenia.

– To dobrze, że jednak jest na tyle normalny, aby chcieć to zrobić – skomentowała Louise. – Nie widzę żadnych przeszkód.

Doris Västlund leżała w chłodni na oddziale medycyny sądowej w Linköping.

– Sęk w tym, aby znaleźć kogoś, kto zrobi to dzisiaj. Jest przecież niedziela – dodała Louise.

– Syn z pewnością zaczeka do jutra – stwierdził Berg. – Albo jeszcze dłużej. Przecież nie było go przez cały tydzień, więc...

– Skontaktujesz się z oddziałem?

– Tak.

■

Komisarz Claes Claesson wspinał się ścieżką ogrodową, ciągnąc za sobą walizkę. Miał ciężką głowę, przez weekend późno chodził spać i wypił sporo piw. Do tego palił również papierosy i w gardle czuł teraz przykry smak. Postanowił, że już nigdy tego nie powtórzy.

Bawił się świetnie. Rozmyślał o tym niemal przez całą podróż powrotną do domu. Ostrożnie otwierał dodatkowe drzwiczki zapomnienia, brnąc głębiej w labirynty pamięci.

Wszyscy zgodzili się co do tego, że raz do roku powinni się spotykać. Nie będą już młodsi i właśnie na tym etapie potrzebowali takiego familiarnego kontaktu. Mieli więc nadzieję, że to spotkanie zapoczątkuje tradycję, ale zobaczą, jak to wyjdzie. Trzeba było tylko dopilnować, żeby nie skończyło się na gadaniu, tak jak z wieloma innymi sprawami. Jeden z nich miał jednak nadmiar energii oraz niezwykle rozwinięty instynkt społeczny, więc podjął się roli organizatora spotkań. Wyznaczyli nawet wstępną datę na przyszły rok, więc istniała nadzieja, że spotkanie dojdzie do skutku. Claes zbyt wiele razy zaraz po jakimś wydarzeniu widział wielki entuzjazm, który potem stopniowo, ale nieubłaganie opadał. Śmiertelnym ciosem dla projektu byłby pomysł, aby funkcja organizatora spotkań przechodziła z rąk do rąk. Gdy tylko przejmowała ją osoba mało energiczna, taka, która wolała prześlizgiwać się niż działać, cała aktywność wymierała, choć nikt sobie przecież tego nie życzył.

Spotkali się w piątkę, wszyscy z jednego kursu w Wyższej Szkole Policyjnej. Po wszystkim Claes uświadomił sobie wielką psychologiczną korzyść wypływającą z patrzenia wstecz. Wrażenie wspólnoty było niemal fizycznie odczuwalne – kojąca świadomość, że człowiek nie jest sam. Pomimo dzielących ich wielkich różnic okazało się, że wszyscy odczuwali potrzebę zarówno trochę ponarzekania, jak i pochwalenia się. Żaden z nich nie żył przeszłością, a przede wszystkim nie Claes. Było to niemożliwe. Gdy miało się u boku małe dziecko, wtedy patrzyło się zawsze w przyszłość. Zawsze! – pomyślał.

Każdy z nich miał dobrą pracę, ale oczywiście nie wszystkim sprawiała ona tyle samo satysfakcji. Całkiem ciekawie było się zastanowić, co przesądzało o tym, że niektórzy byli bardziej zadowoleni od innych. Czy pozycja na szczeblu kariery? Może do pewnego stopnia. A ile miało to wspólnego z obowiązkami w miejscu pracy? Czy chodziło o coś innego? O to, kim byli, jakie mieli oczekiwania, jak sobie radzili z przeciwnościami losu? Zdawało się, że niektórzy już przyszli na świat niezadowoleni, podczas gdy innych niezadowolenie motywowało. Należało zdać sobie sprawę, że jeśli nie lubiło się ślęczeć nad papierami, to nie powinno się brać pracy w biurze, nawet jeśli zapewne dawała ona większy prestiż. I na odwrót. Najmniej wymagający z ich grupki, szeroki w barach mieszkaniec Północy, dość zabawny typ, w zasadzie mógłby bez narzekania zajmować się czymkolwiek. Oczywiście, takie osoby należały do szczęśliwców. Były niczym liść na wietrze, któremu podoba się, gdziekolwiek przywieje go wiatr.

Bez wątpienia w przypadku Claessona to życie rodzinne sprawiło, że jego egzystencja ostatnio się poprawiła. Klara i Veronika. Przypomniała mu się fotografia, którą zrobił w wakacje i która odtąd wisiała na lodówce. Była trochę zamazana, ale utrzymana w ciepłych barwach. Nasycony złoty kolor popołudniowego słońca migotał w ich oczach – córeczki i jego życiowej partnerki.

Aby znaleźć się na tym etapie życia, trzeba było mieć sporo odwagi – w każdym razie dotyczyło to jego. Zdążył już stać się prawdziwie skoncentrowanym na sobie kawalerem. Przypuszczalnie to jednak Veronika wykazała się największą odwagą – pomyślał, uśmiechając się krzywo. Że odważyła się z nim związać. Ciekawe, czemu tak długo odwlekał, rok po roku, założenie rodziny? Nie mogło to być tylko dlatego, że przywiązał się do swojej eks. Do Evy, którą – przeżywając lęki – nareszcie, jak uzmysłowił sobie, musi zostawić, ponieważ go wyniszczała. Nie miał z nią dzieci, jedynie poronienia.

Otworzył kluczem drzwi wejściowe. Uderzyła go ściana dusznego, nagrzanego powietrza, więc zostawił drzwi otwarte. Położył torbę na podłodze w holu i przeszedł przez dom, aby otworzyć drzwi od werandy po jego drugiej stronie. Słońce chyliło się ku zachodowi za dachem sąsiada. Dom zamieszkiwała ta sama para, która go kiedyś zbudowała. Ledwo wiązali koniec z końcem, ale Claesson odnosił wrażenie, że przynajmniej mężczyzna od razu by umarł, gdyby przyszło mu się stamtąd wyprowadzić. Staruszek przez cały sezon grzebał w ogródku i rąbał drewno, kiedy tylko miał na to ochotę. Oboje byli zadowoleni. Sąsiad z drugiej strony Claessona, Gruntzén, miał natomiast inne oczekiwania od życia. Stał teraz przed willą w kolorze żółtego masła. Spośród okolicznych domów była ona najbardziej kosztownie odremontowana – jak w serialu *Dallas*, tylko że w szwedzkiej wersji. Gruntzén dyrygował właśnie innym mężczyzną, który siedział wysoko na drzewie i przypuszczalnie przerzedzał jego koronę. Był to dość zabawny widok. Gruntzén zapewne bał się zniszczyć wypieszczony trawnik przejazdem podnośnika koszowego, który znacznie ułatwiłby pracę – pomyślał Claesson. Sąsiad dostarczył zarówno jemu, jak i Veronice sporą dawkę niespodzianek. Jego idylla pękła jak bańka mydlana. Żona z dziećmi się wyprowadziły. Wstyd się przyznać, ale oboje z Veroniką znaleźli pewne zadowolenie w uzmysłowieniu sobie, że nic nie było takie, jakim zdawało się z wierzchu.

Choć Claesson nie miał na to siły, rozpakował się. Zaniósł brudną odzież do kosza, ale nie nastawił prania, zamierzając poczekać na powrót Veroniki, aby wrzucić do pralki także brudne ubrania jej i córeczki.

Spojrzał na zegarek. Już za dwie godziny odbierze Veronikę i Klarę ze stacji. Tęsknił za dzieckiem. Z pewnym zadowoleniem uświadomił sobie, że nie musi iść jutro do pracy. On i Klara mieli przed sobą kolejny wspólny dzień.

Próbował wziąć się w garść, aby wycofać samochód i ruszyć po sprawunki: chleb, mleko i jogurt. Jednocześnie poczuł, że dopada go ospałość. Zatrzasnął drzwi wejściowe, zabrał gazetę, którą wyjął ze skrzynki pocztowej, i położył się na łóżku. Najpierw jednak nastawił budzik w radiu, aby nie zaspać, gdyby zdarzyło mu się zdrzemnąć.

Otworzył „Allehanda". Najwyraźniej w mass mediach było miejsce tylko dla jednej zbrodni jednocześnie – skonstatował. Sprawa Doris Västlund została zapomniana. Zamiast tego pisano teraz o zaginionej dziewczynce Viktorii.

Oczywiście już w Sztokholmie widział nagłówki gazet i przeczytał wieczorne gazety. Napięcie i zaangażowanie rosło wraz z upływającym czasem. Martwili się sąsiedzi, przyjaciele, koleżanki i koledzy ze szkoły – ba, całe miasto. W gazecie widniało zdjęcie „najlepszej przyjaciółki" dziewczynki, Liny. Była pulchna i spoglądała na fotografii w ziemię. Zamieszczono też zdjęcie kamienicy czynszowej, w której Viktoria mieszkała z matką.

Sytuacja sama w sobie obfitowała w dramaturgię – nikt nie miał pojęcia, jak się potoczą sprawy. Nie dało się z góry przewidzieć zakończenia. Claes odnosił poza tym wrażenie, że zbrodnie coraz częściej były prezentowane jako czysta rozrywka. Zastanowił się, kiedy dokonała się ta zmiana. Artykuły powstawały w otoczce rozrywkowej ekscytacji, nawet jeśli dziennikarze nie odbiegali w nich od prawdy. Rzadko kiedy padały jakieś wierutne kłamstwa albo trafiały się uderzające pomyłki, i nie wtedy, kiedy artykuł pisała doświadczona osoba. Media koncentrowały się jednak coraz bardziej na ofiarach i ich otoczeniu, natomiast przestępcy, dranie, sprawcy, czyli ci, którzy ponosili winę za zbrodnie, coraz częściej byli odsuwani na dalszy plan.

Claes zauważał to teraz wyraźniej, kiedy nie zaślepiała go własna praca.

Sytuacja wyglądała jednak tak, że dziewczynka zniknęła. Przeszył go lodowaty ból na myśl o Viktorii i jej rodzicach, spiął go lęk, którego wcześniej nie doświadczał, nie przed narodzinami Klary, a w każdym razie nie był on wtedy tak przejmujący. Odezwał się w nim głęboki, wrodzony instynkt. Po raz pierwszy zauważył różnicę pewnego dnia, kiedy ujrzał, jak jakiś ojciec ciągnął swoje dziecko tak silnie, że niemal wyrwał mu rękę. Claes był bliski przyłożenia mężczyźnie.

Rodzice zaginionej dziewczynki żyli w niepewności jak w ciągłym udręczeniu. Zadrżał na samą myśl o tym. Pomyślał, że każda chwila musiała być dla nich pozbawiona blasku, kiedy oczekiwanie – niewyobrażalne, czujne – wydłużało się w nieskończoność.

Chwilę później zapadł w sen.

Nie obudziło go jednak radio, ale nieustępliwy łomot do drzwi. Na wpół senny zauważył, że przysnął jedynie na kwadrans. Zaczesał do tyłu włosy i zszedł bez butów po schodach.

Na schodach stała Louise Jasinski z przewieszoną przez ramię ciężką torbą.

– Mogę wejść?

Jej głos brzmiał głośno i zdecydowanie. Wyglądała na wyczerpaną, najwyraźniej dopisywał jej jednak dobry humor.

– Mam około godziny – powiedział jej, po czym weszli do kuchni.

Louise nie miała także zbyt wiele czasu: dziewczynki wracały dziś z weekendowego wyjazdu z Janosem. Claes z chęcią by zapytał, jak się właściwie czuła, ale zniechęcała go do tego jej zacięta postawa i brak czasu.

Louise po raz pierwszy odwiedziła go w domu. Śmiało mu zakomunikowała, że była ciekawa, jak dom prezentuje się w środku, ponieważ kiedy go mijała, z zewnątrz wyglądał miło. Claes doszedł do wniosku, że Louise musiała kiedyś znaleźć się w pobliżu, może na wieczornym spacerze? Policjantka przemierzała parter, zajrzała do salonu i do pokoju gościnnego, w którym mieszkała Cecilia, kiedy się u nich zatrzymywała. Louise otworzyła nawet drzwi do łazienki i zajrzała do składziku, jakby przygotowywała się do rewizji. Odpuściła sobie jednak zwiedzanie piętra.

– Przytulnie – stwierdziła.

– No, dobrze nam się tu mieszka.

Jego głos wyrażał zadowolenie, ale i lekkie zawstydzenie. Z reguły to Veronika oprowadzała gości po domu.

Rzuca się w oczy, że Louise jest niespokojna – pomyślał. – Działa na wysokich obrotach. Choć przypuszczalnie zawsze taka była, on zresztą też, ale w pracy wszystko tak szybko się działo, że tego nie zauważał. Teraz był ostoją spokoju. Niestety, z pewnością ulegnie to zmianie, gdy znów wróci do pracy.

– Chcesz się czegoś napić?

– Nie, dziękuję – odmówiła zdecydowanie.

Louise wyjrzała przez okno kuchenne. Usiadła na ulubionym miejscu Claessona z widokiem na świeżo przycięte jabłonki. Jeszcze niezagrabiona ścieżka ogrodowa wiodła ku rozeschniętej drewnianej bramie, której, niestety, nie zdążył jeszcze odświeżyć białą farbą. Zabrał się już natomiast z jednej strony do przycinania żywopłotu – gdy rósł za wysoko, Claes czuł, że go przytłacza. Z drugiej strony, jeśli przyciął go zbyt mocno, to ich nie osłaniał.

– Dość dużo się teraz dzieje – zaczęła Louise. – Z pewnością czytałeś o Doris, kobiecie, którą tydzień temu odnaleziono ciężko pobitą w pralni.

Pokrótce opowiedziała mu o sprawie. Chciała, żeby Claes ją wspomógł, zadając jej pytania. Jej samej, jak twierdziła, brakowało odpowiedniego dystansu.

– A więc się zastanawiasz, czy pobicie, które doprowadziło do śmierci Doris Västlund, i zaginięcie dziewczynki są w jakiś sposób ze sobą powiązane. Czy tak brzmi twoja teoria? – zapytał Claesson.

– Tak. A kończy nam się czas.

Przytaknął. Niedługo upłyną dwie doby od zniknięcia Viktorii.

– Nie macie pewności co do narzędzia zbrodni?

Policjantka potrząsnęła głową.

– Teraz może to nie jest takie ważne – stwierdził. – Bardziej się przyda jako materiał dowodowy w sądzie.

– Tak, chociaż nie zaszkodziłoby, gdybyśmy je odnaleźli. Przypuszczam, że to narzędzie z warsztatu meblowego. Mocny młotek, nie pytaj mnie dlaczego. Tak mi się tylko wydaje.

– Czy istnieje jakiś związek pomiędzy dziewczynką a mieszkańcami domu?

– Możliwe, że jeden z nich jest jej ojcem.

Claesson przez chwilę milczał.

– Opowiedz mi o tym jeszcze raz.

Louise wyjaśniła koledze, że Johansson okazał się sprawnym siewcą ziarna: miał dwójkę dzieci gdzieś w Norlandii i jedno w Skanii. Przypuszczalnie był także ojcem zaginionej dziewczynki. Sprawa nie jest do końca pewna, ale matka poszła z tym do adwokata. Powodem jej nagłego zainteresowania, aby wskazać ojca córki, była chęć podreperowania domowych finansów alimentami. Wcześniej dawała sobie radę sama i najwyraźniej się obawiała, że ojciec zażądałby widywania się z dziewczynką.

– Oczywiście nie wiemy, co zamierzała matka, poza tym przez lata jej nastawienie mogło się zmienić. Żeby zaś wszystko dodatkowo skomplikować, to Johansson nie został jeszcze całkowicie skreślony z listy podejrzanych o skatowanie Doris. Nie mamy żadnych wiążących dowodów, ale nie zapomnieliśmy o nim. Prawdziwa plątanina, czasami wszystko się tak zagmatwa!

– O jakim motywie myślałaś?

– Nie wiem. Może niezgoda. Najwyraźniej Doris była jędzą, która wywierała presję na otoczenie... Do tego dochodzi pół miliona znalezione w kartonowym pudle.

Jej oczy błysnęły. Louise z przyjemnością czekała na jego reakcję. Ani jedno słowo o pieniądzach nie przeciekło do prasy. Pilnie strzegli tajemnicy o tym delikatnym fakcie i – jakkolwiek wydawało się to nieprawdopodobne – odnieśli na tym polu sukces.

Claesson gwizdnął. Przez ułamek sekundy poczuł, jak niewyobrażalnie brakuje mu pracy. Próbował wmówić sobie, że nic nie uległo zmianie. Siedzieli sobie razem z Louise, którą tak dobrze znał, i próbowali rozwiązać problem. Rozgryźć orzech – to było jedna z sił napędowych ich pracy.

– Pół miliona zmienia postać rzeczy, prawda? – zapytała.

– Może to dużo zmienić – odpowiedział. – Choć niekoniecznie musi. Na pewno zastanawialiście się, skąd Doris je ma.

– Nie przypuszczam, żeby to była wygrana w bingo.

– Od kogo mogłaby zdobyć taką sumę?

– Jedyną znaną mi osobą, która ma dużo siana, jest staruszek, z którym się spotykała.

– Może mu się znudziło i chciał się jej pozbyć?

– Trudno w to uwierzyć. Jest dość samotny.

– Puszczała się?

– Co masz na myśli?

– Prostytucję.

– Kto wie? Wszystko jest możliwe, choć nie wydaje mi się to zbyt prawdopodobne. Miała sześćdziesiąt siedem lat. W takim przypadku dotarłyby do nas plotki.

– Może była płatną damą do towarzystwa? Oczywiście, nawet jeśli się lubili.

– Coś w tym stylu wydaje mi się bardziej możliwe.

– Ale taka duża suma – powiedział i w zamyśleniu podrapał się po policzku.

– Myślałam, że pewnie od czasu do czasu dawał jej tysiąc albo kilka tysięcy. Po jakimś czasie może z tego urosnąć niezła sumka. Na takiej przesłance opiera się przecież oszczędzanie. Małe sumki, które urastają do bogactwa, jeśli człowiek okaże się cierpliwy. Chociaż nie zyskała oczywiście żadnych odsetek.

– W banku też by ich nie dostała – zaznaczył Claesson. – A może facet ma złą pamięć? Mógł zapomnieć, że dał jej wcześniej pieniądze?

– Nie wiem. Niewykluczone. Nie jestem ekspertem, ale kiedy u niego byłam, wszystko wydawało się w najlepszym porządku: mówił logicznie i do rzeczy. Nie powtarzał się i normalnie odpowiadał na pytania, ale nigdy nie wiadomo. Kwestia pamięci krótkotrwałej i długotrwałej to nauka sama w sobie, a on jest po osiemdziesiątce.

– Można z niego wyciągnąć więcej?

– Zapewne.

– Sprawdź jego stosunki z ludźmi. Może Doris uciekała się do emocjonalnego szantażu?

– Bardzo możliwe. Ludzie są czasami piekielnie ze sobą splątani.

– A jaka była ona? Czy należała do osób, które bez skrępowania biorą to, co jej dają?

– Mniej więcej – odpowiedziała Louise z pewnym wahaniem. – A jednocześnie czarująca. Nic nowego. Syn opisuje ją jako trudną. Silnie nim dyrygowała. Po rozwodzie nie pozwalała mu na spotykanie się z ojcem, ale sam w tajemnicy nawiązał z nim kontakt już jako nastolatek, wtedy, gdy u większości rodzi się ciekawość co do własnego pochodzenia. Zrozumiałam też, że Doris odczuwała pewną potrzebę dokonania społecznego rewanżu. Dużo straciła przez rozwód. Oczywiście nie tylko finansowo. Została porzucona – dodała Louise.

Claessonowi wydało się, że za słowami koleżanki czai się wstrzymywana agresja. Znali swoje role policjantów i potrafili je dobrze odegrać. Słyszał, co Louise do niego mówi, odbierał również i to, czego nie wypowiedziała na głos, zamierzał jednak nie odbiegać od tematu śledztwa. To, że Louise sugerowała, iż jej życie prywatne przechodziło kryzys, wprawiało go tylko w zakłopotanie.

– Wspomniałaś, że syn nadal mieszka w mieście – powiedział.

– Tak.

– Czemu się nie przeprowadził? Aby się od kogoś uwolnić, ludzie potrafią przemierzyć pół kuli ziemskiej albo przynajmniej przenieść się do innej części kraju, a on nadal mieszka tutaj. W pobliżu mamusi.

– Mnie też to uderzyło. Ale ma idealne alibi – odpowiedziała Louise. – Niestety! Zawsze można to jednak sprawdzić jeszcze raz, z zegarkiem w ręku, minuta po minucie.

Nagle się roześmiała. Rozchodziło się po niej delikatne, miłe i słoneczne ciepło. Dobrze się czuła w towarzystwie Claessona. Niezaprzeczalnie szarpały nią sprzeczne emocje. Kąciki ust powędrowały do góry, ostrożnie uśmiechnęła się na próbę, głównie z poczucia ulgi, że na krótko poczuła się taka, jaką była, zanim rozpętało się jej osobiste piekło.

– Od dawna się nie śmiałam – wytłumaczyła się.

– Szkoda – odpowiedział.

Pozwolił jednak, by temat sam padł.

Spojrzał na zegarek. Rozwód ją wyniszcza – pomyślał, po czym wstał i przyniósł kartkę papieru i długopis. Nie zamierzał pytać, czy chciałaby wziąć urlop, pójść na zwolnienie lekarskie albo potrzebowała jakiegoś odciążenia w pracy – odebrałaby to jako poniżenie. Musiałaby sama wyjść z taką propozycją. Zresztą wiedział z własnego doświadczenia, że kiedy jest człowiekowi najtrudniej, dobrze nie być wykluczonym ze społeczności, nie oddawać się w samotności rozmyślaniom.

– Powiedziałaś: pięćset tysięcy? – zapytał.

Usiadł i zapisał liczbę u góry kartki.

– Napisz lepiej: czterysta pięćdziesiąt tysięcy – poprawiła go.

Oparł łokieć o stół.

Zajmowanie się liczbami uwalniało umysł. Konkretne, oznaczone wartości, którymi można było żonglować. Powinni zrobić to już dawno – pomyślała. A w każdym razie to ona powinna dopilnować, żeby ktoś dokonał obliczeń.

Claesson przekreślił pierwszą liczbę i zapisał nową.

– Możliwe, że Folke... czy tak się nazywał?

– Tak – potaknęła.

Zauważyła, że Claessonowi zaczęło się spieszyć, bazgrał cyfry na papierze i jego ruchy nabrały tempa, nie potrafił jednak odmówić sobie dalszych obliczeń.

– Jeśli założymy, że dawał jej pieniądze kilka razy w tygodniu... żeby to ułatwić, załóżmy, że dwa razy. I powiedzmy, że robił to przez dwa lata... czyli przez sto cztery tygodnie. Kilka tygodni zapewne odpadnie z powodu wakacji, ale nieważne...

Obrócił się, otworzył kuchenną szufladę i wyciągnął rękę po kalkulator.

– Wychodzi cztery tysiące trzysta koron tygodniowo – zakomunikował.

– Dużo.

– Ale jeśli założymy, że te czterysta pięćdziesiąt tysięcy otrzymała w ciągu pięciu lat, to wychodzi...

Skakał palcem wskazującym po przyciskach kalkulatora.

– W takim wypadku dawał jej tygodniowo tysiąc siedemset koron – obliczył. – Może dostawała każdorazowo pięćset koron. Zapewne była to niewielka suma dla kogoś takiego jak on, ale ziarnko do ziarnka...

– Niewykluczone.

– Poza tym mogło to trwać znacznie dłużej. Jeśli ustalimy, że dawał jej tylko gotówkę i że staruszek nie przelewał jej pieniędzy ze swego konta, to nikt nie mógł zauważyć, co się działo.

Claes wstał.

– Przykro mi, ale muszę już iść.

Louise podążyła za nim na korytarz, włożyła kurtkę i wyszli razem na schody. Claes zamknął dom na klucz. Louise nagle poczuła się obnażona i wykluczona. Z chęcią posiedziałaby jeszcze u Claesa i wraz z nim podyskutowała o sprawie. Czuła jego wsparcie przejawiające się łagodnym oporem, jaki jej stawiał w dyskusji, zadawanymi pytaniami i reprezentowanym przez niego zdrowym rozsądkiem.

– Jeśli pieniądze pochodziły z bankomatu, były to równe sumy – powiedział w drodze do samochodu.

– Oczywiście – przytaknęła Louise, która wiedziała, że przelewy nie wchodziły w grę, ponieważ skontrolowali tę możliwość.

– Sprawdziliście staruszka Roosa? Jego rodzinę? Stosunki z innymi ludźmi? Finanse?

– Nie, ale nie mieliśmy powodów, żeby go podejrzewać...

– Muszę już odebrać rodzinę – przerwał Claesson i otworzył garaż.

Louise poszła do swojego zaparkowanego na ulicy samochodu i otworzyła go. W tylnym lusterku zobaczyła, jak Claes wycofuje v70 i znika u końca wąskiej willowej uliczki. „Odebrać rodzinę". Poczuła głębokie ukłucie zazdrości.

Nadal była niedziela i niedługo zapadał zmierzch. Dzień dłużył się jej w nieskończoność. Przekręciła kluczyk w stacyjce i włączyła samochodowe radio. Pogłośniła. Próbując oczyścić głowę, pozwoliła, żeby zbombardowały ją dźwięki hard rocka. Chciała wymazać z pamięci wszelkie myśli, gdy powoli ruszyła do domu.

11

Poniedziałek, 15 kwietnia

Lina siedziała w ławce. Była pierwsza lekcja i zabierali się do pisania.

Właściwie to nie musiała iść do szkoły. Mama i tata stwierdzili, że jeśli chce, może zostać w domu. Nauczycielka też to powiedziała, gdy odwiedziła Linę w domu. Pani dodała również, że jest roztrzęsiona. Siedziała smutna z rodzicami przy kuchennym stole nad filiżanką kawy. To było wczoraj. Dorośli przeważnie milczeli. Stwierdzili tylko, że wszystko jest okropne. Takie straszne! Viktoria zniknęła! Nie robiła wokół siebie zamieszania, była miła i dobrze się zachowywała. Codziennie chodziła do szkoły. Starała się jak mogła – powiedziała nauczycielka, kręcąc głową. Matka i ojciec Liny również pokręcili głowami. Troje dorosłych się bało. Lina stała cichutko jak myszka na korytarzu i podglądała ich przez kuchenne drzwi.

Ławka obok Liny była dziś pusta. Dziewczynka spuściła nisko głowę, nie patrząc na tablicę ani na nauczycielkę, ani na koleżanki i kolegów, a już absolutnie nie na sąsiednie miejsce. Ławka obok krzyczała z tęsknoty. Znajdowało się tam tylko powietrze. Pustka rozprzestrzeniała się wewnątrz Liny niczym niewidzialne promienie, rozchodząc się po całym jej ciele. Krzesło obok stało puste i nikt nie oddychał na nim z otwartymi ustami, jak to robiła Viktoria.

Nikt się tam nie poruszał, nie zawijał kosmyków włosów wokół palców. Nie walczył, aby napisać choć fragment wypracowania albo obliczyć równania. Linie doskwierały chłód i samotność.

Powstrzymywała napływające do oczu łzy. Zastanawiała się, kto mógłby dla niej zniknąć z klasy zamiast Viktorii. Przychodziło jej do głowy kilka osób. Głupki i lizusy, z którymi ona i Viktoria nigdy nie trzymały i którzy nigdy nie chcieli się z nimi kolegować. Na przykład Tessa, Mia i Elin.

Choć oczywiście teraz sprawy przedstawiały się inaczej – stanęły na głowie. Nagle wydawało się, że to inne dzieci z klasy były najlepszymi przyjaciółmi Viktorii. Po przyjściu rano do szkoły Tessa, Elin i Mia wypłakały rzekę łez. Stanęły z przodu klasy przy nauczycielce, która musiała je obejmować, pocieszać i uspokajać, podczas gdy inne dzieci poszły do swoich ławek. Trzy dziewczynki nadal stały przy katedrze, kiedy Lina cichutko wśliznęła się do swojej ławki, próbując zapomnieć, że obok nie siedzi Viktoria. Tak bardzo brakowało jej przyjaciółki, że czuła drętwiejący język, nawet wolniej myślała.

Nauczycielka była przeogromnie miła. Kiedy wczoraj przyszła do Liny, przyniosła ze sobą ciasto czekoladowe i torebkę żelek „Bilar", chociaż to nie Lina zaginęła. Za radą dorosłych dziewczynka rano się zastanowiła, czy chce zostać w domu, czy nie, skoro wszyscy przekonywali ją, że nie musi iść do szkoły. Zamiast tego mogłaby w oczekiwaniu na Viktorię posiedzieć w domu i pourżalać się trochę nad sobą. Zostałaby przez cały długi dzień. A nawet przez wiele dni, aż do czasu, kiedy powróci Viktoria. Porysowałaby albo pomogła w domu mamie. Wiedziała jednak, że czułaby się wtedy okropnie samotna. Wcale nie byłoby jej wesoło ani miło. Czas zatrzymałby się w miejscu – oczekiwanie i tęsknota za Viktorią dłużyłyby się jej w nieskończoność.

Ojciec Liny codziennie szukał Viktorii wraz z grupami mężczyzn. Wracał do domu przygaszony.

– A jeśli Viktoria leży opuszczona w lesie? – zasugerowała nauczycielka mamie i tacie wczoraj, kiedy była u nich z wizytą. Słowa nie były przeznaczone dla uszu Liny.

Samotna w lesie. Ciemna noc. Mróz i przeraźliwe odgłosy.

Na te słowa Linę przeszedł zimny dreszcz, a ciało opanowała gorączka. Pospiesznie wyszła z domu i pobiegła co sił w nogach, uda ocierały się o siebie, w płucach świstało, czuła ból, z trudem łapiąc powietrze. Kłuło ją w piersi, straciła oddech i przed oczami pojawiły się jej żółte kropki na tle czarnego i czerwonego. Pomyślała, że zemdleje. Pobiegła w stronę pustego boiska do piłki nożnej. Przebiegając przez nie, zwolniła. Rozbolała ją stopa, dziewczynka zaczęła utykać i cichutko zawodziła, ale jeszcze nie płakała. Czuła narastający, piekący ból w gardle, kiedy dokuśtykała do drewnianego baraku, służącego za szatnię. Nikt jej nie zauważył, gdy się za niego wśliznęła. Ziemia była wilgotna, porastały ją niegościnnie zarośla i kolczaste krzewy. Lina oparła się plecami o pomalowane na żółto drewno. Głęboko odetchnęła i nagle zaczęła wyć. Niewstrzymywane już dłużej łzy trysnęły obficie, spływając po policzkach. Było ich coraz więcej, płynęły rzęsiście, aż Lina zwątpiła, czy kiedykolwiek ustaną.

To było wczoraj. Siedząc teraz w szkolnej ławce, Lina ostrożnie wciągnęła odrobinę powietrza, żeby nikt tego nie zauważył, i smutno westchnęła. Wyjęła zeszyt, otworzyła go na czystej stronie i usiłowała skupić się na słowach nauczycielki. Usłyszeć zadanie. Do uszu dziewczynki docierało wiele słów, ale wszystkie jedynie przelatywały przez jej głowę. Przed nią, na zamykanym blacie ławki, leżała czysta poliniowana kartka, ale Lina nie miała sił unieść długopisu.

Już na pierwszej przerwie Tessa podała jej kopertę.

Podsunęła ją pod nos Liny, aby ta zobaczyła, że coś dostała. Dzieci chowały się przed deszczem pod drewnianym dachem na podwórku szkolnym.

– Nie otworzysz? – zapytała koleżanka.

Ton głosu był rozkazujący, choć Tessa chciała, żeby Lina uznała ją za miłą.

Lina dojrzała za Tessą Mię i Elin oraz inne dzieci z ich paczki. Ich twarze wyrażały pełne napięcia oczekiwanie. Chciały zobaczyć jej reakcję – jak ucieszy się z faktu, że okazują jej sympatię. Że dobrze ją traktują, kiedy Viktoria zniknęła.

Lina otworzyła różową kopertę. W środku było zaproszenie – Tessa wyprawiała przyjęcie urodzinowe, na które zapraszała ją, Linę. Tekst został napisany srebrnym długopisem, dużymi literami. Po raz pierwszy w życiu Lina została zaproszona na imprezę do Tessy. Wiedziała, że przyjdą też Elin i Mia oraz wiele innych dziewczynek z klasy. I kilku chłopców. Ci, którzy mieli w zwyczaju zapraszać się nawzajem na przyjęcia.

Lina przesuwała palce po zaproszeniu, myśląc, że na jej twarzy pod świdrującym spojrzeniem Tessy powinno pojawić się zadowolenie.

– Nie ucieszyłaś się? – zapytała Tessa, a usta jej się ściągnęły.

– Jasne – przytaknęła Lina, nie mając jednak odwagi spojrzeć koleżance w oczy, ponieważ nie miała siły się cieszyć, a odczuwała jedynie zmieszanie.

■

Minęła dziesiąta. Szary deszcz otulał komisariat. Kończyli omawianie poszukiwań zaginionej dziewczynki. Mijała trzecia doba od jej zniknięcia i wśród policjantów panowała atmosfera pełna przygnębienia i napięcia. Toczyli nierówną walkę z uciekającym czasem. Dręczył ich niepokój. Skręcało ich w środku z potrzeby działania. Wszyscy pragnęli coś przedsięwziąć, a nie jedynie siedzieć z założonymi rękami w biurze. Chcieli wyjść z komisariatu i szukać. Wprawdzie wrażenie, że tkwili w bezczynności, było fałszywe, ale przecież liczył się tylko rezultat. Policjanci, Liga Obrony Kraju, członkowie klubu przewodników terenowych, przyjaciele dziewczynki i ochotnicy niezmordowanie kontynuowali poszukiwania Viktorii. Jeszcze się nie zniechęcono, ale w miarę upływu czasu w ludziach narastało zwątpienie.

Dziewczynka przepadła bez śladu. Nasuwało się pytanie, czy leżała gdzieś martwa, a jeśli tak, to gdzie? Może została pochowana w ziemi albo wrzucona do morza, lub do jeziora? Nie rozpoczęli jeszcze sprawdzania wód hakami do trałowania. Czy też z czasem – długo, długo później – ciało Viktorii samo wypłynie na powierzchnię, a woda wyrzuci je na plażę?

Ci, którzy brodzili w kaloszach po poletkach plamiących czarnych jagód, pracą zbolałych mięśni wypierali z ciała niepokój. Wśród poszukujących był ojciec Liny oraz ojcowie i matki innych dzieci. Ich spojrzenia przeczesywały teren w poszukiwaniu dłoni, twarzy lub ciała – zmarzniętego, śpiącego, może nieprzytomnego, ale jednak utrzymującego się przy życiu. Byleby tylko dziewczynka żyła, a cała reszta jakoś się ułoży. Tak myślał ojciec Liny, ale i wiele innych osób. Wszyscy jednak milczeli. Żeby tylko nikt jej nie skrzywdził – myśl ta wisiała nad nimi niczym niezmącony cień.

Rozpoczęli już przeszukiwania mniej prawdopodobnych miejsc, w których mogłaby znajdować się dziewczynka i zbliżyli się do zewnętrznej granicy wyznaczonego przez siebie terenu. Systematycznie przeczesywano poszczególne sektory. Świeżo przybyłe grupy ludzi wysyłano do grup poszukiwawczych. Metr po metrze, idąc w rzędach, przemieszczali się po okolicy.

Nikt nie wiedział, co właściwie myśli Gunnar. Słyszeli

tylko jego wypowiedzi, ponieważ uczestniczył w poszukiwaniach dziewczynki.

– Wzięcie w nich udziału, jest dla mnie ważne – powiedział. – Dla mnie osobiście odnalezienie Viktorii jest niezwykle istotne.

Właśnie wtedy, gdy stojący przed barakiem-przebieralnią obok bieżni Gunnar wyartykułował to dość okrągłe sformułowanie przed grupką złożoną z trzech osób, wśród których był Conny Larsson, policjant uznał go za zbyt mało wstrząśniętego, aby jego troska mogła być szczera. Działo się to dobę temu. Panowała piękna, wiosenna pogoda, a oni oczekiwali na przybycie reszty grupy, aby wyruszyć w teren. „Niezwykle istotne dla niego osobiście".

– Brzmiało to jak pusty frazes – opowiadał teraz na komisariacie Larsson, ubrany w gruby mundur do pracy w terenie.

– „Osobiście", to znaczy jak? – dodał Janne Lundin. – Czy to masz na myśli?

– Tak.

Policjanci poświęcili też dużo energii na sprawdzenie ślepego tropu z białym samochodem dostawczym, firmowym autem Rity Olsson – jeśli trop ten był rzeczywiście ślepy. Powtórnie przesłuchano kobietę, ale nic to nie dało.

Kto zabrał Viktorię sprzed jej domu, dokąd – jak twierdziła – podwiozła ją Rita Olsson? Ktoś, kogo dziewczynka znała? Kto ją namówił, żeby sama weszła do samochodu? A może odbyło się to wbrew jej woli? Najprawdopodobniej Viktoria nie weszła do domu przed zaginięciem. Według matki w mieszkaniu nie było tornistra dziecka. Nie odnaleźli go również na przeszukiwanych terenach. Sąsiedzi także nie zauważyli dziewczynki.

Policjanci zadawali sobie pytanie, czy Rita Olsson kłamie. Może nie wypuściła Viktorii z samochodu przed domem? Co w takim razie z nią zrobiła?

– Zaginione osoby zawsze pozostawiają po sobie ślady – zauważył Brandt. – Dorośli tankują samochód, używają kart do bankomatu, dzwonią na komórki, kupują bilety na pociąg, autobus czy samolot. Ale nie dzieci.

Jego głos przycichł.

Kryminolodzy przeszukali biały samochód dostawczy Rity Olsson. Benny Grahn stracił na to pół nocy. Policjant był szary na twarzy ze zmęczenia. Dziewczynka siedziała na przednim siedzeniu – świadczyły o tym znalezione tam włosy i włókna. Zdaniem Benny'ego ze sprawdzenia auta wynikała jedna pozytywna wiadomość: kryminalistyk nie odnalazł w nim śladów krwi – ani jednej kropelki.

Możliwe, że Rita Olsson mówiła prawdę: podwiozła dziewczynkę do domu i wypuściła ją przy Solvägen. Rita twierdziła, że sama nie wyszła z samochodu, tylko pozostała na siedzeniu za kierownicą. Nie zobaczyła również, w jakim kierunku poszła potem Viktoria, ponieważ sama niezwłocznie stamtąd odjechała. Ricie się spieszyło, miała dostarczyć klientowi półkę. Policjanci sprawdzili już, że było to zgodne z prawdą.

– Czy nie powinniśmy przycisnąć faceta matki dziewczynki? Tego, o którym przed chwilą rozmawialiśmy, Gunnara, czy jak mu tam? – zapytał Lundin. – Musimy sprawdzić każdego z jej otoczenia.

– Zgadzam się – odpowiedział Conny Larsson. – Wygląda na przybitego, ale, tak jak powiedziałem, nie do przesady.

– A więc udaje? – zainteresował się Peter Berg.

– Możliwe – stwierdził Larsson.

– Kto rozmawiał z nim wcześniej? – zapytał Janne Lundin, przesuwając ręką po twarzy.

Wyglądał na zmęczonego.

– Przesłuchałem go bardzo krótko, kiedy pierwszego wieczoru byłem w domu dziewczynki – odpowiedział Conny Larsson. – Powinniśmy wziąć go jednak na komisariat, cały czas próbuję wam to przekazać.

– Nie mieszkają razem, prawda? To znaczy matka i on? – zapytał Lundin.

– Nie – odpowiedział Larsson.

Zgromadzeni wokół stołu policjanci umilkli. Louise pokrótce podsumowała elementy łączące zaginięcie dziewczynki z dochodzeniem w sprawie morderstwa Doris. Viktoria sprzedawała majowe kwiatki na klatce schodowej Doris Västlund, co mogło być oczywiście zupełnie przypadkowe.

– Ale co wiąże też ze sobą obie sprawy – zakończyła.

– Masz na myśli, że Viktoria coś mogła zobaczyć, czy tak?– zapytał Brandt.

– Właśnie. Możliwe, że zobaczyła nawet, kto schodzi do pralni, nie rozumiejąc tego, co widzi. Ale sprawca albo sprawczyni zaczęli się denerwować, dopadła go albo ją paranoja. Może pomyślał sobie, że łatwo da się to załatwić, bo mała jest tylko dzieckiem. Niektórzy sądzą, że dzieci są ślepe i głuche tylko dlatego, że są małe.

Swędziały ją wewnętrzne strony dłoni. Omiotła wzrokiem zmęczone twarze współpracowników. W odpowiedzi wpatrzyli się w Louise. Zdawało się, że w pokoju robi się coraz bardziej duszno. Policjanci niemal na sobie siedzieli. W miarę jak z powietrza uchodził tlen, kończyły im się pomysły.

– Weźcie się w garść! – poprosiła. – Trochę życia, proszę!

– A ten Johansson? Jaka jest jego rola w tym wszystkim? – Lundin pomógł jej ruszyć z miejsca. – Jakie masz przemyślenia na jego temat?

– Matka Viktorii uważa, że Kjell E. Johansson powinien wziąć na siebie część ciężaru finansowego utrzymywania dziewczynki – odpowiedziała Louise. – Matka twierdzi, że jest on ojcem Viktorii – wyjaśniła. – Jak rozumiecie, wokół jego osoby jest sporo rzeczy do sprawdzenia. Musimy między innymi potwierdzić ojcostwo, przycisnąć mocniej matkę, sprawdzić w księdze ludności i zdobyć informacje, jakimi dysponuje pomoc społeczna. Czy jest on biologicznym ojcem dziecka, co pomoc społeczna może sprawdzić dzięki testom krwi, może już to zresztą zrobili, czy też kobieta z jakiegoś powodu ściemnia? Może kierują nią uczucia, a może tylko przesłanki finansowe, skąd mogę to wiedzieć! Nie mogłam nic z niego wyciągnąć, bo nie złapałam go wczoraj w domu. Najwyraźniej biegał po lesie, biorąc udział w poszukiwaniach. Może ktoś z was się na niego natknął?

– A jak wygląda? – zapytał Lennie Ludvigson.

Louise wyjęła ze skoroszytu powiększone zdjęcie paszportowe, takie samo, jakie zawiesili na tablicy dotyczącej sprawy Doris.

– Chociaż teraz wygląda inaczej – poinformowała. – W zeszły weekend dostał po gębie i jest zielononiebieski na twarzy, do tego podobno stracił kilka zębów. Ale z grubsza się nie zmienił.

– A co mamy na niego? – zapytał Ludvigson.

– Nic poważnego. Ale porusza się na granicy prawa. Praca na czarno, kobieciarz, nic stałego – ani w związkach, ani w pracy. No tak, znacie ten typ.

– Zawieś go na tablicy – zakomenderował Brandt i chwyciwszy zdjęcie, podał je Jesperowi Grenowi, który przyczepił je magnesami do tablicy z materiałami dotyczącymi poszukiwań.

Pośrodku tablicy umieszczono powiększoną fotografię Viktorii, tę samą, której kopię w mniejszym formacie rozdano wszystkim poszukującym.

– Nie znaleźliśmy jeszcze narzędzia zbrodni – kontynuowała Louise. – Z wypowiedzi lekarza sądowego i po stłuczonych lampach w pralni można założyć, że był to młotek albo tego typu narzędzie o okrągłej powierzchni uderzeniowej. Na przykład taki, jaki służy do zwykłego przybijania gwoździ. Dość łatwo się go potem pozbyć. Wrzucić do jeziora albo do skrzynki z narzędziami w domu, można też podrzucić komuś, kogo się zna, żeby padły na niego podejrzenia... Benny ma tutaj coś do powiedzenia.

Louise zwróciła wzrok ku kryminalistykowi.

– Wziąłem ze sobą stos narzędzi ze ścian z warsztatu stolarza, czy jak się ją powinno nazywać, od Rity Olsson, tej z białym samochodem dostawczym. Ma dużo pięknych narzędzi. Pewno zastanawiacie się, co mną kierowało – powiedział i zrobił przerwę dla spotęgowania napięcia. – Moją uwagę przykuł brak kurzu.

Nagle zapadła całkowita cisza. Nikt się nie poruszał, uwaga wszystkich zwrócona była na Benny'ego.

– Pokrywał on wszystkie narzędzia oprócz stolarskiego młotka firmy Hultafors...

Benny wstał, wyciągnął z kupki papierów leżącej przed nim przezrocze fotografii, włączył rzutnik i położył na nim folię ze zdjęciem przedstawiającym – zdaniem wszystkich – zupełnie zwyczajny młotek o czarnym trzonku. Grafitowym, jak się dowiedzieli od Benny'ego.

– Młotek ten różnił się od innych narzędzi znalezionych na ścianie pod jednym względem – opowiadał Benny Grahn, spoglądając na zebranych, którzy w tej chwili potrzebowaliby jakiejś prawdziwej sensacji, aby dać radę dłużej usiedzieć w miejscu. Temat ten był bowiem zbyt odległy od sprawy, jaką zajmowali się teraz – zaginionej dziewczynki.

– Ale co to ma wspólnego ze sprawą? – odezwał się jeden z członków grupy poszukiwawczej. – Nie mógłbyś opowiedzieć o tym ekipie, która zajmuje się babką z pralni?

Niepokój narastał. Grahna najwyraźniej przez chwilę zjadała rozterka. Dało się zauważyć, że rozsadzała go chęć opowiedzenia wszystkiego wraz z detalami, dysponował przecież dużą wiedzą. Ale policjanci nie chcieli go słuchać, a on nie był osobą, która się obraża.

– Okej – zgodził się i ściągając zdjęcie ze szklanej powierzchni rzutnika, zgasił go i usiadł, zanim Brandt albo Louise zdążyli go powstrzymać.

Louise w pierwszej chwili chciała to zrobić, ale grupa zaczęła się nagle zachowywać jak niedające się powstrzymać stado owiec, pragnące czmychnąć poprzez wyrwy w ogrodzeniu, i policjantka nie czuła się na siłach ich powstrzymać. Sama również nie zdążyła jeszcze wspomnieć o znalezionej na wysypisku odzieży: spodniach i koszuli, na których odkryto krew Doris, ani o samochodzie, którym zapewne przyjechała tam osoba pozbywająca się wspomnianych ubrań. Samochód był ciemnozielony, prawdopodobnie zielone renault. Wyszperali zdjęcia różnych marek samochodów, różnych ich modeli, wszystkich w tym kolorze. Może istniało jakieś powiązane ze zniknięciem Viktorii?

– Dobra robota, Benny – odezwała się głośno Louise, na krótko przejąwszy z powrotem kontrolę. – Jestem pewna, że pomiędzy tymi dwiema sprawami istnieje związek. Musimy się tylko dowiedzieć jaki.

Oczy wszystkich zwrócone były na nią.

Spotkanie dobiegło końca. Louise poprosiła Petera Berga i Erikę Ljung, żeby za dwie minuty do niej podeszli. Sama przecisnęła się do Brandta, przerywając urażonemu Ludvigsonowi. Spieszyło się jej, a musiała opowiedzieć o ciemnozielonym samochodzie.

– Może się to okazać ważne – zaznaczyła.

Brandt, który już dawno temu przekroczył tak zwany dopuszczalny przez prawo czas pracy, zanotował „ciemnozielony" na kartce A4, którą trzymał w ręku, i nader ogólnikowo zapewnił Louise, że dopilnuje, aby informacja wylądowała w bazie danych w komputerze. Widząc, jaki jest rozbity, Louise wątpiła, że tak się stanie, ale w tej samej chwili Brandt złapał za ramię mijającego go umundurowanego kolegę i wręczył mu kartkę.

– Mniej oczy otwarte – rozkazał, ze zmęczenia oszczędnie dobierając słowa.

Policjant spojrzał na kartkę.

– Chodzi o samochód – zaznaczył krótko Brandt.

Ma opanowaną sztukę przekazywania pracy – pomyślała Louise. Przed salą zebrań Benny Grahn rozmawiał z Gottem, który na zebraniu spokojnie milczał. Gotte czekał na Lundina, który przed chwilą zniknął w swoim pokoju, gdzie się przygotowywał do konferencji prasowej. Gotte jak zwykle miał być przy tym obecny i – jak sam to dokładnie zaznaczył – „wspierać".

Gotte w dalszym ciągu uważał, że nie ma lepszego i szlachetniejszego zajęcia nad pracę policjanta. Bractwo policjantów powinno być z siebie dumne. A jego komisariat powinien aż promieniować chęcią działania, nawet kiedy zmagają się z jakąś trudniejszą sprawą.

Louise pociągnęła Benny'ego za rękaw kraciastej koszuli. Zawsze nosił ubrania w kratę, podobnie jak Janne Lundin, choć jeden preferował drobną kratkę, podczas gdy drugi dużą.

– Co chciałeś powiedzieć? – wyszeptała, żeby go nie zawstydzać. – Może coś, o czym powinnam wiedzieć?

– Nie zamierzałem niczego przed tobą ukrywać, jeśli tak przypuszczałaś – odpowiedział, nadal trochę obrażony. – Nie miałem tylko możliwości tego tobie wyjawić, bo wynikła sprawa zaginionej dziewczynki. Tam, na zebraniu, chciałem powiedzieć, że młotek wymyto.

– Ach tak?!

– Albo wytarto.

– Co ty powiesz!

Louise stała z rękami wetkniętymi w kieszenie i z segregatorem wciśniętym pod pachę, tak że kości ramion – wyostrzone odwodnieniem spowodowanym wymiotami – wysunęły się do przodu.

– Inne przedmioty, które zabrałem z warsztatu, pokrywała cienka powłoka kurzu.

– Odciski palców?

– Nie.

Zapatrzyła się na niego.

– Porozmawiamy o tym później w naszej grupie, kiedy odnajdzie się już dziewczynka. Niezwykle ciekawe – dodała i obdarzyła go szybkim uśmiechem.

– Jasne – odpowiedział, jak zawsze zgodny, Benny.

Louise pospieszyła do swojego pokoju, w którym Peter Berg i Erika Ljung czekali już na nią, siedząc na krzesłach.

– Muszę na chwilę wyjść przed południem – poinformowała ich na wstępie. – Nie będzie mnie do lunchu. Chciałabym, żebyście sprawdzili w komputerze dane na temat Folke Roosa i jego rodziny. Podzielcie pracę pomiędzy siebie według uznania. Powinien mieć dwie córki, nic więcej nie wiem. Byłoby też dobrze, gdybyście zdążyli porozmawiać osobiście z Kjellem E. Johanssonem w sprawie jego powiązań z zaginioną dziewczynką. Ciekawe, co sam powie na ten temat. Jak już przed chwilą wspomniałam, wczoraj nie było go w domu. Próbowałam go złapać, ale najwyraźniej brał udział w grupowych poszukiwaniach na zachodnich terenach leśnych, a potem zrobiło się już zbyt późno, aby się z nim skontaktować. Możliwe, że Lundin mógłby się tym zająć po konferencji prasowej – stwierdziła Louise, spoglądając na zegarek i czując, że pali jej się już grunt pod nogami. – Zadzwońcie, gdyby sprawy się skomplikowały. Mam włączoną komórkę – dodała, zrywając kurtkę z wieszaka. – Aha! W miarę możliwości dowiedzcie się, z kim bił się Johansson na balu przebierańców. Mamy krew na białej masce. Możliwe, że jest to nieistotne dla sprawy, ale musimy to udokumentować. I pamiętajcie cały czas o zielonym samochodzie.

– Marka? – zapytała Erika Ljung, unosząc pytająco brwi.

Louise zatrzymała się w drzwiach i spojrzała na parę policjantów.

– Wszystkie marki – odpowiedziała. – Wszystkie ciemnozielone samochody.

Potem odwróciła się na pięcie.

■

Veronika spojrzała niespokojnie w dół korytarza. Lampy na suficie odbijały się blaskiem w świeżo wywoskowanej podłodze. Firma sprzątająca kontynuowała teraz pracę na korytarzu za windą. Do uszu lekarki dochodził z oddali głuchy hałas maszyny do woskowania podłogi.

Veronika miała umówioną wizytę, ale pacjent jeszcze się nie pojawił. Pielęgniarka poszła do poczekalni sprawdzić, czy nie przyszedł już kolejny. Lista przyjęć była jak zwykle zapełniona. Lekarka dzisiaj ją przejrzała, choć zazwyczaj tego nie robiła – nie chciała od razu spoglądać na całą górę, wolała zajmować się jednym pacjentem, aby móc go potem wykreślić i mieć wrażenie, że mimo wszystko posuwa się do szczytu wzniesienia. Ogólnie rzecz biorąc, brakowało jej czasu na wszystkich pacjentów, chyba że ktoś z nich nie przyszedł, co zdarzało się niemal codziennie. Zachodziły tu więc dwa przeciwstawne zjawiska: kolejki rosły, podczas gdy pacjenci odpuszczali sobie umówione wizyty. Oba te fenomeny, jak zgadywała, były zapewne charakterystyczne dla obecnych czasów. Może stanowiły formę zwyrodnienia, wynikającą z życia w dostatku? Dzięki temu mogła jednak wypić filiżankę kawy. Siedzenie w zamknięciu godzina za godziną z ludźmi, którzy człowieka potrzebowali, czasem męczyło, szczególnie po latach pracy w zawodzie.

Lekarka przeglądała kartę z nazwiskiem następnego pacjenta. Pobieżna kontrola ran, kilka szwów do zdjęcia. To Rheza zszył mężczyznę – zauważyła podpis na marginesie. Nic skomplikowanego – pomyślała. Ale dokładnie na ułamek sekundy przed zamierzonym zamknięciem pokaźnych rozmiarów historii choroby – jak zauważyła, przez lata zapisano tu wiele drobnych wypadków – dopadły ją złe przeczucia. Uważniej przeczytała nazwisko pacjenta.

Doprawdy, to nie był dzień, w którym czuła się na siłach zmierzyć się z niespodziankami i nieprzyjemnościami, podchodząc do nich rutynowo, profesjonalnie. Tak, jeśli chodziło o pracę własnych rąk, radziła sobie z większością trudności. Nienawidziła słowa: „profesjonalizm", odpychała ją jego absurdalność. Porównywało człowieka do ciągle sprawnego, wyregulowanego silnika.

Veronika odczuwała zmęczenie. Była daleka od przeświadczenia, że panuje dzisiaj nad wszystkim. Wczoraj wieczorem wróciła do domu z marudzącą Klarą. Położenie córeczki do łóżka zajęło im dobrą chwilę. Potem Veronika leżała do późnych godzin nocnych w łóżku, rozmawiając z Claesem i próbując zapomnieć o tym, że musi wcześnie wstać do pracy. On, szczęściarz, był przecież wolny. Nad ranem Klara zaczęła marudzić i Claes przyniósł ją do ich łóżka. Dziewczynka kopała niespokojnie przez sen i Veronika prawie nie zmrużyła oka.

Ledwie przyszła dzisiaj do kliniki, natychmiast zeszła do archiwum i poprosiła o kartę zaginionej dziewczynki. Chciała się upewnić, co było tam napisane, co da się wyczytać pomiędzy wierszami. Z tego, co pamiętała, to Daniel Skotte dyktował wpis do karty. Dowiedziała się jednak, że karta wciąż znajduje się u sekretarki – dopiero minął tydzień. Obiecali jej przynieść kopię karty w ciągu dnia.

Na samym końcu korytarza, za poczekalnią, w małym fragmencie holu, który prowadził do windy, stał teraz szef Veroniki, Petrén. Choć spowijał go półmrok, lekarka widziała go jak na dłoni. Dotarła do niej tym samym nowa wewnętrzna struktura kliniki, którą próbowali jej opisać inni, między innymi Else-Britt. Petrén, wraz z dwoma nowymi ordynatorami, swoimi starymi kolegami, których sam niedawno zatrudnił, tworzyli ciasny trójkąt, niczym małą wysepkę. Petrén był z nich najwyższy, a jeden z jego kolegów nawet dość niski i gruby. Pomimo różnic w wyglądzie sprawiali jednak wrażenie podobnych do siebie zarówno w postawie, stylu, jak i pewności siebie emanującej z ułożenia ramion. Spod lekarskich fartuchów wystawały im spodnie z manczesteru albo granatowe, bawełniane chinos i błyszczące, sznurowane buty. Niedługo, kiedy nastanie odpowiednia pora roku, nadejdzie czas na buty żeglarskie – pomyślała Veronika. Sytuacja wyglądała znajomo: był to niemal klasyczny triumwirat. Jednocześnie wyraźnie odczuwała, że nie ma tam już miejsca dla innych, a w każdym razie nie dla takich jak ona.

Nareszcie szybki krokiem wróciła pielęgniarka w białej sukience. Za nią szedł pacjent, postawny mężczyzna o żwawym, zamaszystym chodzie. Sprawiał wrażenie znacznie pewniejszego siebie, a zarazem bardziej łobuzerskiego niż za ostatnim razem. Poruszał się jak bardzo młody mężczyzna, choć Veronika wiedziała, że już dawno przekroczył czterdziestkę.

Lekarka ponownie otworzyła drzwi do gabinetu. Twarz mężczyzny, pomimo ran, wyglądała na ogorzałą od wiatru. Chyba że ciemnoczerwony odcień skóry twarzy stanowił objaw początkującego lub – co bardziej prawdopodobne – już w pełni rozwiniętego alkoholizmu. Mężczyzna miał na sobie wilgotną kurtkę i pachniał lasem.

– Witam! – powiedziała, wychodząc z założenia, że ją pamięta. – Proszę usiąść.

– Jasne – rzucił, siadając na szarą, plastikową kozetkę.

Jego twarz powoli się goiła. Szkoda, że stracił zęby – gdyby nie ich brak, całkiem dobrze by się prezentował. Był dobrze zbudowany, o ujmującym uścisku dłoni, od wejścia pozytywnie roześmiany, nawet jeśli tego dnia sprawiał wrażenie odrobinę zniecierpliwionego.

– Spieszy się panu? – zapytała.

– No, troszkę – odpowiedział.

Mimo że w uśmiechu brakowało kilku klawiszy, z pewnością umiałby zawrócić w głowie niejednej kobiecie – pomyślała Veronika.

– Jak się pan czuje?

– Nie mam co narzekać.

– To dobrze. Proszę się położyć, zdejmę kilka szwów. Czy ma pan czucie w twarzy? Bez problemu może pan żuć jedzenie?

– Tak.

Opadł na przykrytą papierem kozetkę. Był tak długi, że jego dość brudne, białe tenisówki znalazły się poza łóżkiem. Veronika położyła stopę na pedale pod kozetką, podwyższając ją na swoją wysokość, aby nie musieć zginać pleców przy pracy. Zapaliła lampkę, przyciągnęła sobie obrotowy taboret ze stali nierdzewnej i usiadła. Następnie włożyła rękawiczki, wyciągnęła rękę po kleszczyki chirurgiczne i skalpel i za ich pomocą wyjęła pierwszy szew na skraju rynienki podnosowej. Ładnie to wygląda – pomyślała. Ciasny, równy ścieg wspinał się ku nozdrzu. Była to robota Rhezy Parvanego. Żadnych infekcji, jedynie siniak, ten jednak ustąpi.

– Proszę krzyczeć, gdyby zabolało – odezwała się wesoło.

– Tego by przecież pani nie chciała – wymamrotał, wysyłając w jej kierunku czyste niczym letnie niebo spojrzenie, skąpane w świetle padającym z lampy, znajdującej się ponad głową Veroniki.

– Nie, tego bym pewnie nie chciała – zgodziła się. – Jeszcze trochę i gotowe.

– Fajnie.

– Trzeba się pilnować, żeby nie oberwać – zażartowała.

– Już na to wpadłem. Nie wiem, do cholery, co we mnie wstąpiło!

– A więc to pan zaczął?

Mężczyzna wzruszył ramionami.

– Nie pamiętam. Ale, ale, nie chce mieć pani czystych okien na wiosnę?

No i zapytał – pomyślała. W myślach już się przygotowała, jak mu się wywinąć.

– Chyba mój mąż zajmie się nimi w tym roku – odpowiedziała, jednocześnie czując, że jej głos nie zabrzmiał zbyt zdecydowanie.

– Ech, niech mnie pani posłucha, niech go pani tak nie wykorzystuje! Może przyda się pani do czegoś innego. Niech pani skorzysta z pomocy profesjonalisty, naprawdę! Potrzebuję forsy, szczególnie teraz, kiedy...

Veronika uniosła ostatni supeł, ucięła nić i dołożyła ją do pozostałych szwów, leżących na papierze niczym martwe muchy. Oceniła rezultat. Pozostała nieco zbyt widoczna wypukłość ponad wargą, która jednak mogła wynikać z braku uzębienia. Poza tym opuchlizna zejdzie.

– Jakby co, proszę dać znać – powiedziała, prostując się i zaczesując do tyłu niesforne kosmyki.

– Tak – odpowiedział, nagle zacisnąwszy zęby. – Jest pani przecież lekarzem – stwierdził, zwracając ku niej dwoje nieszczęśliwych oczu.

– Tak?

– Więc wie pani, że życie potrafi czasami obrócić się w prawdziwe piekło.

– Zupełnie możliwe.

– Muszę się pani z czegoś zwierzyć. Zginęła moja córka – wyznał.

Potworność! – pomyślała spontanicznie. Okropne.

Jeśli mówił prawdę.

Jednocześnie stwierdziła, że życie potrafi być zawiłe i poplątane. Jak to możliwe?

– To przykre – odpowiedziała słabo.

Potrząsnął głową i westchnął. Zdawało się, że zaraz się rozbeczy. Veronika nie miała odwagi o nic pytać. W pokoju zapanowała atmosfera ostrożności i troski. Rosły mężczyzna wyglądał, jakby zaraz miał się rozlecieć na kawałki.

Veronika czekała w napięciu na dalszy ciąg jego opowieści.

– W każdym razie ona twierdzi, że dzieciak jest mój. Z drugiej strony sporo kobiet tak teraz mówi – rzucił w przestrzeń. – Lgną do mnie – skonstatował, jakby składał zeznanie przed sądem.

Tym razem w jego westchnięciu dało się słyszeć melancholię, możliwe, że zmieszaną z czymś, co w najlepszym wypadku można by wziąć za dumę. Ojciec wszystkich dzieci! Mężczyzna rozsiewający swoje geny.

Miasto było małe. Zbiegi okoliczności przytrafiały się zbyt często. Veronika pomyślała, że każdy z pięćdziesięciu dwóch tysięcy mieszkańców jest prawdopodobnie w ten albo inny sposób ze sobą powiązany niewidzialnymi nićmi. Jeśli nie biologicznymi więzami, to innymi – może różnego rodzaju społecznymi?

Żaden człowiek nie stanowi sobą tworu niezależnego, nie jest bezludną wyspą, nawet jeśli się taką czuje.

■

Louise Jasinski poszła do recepcji zapłacić. Przed nią czekał mężczyzna z przedramieniem w gipsie. Kiedy nadeszła jej kolej, wyciągnęła przed siebie legitymację pacjenta.

Kobieta w okienku wyglądała znajomo. Sprawa, z jaką Louise przybyła do szpitala, nie zachęcała jej jednak do niczego więcej niż tylko do krótkiego kiwnięcia głową na przywitanie. Podała poprzez szparę banknot o nominale pięciuset koron i przyjęła resztę.

– Proszę piętro wyżej i przez drzwi – powiedziała kobieta za szklaną ścianą, siląc się na uśmiech.

W odpowiedzi Louise lekko się skrzywiła. Jednocześnie przemknęło jej przez myśl, że powinna pojechać do innego miasta ze swoją sprawą. Tajemnica lekarska miała swoje granice, zdarzały się i zawsze będą się przytrafiać przecieki, choćby nie wiem ile w tej sprawie wprowadzić przepisów zabezpieczających. Louise zdawała sobie z tego sprawę. Człowiek jest istotą ciekawską. Właściwie nie ma się co temu dziwić – pomyślała. Należy to jednak brać pod uwagę w swoich planach.

Tabliczki wisiały w widocznych miejscach pod sufitem. Nie było sensu brać windy, więc ruszyła ku schodom. Kiedy stawiała stopę na pierwszym schodku, zobaczyła mężczyznę otwierającego drzwi windy i szybkim krokiem kierującego się ku wyjściu. Miał rozpiętą kurtkę.

Kjell E. Johansson. Co tu robił? Obudziła się w niej policjantka. Jej własna sytuacja powstrzymywała ją jednak przed wyjęciem komórki i zadzwonieniem do Petera lub Eriki z prośbą, aby odnaleźli mężczyznę i zaczęli go śledzić. Louise nie miała ochoty wyjawiać, gdzie sama jest w tej chwili.

W poczekalni siedziały trzy kobiety z twarzami poważnie pochylonymi nad podniszczonymi tygodnikami. Kiedy Louise weszła, wszystkie trzy jak na komendę podniosły głowy. Cała trójka, jak zsynchronizowane lalki, natychmiast powróciła do przewracania stron w gazetach, kiedy tylko Louise siadła. Nie znała żadnej z nich.

Nie miała siły czytać. Słowa jawiły się jej w postaci bezosobowych, czarnych literek. Rozkojarzona, przewracała na kolanach strony rozchodzącego się piśmidła. Potem zawołano ją do gabinetu.

Lekarka miała trzydzieści pięć, czterdzieści lat i miała na imię Irma. Tyle zakonotowała Louise, ponieważ uciekło jej nazwisko pani doktor. Kiedy przekroczyła próg gabinetu, spociły jej się dłonie i poczuła, że dopadają ją mdłości. Znalazła się w takiej sytuacji życiowej, w której najchętniej przewinęłaby czas do przodu, aby już było po wszystkim.

– Nie zamierzam pani pytać, dlaczego podjęła pani taką decyzję – zaczęła lekarka, a w jej głosie nie słychać było ani złości, ani powątpiewania. – W Szwecji mamy wolną aborcję. Chciałabym jednak poinformować panią, że w szpitalu jest dostępny kurator, z którym, jeśli pani chce, może pani porozmawiać.

Wyciągnęła do Louise wizytówkę.

– Nie trzeba – odpowiedziała policjantka, odkładając wizytówkę na stół.

– Proszę to zatrzymać, nigdy nic nie wiadomo! – Lekarka się uśmiechnęła. – Nawet jeśli podjęła już pani decyzję, mogą panią targać mieszane uczucia. To całkiem naturalne.

Louise musiała jej opowiedzieć, ile ma dzieci, czy jest zdrowa i czy dokonała już kiedyś aborcji.

– Nie – odpowiedziała.

– Jakiego zamierza pani używać środka antykoncepcyjnego?

– Żadnego – odrzekła. – Rozwodzimy się.

Lekarka zmierzyła ją spokojnym spojrzeniem brązowych oczu.

– Może się jednak zdarzyć, że ludzie zatęsknią do siebie, mimo iż się rozwodzą, i... no tak, po prostu wylądują w łóżku, chociaż nie mieli takiego zamiaru.

Policjantka zrozumiała, że lekarka spotkała się już z tym wcześniej. Tak więc Louise nie różniła się pod tym względem od innych.

W pomieszczeniu panowała atmosfera daleka od potępienia, ale też i obojętności. Ułatwiło to Louise rozebranie się od pasa w dół i położenie na plecach na fotelu ginekologicznym, opierając stopy o podpórki. Lekarka miała delikatne dłonie, więc Louise się odprężyła. Kobieta zwracała się do niej cicho i uspokajająco.

Louise patrzyła w sufit, usiłując o niczym nie myśleć, nie mogła jednak oprzeć się wrażeniu, że to, czego się zaraz dowie, będzie zaczątkiem czegoś wielkiego. Czym zresztą natychmiast trzeba będzie się „zająć". Jakże praktyczne słowo, pełne dystansu i efektywności, całkowite przeciwieństwo jej obecnego stanu ducha. Nieszczęście, któremu należało położyć kres, które nie urośnie nawet do rozmiarów kciuka. Obróci się w nicość. Zostanie jej najzwyczajniej zabrane.

A potem wszystko powróci do normy. Nie istniało żadne inne wyjście, w każdym razie żadne dobre.

Louise nie płakała, nie rozkleiła się.

– Wprowadzę głowicę USG.

– Nie chcę nic widzieć – powiedziała Louise.

– Wcale pani nie musi... dobrze, że opiera się pani całym ciężarem na fotelu – kontynuowała lekarka, naciskając jakieś przyciski. – Gotowe. Proszę, może pani usiąść.

Louise podniosła się do pozycji siedzącej. Trochę kręciło jej się w głowie. Etap pierwszy został zakończony. Stwierdzenie ciąży.

Kiedy stamtąd wychodziła, poczuła, że ciężar w piersiach trochę zelżał. Termin operacji wyznaczono za dwa dni, w środę. Było już za późno na aborcję farmakologiczną. Założą jej także spiralę, skoro i tak będzie pod narkozą.

A więc i dla niej istniała strategia, powstał jakiś plan. Nie miała jednak pojęcia, jak jej się uda wcisnąć zabieg na środę!

■

Peter Berg już od dobrej chwili siedział przed komputerem i sprawdzał adresy. Jedna córka Folke Roosa nosiła imię Ann-Christine i wyszła za mąż za Åkessona, który przejął zarządzanie zakładem szklarskim. Albo – co było bardziej prawdopodobne – prowadzili go wspólnie, skoro to jej ojciec założył przedsiębiorstwo.

Druga córka nazywała się Clary Roos. Była niemal pięć lat młodsza od siostry i niezamężna. W spisie ludności figurował również jej czteroletni syn. Pod tym samym adresem mieszkał mężczyzna o imieniu Per Olsson. Ponieważ zabrzmiało to bardzo znajomo, Peter Berg postanowił sprawdzić mężczyznę. Znalazł na niego całkiem sporo, głównie drobne kradzieże. Prawdopodobnie także branie narkotyków. Peter przypomniał go sobie jako czarującego, ale niegodnego zaufania typa. I gadatliwego, jak każdy, kto bierze prochy. Mężczyzna był około trzydziestki i pewnie będzie niszczył siebie i swoje otoczenie jeszcze przez spory szmat czasu, jeśli tylko z jakiegoś powodu nie umrze. Na przykład z przedawkowania.

Peter Berg ruszył do pokoju socjalnego po Erikę Ljung. Stała przy oknie.

– Musiałam rozprostować kości – powiedziała, majtając w powietrzu kartką.

– Co czytasz?

– Delektuję się najnowszym comiesięcznym pismem od Gottego. Można o tym człowieku mówić wiele rzeczy, ale na pewno nie to, że nie jest zabawny.

Erika uśmiechnęła się szeroko.

– Szczęście, że chociaż on taki jest! – zauważył Peter Berg.

Ostatnio wesołość nie była raczej w modzie – pomyślał. Zdawała się podejrzana, bo nie współgrała z działaniami organizacji usprawniających pracę policji i z gadkami o cięciach w budżecie.

Gotte odmawiał jednak dostosowania się do powszechnego trendu, twierdząc, że jest już za stary i pracuje zbyt długo w policji, aby się zmienić. Całe szczęście, że był ktoś, kto zachował takie chłopięce spojrzenie harcerza. Gotte kibicował swoim „chłopakom", a teraz także i „dziewczynom", których wciąż przybywało w komisariacie, nawet jeśli nadal stanowiły zdecydowaną mniejszość. Według Gottego w pracy należało trzymać się razem, a najlepiej, żeby codzienne przychodzenie do niej sprawiało człowiekowi radość. Tak, w wielkim skrócie, brzmiały jego poglądy. Potrafiły im one także przysparzać problemów, kiedy musieli się zmierzyć z naprawdę trudnymi sprawami personalnymi albo z kłopotami w funkcjonowaniu grupy. Wtedy inni musieli wkraczać do akcji, na przykład Claesson. Gotte tego po prostu nie umiał, nie znał się na tym, powtarzając tylko w kółko, że „muszą żyć w zgodzie", co przecież nie wystarczało w stadzie żądnych walki, samotnych wilków.

Wszyscy mieli jakieś słabe punkty, nie tylko Gotte. Był niedzisiejszy – fakt, który niektórzy często mu wytykali. Ale jednocześnie to właśnie te przestarzałe cechy w nim lubili i zapewne będzie im ich brakować, kiedy przejdzie na emeryturę. Ci, którzy skarżyli się najgłośniej, życzyliby sobie współczesnego szefa „z wizjami". Peter Berg uważał, że bezpretensjonalność Gottego i jego zaraźliwy optymizm są niezwykle ważne. Naturalny sposób bycia Gottego najbardziej cenili sobie policjanci, których przeniesiono z dużych miast. W porównaniu z tamtym tutaj panuje istny raj – twierdzili.

Peter wyciągnął z lodówki wodę Ramlösa, otworzył i wypił połowę.

– Pojedziemy razem? – zaproponował Erice.

Propozycja natychmiast przypadła jej do gustu, co wprawiło go w dobry humor. Uśmiech potrafi być zaraźliwy – pomyślał, ruszając szybko chłopięcym krokiem w dół korytarza, szurając przy tym butami po podłodze, aby wziąć kluczyki do samochodu. Potem zeszli z Eriką po schodach, głośno i wesoło ze sobą rozmawiając, a ich głosy niosły się echem po klatce schodowej.

W foyer stała grupka ciepło ubranych policjantów,

a wśród nich Nicko. Peter Berg natychmiast go zauważył, jakby go sobie wyśnił. Poczuł, że po policzkach rozlewa mu się rumieniec, jeszcze zanim padło na niego spojrzenie policjanta. Nieznacznie kiwnęli do siebie głowami, a Nicko puścił do niego oko, jak dobrze wymierzony strzał z pistoletu. Gest ten jak pocisk przeleciał poprzez ciżbę policjantów wychodzących z budynku, aby wziąć udział w poszukiwaniach.

– Kto to był? – zapytała Erika, kiedy za policjantami zamknęły się drzwi.

A więc zauważyła.

– Kto? – rzucił wymijająco.

Grał na zwłokę, z rozmysłem próbując zwolnić szybkie bicie serca. Poczuł się obnażony i rozszyfrowany. Szli poprzez parking na tyłach budynku. W powietrzu czuć było szarą wilgoć, ale deszcz przestał już padać. Erika nie powtórzyła pytania.

Zakład szklarski znajdował się w starszej części zachodniego obszaru przemysłowego – nie tak daleko, jak wydawało się na mapie.

– Nie zajmowalibyśmy się tym teraz, gdyby nie miało to nic wspólnego z zaginioną dziewczynką – oceniła krytycznie Erika. – Zastanawiam się, czy nie jedziemy tam niepotrzebnie, tracąc masę czasu, zamiast skoncentrować się na poszukiwaniach Viktorii.

– Nie dowiemy się, dopóki tego nie zrobimy – odpowiedział Peter.

– Uważam, że to zbyt poboczny wątek, ale zróbmy, co ona każe.

„Ona", czyli Louise.

Peter Berg spojrzał na mapę. Obszar przemysłowy rozrósł się ogromnie w ostatnich trzech–czterech latach, obejmując coraz większe tereny otaczającego go lasu. Cztery nowo powstałe przedsiębiorstwa niemal całkowicie otoczyły jedną z czterech miejskich oświetlonych tras leśnych.

Tutejsza trasa dzielnie torowała sobie drogę pomiędzy budynkami, żarząc się lampami, jakby to były robaczki świętojańskie. Jakiś czas temu Peter sam ją wypróbował. Spodobało mu się, że można zeskoczyć z biurowego krzesła albo zejść z fabrycznej podłogi bezpośrednio na zewnątrz, do znajdującego się pod ręką, na pozór nietkniętego, starego lasu położonego w samym centrum nowoczesnego miasteczka, pośród pomalowanych stalowych konstrukcji i betonowych kompleksów budowlanych. Co prawda sam wolał biegać na trasie prowadzącej w kierunku Havslätt. Była dłuższa i prowadziła wśród dzikszej przyrody. Najbardziej jednak lubił bieganie nad brzegiem morza, gdy wiatr wiał mu prosto w twarz.

Wycieraczki z dużymi odstępami czasu szurały o szybę, na której tworzyła się powłoka wilgoci. Peter Berg był jak nakręcony. Nie mógł przestać gadać, czując, jak narasta w nim podniecenie, jakaś wewnętrzna siła, która pragnęła nabrać kształtu, pchnąć go do konkretnych działań. Nagle poczuł, że ma w sobie niespożyte pokłady energii.

Teraz liczyło się, żeby natychmiast zacząć działać. Nigdy nie wiedział, kiedy znowu zaatakują go szarość i smutek, a ciało stanie się powolne.

Dochodzenie potrzebuje nowego punktu zwrotnego – pomyślał. Peter nie mógł usiedzieć w miejscu. Koniec z marudzeniem. Co prawda działali dopiero od tygodnia, a to był krótki okres w takich okolicznościach, które wystawiały cierpliwość na próbę.

Żeby tylko teraz nie uleciał w powietrze z całą tą energią, jaka się w nim wyzwoliła. Cichutko odezwały się sygnały ostrzegawcze. Już kiedyś zbytnio się z czymś pospieszył i wylądował, wpatrując się w wycelowaną wprost w niego lufę pistoletu i żałując swojej głupoty. Zapłacił wtedy wysoką cenę w postaci nie tylko postrzału w brzuch i późniejszych operacji, ale i skomplikowanego procesu powrotu do pracy. Musiał potem stanąć twarzą w twarz z kolegami, ofiarami i potrzebującymi pomocy, ale przede wszystkim z samym sobą. Mimo że otrzymał pomoc, upłynęło dużo czasu, zanim znów poczuł się bezpieczny i był w stanie zapomnieć o dręczącym go poczuciu winy.

Teraz jakby zapomniał o wszystkim, choć oczywiście wciąż to w nim tkwiło – już na zawsze, niczym twarde jak kamień ziarenko.

– Wiesz, dokąd wyszła Louise? – zapytała Erika.

– Nie mam pojęcia.

– Wydaje się zestresowana.

– Tak – odpowiedział krótko Peter.

Jego głos świadczył, że myślami znajdował się daleko.

– Chociaż przez weekend zdążyła wpaść na kilka mądrych pomysłów – kontynuowała Erika.

Na rogu zakładu szklarskiego Roos Glasmästeri stało sześć samochodów. Policjanci zatrzymali się na parkingu dla klientów, znajdującym się przed budynkiem, którego fasada wyglądała na niedawno wyremontowaną, z gładką powierzchnią, w kolorze przypominającym wapień.

– Lubię takie miejsca – odezwała się Erika, zatrzaskując przednie drzwi tak mocno, aż zakołysał się samochód.

Peter miał ochotę powiedzieć, aby wyluzowała, ale sobie odpuścił. Nie był to przecież jego samochód.

– Serio?

– No wiesz, warsztaty! Mój ojciec pracuje w warsztacie samochodowym. Może zabrzmi to zbyt sentymentalnie, ale lubię panującą w nich atmosferę. Chyba zazdroszczę facetom, którzy załatwiają tu swoje „męskie sprawy" – powiedziała, przybierając niski ton głosu. – Porządnie i prosto. Przyjeżdża człowiek z usterką w samochodzie i potrzebuje pomocy, więc ją po prostu dostaje.

Peter nigdy w ten sposób o tym nie myślał. Sam czuł się raczej nieudolny, ponieważ nie był tak diabelnie praktyczny i zręczny, jak by tego chciał. Albo powinien być, żeby się wpasować. Zawsze czuł się bardzo nieporadnie, gdy zepsuł się silnik albo odpadła rura wydechowa.

W środku, po prawej stronie drzwi wejściowych, znajdowały się dwa biura. Już na pierwszych, otwartych na oścież drzwiach widniała tabliczka: Ann-Christine Åkesson. Przy biurku, w bardzo ciasnym pomieszczeniu, nie było nikogo. Nawet w komisariacie nie wydzielano tak małych klitek dla pracowników. W pokoju obok, również bardzo małym, siedziała młoda kobieta i stukała coś na klawiaturze. Jej uszy w zadziwiający sposób odstawały spod długich włosów. Policjanci zapytali ją o panią Åkesson.

– Gdzieś tu jest. Na pewno zaraz się pojawi – odpowiedziała dziewczyna o odstających uszach, śmiało im się przyglądając. Szczególnie dokładnie zlustrowała Erikę, która była nadzwyczaj wysoka i ładna z kręconymi włosami zaczesanymi mocno do tyłu w puszystą kitkę na karku, eksponującą jej, świadczący o silnym charakterze, szlachetny profil.

Peter Berg i Erika Ljung nie przedstawili się, tylko ruszyli do środka lokalu, mijając drzwi od toalety, która była zajęta, o czym świadczył widoczny przy zamku czerwony półksiężyc. Zapewne była tam pani Åkesson. Korytarz był krótki. Weszli przez szerokie, otwarte, podwójne drzwi i znaleźli się w warsztacie. W rogu pomieszczenia dostrzegli zamkniętą bramę garażową. Dwóch mężczyzn powoli wstawiało przednią szybę do saaba. Policjanci przystanęli, obserwując ich pracę. Każdy z mężczyzn trzymał swój podnośnik do szyb – przyssawkowate narzędzie, które, jak Erika i Berg zakładali, zasysało próżniowo szkło. Robotnicy tak byli zaabsorbowani pracą, że nawet nie podnieśli wzroku na parę ubranych po cywilnemu policjantów.

Z toalety wyszła niska, przysadzista kobieta. Erika Ljung i Peter Berg ruszyli za nią i się przedstawili. Niestety, młoda kobieta wszystko słyszała, ale nie można było nic na to poradzić. Natychmiast zaprowadzono ich do malutkiego biura, po czym kobieta pospiesznie zamknęła za nimi drzwi.

– Nie mamy i nigdy nie mieliśmy żadnych zatargów z policją – od razu przeszła do ataku, krzyżując na piersiach ramiona.

Upchani po wewnętrznej stronie drzwi Berg i Ljung puścili mimo uszu jej komentarz.

– Doris Västlund, co ma pani do powiedzenia na jej temat? – zaczął Berg.

Kobieta mimo swojego wieku zaczerwieniła się, chwyciła za rant biurka i chwiejnym krokiem ruszyła do krzesła na kółkach, na którym tak ciężko usiadła, że niemal poleciała do tyłu i uderzyła o półkę na książki. Niezdarnie podjechała z powrotem do biurka, wsparła się na łokciach o jego dębowy blat i schowała twarz w dłonie.

Najwyraźniej coś w niej pękło. Miała siwiejące, krótkie włosy, ubrana była w sweter, a na nim kamizelkę, ciemnobrązową spódnicę, cieliste rajstopy i brązowe buty z porządnym, nie za wysokim obcasem. Peter Berg i Erika poczuli się zażenowani.

– Wiem, że Doris nie żyje. Do tego stało się to w przykry sposób. Ale nie mamy z tym nic wspólnego – odezwała się w końcu Ann-Christine Åkesson.

– Czy można wiedzieć, o kim pani myśli, mówiąc „my"? – ostrożnie zapytała Erika.

Nadmierne przyciskanie kobiety pytaniami byłoby pod każdym względem zbędne, wstrzymałoby tylko dalszy ciąg przesłuchania.

– Oczywiście mnie i mojego męża, a kogóż by innego? Nie mamy z tym nic wspólnego.

Nikt też o to państwa nie posądza – miałby ochotę zapewnić ją Peter Berg, ale by skłamał. Przynajmniej jedna osoba, Louise Jasinski, wpadła na to, że mogli być zamieszani w morderstwo.

– I nie jest to dobre dla firmy i interesów, że przychodzi tu policja – kontynuowała Ann-Christine Åkesson, obdarzając ich zmęczonym spojrzeniem.

Nie mieli co tego komentować.

– Może nam pani opowiedzieć o swoich relacjach z Doris Västlund? – zapytał zamiast tego Berg.

– Okropna kobieta! – wykrzyknęła otwarcie Ann-Christine. – Całkiem zdeprawowana.

Peter i Erika przez chwilę zapomnieli języka w gębie.

– Ach tak? Czy mogłaby to pani rozwinąć? – zapytała Erika.

– Fałszywa.

Słowo zostało wręcz wyplute.

– Mogłaby pani powiedzieć bardziej konkretnie? – spróbował Peter.

– Nie.

Wpatrywała się w nich z wielką nienawiścią we wzroku, jak człowiek, który zajrzał do bram piekła i nie chciał tego powtórzyć.

– Okej – odpowiedział słabo Peter Berg.

Trochę nam to zajmie – pomyślał. Trzeba ją będzie przesłuchać w kilku podejściach. Najwyraźniej babka, która zmarła, była naprawdę psychiczna.

– Kiedy spotkała ją pani po raz ostatni? – zapytała Erika Ljung.

– Kilka tygodni temu.

– Gdzie?

Nie odpowiedziała.

– Gdzie? – powtórzyła Erika. – Proszę odpowiedzieć.

– W domu mojego ojca. – Kobieta ciężko westchnęła. – Całkiem zakręciła w głowie temu biedakowi.

– W jaki sposób?

– Faceci zakochujący się na stare lata są jak dzieci, łatwo nimi kierować. Doris wodziła go za nos, wykorzystywała.

– Tak? Ale czy pani ojcu nie sprawiał radości kontakt z Doris? Widywali się chyba z własnej woli?

– Z pewnością. Woziła go na wycieczki swoim samochodem, dzięki czemu nie siedział samotnie w domu. Ale zapewniam państwa, że nie robiła tego za darmo!

Spadek – pomyślał Peter Berg. Strach, że nie będzie czego dziedziczyć.

W pomieszczeniu zdążyło się zrobić duszno. Erika rzuciła tęskne spojrzenie na okno, a potem na krzesło dla odwiedzających, które stało samotnie przy pociągniętym ciemną bejcą stole. Nadal żadne z nich go nie zajęło.

– Przepraszam, ale ja usiądę – odezwała się Erika.

Ann-Christine Åkesson z początku nie zareagowała, ale po chwili najwyraźniej się ocknęła.

– Przepraszam, ale może pan także chciałby usiąść? – zapytała Petera już bardziej pojednawczym tonem. – Na korytarzu stoi krzesło.

Peter otworzył drzwi, niemal przewracając młodą kobietę z odstającymi uszami, która najwyraźniej stała na zewnątrz i podsłuchiwała. Poczerwieniała cała na twarzy, po czym uciekła do swojego pokoju. Ann-Christine Åkesson odebrała telefon, po czym go wyłączyła i uchyliła okno, aby mogło się przez nie przedostać szare, ciężkie powietrze.

– To może sporo zająć – odezwała się z krzywym uśmieszkiem Ann-Christine. – Mogę opowiadać o Doris bez końca, ale z pewnością nie chcieliby państwo tego wszystkiego słuchać.

– Ależ tak – zapewniła Erika.

– Ojciec poznał ją, kiedy owdowiał. Była piękna, olśniewała urodą. Rozwiedziona, więc nic nie stało na przeszkodzie, aby się mogli związać. Wprowadziła się do nas. Moja siostra miała tylko pięć lat, a ja dziewięć. Doris zamieniła nasz dom w piekło. Syn Doris, zastraszony biedaczek, dostał akurat wtedy wezwanie do wojska. Ma na imię Ted. Może już państwo z nim rozmawiali?

Erika i Peter nie odpowiedzieli.

– Po maturze odbył służbę wojskową, a potem przez kilka lat mieszkał w Uppsali – kontynuowała Ann-Christine. – Doris nie miała więc jak go poskramiać. O dziwo, przeprowadził się potem z powrotem do Oskarshamn, nie wiem, jak to się stało, za jakie niewidzialne sznurki pociągnęła Doris, ale nie ma to tutaj znaczenia. Cokolwiek było, w końcu i ojciec nie dawał już z nią rady, nawet jeśli z pewnością mu się podobała. Oczywiście, jako dziecko nie zdawałam sobie z tego sprawy, ale później to zrozumiałam. Strach przed samotnością może pchnąć ludzi do wszystkiego. W każdym razie przestali mieszkać razem, ale minęły lata i najwyraźniej Doris znów skontaktowała się z ojcem, kiedy nastał po temu odpowiedni czas. Kiedy się zestarzał i nic już nie stało im na przeszkodzie, nawet dzieci. Kiedy była w stanie wodzić go za nos.

Ann-Christine Åkesson nie starała się nawet ukryć złości. Była rozbita: znów miała dziewięć lat, choć jednocześnie była już dorosła. Niczego nie zapomniała i nie zamierzała tego robić.

– Co się działo, kiedy pani była dzieckiem?

– Ojciec pracował, harował w firmie i całymi dniami go nie było, podczas gdy Doris zmieniła życie moje i mojej siostry w piekło. Jego zresztą też. Krzyczała, darła się, miała wybuchy złości, a nawet biła. Noce zmieniały się w koszmar. Wciąż słyszę odgłos jej oddechu, zanim wpadała w szał. Pamiętam, jak pomiędzy zadawanymi razami dyszała. I nigdy z siostrą nie rozumiałyśmy dlaczego.

Ann-Christine wyjrzała przez okno, jakby zaglądała w głąb siebie.

– Dziecko w takiej sytuacji jest bezsilne, szczególnie jeśli własny ojciec nie widzi, co się dzieje. Na pewno nie chciał niczego złego, ale nie orientował się w sytuacji albo przymykał na nią oko, bo tak było najprościej.

Gdy Peter Berg i Erika Ljung pół godziny później opuścili zakład szklarski, mieli mętlik w głowie. O dziwo, mąż Ann-Christine, szklarz, nie zajrzał do biura. Może nie wiedział, że tam byli, choć to mało prawdopodobne. Albo Åkessonowie oczekiwali ich i przygotowali się na ich przybycie. Opracowali sobie po prostu strategię. Peter i Erika z chęcią zamieniliby z nim parę słów, ale był przecież zajęty wymianą okna. Powiedzieli żonie, że prawdopodobnie znów do nich zajrzą, możliwe, że tym razem do ich domu. Kobieta nie protestowała.

– Typowe! Wyszła za mąż za swojego tatusia – stwierdziła Erika na zewnątrz. – Obaj szklarze.

– Aha – skwitował Peter Berg, który nie lubił takich szybkich, psychologicznych wniosków.

Przede wszystkim on sam nigdy nie chciałby ożenić się z własną matką albo usłyszeć, że tak zrobił. Jako dorosły unikał takich osób jak matka – albo tak mu się przynajmniej zdawało. Do pewnego stopnia pogodził się z tym, że była jaka była, że nie można jej ani zmienić, ani wymienić na inną. Ale krok do ożenienia się z taką osobą był mu równie odległy jak stąd do wieczności – niezbicie w to wierzył.

– W każdym razie to nie jej ciuchy odnaleziono zakrwawione w kontenerze na wysypisku.

– Dlaczego? – zapytał, wycofując samochód.

– Rozmiar. Tamte były znacznie mniejsze i w innym stylu. Jeśli dobrze pamiętam, to znaleźli tam dżinsy. Myślę, że kobieta z biura nosi co najmniej czterdziestkę czwórkę.

– Okej – zgodził się Peter Berg, ponieważ nie znał się na kobiecych rozmiarach. – A poza tym co sądzisz?

– Hm, na pewno ma motyw, a w każdym razie tak to wygląda. Opowiedziała nam wszystko aż z nawiązką.

Ale trzeba by czegoś więcej niż okropne dzieciństwo... to znaczy, jeśli się jest w miarę normalnym. Mam na myśli czegoś więcej niż nienawiść. Może bezsilność? Coś, co doszło potem i osłabiło psychologiczną obronę. Narkotyki? Pieniądze? Coś, co zagraża interesom? Może źle idzie firmie, a Doris wyciągała od ojca pieniądze? Może przestał wspierać córki? Zrezygnował z nich na rzecz Doris, która wcisnęła się pomiędzy nich. Oddawał jej wszystko, co miał i posiadał. Może Doris systematycznie wyciągała od niego spadek córek? Coś takiego może doprowadzić ludzi do desperacji. Pomyśl o tych wszystkich banknotach w pudełku! W takim wypadku można by uznać Doris za kobietę sukcesu. Nic dziwnego, że córki się wściekły.

– Umiała przyssać się do człowieka i się nie poddawać. Wytrwały wygrywa!

– Właśnie.

– Ciekawe, co zamierzała zrobić z pieniędzmi. Nie potrzebowała przecież ich tak dużo, a starość miała zabezpieczoną – stwierdził Peter Berg.

– Nie wiadomo. Zawsze dobrze je mieć.

Erika wzruszyła ramionami i wyjrzała przez boczną szybę na początki zieleni w Stadsparken.

– Niektórym zawsze jest ich za mało – kontynuowała rozważania. – Jak ma się ich dużo, to chce się jeszcze więcej! Oszczędzanie i odkładanie pieniędzy przeradza się w manię. Człowiek porównuje się z innymi i zawsze ktoś będzie żył lepiej, miał więcej pieniędzy, odnosił większe sukcesy. Może Doris żywiła nadzieję, że po jej śmierci ludzie będą o niej mówić jak o osobie bogatej? Takiej, która nie zostawiła syna bez niczego.

– Innymi słowy, że nie była gorsza od męża, a więc ojca Teda Västlunda.

– Tak, możliwe. Można by też przypuszczać, że chciała przekupić syna. Może bolało ją, że trzyma się od niej na dystans?

Erika wyjrzała z rozmarzeniem przez przednią szybę.

– Pomyśl, co można zrobić z pół milionem! – westchnęła.

– Czterysta tysięcy i trochę – poprawił ją.

– Tyle też by wystarczyło – uśmiechnęła się. – Ja bym wyjechała, wyruszyła w podróż dookoła świata.

Peter zamilkł.

– Hm – powiedział.

– Doris może była zazdrosna o córki Roosa – snuła dalsze rozważania. – Niektórzy cierpią na wrodzoną zazdrość, noszą w sobie lukę, której nigdy nie są w stanie zapełnić. Może bolało ją to bardziej, niż możemy przypuszczać, że dziewczynki Folke Roosa miały lepiej od niej i jej syna. Córki dostaną od ojca sporo grosza, ale nie jej Ted. Rażąca nierówność, której nie była w stanie naprawić. Rabowanie staruszka mogło stanowić rewanż. Mściła się za stare krzywdy albo za to, że kiedyś wyrzucił ją z domu, że nie była wystarczająco dobra, aby zajmować się jego córkami.

Nastał czas, aby odwiedzić drugą córkę Roosa – Clary. Peter poprosił Erikę, by zadzwoniła do Lundina i spytała, jak mu poszło z Kjellem E. Johanssonem. Lundin od razu odebrał telefon. Nie zdążył jeszcze wyjść z komisariatu, ale przypuszczał, że Johansson mył teraz okna albo wciąż szukał Viktorii w terenie. Zapewne najlepiej będzie zająć się nim później, wieczorem. Lundin obiecał, że to zrobi.

– W końcu Doris i tak już nie żyje.

– Święta racja.

Skręcili na parking dla mieszkańców, dla porządku poszukując miejsca dla odwiedzających.

– Czy ten nie jest zielony? – odezwała się nagle Erika, obracając głowę ku bocznej szybie i stojącemu za nią ciemnozielonemu renault.

– Ten też – dodał Peter Berg, wskazując na inny samochód, stojący kawałek dalej.

– Jaka to marka?

– Renault.

– Ten również!

– Choć inne modele.

Nie żywili zbyt wielkiej nadziei, że zastaną Clary Roos albo jej partnera Pera Olssona w domu. Mieli rację.

Kiedy wyszli z budynku, jednego z ciemnozielonych samochodów już nie było.

– Pamiętasz numer rejestracyjny? – zapytał Peter Berg.

– Kurwa! – zaklęła. – Jak mogliśmy być tacy głupi?

Żadne z nich go nie zanotowało.

■

Veronika Lundborg skuliła się na sofie, przykryła nogi pledem, zapaliła lampę podłogową i dwie świeczki w granatowych szklanych świecznikach na stole. Klara spała, a Claes poszedł chwilę pobiegać o zmroku. W domu panowała cisza. Veronika miała książkę, ale wzięła do ręki pilota i włączyła wiadomości. Na ekranie pojawił się świat daleki od zamkniętych ścian szpitalnych, a prezentowane w nim problemy były zupełnie innego kalibru. Broń masowego rażenia, klęski głodu, płonące wieżowce, dachy, które się zawaliły i pod swoim ciężarem pogrzebały wielu ludzi. Zamknięte przedsiębiorstwa, sfingowane zwolnienia lekarskie, oszukani ludzie. Mężczyźni o stanowczych twarzach, zadowoleni i na pozór niewinni, w garniturach bez jednej zmarszczki i ciemnogranatowych krawatach. Veronika od razu oceniła, że wszyscy wyglądają tak samo. Byli nieatrakcyjni, ponieważ brakowało im proporcji i stałego gruntu pod nogami. Nie mieli odwagi spoglądać ludziom w oczy. Obserwowali jedynie rzędy cyfr na ekranie komputera albo patrzyli wprost do telewizyjnej kamery. Byli jak odlani z formy. Dokładnie tak czasami czuła się ona sama, kiedy sprawy się kumulowały, gdy w krótkim okresie spotykała się ze zbyt wieloma ludźmi, gdy inni ją trochę męczyli lub kiedy w końcu wszystko stawało się trywialne. Kiedy zaczynała mieć problemy z własną wiarygodnością.

Tuż przed lokalnymi wiadomościami usłyszała, jak Claes otwiera zewnętrzne drzwi. Dyszał i łapał oddech na korytarzu. Drzwi zatrzasnęły się głucho.

– Zadowolony? – zawołała Veronika półgłosem z kanapy.

– Tak, to było dokładnie to, czego potrzebowałem. – Usłyszała, jak z zadowoleniem ciężko westchnął. – Pod koniec pobiegłem sprintem, dałem z siebie wszystko...

– Czekaj – przerwała mu. – W telewizji mówią o dziewczynce.

Janne Lundin, spokojny i pewny siebie, wypełnił sobą ekran telewizora. Był przeszkolony do występowania przed mass mediami, pełnił funkcję rzecznika prasowego policji od wielu lat. Claes przeszedł cichutko bez butów po podłodze, zostawiając za sobą mokre ślady na parkiecie. Ze wzrokiem zwróconym na ekran telewizora ugiął kolano na dywanie, wyprostowując drugą nogę do tyłu, i zaczął się rozciągać. Pot się z niego lał, twarz była purpurowa, a T-shirt przemoczony.

Policja jeszcze nie odnalazła dziesięcioletniej Viktorii, która zaginęła już niemal trzy doby temu. Dziennikarz mówił poważnym tonem, ale Lundin go w tym przebił. Dziewczynka zniknęła, nie zostawiając po sobie żadnego śladu. Przeprowadzono dokładne poszukiwania, przeczesano ogromne powierzchnie terenu, użyto helikoptera i wszelkich dostępnych środków. Bez efektu.

Podstawiono mikrofon pod nos Conny'ego Larssona, „szefa poszukiwań”, jak głosił tekst na ekranie. Wyglądał na dość wypompowanego. Również i on odmalował sytuację w ciemnych barwach, ale nie omieszkał zaznaczyć, że nieprzerwanie kontynuują poszukiwania. W końcu ją odnajdziemy – zapewnił widzów pewnie brzmiącym akcentem z Värmlandii. Na pytanie dziennikarza, czy policja sądzi, że dziewczynka żyje, Conny elegancko wymigał się od odpowiedzi.

– Potwornie ciężka sytuacja dla rodziców – odezwał się Claes, rozciągając drugą nogę.

Na ekranie ponownie pojawił się Lundin. Miał na sobie granatowy sweter z wyszytym na żółto napisem: „policja", założonym na jasnoniebieską koszulę. Prezentował się porządnie, solidnie i wyglądem wzbudzał zaufanie.

– Zawsze się tak ubiera? – zapytała Veronika.

– Nie. Ten strój wisi na wieszaku w jego pokoju.

Lundin apelował do widzów:

– Prosimy o kontakt z nami, jeśli zauważą państwo coś podejrzanego. Proszę się nie zastanawiać, tylko dzwonić! Nawet jeśli nie przypuszczacie, że będzie to coś ciekawego. Jesteśmy otwarci na wszelkie informacje, a sami ocenimy, które z nich mają znaczenie.

■

Janne Lundin właśnie przebrał się w pokoju po konferencji prasowej i wywiadzie dla telewizji. Wywiad nagrano, a reporter pospiesznie odjechał, żeby zdążyć zmontować materiał na wieczorne wiadomości. Może wyświetlą to nie tylko w Östnytt, ale i w Rapport, i Aktuellt*.

Lundin posiedział jeszcze chwilę i pogadał po wywiadzie z Gottem i Brandtem. Rozmawiali też na inne tematy: o planach wakacyjnych i o modelach samochodów. Sprawa dziewczynki była tak bardzo smutna, że i tak brakowało im na nią słów.

Najchętniej Lundin pojechałby potem od razu do domu, do Mony, ale zadzwonił, uprzedzając ją, że nie wróci jeszcze przez kolejną godzinę lub dwie. Musiał najpierw coś załatwić. Mogła w tym czasie wyprowadzić Jycke, żeby

---

* Popularne pogramy informacyjne w szwedzkiej telewizji.

później nie musiał tego robić. Byłoby miło, gdyby zaczekała na niego z obiadem.

– Przyjemnie jest jeść razem – wytłumaczył.

Mona zgadzała się z nim – jak zawsze. Należało cieszyć się z drobnych przyjemności, jakie niosło ze sobą życie. Smaczny posiłek przy kuchennym stole z żoną. Może kropelka wina.

Mona miała zresztą obecnie sporo roboty po okresie spokoju, kiedy przestała pracować w okienku na poczcie. Prowadziła teraz sklep tytoniowy, w którym sprzedawała też upominki. Ostatnio stwierdziła, że wolałaby mieć księgarnię. Lepsze książki niż tytoń. Uważała, że nie są one tak pożądanym towarem dla złodziei. Do tej pory włamano się do niej już trzykrotnie i skradziono wagony papierosów.

Janne Lundin tak dobrze znał już drogę, że jego samochód niemal sam jechał w obranym kierunku. Policjant wszedł po schodach. Już z zewnątrz zauważył, że w oknach pali się światło. Zapukał do drzwi. Po krótkiej chwili spojrzała na niego zaskoczona twarz.

– Pan mnie pewnie nie kojarzy – odezwał się Lundin, wyciągając przed siebie rękę i przedstawiając się.

Do tej pory Janne Lundin był jedynie marginalnie zaangażowany w przesłuchiwanie Johanssona. Teraz mogło to być zarówno atutem, jak i wadą.

– Z chęcią bym wszedł – oznajmił najnaturalniej pod słońcem i przestąpił próg, zanim Johansson zdążył wnieść sprzeciw.

Lundin schylił się pod lampą na suficie, przywykły do uderzania się w głowę.

– Chciałbym zająć panu chwilę – mówił, zwracając się w półmroku korytarza ku Johanssonowi.

Lampa dawała mizerne światło, a może miała za mało watów? Johansson sprawiał wrażenie zdenerwowanego. Skubał palcami bliznę na górnej wardze. Wyglądał na zjechanego, jakby potrzebował prysznica i snu.

– No, możemy tu usiąść – zaproponował Johansson i poczłapał do kuchni, gdzie złożył „Aftonbladet", nie usuwając jednak gazety ze stołu. Lundin zaciekawił się dlaczego. Na wierzchu, na pierwszej stronie gazety, pozostała pewnie celowo widoczna połowa fotografii Johanssona. Obok stała otwarta puszka piwa. Ze stojącego w kuchennym oknie radia płynęła jazgotliwa muzyka. Było to męczące i zdecydowanie przekraczało próg wytrzymałości Lundina po długim dniu pracy. Poprosił Johanssona, aby wyłączył aparat, co ten bez gadania uczynił.

Lundin usiadł. Johansson nie mógł nie zauważyć cech, policjanta; wzrost, wiek, spokojne, przyzwyczajone do obserwowania spojrzenie, które chłonęło większość spraw z jego otoczenia – to wszystko sprawiło, że Kjell nie miał odwagi mu się sprzeciwić. Siedział prosto jak piesek, nie majtając jednak zbytnio ogonem – byłoby za dużo, aby tego od niego wymagać. Lundin będzie musiał wyciągać od niego pożądane przez siebie informacje.

Johansson mierzył policjanta wzrokiem, czekając, aż ten zacznie.

Lundin rzadko kiedy zakładał, że usłyszy od ludzi prawdę. Z drugiej strony orientował się jednak, że wiedza, czy ludzie kłamią, było trudna, jeśli wręcz nie niemożliwa do zdobycia. Żadne badania nie udowodniły jeszcze, że da się to zauważyć. Dlatego Lundin wolał wychodzić z założenia, że ludzie nie mówią prawdy, dopóki im się nie udowodni, że powinni zachowywać się inaczej. Ogólnie rzecz biorąc, prawda nie była prosta. Pomiędzy nią a kłamstwem znajdowała się spora szara, piaskowa strefa, z której ją wypłukiwał niczym poszukiwacz złota. To, co było prawdziwe, lecz pominięte albo z jakiegoś powodu zatuszowane.

– Dziewczynka... Viktoria... słyszałem, że jest pan z nią w jakiś sposób powiązany. Nie mam tu na myśli jej zniknięcia. Wiem, że jest pan członkiem jednej z grup poszukiwawczych. Ale poza tym? – zapytał Lundin, starając się nie koncentrować spojrzenia na zdjęciu w gazecie.

– No – zaczął Johansson, w dalszym ciągu dotykając strupka na górnej wardze. – To nie są łatwe sprawy, nie – odpowiedział. – Ona jest... tak, jakby to ująć... Jej matka skontaktowała się ze mną przez adwokata, jeszcze zanim to wszystko się zaczęło. Twierdzi, że jestem ojcem.

Niebieskie oczy spojrzały nerwowo na Lundina, który przytaknął.

– Czy jest nim pan?

– Ona tak mówi.

– A jakie jest pańskie zdanie?

– Hm – odpowiedział w zamyśleniu Johansson. – Trudno stwierdzić.

– Naprawdę?

Johansson położył dłonie na stole, splatając długie palce.

– To było tak dawno temu. Przecież za diabła nie da się spamiętać, z kim człowiek spotykał się jedenaście lat temu – zaznaczył, jakby oczekiwał, że Lundin się z nim zgodzi.

Policjant tego nie zrobił, ponieważ sam doskonale pamiętał, z kim przewracał się w sypialnianej alkowie, i to nawet jedenaście lat temu. Dla niego nie istniała żadna inna, tylko Mona – po prostu. Oczywiście nie było to coś, co wywlekałby na światło dzienne przed Johanssonem.

– Co sądzi pan o tym, że się z panem skontaktowała? To znaczy: matka Viktorii?

– Z początku mnie to wkurwiło. Jasna cholera, żeby odzywać się przez adwokata po tak długim czasie! Chodziło jej tylko o pieniądze.

– Aha, A obecnie?

– Od kiedy zniknęła, patrzę na to trochę inaczej.

– Co ma pan na myśli?

– Od kiedy to wszystko się wydarzyło, mam wrażenie, jakby Viktoria stała się bardziej moja. Kiedy zobaczyłem jej zdjęcie w gazecie. Dziewczynka wygląda na bardzo przestraszoną. Zacząłem się odtąd bardziej nią interesować, jeśli można to tak powiedzieć. Kiedy ją zobaczyłem, pomyślałem, że brzydko byłoby nie dać jej szansy.

– To znaczy?

– Szansy, aby miała ojca.

Brzmi rycersko – pomyślał Lundin.

– Aha, tak więc stał się pan bardziej skłonny do przewartościowania...

– Tak. Kiedy zobaczyłem jej twarz, przestała być dla mnie jedynie imieniem, za którego plecami stoi ścigająca mnie wygadana matka. Imię nabrało życia. Choć oczywiście nikt nie wie, czy dzieciak żyje – dodał wymijająco, spoglądając przed siebie.

Zapewne nie chciał wyjść na zbyt uczuciowego.

– Ale czy czysto technicznie jest to możliwe, żeby pan był jej biologicznym ojcem? – zapytał Lundin.

– Technicznie?

– Wie pan, o co mi chodzi. Czy był pan w związku z jej matką?

– Może.

– Może?

– Za diabła nie pamiętam wszystkich szczegółów. Może kiedyś się ze sobą przespaliśmy, przynajmniej ona tak twierdzi. Ale potem wyprowadziłem się na jakiś czas do Sztokholmu, a jej najwyraźniej to nie obchodziło. Nigdy się ze mną nie skontaktowała, choć zaciążyła. Zapewne chciała uzyskać wyłączną opiekę nad dziewczynką. Ale nie skomentuję tego, naprawdę! – powiedział, a jego głos zabrzmiał imponująco wspaniałomyślnie. W ten sposób może mówić jedynie prawdziwy egoista. – Co prawda nie byłem zbyt szczęśliwy, kiedy dała mi do zrozumienia, że jest w ciąży – dodał, kontynuując w tym samym wielkopańskim stylu: – Poza tym byli też inni mężczyźni, przecież wiedziałem, co to za jedna.

Jego oczy się zwęziły.

I co z ciebie za jeden – pomyślał Janne Lundin.

– Po pana klatce schodowej biegało wiele osób, kiedy śmiertelnie pobito pana sąsiadkę – kontynuował Lundin.

– Tak, ale to się, kurwa, zbiegło w czasie – zgodził się Johansson, nagle sprawiając wrażenie ożywionego.

– Nie sądzi pan, że Viktoria wiedziała, że jest pan jej ojcem, i może tu przyszła, aby pana odnaleźć?

Johansson wpatrzył się w Lundina i oblizał wargi. Myśl ta łechtała jego próżność. Dzieciak miałby go szukać! Biedna dziewczynka, za którą rozglądała się połowa Szwecji. Dziewczynka, która sprawiła, że stał się niemal równie znany jak ona. Dziennikarze dzwonili do niego, jakby był jakąś gwiazdą telewizyjnego serialu.

– Nie sądzę, żeby coś wiedziała – odpowiedział cicho. – Choć oczywiście nigdy nie wiadomo – szybko zmienił zdanie.

– Tak więc jest pan pewien, że nigdy nie przyszła do pana i nie zadzwoniła do drzwi? – upierał się Lundin.

– Nie – odpowiedział, a jego głos brzmiał szczerze. – Mój Boże, przecież bym zapamiętał!

Tak, miejmy taką nadzieję – pomyślał Lundin. Choć na alkoholowym rauszu świat stawał się inny. Tak samo pamięć.

– Nie była więc u pana ze sprzedażą majowych kwiatków tego dnia, kiedy zmarła Doris Västlund? – spróbował po raz ostatni.

– Nie – odpowiedział Johansson, zdecydowanie potrząsając głową.

– Czy Doris, którą pan znał, nie miała nic wspólnego z dziewczynką?

Johansson zapatrzył się bez zrozumienia na Lundina. Wyglądał, jakby z całych sił wytężał szare komórki.

– Zabrzmiało to zbyt skomplikowanie – odezwał się w końcu. – Za diabła nie zrozumiałem, o co panu chodzi.

– Ujmę to tak: Czy słyszał pan, by ktoś dzwonił do drzwi Doris? Może dziewczynka próbowała sprzedać jej kwiatki? Sprzedawała przecież u innych na tej samej klatce.

– Nie wiem. Mam co innego do roboty niż siedzenie z uchem przyłożonym do drzwi wejściowych.

Johansson spojrzał w dół i podrapał się po piersi, jakby nagle zaatakowały go pchły. Zapewne jednak po prostu odczuwał dyskomfort z powodu wielu godzin spędzonych w lesie. Za dużo świeżego powietrza jest z pewnością męczące dla takiej osoby jak Kjell – pomyślał najpierw Lundin, ale zaraz potem przypomniał sobie, że Johansson zapewne zawsze pracował przy otwartych oknach. Obecnie zaangażowanie się w sprawę ewentualnej córki musiało jednak pochłaniać jego siły witalne.

Lundin szybko zerknął na zdjęcie w gazecie, choć nie był w stanie nic przeczytać do góry nogami, w dodatku bez okularów. Johansson ma przesłanki, aby pozostać maskotką dziennikarzy jeszcze przez jakiś czas – ocenił. A w każdym razie przez kilka dni. Wszystko w nim mogło spodobać się czytelnikom. Przypuszczalny ojciec, który nie wiedział nic o swoim ojcostwie, ale który niczym Robin Hood wkraczał teraz do akcji, aby wręcz walczyć o życie zaginionej córki. Historia doczeka się może nawet szczęśliwego zakończenia, chociaż nie byłoby to nic godnego uwagi dla wieczornych gazet, które miały w zwyczaju chwytać się raczej katastrof.

– Właściwie to przypominam sobie jedną rzecz – zaczął niepewnie Johansson. – Ale nie wiem, czy ma to jakieś znaczenie. Ktoś zadzwonił do moich drzwi tego dnia, kiedy pobito Doris.

No i proszę – pomyślał Lundin. Szczegóły wypływają jednak na wierzch.

– Otworzył pan? – zapytał Lundin.

– Nie. Cała łazienka była pokryta okruchami szkła. Upuściłem ten pieprzony szklany klosz od lampy i próbowałem gówno zamieść. Potem zamierzałem zejść do pralni i pomóc Alicii. To wszystko już wiecie, bo pytano mnie o to już ze sto razy w komisariacie.

Zacisnął usta. Najwyraźniej nie miał siły opowiadać całej historii jeszcze raz.

– Tak więc nie otworzył pan drzwi uczennicy sprzedającej majowe kwiatki? – powtórzył Lundin.

– Nie, przecież mówię. Po raz pierwszy ujrzałem ją na zdjęciu w gazecie. Nie mam najmniejszego powodu kłamać! Wiem, że dzwoniła do drzwi sąsiadów, którzy kupowali od niej majowe kwiatki. No, może nie wszyscy... ale... ale tu jej nie było.

– A jeśli okaże się, że to pańska córka?

Pytanie miało bardziej filozoficzny charakter, ale Lundin nie mógł powstrzymać się przed jego zadaniem.

– No tak, co można na to powiedzieć!

Johansson wpatrzył się ponuro w podziurawione skarpetki. Siedział krzywo przy stole, opierając się łokciem o „Aftonbladet". Nogi miał wyciągnięte przed siebie na umiarkowanie czystym, plecionym dywanie. Na kuchennym blacie stało nie mniej niż pięć pustych puszek po piwie, butelka płynu do mycia naczyń oraz rolka papieru kuchennego. Poza tym blat z nierdzewnej stali był czysty. Najwyraźniej Johansson lubił utrzymywać wokół siebie pewien ład.

– Jeszcze jedna sprawa, zanim pójdę. Z innej beczki – odezwał się Lundin. – Z kim pokłócił się pan na imprezie? Na balu przebierańców czy co to było?

– Ech! Za cholerę nie wiem, jak się nazywał. Sprowokował mnie swoim zachowaniem.

– Ach tak?

– Tak, rozdrażnił mnie. Sam się prosił o manto.

– Niech pan powie prosto i jasno: kto to był?

– Jakiś gówniarz. Pijany jak bela i cholernie irytujący. Jakaś chudzina. Czepiał się kobiety, z którą przyszedłem na maskaradę, i ględził. Nazywał się jakoś zwyczajnie.

Ponownie przyjrzał się palcom u nóg, wystającym ze skarpet jak małe ziemniaczki.

– Per albo Jan, albo coś w tym guście.

– Nazwisko?

Wzruszenie ramion.

– Nie ma szans, żeby to ze mnie wycisnąć, bo nie wiem. Niech pan zapyta Alicię Braun.

Już to zrobili, ale i ona nie wiedziała, kim on był. Facet, o którym mowa, dość szybko zniknął z miejsca bójki, jakby nie powinno go tam w ogóle być.

■

Louise stała w kuchni i smażyła naleśniki. Danie było jej specjalnością, robiła je, kiedy nie miała siły iść po zakupy. W zasadzie zawsze znalazły się w domu jajka i mleko. I dżemy: truskawkowy i malinowy, a nawet jagodowo-malinowy o nazwie „drottningsylt". Naleśniki wychodziły jej perfekcyjnie: złocistobrązowe z chrupiącymi kantami. Dziewczynkom nigdy się nie nudziły i za każdym razem bardzo się cieszyły, kiedy wyciągała patelnie. Nastawiała dwie jednocześnie, aby nie musiały siedzieć i czekać. Sama nie chciała ich jeść, i nie chodziło tu wcale o kalorie, na które rzucały gromy podręczniki odchudzania. Ledwie dawała sobie radę z zapachem smażeniny. Niedługo jednak mdłości odejdą.

Gabriella zapaliła dwie świeczki na stole. Na zewnątrz było ciemno.

– Nadchodzą dwa nowe – powiedziała Louise, nakładając na talerze dziewczynek dwa świeżo usmażone naleśniki, po czym nalała kolejne porcje ciasta na patelnie, aż zaskwierczało.

– Boże, jakie to smaczne! – westchnęła co najmniej po raz trzeci Sofia, nakładając na naleśnik kupki malinowego dżemu i posypując go cukrem.

Naleśnik zatrzeszczał, kiedy go ugryzła.

Louise dopadło nagłe przeczucie. Czemu by nie teraz? – pomyślała, stojąc bezpiecznie przy kuchence. Odwróciła się ku Gabrielli i Sofii.

– Muszę wam powiedzieć, że znalazłam ogłoszenie o fajnym mieszkaniu. Jest położone w centrum – zaczęła, uśmiechając się do dziewczynek, jakby szykowała dla nich wielką niespodziankę.

Tak też i było. Efekt, jaki wywołała, przypominał chluśnięcie wiadrem wody wprost w płomień. Gabriella odłożyła sztućce i spojrzała na nią z teatralną nienawiścią.

– Co masz na myśli?! – wykrzyknęła.

– No – odpowiedziała Louise, postanawiając, że pójdzie za ciosem i nie będzie niczego wygładzać. – Może być mi trudno zachować samej dom... Będzie trudno – poprawiła się. – Tak naprawdę będzie to niemożliwe.

Ponad kuchenką huczał okap. Przypalały się naleśniki – właśnie je obracała, kiedy Gabriella demonstracyjnie wstała i wybiegła z kuchni.

Louise dalej tkwiła nad kuchenką. Nie pobiegła za córką. Sofia siedziała w miejscu i spod ciemnej grzywki przypatrywała się poważnie matce.

– Martwiłam się o to przez cały czas – odezwała się cichutko młodsza córka, tak że słowa niemal zagłuszył huk wentylatora.

– Rozumiem – odpowiedziała Louise. – Też się tym martwię, ale czasami człowiek nie ma innego wyboru.

Miała ogromną ochotę, aby zrzucić winę na Janosa, w ten albo inny sposób dać upust nienawiści, była jednak na to zbyt dumna. Było to poniżej jej poczucia godności. Nie uciekała się do tanich sztuczek. Dziewczynki nie powinny zapamiętać potem masy przykrych słów rzuconych pod adresem ich ojca. Louise prędzej odgryzie sobie język.

– Mieszkanie jest całkiem ładne – odezwała się do Sofii. – Jeszcze go nie obejrzałam, nie chciałam tego robić bez was. Musimy polubić je całą trójką. Będziecie miały dalej do szkoły i koleżanek, ale można się też dopatrzyć w nim i zalet.

Czuła się wykończona, ale słowa zostały wypowiedziane. Jakkolwiek będzie, dokądkolwiek się przeprowadzą, może do zupełnie innego mieszkania niż to, które jej przypadło do gustu, puściła w ruch całą maszynerię. Znajdowały się w drodze do czegoś nowego.

▪

Lennie Ludvigson przeciągnął palcami po rudawych włosach i z sykiem otworzył pierwszą puszkę coca-coli light. Zabrał ze sobą trzy, stały teraz przed nim w rządku na stole. Przyszło mu do głowy, że ich picie będzie dobrym sposobem na niezaśnięcie, przy jednocześnie niskim spożyciu kalorii, kiedy czekało go tylko głównie siedzenie.

Odkąd się ożenił, trudno mu było zachować wagę. Pichcenie stanowiło ich wspólną pasję. Niedługo startowali w finale konkursu dla amatorów gotowania w parach. Kiedy wygrali pierwszy etap, trafili na pierwszą stronę „Allehandy". Konkurs był ogólnokrajowy, więc to, że zaszli tak daleko, uznano za duży sukces. Gotte był cały w skowronkach i przybiegł do niego ze swoim dyplomem, świadczącym, że wiele lat temu zdobył pierwszą nagrodę w konkursie magazynu „Allt om Mat" za wykonanie domku z piernika. Dyplom wisiał na ścianie jego biura i wszyscy o nim wiedzieli. Teraz jednak Gotte uznał, że znalazł godnego współtowarzysza na polu obżarstwa – albo raczej na parnasie wysublimowanych kubków smakowych. Grzmotnął kompana po plecach, tak że Ludvigson pomyślał, iż stracił oddech.

Tak więc teraz odczuwał presję. W najbliższy weekend będą się z żoną przygotowywać: gotować i smakować potrawy. Smutne było jedynie to, że radość gotowania doprowadziła do tego, że w kilku miejscach się zaokrąglił. Nie miało znaczenia, ile ćwiczył – tył tak samo cholernie dużo.

Po wiadomościach ludzie zaczęli dzwonić na linię dla informatorów. Teraz zbliżała się dwudziesta trzecia i sytuacja trochę się uspokoiła. Ludvigson nie spodziewał się, że będzie musiał zasuwać całą noc. Kilkakrotnie skontaktował się z radiowozami na mieście, prosząc, aby sprawdzili bardziej interesujące wskazówki, ale do tej pory do niczego to nie doprowadziło. Wciąż mieli dodatkowe wsparcie, ale zapewne tylko do jutra.

Minęły już trzy doby od zgłoszenia zaginięcia dziewczynki. Poddanie się, zmniejszenie intensywności poszukiwań zawsze przychodziło im jednakowo trudno. Jakby człowiek organizował pogrzeb, choć bez ciała.

Okropność.

W ciągu dni, które minęły, nadzieja raz rosła, to znów malała. Było lepiej, gdy sprawy szły do przodu. Ludzie dzwonili, martwili się, wielu zaangażowało się w poszukiwania.

Dlatego Ludvigson nadal odbierał telefony, niepozbawiony pewnej dozy entuzjazmu. Nawet okruchy chleba były lepsze dla wygłodzonego niż całkowity brak pożywienia. Cokolwiek, byleby działalność wokół dziewczynki nie zamierała.

Wlał w siebie pół puszki coca-coli i zdecydowanym ruchem nacisnął klawisz, by odbyć kolejną rozmowę. Był to telefon z okolic Kristdali. Dzwonił mężczyzna, który zauważył przez okno, że w domu sąsiada pali się światło, podczas gdy powinno być tam ciemno. Brzmi mało ciekawie – pomyślał Ludvigson. Chyba ludzie wykorzystują okazję, aby zadzwonić na policję z czymkolwiek. Głos w słuchawce był mrukliwy i skrzeczący. Mężczyzna zapewne nie był młody.

– Miałem się już położyć – opowiadał – ale poszedłem najpierw do łazienki na piętrze, żeby się odlać.

Ludvigsona w tym momencie dopadła myśl, ile to już się nasłuchał w pracy nic nieznaczących szczegółów – wśród nich ten nie należał do najgorszych.

Oczekiwał cierpliwie na dalszy ciąg i usłyszał, jak chropowaty głos po drugiej stronie słuchawki opowiada, że w łazience jest okno, z którego głównie widać niebo: gwiazdy, jeśli nie ma chmur, Wielką Niedźwiedzicę i cały ten kram. Ludvigson nie uważał tego za specjalnie ciekawe, ale nie przerywał staruszkowi.

– Na zewnątrz powinno być ciemno, jak to w nocy, wokół mnie rośnie gęsty las – kontynuował mężczyzna przez telefon. – Ale zobaczyłem słabe światło w domu po drugiej stronie ulicy. Mogło pochodzić z okien, ale możliwe, że padało od reflektorów samochodu. Nie jestem pewien.

Mężczyzna jednak zapewnił, że świeciło się, a nie powinno.

– Z reguły nie jest tam zapalone? – zapytał Ludvigson dla porządku.

– Nie teraz.

– Co to za nieruchomość?

– Zwykły dom, pomalowany na czerwono, ale z wyjątkiem lata, no i może sezonu myśliwskiego nikt tam nie mieszka. Mieszkańcy są z Malmö. Proszą mnie albo żonkę, żeby u nich nagrzać, zanim przyjadą.

– I nie zrobili tego? Nie poprosili, żeby włączyć im ogrzewanie?

– Nie.

– Nie zadzwonili?

– Nie, przecież mówię.

– Ma pan ich numer domowy? To znaczy, w Malmö.

– No – odpowiedział trochę niepewnie mężczyzna i Ludvigson usłyszał dźwięk otwieranej szuflady.

– Nie zadzwonił pan do nich, żeby sprawdzić, czy są w domu?

– Nie. Przecież nie można tak późno dzwonić. A jeśli ich obudzę?

– Jeśli się człowiek martwi, to może zadzwonić – stwierdził Ludvigson, jednocześnie zdając sobie sprawę, że staruszek pewnie nie dzwonił z troski o swój rachunek telefoniczny.

– Człowiek nie ma odwagi iść tam i sprawdzić – wyraził swoje obawy mężczyzna. – Nigdy nie wiadomo, na jakich trafi się typów. Może do domu włamują się obcokrajowcy? Nie wiadomo, czy nie przyjdą potem tutaj. A tacy nie mają oporów przed zabiciem.

Ludvigson nie skomentował, ale rozumiał, jakie myśli prześladowały rozmówcę. W bezpieczeństwie na wsi powstała wyrwa. Przeszło miesiąc temu rolnik został zamordowany we własnym domu przez włamywacza, będącego na tournée po Szwecji.

Policjant zapisał numer telefonu i adres rozmówcy, następnie staruszek wyjaśnił mu dojazd. Były to znajome mu okolice: dowiedział się, że należało pojechać dziewięć kilometrów prosto na zachód dwudziestką trójką do Århultkorset, potem w górę ku Kristdali, minąć Björnhult i jezioro Stor-Brå, skręcić w prawo przy Kråkenäs i po przejechaniu jeszcze kilometra docierało się na miejsce. Dostał też numer telefonu do Malmö. Ludvigson zapewnił, że zadzwoni pod ten numer, ale nie mógł obiecać, jakie będą ich następne kroki.

– Możliwe, że wyślemy radiowóz, ale najpierw muszę porozmawiać z kilkoma kolegami – stwierdził.

Obiecał natomiast ponownie zadzwonić do staruszka, który się tym zadowolił, wcześniej mamrocząc coś o policjantach, którzy teraz nigdy nie pomagali, nie tak jak kiedyś. Przecież przez całe życie płacił podatki! Ludvigson jednak nie miał siły podjąć dyskusji, więc szybko doprowadził rozmowę do końca.

Zastanowił się, czy policja dysponowała czasem i siłami i czy mogła je na to zmitrężyć. W każdym razie zadzwonił pod numer w Malmö. Po drugiej stronie słuchawki od razu odezwał się zmęczony kobiecy głos.

– Dopiero co zasnęłam – wyjaśniła rozmówczyni. – Nie, dawno nie byliśmy w domku wypoczynkowym, ostatni raz w Boże Narodzenie.

Jej głos świadczył, że jest zaniepokojona. Ludvigson starał się w miarę możliwości ją uspokoić, obiecał dać znać i odłożył słuchawkę.

Potem skontaktował się z Brandtem, który jeszcze nie poszedł spać. Postanowili wysłać w teren radiowóz. Nie przypuszczali, żeby sprawa miała coś wspólnego z zaginioną dziewczynką, ale w każdym razie musieli tam pojechać i sprawdzić zgłoszenie.

– Zapewne zwykłe włamanie – stwierdził Brandt.

■

Conny Larsson prowadził samochód, a obok niego siedziała Lena Jönsson. Nie mieli zbyt wiele do roboty, dlatego powoli przemierzali ulice. Przed chwilą zażegnali kłótnię w mieszkaniu w dzielnicy Södertorn. Trochę ze sobą rozmawiali, ale przeważnie milczeli.

Kolejny raz pracowali we dwójkę. Poprzednim razem działo się to trzy noce temu, kiedy otrzymali zgłoszenie o zaginięciu Viktorii. Ostatnie doby były gorączkowe. Poprzedniej nocy mieli jednak wolne i próbowali nadrobić zaległości ze spaniem.

Żywa dziewczyna z tej Jönsson – uważał Larsson. Gdy zdał sobie sprawę, że ocenia ją w tych kategoriach, sam poczuł się tak, jakby miał ze sto lat. Dobrze się jednak z nią czuł. Żadnej gadaniny. Do tego Jönsson była dobrym strzelcem – kobiety często się tym odznaczały. Policjantka odnosiła sukcesy w wielu zawodach. Nie pochwaliła się tym sama – nie należała do takich. To ktoś w komisariacie puścił farbę na ten temat – ktoś, kto sam startował i zobaczył ją na podium zwycięzców.

Kierowali się teraz na zachód, minęli szpital i Döderhult. Przez następny odcinek drogi otaczał ich ciemny las. O tej porze nie spotykali zbyt wiele samochodów. Gdyby nie to, że wieczorne promy na Gotlandię odpływały teraz wcześniej, to w tych późnych godzinach wieczornych jechałaby w tym kierunku zawijająca się kolejka tirów, obok których trudno byłoby się przecisnąć. Larsson dokładnie się orientował, gdzie znajdowały się wszelkie objazdy, znał tę drogę na wylot.

Z tego, co zrozumieli, nie musieli się nawet spieszyć. Przede wszystkim powinni uspokoić samotnego staruszka w jego domu.

Na lekkim zakręcie przy skrzyżowaniu drogi przy Århult świeciły się żółtym światłem latarnie. Larsson lubił ten odcinek drogi. Przed nim rozpościerał się widok, którego nie zasłaniał ciemny świerkowy las – wprost przeciwnie: mógł poszybować do przodu przez otwarte i lekko opadające tereny, które rozciągały się na południe. Z reguły trzymano tam konie, ale teraz było zbyt ciemno, aby je zobaczyć. Widoczne były za to idyllicznie proporcjonalne czerwone domy o błyszczących, białych narożnikach i rzeźbionych przez stolarzy werandach. W tej okolicy nigdy nie odczuwał tęsknoty za Värmlandią.

Skręcili potem ku Kristdali, gdzie ponownie wystrzelił wokół nich ciemny las. Po prawej stronie minęli żwirownię. Przejeżdżali obok pojedynczych domów i domków, aż po lewej stronie ujrzeli czarne, migotliwe wody jeziora Stor-Brå, na którym jeszcze nie zamocowano pomostów przy kąpielisku. Dalej skręcili w prawo przy Kråkenäs, kierując się otrzymanym opisem drogi. Na całej tej trasie minęli tylko dwa auta.

Zrozumieli, że trafili na miejsce, kiedy zapaliło się światło na zewnątrz dwupiętrowego domu pomalowanego na charakterystyczny dla Szwecji czerwony kolor o nazwie faluröd. Zaparkowali radiowóz i wyszli na zewnątrz. Pod ich stopami chrzęściła żwirowa ścieżka. Załomotali do drzwi, które miały w górnej części szybę, zakrytą od środka zasłonką. Zasłonka została teraz odsunięta i u samego dołu szyby wyjrzała zza niej para oczu. Potem drzwi otwarto.

Mężczyzna był z gatunku żylastych, niemal niezniszczalnych, którzy nie umierali, lecz raczej wysychali, stając się coraz bardziej kościści i pochyleni, aż niewiele z nich zostawało.

Uścisnął obojgu dłonie swoją stwardniałą ręką, po czym podrapał się po łysinie, oznajmiając, że po dłuższym zastanowieniu doszedł do wniosku, że może niepotrzebnie ich tu fatygował dla takiej błahostki. Nagle poczuł się zażenowany, że wezwał policję. Później zauważył, że w domu naprzeciwko światło zgasło, ale wtedy było już za późno, bo policjanci byli już w drodze.

Tak, starszy pan przebywał teraz w domu sam. Żona złamała biodro i leżała w szpitalu po operacji. Conny Larsson się nie spieszył. Nie wiedział dokładnie co, ale coś sprawiło, że postanowił nie bagatelizować niepokoju staruszka. Skoro zadzwonił, coś musiało się wydarzyć. Staruszek nie sprawiał wrażenia zbyt strachliwego.

Larsson poprosił gospodarza, żeby pokazał mu, skąd rozpościerał się najlepszy widok na dom naprzeciwko. Ponieważ było to na piętrze, weszli schodami na górę. Zgarbiony mężczyzna szedł pierwszy. Piął się po schodach bez problemu, silnymi rękoma przytrzymując się poręczy, miał tylko lekko rzężący oddech. Można by zgadywać, że już dawno przekroczył osiemdziesiątkę. Przystanęli na piętrze i wyjrzeli przez okno. W ciemnościach ledwie było widać drogę.

– Zauważył już pan coś wcześniej?

– Co? – zapytał mężczyzna, ponownie drapiąc się po czaszce.

– Cokolwiek niezwykłego.

Staruszek błądził wzrokiem w kierunku Leny Jönsson. Zapewne uważał, że kiepski z niej policjant – miała góra metr sześćdziesiąt wzrostu i była chuda. Zapewne nie widział zalet w nowym trendzie zatrudniania młodych kobiet jako stróżów prawa. Zdawało się, że Jönsson odczytała jego cichą krytykę i poczuła potrzebę podniesienia się na duchu. Chwyciła za poły policyjnej kurtki, wyprostowała się i wypięła do przodu pierś, próbując wyglądać na wyższą.

– Hm – odezwał się mężczyzna odrywając wzrok od Jönsson. – Jakiś czas temu był tu samochód. Wyłonił się zza zakrętu dokładnie w momencie, kiedy przyjechałem saabem. Trudno mi było jednak dojrzeć, co to za auto. Poruszało się w przeciwnym kierunku. Możliwe, że wyjechało z drogi położonej nieco wyżej, która wiedzie do kilku domków usytuowanych głębiej. Nie widzę tak dobrze, a panował półmrok. W każdym razie zwróciłem na niego uwagę... tak, właśnie tak – dodał w zamyśleniu.

Staruszek wciąż jeździ samochodem – pomyślał Larsson, wyrażając życzenie, żeby przynajmniej trzymał się wiejskich dróg.

– Powiedział pan, że zwrócił na niego uwagę. Mogę się spytać dlaczego? – indagował Larsson.

– Nigdy go tu nie widziałem.

– Nie?

– Nie jeździ tu zbyt wiele samochodów, więc wszystkie rozpoznaję.

– Wspomniał pan, że nie pamięta, kiedy to było? – dociekał Larsson, zdając sobie sprawę, że to on powinien prowadzić rozmowę, a nie Jönsson. Dobrze, że najwyraźniej wiedziała, kiedy nie powinna się do niej mieszać. –

Przypomina pan sobie, czy było to kilka dni temu, czy może tygodni?

– Może ze dwa dni temu... albo trzy... chyba usłyszałem go też później.

– Kogo?

– Samochód. Słyszałem, jak ktoś jechał tą drogą.

– Ale go pan nie widział?

– Nie. Leżałem w łóżku. Usłyszałem silnik... no tak.

– Tak więc nie zobaczył pan samochodu. A wtedy, wcześniej, zauważył pan, jaki to był model?

– Nie, żadnych szczegółów. Było ciemno. Błoto jest bardziej widoczne na ciemnych samochodach... ale nie można ocenić koloru lakieru na odległość. Był jednak brudny.

– Czy to był samochód osobowy?

Larsson zdawał sobie sprawę, że pytaniami sugeruje odpowiedzi, ale co miał począć? Staruszek przytaknął.

– Nie sądzę, żeby to było kombi. Bagażnik wyglądał inaczej.

Larsson zamilkł. Zeszli po schodach.

– No tak, pozostaje nam tylko przejść się do sąsiedniego domu i sprawdzić. Niech pan tu zostanie – przykazał Larsson, kiedy zobaczył, że staruszek wkłada czapkę z daszkiem. – Przyjdziemy przed wyjazdem i zdamy panu raport.

Na zewnątrz zrobiło się mroźniej. Niebo było gwiaździste.

Uruchomili silnik i wycofali samochód po krótkim i wyboistym podjeździe. Przecięli drogę, kiedy zauważyli paliki przy wjeździe do domku usytuowanym w pewnej odległości od niej. Przed budynkiem widać było leżące odłogiem poletko. Zarzucało samochodem, kiedy jechali podjazdem po dwóch torach ułożonych pod koła i prowadzących w górę działki.

– Ciemno jak w grobie – odezwał się Conny Larsson, zatrzymując radiowóz i nie wyłączając jednocześnie silnika.

Reflektory samochodu oświetlały dom. Zasłony wydawały się zaciągnięte.

– Wygląda na opuszczony – osądziła Lena Jönsson.

– W każdym razie nie widzę samochodu.

– Może stoi na tyłach domu – powiedziała. – Musiałby wtedy przejechać tam przez trawnik. Albo jest w garażu.

Światła ich samochodu nie sięgały tak daleko, odsłaniając jedynie zarys niskiej szopy, którą wzięli za garaż, znajdującej się po drugiej stronie domostwa.

– Chodźmy popatrzeć – odezwał się Larsson.

Najpierw chwycili jednak za latarki i omietli światłem gęstą trawę, która porastała teren do płotu, znajdującego się z przodu domu. Conny wyłączył silnik, a potem ruszyli za róg budynku, w stronę lasu, który podchodził blisko pod dom na tyłach posiadłości. Znaleźli drugie wejście do domu w ścianie szczytowej budynku – jak założyli, było to wejście kuchenne. Zarośnięte płytki leżały schowane w trawie. Nie chodzono tamtędy codziennie, bo nie były wydeptane. Larsson zauważył papierek, zaświecił latarką i szturchnął go czubkiem buta. Był to papierek po batoniku Daim. Policjant schylił się, podniósł go i obejrzał pod światłem latarki.

Papierek sprawiał wrażenie zadziwiająco świeżego. Jönsson również mu się przyjrzała.

– Raczej nie leżał tu zbyt długo – stwierdziła.

– Nie.

Larsson wyjął z kieszeni torebkę, do której włożył papierek, po czym schował ją w to samo miejsce. Ruszyli dalej. Narastała w nich ciekawość. Światłem latarki omietli starą studnię, która najwyraźniej obecnie służyła głównie za ozdobę.

Jönsson wycelowała następnie latarką w głąb działki, oświetlając podłużny budynek gospodarczy z drewutnią oraz wychodkiem. W zamkach nie było kluczy. Prawdopodobnie z wychodka nie korzystano, ponieważ nie dochodził stamtąd żaden zapach.

– Posiadłość wygląda na całkiem wymarłą – zauważyła Lena Jönsson.

Czuła obok siebie obecność Conny'ego. Jednocześnie z jakiejś niejasnej przyczyny odnosiła wrażenie, że nie byli sami. Nie powiedziała o tym jednak Larssonowi. Nie chciała się ośmieszać i zostać okrzyknięta tchórzem już na samym początku swojej kariery.

Podmuch wiatru poruszył koronami drzew. Zaszeleściło nad ich głowami.

– Wracamy – zdecydował Larsson. – Zaświećmy tylko najpierw w głąb domu.

Drzwi były zamknięte na klucz. Żadne okna czy drzwi nie wyglądały na wyłamane. Zasłony były zaciągnięte, oprócz tych w kuchni. Policjanci stanęli każdy przy swojej połówce okna, przyciskając nosy i latarki do szyby.

Na kuchennym blacie stała butelka fanty.

– Dziwne, że ją zostawili – odezwała się Jönsson.

– Jest do połowy pełna – skonstatował Larsson. – Łatwo o czymś takim zapomnieć, kiedy się człowiek spieszy.

Niebieskawy snop światła wędrował po kuchni i padł na znajdującą się z tyłu ławkę.

– Widzisz torebkę? – zapytała Jönsson.

– Wygląda jakby była z Cukierni Nilssona.

– Nauczyłam się nigdy nie zostawiać na wierzchu niczego, co mogłoby przyciągnąć myszy.

– Właśnie – zgodził się Larsson. – Wydaje się otwarta.

– Może stary chleb. W takim razie prawdziwa uczta dla myszy.

– Spieszyli się, no wiesz! Zabiegani mieszkańcy dużych miast. Może powinniśmy zadzwonić i zapytać właścicieli w Malmö? Już raz ich obudziliśmy.

Policjanci minęli taras, oświetlając również zamknięte, prowadzące na taras drzwi, z porządnie zaciągniętymi zasłonami. Powoli ruszyli w kierunku garażu.

– Garaż i jedziemy – powiedział Larsson.

Trawa była śliska od wilgoci, ale oboje mieli porządne buty na grubych podeszwach.

Jönsson wzdrygnęła się i obróciła.

– Słyszałeś?

Larsson spojrzał na nią, również się obracając.

– Nie.

– Zabrzmiało jak drzwi.

– Łatwo sobie wmówić – ocenił Larsson, ale w jego głosie nie słychać było krytyki. – Ciemności jak w kopalni.

Zaświecili latarkami na ziemię.

– Ślady kół wyglądają na świeże – stwierdził, jednocześnie czując, że jednak nie wszystko jest w porządku. Ogarnęło go nieprzyjemne uczucie, którego jednak natychmiast się pozbył, oceniając je jako zwykłe przywidzenie.

Oboje kucnęli, przyświecając sobie z bliska latarkami i dotykając palcami wyżłobień pozostawionych po oponach.

– Staruszek się nie mylił. Ktoś tu był.

– Ktoś chyba sobie wypożyczył domek.

– Tak – zgodził się Larsson, czując, jak narasta w nim niepokój.

Drzwi od garażu były zamknięte. Lena Jönsson chwyciła za klamkę. Nie poruszyły się.

– Wilgoć. Może coś się blokuje – ocenił Conny Larsson, postanawiając również spróbować swoich sił.

Kilkakrotnie przycisnął klamkę, ciągnąc i szarpiąc. Drzwi pozostały zamknięte. Policjant zwolnił uchwyt i przyglądał się drzwiom, kopnął je i nie poddając się, spróbował po raz ostatni je otworzyć, używając do tego wszystkich sił. Szarpnął, aż rozległ się trzask i drzwi rozwarły się z przeraźliwym zgrzytem.

Światło obu latarek padło na samochód. Przed nimi stało ciemne renault. Nie zdążyli zauważyć niczego więcej – w tej samej chwili rozległ się strzał i Conny Larsson zgiął się wpół. Latarka wysunęła mu się z rąk i poturlała po ziemi ze światłem wycelowanym w niebo.

■

Kiedy podniesiono alarm, najpierw nikt dokładnie nie wiedział, o co chodzi, oprócz tego, że w okolicach Kristdali wywiązała się strzelanina i że Larsson i Jönsson byli w nią zamieszani.

Brandt pewnie zbladłby, gdyby nie to, że kolor odpłynął mu już z twarzy wiele dni temu. Wskoczył w jeden z radiowozów. Karetka była już w drodze – jeśli chodzi o to, to wszystko przebiegło jak należy – ale Lena Jönsson się nie zgłaszała, kiedy próbowali się z nią skontaktować. Policjanci obawiali się, że dwoje ich kolegów leżało postrzelonych gdzieś w rowie. Może nawet nie żyli.

– Jakiś myśliwy, który dostał szału – wymamrotał Brandt w samochodzie.

Jesper Gren, który wciskał gaz do dechy, nie miał siły mu odpowiedzieć.

Lenie Jönsson nareszcie udało się uspokoić bicie serca. Przed chwilą waliło jak oszalałe, zagłuszając i przysłaniając sobą wszystko oprócz gwiazd.

Udało jej się zlokalizować, skąd padł strzał. Przywarła teraz niczym zając do ściany garażu, uznając, że jest tam bezpieczna. Próbowała na spokojnie przeanalizować sytuację, zaplanować dalsze kroki. Chciała być mądra i przeżyć.

Ale stres niemal całkowicie ją zżerał.

Skup się tylko na jednym – rozkazała sobie. Odrzuć wszystko, co nie ma nic wspólnego z obecną sytuacją. Myśl tylko o jednej sprawie, nie więcej.

Przyciskała ucho do narożnika garażu, jednocześnie próbując wstrzymać oddech, aby lepiej słyszeć. W głowie grzmiał jej głównie własny puls.

Zdawało jej się, że dostrzega ciało Conny'ego na ziemi na skos od bramy do garażu. Gdy się skoncentrowała, odniosła wrażenie, że słyszy jego krótki, sapiący oddech. A może tylko to sobie wmawiała? Conny zapewne leżał na wpół niewidoczny w wysokiej trawie. Nie wiedziała, gdzie został trafiony. Czy żył?

Wzięła się w garść, zastygła bez ruchu, wstrzymała oddech i wyostrzyła słuch. Zdawało jej się, że słyszy rzężący oddech oraz ciche jęczenie kolegi.

Żył! Żeby tylko nie wykrwawił się, zanim zdąży sprowadzić pomoc. Modliła się w duchu, żeby staruszek zadzwonił na policję. Żeby usłyszał strzał. A jeśli był przygłuchy?

Usłyszała teraz głośniejsze, dyszące sapanie. Chciałaby być na tyle odważna, aby prześliznąć się do Conny'ego i go uspokoić, ale było to zbyt ryzykowne. Musiała zadowolić się pewnością, że kolega żyje. Nie mogła nic zaradzić na jego cierpienie. Zamiast tego postanowiła przedostać się w kierunku drogi, czołgając się tam pod osłoną kamiennego muru, aż do domu staruszka.

Z narażeniem życia – przypomniała sobie sformułowanie. To właśnie do tego ją trenowano i to stanowiło jej pracę, którą wybrała sobie sama, a nawet walczyła, aby dostać się na szkolenie. Odrzuciła myśl, że dążyła właśnie do tego niemal paraliżującego stanu, w jakim teraz się znajdowała. Że przyciągało ją do niego, że niemal z utęsknieniem go wyczekiwała, kiedy dostała się do Wyższej Szkoły Policyjnej. Jakby samo życie jej nie wystarczało, a potrzebowała odczuwać na karku oddech śmierci, aby móc prawdziwie żyć. Jakby ciągle potrzebowała ostatecznych wyzwań. *Z narażeniem życia.*

Na ćwiczeniach nie dało się symulować tragicznych zdarzeń, trafiających się w rzeczywistości, ale cały jej trening nie poszedł jednak na marne. Bez niego zapewne straciłaby teraz panowanie. Położyłaby się na ziemi i krzyczała na całe gardło do nieba albo wybiegłaby jak szalona wprost na drogę.

Teraz umiała jednak zdusić w sobie krzyk i potrzebę ucieczki. Zaschło jej w ustach, bolały ją nogi. Siedziała w kucki i zaczęła odczuwać chwytające ją w udach skurcze. Potrzebowała zmiany pozycji, wyprostowania stawów w biodrach, ale nie miała na to odwagi.

Panowała zdradliwa cisza. Co robił strzelec? Nastawiła uszu, ale słyszała tylko szeleszczące drzewa, jakąś łamiącą się gałąź i przelatujący w oddali samolot.

Oszacowała, że strzelec był blisko – może ze sto metrów od niej. Lena miała jednak nadzieję, że wystarczająco daleko, aby pocisk śrutowy zdążył się już w locie rozdzielić – jeśli do strzału użyto śrutówki. Nie była to na pewno broń kulowa na łosie – w takim wypadku Larsson już by nie żył i nie byłby w stanie wydawać z siebie jęków, które przez cały czas dochodziły do jej uszu.

Lena w ciemnościach nic nie widziała. Chociaż uchodziła za doskonałego strzelca, nie byłoby jej łatwo po ciemku trafić, podobnie jak i osobie, której przed chwilą udała się ta sztuka. Może przypadkowo? Policjantce przemknęło przez myśl, że może mieć do czynienia z myśliwym o pewnej ręce, przyzwyczajonym do długiego wyczekiwania na zwierzynę. A może jest to przestępca, który w domu przechowuje pełną szafę broni?

Nie znała przeciwnika. Objęła dłońmi sig-sauera. Wiedziała, że potrafi szybko biegać, ale jeszcze lepiej umiała strzelać. Ponownie się zastanowiła, czy pod osłoną ciemności nie powinna przeczołgać się do sąsiedniego domu. Zdążyła już dojść do siebie po silnym skoku adrenaliny. Czy powinna to zrobić, zostawiając radiowóz i Conny'ego, aby sprowadzić pomoc? Nie miała kluczyków do samochodu, które leżały w kieszeni rannego kolegi. Conny wyłączył silnik i wyciągnął je ze stacyjki, kiedy ruszyli w kierunku garażu. Byłaby idiotką, gdyby sądziła, że uda jej się wyciągnąć kluczyki, a potem stamtąd odjechać.

Ostrożnie wsunęła do kieszeni zgaszoną latarkę. Ciemny ubiór działał na jej korzyść, sprawiał, że jej sylwetka się rozmywała. Ziemia była gdzieniegdzie miękka i mokra, dlatego jej strój natychmiast zamókł i zrobił się ciężki. Nie marzła, dopóki była w ruchu i buzowała w niej adrenalina, utrzymująca w cieple i w czujności.

Powoli oparła łokcie i przedramiona na ziemi i zaczęła wytrwale czołgać się przed siebie. Wpadła na kolczasty krzak, kalecząc się w policzek. Zgięta, spróbowała podnieść się na nogi, ale w tej samej chwili poczuła w ręku ból, gdy jej nadgarstek zahaczył o ostry przedmiot. Prawdopodobnie zaczęła krwawić, ale nie miała siły zwracać na to uwagi. Bojąc się obejrzeć, kierowała wzrok jedynie do przodu.

Tak uporczywie wpatrywała się w oświetlony w oddali dom staruszka, że odniosła wrażenie, że jest on może fatamorganą. Przywarła do niskiego kamiennego muru, ciągnącego się wzdłuż podjazdu, chowając się za otoczakami. Teren był jednak trudny do przebycia – po drodze natykała się na bariery z krzaków, ostrych kamieni i pni.

Rozważyła na nowo, co powinna zrobić. Wątpiła, że zbierze się na odwagę i wybiegnie na drogę. Zdążyła już przebyć całkiem spory kawałek. Gdyby przez resztę drogi pobiegła w kierunku światła zapalonego na ganku u staruszka, może strzelec nie zdążyłby wziąć jej na cel i trafić?

Nagle usłyszała dźwięk uruchamianego silnika samochodu. Rzuciła się płasko na ziemię, chowając się za kamiennym murem. Silnik wchodził na wyższe obroty, a jego dźwięk zdawał się dochodzić z garażu. Lena objęła kolbę pistoletu, podnosząc się, aby wyjrzeć ponad murem. Reflektory samochodu trafiły ją prosto w oczy, rzuciła się więc za swoją osłonę, nie podnosząc się, dopóki auto jej nie wyminęło.

Lenie zrobiło się słabo. Conny Larsson! Oby tylko nie przejechał go samochód! – pomyślała, ściskając w dłoni sig-sauera. Wymierzyła w stronę odjeżdżającego samochodu. Ręka jej zadrżała, gdy zdała sobie sprawę z własnej głupoty: policja może przecież strzelać tylko w obronie koniecznej. I jak mogła być pewna, że trafi?

Odgłos silnika ucichł za rogiem, oddalając się na północ.

Zdążyła jednak zauważyć tablice rejestracyjne samochodu. Po cichu powtarzała sobie teraz kombinację liter i cyfr, gdy potykając się, ruszyła ku Conny'emu. Numer był idiotyczny, nie mogła dopatrzyć się w nim żadnego systemu. BTR 183. Nie było w nim nic, co ułatwiłoby jego zapamiętanie. Wsunęła z powrotem pistolet do kabury.

Kiedy uklękła przy Larssonie, usłyszała z dużej odległości nadjeżdżające samochody. Skontaktowała się z centralą, przekazując wskazówki, jaką drogą powinny kierować się auta.

– Skurczybyk uciekł na północ, ciemne renault BTR 183 – wyrecytowała i rozłączyła się.

Larsson nie reagował. Lena oświetliła latarką potężnego Värmlandczyka. Zobaczyła, że Conny krwawi z lewego uda. Przejechała ręką wzdłuż nogi. Policjant odchrząknął i otworzył oczy.

– Cholernie boli – wymamrotał i zakasłał.

A potem stracił przytomność.

■

Karetka z Connym Larssonem powoli odjechała. Przyspieszyła dopiero na głównej drodze, skąd do ich uszu dobiegły sygnały, szybko milknące w oddali.

Stopniowo na miejsce przyjechało więcej wozów. Trwały poszukiwania samochodu uciekinierów. Nie zobaczyła go karetka ani radiowozy. Sprawca zachował na tyle zimną krew, że uciekł na północ, jadąc wąską leśną drogą.

Kilkoro policjantów w mundurach przymierzało się do wtargnięcia do budynku. Spodziewano się trafić na kryjówkę złodziei. Otoczyli tonący w ciemnościach budynek, oceniając, którędy powinni do niego wejść. Czy wyłamać któreś drzwi, czy też wybić okno? W końcu dryblas o imieniu Frid chwycił łom i wygiął nim drzwi prowadzące na taras równie lekko, jakby otwierał puszkę konserw.

Najpierw weszły trzy osoby, wśród nich Brandt.

– Zapalimy światło? – wyszeptał Frid.

– Nie – odpowiedział Brandt.

W domu panował chłód, było najwyżej dziesięć stopni. Światła latarki wędrowały po wnętrzu. Policjanci najpierw przecięli duży salon, z kanapami i fotelami, a potem pokój z przeogromnym łbem łosia zawieszonym na ścianie. Frid omal nie uderzył w niego głową. Po chwili zagwizdał. Porządnie przymocowana do podłogi szafa na broń miała otwarte na oścież drzwi. Pyszniła się w niej samotnie strzelba kulowa na łosie.

– Za nic nie dałoby się samemu wyłamać tych drzwi – stwierdził Brandt.

– Pewnie właściciele zapomnieli zamknąć – zauważył Frid.

Brandt nie odpowiedział. Nie tolerował takich błędów.

Przeszli do kuchni. Zauważyli pustą torebkę z cukierni Nilssona i do połowy wypitą butelkę fanty. Ruszyli w ślad za Fridem do małego korytarza na parterze, oświetlając drzwi wejściowe, które miały zwyczajny zatrzaskowy zamek, sprawiający wrażenie niezniszczonego.

– Dobra droga ucieczki – ocenił Brandt. – Ale jak się dostał do środka?

– Może znalazł zapasowy klucz do domu w którymś z pozostałych zabudowań? Tak się postępuje na wsi, wystarczy tylko poszukać – odpowiedział Frid.

Światłami latarek omietli haczyki i wieszaki. Zajrzeli do miseczki stojącej na małym stoliku.

– Cała masa kluczy – stwierdził Frid.

Usłyszeli, jak Jesper Gren wspina się po schodach. Deski podłogowe na piętrze zaskrzypiały pod jego ciężkimi krokami. Brandt zaświecił do szafki z ubraniami. Wisiały tam w rządku kurtki. Frid zaświecił do toalety.

Do tej pory nie natrafili na żadne skradzione przedmioty.

– Chodźcie! – usłyszeli z góry krzyk Grena.

Wbiegli po schodach. Jesper Gren stał w drzwiach do sypialni, zwrócony do nich plecami. Przesunął się, żeby mogli przejść obok niego i wycelować światła latarki na łóżko.

Na łóżku leżała, skulona na boku, mała dziewczynka przypominająca martwe truchło ptasie z błogo zamkniętymi oczami. Podeszli do niej, ostrożnie unosząc okrywający ją cieniutki koc. Zaświecili dziecku w twarz. Zdawało im się, że widzą ospały ruch gałek ocznych, przykrytych bladymi powiekami. Ujrzeli, że ręce dziewczynki były związane na plecach, w cienkie nadgarstki dziecka wrzynał się sznur. Nogi miała kilkakrotnie obwiązane białym prześcieradłem. Na podłodze stała szklanka z lepkim napojem gazowanym.

Frid przyłożył wielką dłoń do twarzy dziewczynki, dotykając badawczo jej skóry.

– Jest ciepła. Żyje. Musimy sprowadzić karetkę.

■

Louise Jasinski udało się mimo wszystko zasnąć. Obudzona, chwyciła za słuchawkę. Była druga w nocy.

– Odnaleźliśmy ją – odezwał się głos w słuchawce.

Louise nie rozumiała.

– Mówi Brandt. Znaleźliśmy dziewczynkę Viktorię w domu położonym za Kristdalą. Jest w kiepskim stanie, ale żyje. Doszło nam jeszcze trochę innej roboty, mogłabyś przyjechać?

Louise myślała, że wybuchnie z emocji. Poczuła się rozdarta. Pragnęła jak najbardziej odpowiedzieć „tak", chciała uczestniczyć w wydarzeniach – szczególnie teraz, kiedy naprawdę zaczęło się coś dziać. Jednocześnie nie chciała pozostawić dziewczynek samych, nawet jeśli nie były już takie małe.

– Jestem sama z dziećmi – odpowiedziała gorączkowo. – Mów, o co chodzi.

Brandt opowiedział pokrótce o strzelaninie, o tym, że Larsson oberwał, i o uciekinierze w samochodzie.

– Jak się czuje Larsson?

– Przeżyje, ale ma sporo śrutu w udzie, możliwe, że w obu. Nie wiemy jeszcze, jakie są rokowania.

– A właściciel? – zapytała. – Wiecie już, kto jest właścicielem auta?

– Z pewnością jest kradzione – stwierdził Brandt. – Zarejestrowane na niejaką Clary Roos.

Louise w jednej chwili otrząsnęła się z resztek snu, jeszcze wyraźniej odczuwając, że przykuwają ją do domu łańcuchy. Nie zmieniła jednak decyzji – po prostu nie mogła pozostawić dziewczynek samych. Ponownie wytłumaczyła to Brandtowi, dodając, że z chęcią rozdzieliłaby się na dwoje, pozwalając połówce zostać w domu, podczas gdy drugą wyruszyłaby w teren. Brandt nic nie odpowiedział, ale Louise zrobiło się głupio i poczuła się bezużyteczna, gdy tak siedziała na skraju łóżka, z nogami na wełnianym tureckim dywanie.

Kiedy wreszcie przestała się sumitować, uświadomiła sobie, co należy zrobić:

– Zadzwoń po Petera Berga i Erikę Ljung, oni orientują się w sprawie. Będę pod telefonem. Sama też się z nimi skontaktuję. A ilu ich było?

– Gdzie? – zapytał Brandt.

– W samochodzie, który uciekł.

– Aspirantka Jönsson jest pewna, że tylko jedna osoba. Mogła jednak się pomylić. Było ciemno i była wystraszona.

Louise zadzwoniła najpierw do Petera. W pół sekundy otrząsnął się całkowicie ze snu.

– Albo uciekają oboje, albo tylko jedno z nich. W takim wypadku pewnie partner Clary – stwierdziła Louise. – Moim zdaniem to on jest bardziej pozbawiony skrupułów. Clary Roos może ukrywać się w domu albo u ojca – wyraziła przypuszczenie. – Informuj mnie o wszystkim.

Potem zadzwoniła do Eriki Ljung, której głos zabrzmiał w słuchawce, jakby była nieżywa, ale szybko wstąpiło w nią życie i obiecała pojechać na komisariat. Nie pracowała jeszcze zbyt długo w policji, przez co wciąż była na etapie, na którym niemal wszystko potrafiło wprowadzić ją w stan bliski euforii.

Louise wróciła do sypialni i położyła się do łóżka, bezskutecznie próbując znów zasnąć. Leżała, wpatrując się w ciemność i zastanawiając się, czy koledzy do niej zadzwonią. Była jednak na tyle realistką. Zdawała sobie sprawę, że mieli co innego do roboty niż dzwonić do mamuśki w domu.

Zadrżała – od bardzo dawna nie przespała w spokoju całej nocy. Miała wrażenie, że jej ciało częściowo się w nocy wyłącza, podczas gdy podniecone serce z całej siły łomocze jej wtedy w piersi. Zwinęła się w kłębek na boku, czując się bardzo nieszczęśliwa, i przymknęła oczy. Wezbrała w niej gorycz, była pod przykrym wrażeniem, że jest wykluczona ze wszystkich wydarzeń. Tak jak wtedy, gdy w dzieciństwie zachorowała i kazano jej zostać w domu, podczas gdy wszystko biegło nadal swym zwykłym torem.

Przysnęła. Nagle się zerwała. Minęły trzy godziny. Nikt nie zadzwonił i gdy tak leżała, zdała sobie sprawę, że nikt już nie zamierzał się z nią skontaktować. Starała się zwalczyć narastającą potrzebę zatelefonowania, ale w końcu nie była w stanie już się dłużej powstrzymać. Zadzwoniła do Petera, ponieważ wiedziała, że jego najmniej ze wszystkich zirytuje jej telefon.

– Zupełnie nieprawdopodobne – opowiedział zmęczony, ale jednocześnie w jego głosie dało się słyszeć podniecenie, które, jeśli to możliwe, dodatkowo spotęgowało jej poczucie wykluczenia. – Zatrzymano samochód w pobliżu Norrköping. Jakiś łepek z małej dziury usłyszał o poszukiwaniach i zobaczył kierowcę tankującego paliwo na położonej na uboczu stacji benzynowej. Od razu stał się diabelnie podejrzliwy i zadzwonił na policję, która zdążyła rozłożyć kolczatki na północ od stacji, na drodze do Sztokholmu.

Louise lekko się uśmiechnęła, mimo że nikt jej nie widział. Cholera! Jej praca była najfajniejsza na świecie, nawet jeśli w tej chwili w niej nie uczestniczyła.

– A kobieta? – zapytała.

– Jeszcze jej nie znaleźliśmy, ale obserwujemy mieszkanie w Kristinebergu i dom jej ojca. Wyczekamy ją.

– Tak, w końcu skapituluje.

Louise poszła do łazienki i wzięła połówkę tabletki nasennej. Równie dobrze mogła wykorzystać te kilka pozostałych godzin na sen, skoro i tak nie brała udziału w zabawie. Wyprostowała fałdy prześcieradła. Puchowa kołdra była leciutka, a poduszka chłodna. Powoli zapadła w sen.

Gdzieś pomiędzy jawą a snem przed oczami Louise wyświetla się gruboziarnisty, porysowany, czarno-biały film. Obraz irytująco się zacina, na okrągło powtarzając jedną sekwencję, której policjantka nie jest w stanie zrozumieć. Scena ta co chwilę rozgrywa się na nowo.

Louise widzi podwórze, obserwując je z poziomu ziemi. Ani żywej duszy. Światło o zmroku jest szaroniebieskie. Mokry bruk błyszczy w sączącym się z okna żółtym świetle. Przeczucie, bezruch. Panuje całkowita cisza. Nie słychać delikatnego wiosennego wiatru poruszającego wciąż jeszcze nagimi koronami drzew czy odległego ruchu samochodowego, płynącej w rurach wody ani też przytłumionego odgłosu płaczu dziecka, chcącego, aby je pocieszyć. A jednak: jest jeden człowiek, niespokojna dusza, cień, który w gniewie unosi ramię ściskające trzonek tak mocno, że bieleją mu kłykcie, i daje upust wściekłości. Decyduje się na nieodwracalny postępek, wali i tłucze, raz za razem. W geście szaleństwa wybija młotkiem komuś życie z głowy. Pławi się w strachu wyzierającym z oczu ofiary.

12

Środa, 24 kwietnia

Wszystkie komórki i inne czynniki rozpraszające zostały wyłączone, a drzwi zamknięte. Louise Jasinski gruntownie się przygotowała, więc nie obawiała się żadnych niespodzianek. Mieli niezbite dowody, które z całą pewnością wystarczały do skazania sprawców, ale przesłuchania stanowiły równie ważną część całego procesu – jeśli nie z innego powodu, to dlatego, że działały niczym kąpiel oczyszczająca dla przestępców. Tak to widziała Louise, a jej własne doświadczenie upewniło ją w tym. Ludziom dobrze robiło przyznanie się do winy, wzięcie na siebie odpowiedzialności za popełnione czyny. Co prawda nie wszyscy się z tym zgadzali – w każdym razie nie wszyscy kryminaliści i nie ich obrońcy, którzy mieli przecież inne zadanie.

Adwokat obrony również się przygotował. Wyglądał na chłodnego intelektualistę o wysokim czole, zaczesanych do tyłu włosach, aroganckim profilu i szkłach pozbawionych linii oprawy, które bezbłędnie narzucały policjantce skojarzenia ze stereotypowymi filmowymi obrazami nazistowskich oficerów. Całości stroju dopełniał szeroki granatowy krawat, zawiązany na biało-czerwonej koszuli w delikatne prążki, oraz ciemny blezer. Rześki, płomienny czerwony kolor skóry twarzy mógł świadczyć o nadmiernej konsumpcji alkoholu, ale Louise wiedziała, że adwokat był lepszym człowiekiem, niż mógłby na to wskazywać jego wygląd, a przynajmniej jeśli chodziło o okazywaną przez niego empatię. Potrafił nawet traktować z pewnym czułym zrozumieniem klientów z najniższych warstw społecznych, a nie tylko starał się przypodobać takim jak on sam. Louise zdecydowanie nie uważała go za atrakcyjnego, ale przecież nie miało to tutaj znaczenia. Choć czasem trochę wszystko ułatwiało, kiedy zgadzała się tak zwana chemia. Jednak nie działali też na siebie odpychająco.

Rozsunięto zasłony. Chwilowo słońce skryło się za chmurą, poza tym była ładna pogoda. Może bardziej pasowałaby do dzisiejszego dnia brzydka i pochmurna aura?

Louise Jasinski rzeczowym tonem przebrnęła przez formalności, informując Clary Roos o planowanym przebiegu przesłuchania, następnie włączyła nagrywanie taśmy w magnetofonie i wyrecytowała datę, miejsce i czas, jednocześnie wymieniając obecne osoby.

– Tak jak poprzednim razem mamy dużo czasu – dodała, obracając się w kierunku Clary Roos. – Nie musimy się spieszyć. Niech pani nam powie, gdyby pani czegoś potrzebowała.

Clary Roos nie zareagowała, patrzyła jedynie w powietrze obok Louise. Miała świeżo wymyte włosy, gładko zaczesane do tyłu głowy i zaplecione na plecach w warkocz. Była chuda – sprawiała wrażenie młodszej z powodu drobnej, niemal dziewczęcej sylwetki.

– Nie mogę spać – odezwała się spięta. – Chcę stąd wyjść! Ściany w celi mnie przytłaczają.

Louise przytaknęła.

– W którym miejscu chciałaby pani zacząć?

– Cholera wie. Nie pamiętam, na czym zakończyliśmy.

– Może pani zacząć, gdzie chce, niezależnie od tego, na czym skończyliśmy.

Adwokat obrony nie przewrócił oczami, choć pewnie miałby na to ochotę. Zamiast tego pochylił się, i oparł na poręczy krzesła.

– Cholerna jędza terroryzowała nas przez wiele lat – zaczęła ostrożnie Clary Roos, ale dało się wyczuć, że zaraz podniesie głos, a jej opowieść nabierze tempa. – Zaczęło się, kiedy byłyśmy małe. Potem na jakiś czas zapanował spokój, ale kilka lat temu znów wszystko wróciło, kiedy odwiedziła ojca w domu i zaczęła wyciągać od niego pieniądze.

Jej głos wciąż brzmiał jednostajnie.

– Ojciec zestarzał się i oczywiście dawał się jej oszukiwać. Był łatwą ofiarą – niemal wypluła z siebie Clary. – Z tego, co zrozumiałam, zawsze najpierw wiozła go wprost do bankomatu. Widziałam na własne oczy, jak zaparkowała przy banku na Storgatan i pomagała ojcu, wkładając kartę do bankomatu i wybierając za niego pieniądze, kiedy on czekał w samochodzie. Nogi się czasem pod nim uginały.

Oczy Clary Roos się zaświeciły.

– Zarówno ja, jak i moja siostra od dziecka wiedziałyśmy, że nie ma sensu z nią rozmawiać. Zresztą teraz tak samo jest i z ojcem. Doris zawsze tak wszystko wykręcała, że zrzucała winę na innych. Nigdy, przenigdy ona nie była winna. Nikomu o tym z siostrą nie opowiadałyśmy, ale gdybyśmy wyznały, że baba nas terroryzuje, kłamie i zmyśla, i tak nikt by nam nie uwierzył. Nawet ojciec nam nie wierzył. Doris krzyczała, wpadała w szał, biła i siała wokół siebie spustoszenie, kiedy ojca nie było w domu. Mogła sobie na to pozwolić, bo wiedziała, że ojciec nie dawał wiary naszym skargom. Nikt by nam nie uwierzył, gdybyśmy to komuś powiedziały, byłyśmy przecież tylko dziećmi. Dorośli wierzą przede wszystkim dorosłym, a nie dzieciom.

Louise otworzyła usta, jakby chciała coś powiedzieć.

– Niech pani nic nie mówi – odezwała się Clary Roos,

obracając ku policjantce purpurową twarz. – Wiem, że tak jest, na bank. Pewnego razu powiedziałam pani w szkole, że Doris zepchnęła mnie ze schodów. „To pewnie byłaś niegrzeczna" – stwierdziła nauczycielka. Zawsze tak było i z pewnością nic się pod tym względem nie zmieniło.

Obrońca sprawiał wrażenie bardzo znudzonego. Powieki mu opadały i dyskretnie ziewnął, co rozdrażniło Louise. Jego zainteresowanie stanem psychicznym klientki w tej chwili jest letnie – pomyślała złośliwie, próbując nie zwracać już na niego uwagi.

– Cholera, to było okropne – dodała swój komentarz Clary Roos, po czym zamilkła.

Wyjrzała przez okno, mrużąc oczy pod światło. Louise pomyślała, iż na ironię zakrawa fakt, że właśnie ta kobieta była zdolna do porwania dziecka, do wystawienia niewinnej dziewczynki na ogromne cierpienia, a może nawet i okaleczenia jej na całe życie.

– A co się działo ostatnio? – zapytała, aby przywrócić Clary Roos do teraźniejszości. Wiedziała, że mało jest na świecie rzeczy, przed którymi ludzie padają na kolana, a jedna z nich to możliwość opowiedzenia czegoś przed wdzięcznymi słuchaczami.

– Nic takiego. No, wkurzyłam się na nią jeszcze bardziej, kiedy stary zaczął jej dawać pieniądze, a nas miał w dupie. A w każdym razie mnie. Siostra daje sobie radę, mają przecież zakład szklarski.

– Jak zauważyła pani, że tata rozdaje pieniądze?

– Nie było to trudne. – Zirytowana spojrzała na Louise. – Zawsze starał się być w porządku, właściwie czasami aż za bardzo. Kiedy straciłam pracę, próbował mnie wspierać, to było całkiem naturalne. Naprawdę starałam się dać sobie radę sama, ale cholera jasna! Od kiedy nie pracowałam, było mi piekielnie ciężko, znajdowałam jakieś dorywcze zajęcia, ostatnio w szkolnej stołówce. Ale zaczęłam zalegać z czynszem i nagle ojciec otwarcie odmówił mi pomocy. Poszłam do siostry, ale ona uważała, że to nie jej sprawa, ma przecież własne dzieci. A chociaż mój Charles różni się od innych, to jednak chcę brać go do siebie na weekendy, a przynajmniej co któryś weekend. Mieć dom. Dzieliliśmy się czynszem po połowie, ale i tak było ciężko. Per też jest bezrobotny. Stało się tak, jakby nagle całe życie zaczęło obracać się wokół pieniędzy – nie miałam grosza, i cierpiałam biedę, chociaż mam bogatego ojca i wszyscy sądzą, że mi pomaga i dobrze mi się wiedzie. Z pewnością Doris stała za tym, że ojciec odmówił mi wsparcia. Siostra zgadzała się ze mną, choć się do tego nie przyznaje. Rozmawiałyśmy jednak o tym: Doris nigdy nas nie lubiła, od początku była o nas zazdrosna.

– Charles to pani syn, prawda? – zapytała Louise, a przesłuchiwana kobieta przytaknęła. W jej oczach rozbłysła mieszanina dumy i bezsilności. – Jak on się czuje?

– Dobrze – odpowiedziała Clary, a jej usta się ściągnęły. – Nie ma z tym nic wspólnego. Mieszka u rodziców zastępczych i jest mu tam dobrze. Może będzie mógł zamieszkać potem u mnie. Kiedy się wszystko trochę ułoży – dodała cicho, spoglądając w dół. Stwierdziła to z tak niezachwianą wiarą, że trudno było nie usłyszeć zawartej w jej słowach tęsknoty.

Louise nie miała pojęcia, do jakiego stopnia synek Clary jest upośledzony umysłowo czy niepełnosprawny, ale nie zamierzała się w to zagłębiać. Słyszała, że podobno jego problemy wynikały z picia alkoholu przez matkę w ciąży.

– Może pani opowiedzieć, co wydarzyło się w piątek piątego kwietnia?

Widniejąca przed nią twarz się ściągnęła. Jednocześnie Louise zauważyła, że zmęczenie osłabiło kobietę – doba w areszcie skruszyła jej opór.

– Dlaczego miałabym o tym opowiedzieć? Jaki jest sens wyznania prawdy?

Kiedy Louise nie odpowiedziała, wtrącił się obrońca.

– Prawda jest zawsze najlepszym rozwiązaniem – powiedział. – Przecież o tym rozmawialiśmy.

– A co ona niby rozwiązuje?

Był to unik, który mógł doprowadzić do męczącej gry słówek, a przecież nie po to się tu zebrali. Kto z nich umiał najlepiej na to odpowiedzieć?

– Wiemy, że była pani zamieszana w pobicie Doris Västlund – odezwała się w końcu Louise Jasinski. – I pani wie, że my to wiemy. Mamy na to dowody: znalezioną na ubraniach krew. Wiemy również, że była pani zamieszana w uprowadzenie Viktorii, ale chcielibyśmy usłyszeć o tym z pani ust. Wyznanie prawdy stanowi ulgę, dość często się z tym spotykamy. Potem będziemy mogli ruszyć dalej z naszą pracą. – Zwilżyła wargi. – Co się wydarzyło, zanim weszła pani do domu na Friluftsgatan? – zapytała, kładąc ręce na stole.

W pokoju dało się słyszeć głębokie westchnięcie.

– Znowu muszę o tym opowiadać?

– Chcemy, żeby pani to zrobiła.

– Zostałam tam podwieziona.

– Przez kogo?

– Cholera, przecież to nie ma znaczenia.

– Chcę, żeby pani nam to powiedziała.

– Przez Pellego.

– Pera Olssona?

Clary Roos przytaknęła.

– Pelle zaparkował na ulicy. Zamierzałam zajść tylko na górę do Doris, kipiałam z wściekłości.

Oczy jej wyszły na wierzch. Adwokat obrony wyprostował się na krześle i splótł dłonie na brzuchu.

– Chwilę wcześniej razem z Pellem wyjechaliśmy od ojca. Byliśmy zupełnie spłukani. Doris tam była, to znaczy u ojca, więc nie mogliśmy swobodnie porozmawiać o pieniądzach. Nagle Doris się zmyła, zabrała samochód i pojechała do domu.

– Ale państwo zostali?

Kobieta przytaknęła.

– Mogłaby pani powiedzieć głośno, jak długo?

– No, tylko przez chwilę, bo piekielnie się wkurzyłam, a Pelle zezłościł się jeszcze bardziej ode mnie. Zapytałam przymilnie ojca, czy mógłby nam pożyczyć tysiąc koron, a on wyciągnął portfel i pokazał nam, że jest pusty. Wtedy wygarnęłam mu prawdę, że wiem, że wyciągał pieniądze z bankomatu.

– Skąd pani o tym wiedziała?

– Ponieważ go tam zobaczyłam. Powiedziałam mu to, a wtedy opadły mu ręce. Nie było to co prawda tego samego dnia, ale ojciec ma pewne kłopoty z pamięcią... mylą mu się dni itd...

– Tak?

– Zaczął się tłumaczyć. Powiedział, że Doris wzięła wszystko, ale że da mi pieniądze kiedy indziej, innego dnia. Odmówił jednak pojechania ze mną i Pellem samochodem. Zaproponowaliśmy, że zawieziemy go wprost do bankomatu, ponieważ nasza sytuacja stawała się krytyczna. Ojciec powiedział jednak, że nie ma na to siły, a przecież nie mogliśmy go do tego zmusić. Pomyślałam, że Doris na pewno maczała w tym palce, że ojciec nie miał odwagi nam pomóc. Może dzwoniła i sprawdzała albo może miała przyjechać do niego później? Byliśmy zdesperowani, więc nasze opanowanie poszło w diabły. Nie wiem, jak do tego doszło, ale wściekłam się tak, jakby wybuchła we mnie nagromadzona latami złość...

– Co pani wtedy zrobiła?

– Nie wiem, co we mnie wstąpiło, ale następnego dnia miał do nas przyjechać Charles. Jest u mnie jedną sobotę w miesiącu i chciałam mieć w domu choć trochę jedzenia. Trochę smakołyków: chipsy, napój gazowany, jak u normalnej matki...

I może coś do picia dla siebie samej – pomyślała cynicznie Louise.

– I co wtedy pani zrobiła?

– Wsiadłam do samochodu.

– Sama?

– Nie.

– To z kim?

– Oczywiście z Pellem, a z kim innym?! Przecież nie z ojcem.

– I pojechaliście?

– Tak właśnie.

– Dokąd?

– Do domu baby.

– A kiedy już dotarliście do domu Doris?

– Wtedy Pelle zaparkował, ale sam został w aucie. Nie było sensu, żeby szedł ze mną na górę.

Zapadła cisza. Spojrzenie kobiety rozbiegało się na boki.

– Co zamierzała pani zrobić w domu u Doris?

– Kazać jej pójść do diabła!

– Nic więcej?

– Nie. Chciałam ją tylko skrzyczeć, powiedzieć, co o niej myślę. Liczyłam, że może zostawi potem ojca w spokoju.

– I co się wydarzyło? Pelle zaparkował samochód na ulicy, to znaczy na Friluftsgatan?

– Tak, a ja przeszłam przez podwórze. Doris najczęściej tamtędy chodziła, więc sądziłam, że to tam jest wejście do budynku. Weszłam więc po schodach i zapukałam do drzwi, ale nikt nie otworzył.

– Spotkała pani kogoś na klatce?

Kobieta zagryzła wargę.

– Jedną.

– Jedną osobę?

Przytaknęła.

– Spotkała więc pani jedną osobę. Kogo?

– No, to była Viktoria, chociaż wtedy nie wiedziałam, że tak ma na imię.

– Nigdy wcześniej jej pani nie widziała?

– Nie, nigdy. Ale przystanęłyśmy tam obie w połowie schodów, przyglądając się sobie. W przeciwnym wypadku przecież nie...

Zamilkła.

– W przeciwnym wypadku przecież nie, co?

– Bym się nią nie przejęła.

– Okej. Zeszła więc pani po schodach i znalazła się znowu na podwórzu?

– Tak.

– A dziewczynka?

– Nie mam pojęcia. Pewnie ruszyła dalej w górę schodów. Trzymała na brzuchu jakieś pudełko i coś sprzedawała. To były majowe kwiatki.

Cisza.

– Tak więc wyszła pani na podwórze?

– Tak.

– Jak się pani wtedy czuła?

– Oczywiście wkurzona! Byłam niemal jeszcze bardziej zła. Zdążyłam się jeszcze mocniej nakręcić, choć wszystko działo się bardzo szybko. Tak jakby złość chciała się ze mnie wydostać.

– I co się stało? Przystanęła pani na podwórzu?

Nagle zdawało się, że opowieść wymknęła się Clary Roos spod kontroli. Jej oczy poszukały wzroku obrońcy, który spokojnie odwzajemnił jej spojrzenie.

– Mam opowiedzieć to tak, jak było?

– Prawda jest zawsze najlepsza, już mówiliśmy – odrzekł.

– Drzwi do piwnicy stały szeroko otworem. Zeszłam tam, to znaczy do pralni.

– Skąd pani wiedziała, że Doris może tam być? – zapytała Louise.

– Powiedziała, że musi jechać do domu i iść do pralni, zanim zwinęła się od ojca. Wiedziałam, gdzie jest pralnia. Byłam już u niej wcześniej.

– Aha. Więc zeszła pani na dół?

– Tak, zeszłam. Drzwi były zahaczone w pozycji otwartej. Od razu znalazłam Doris. Zajmowała się czymś przy pralkach.

Cisza.

– Zaczęłyśmy rozmawiać – kontynuowała Clary.

– Rozmawiać? Czy była to spokojna rozmowa?

– Nie, spokojna to ona nie była. Wygarnęłam jej wszystko i...

– Co ona wtedy zrobiła?

– Darła się, wrzeszczała jak zarzynane prosię.

Louise z trudem powstrzymała się od uśmiechu.

– A pani? Co pani zrobiła?

– Też się na nią wydarłam i...

– I co?

Znowu cisza.

– Powiedziała pani, że nakrzyczała też pani na Doris – powtórzyła Louise. – A co zrobiła pani potem? Została pani w pralni?

– Nie, wybiegłam stamtąd.

– Nie dotknęła jej pani?

– Nie, nawet jej nie szturchnęłam. Naprawdę!

Jej oczy się zwęziły.

– Jak długo tam pani była? Czy jest pani w stanie to określić?

– Nie wiem, może z minutę.

– Była tam pani przez minutę?

– Ech, nie pamiętam. Może ze trzy minuty. Nie dłużej, ponieważ nie było sensu stać tam i gadać głupoty, więc sobie poszłam. Wróciłam do Pellego, który już niemal zasnął w samochodzie, i opowiedziałam mu, jak było. Pelle jeszcze bardziej się wkurzył, był wkurwiony na maksa.

Zwłaszcza że wiedziałam, że babka na dole ma ze sobą pieniądze, które zagrabiła ojcu. Stała tam w kurtce, więc chyba poszła wprost z samochodu.

Nagle opowieść się urwała.

– Więcej już nie pamiętam. To takie zawiłe. Chciałabym się czegoś napić.

– Czego by się pani chciała napić?

– Wody.

Louise wstała i poszła po wodę Ramlösa. Clary nalała sobie do szklanki pół butelki i napiła się.

– Mogłabym pójść też do toalety?

Louise się zgodziła. Potem znowu usiedli. Ze wzburzenia Clary dostała na twarzy wypieków.

– No tak, więc wyszła pani z pralni – podjęła temat Louise.

– Hm. Wtedy jednak Pelle tak się wściekł, że szarpnięciem otworzył drzwi samochodu i wybiegł na podwórze. Pobiegłam za nim. Zobaczył, że drzwi do warsztatu stolarskiego stoją otworem, ponieważ Rita najpewniej gdzieś wyszła. Dokładnie nie pamiętam, wszystko się działo tak szybko. Tak więc Pelle po prostu wszedł tam i chwycił młotek, wylewając coś na siebie z plastikowego słoika i... Tak, to by było na tyle.

– Gdzie wtedy pani była?

– Wsiadłam do samochodu. Wystraszyłam się, gdy się tak wściekł. Wiem, że potrafi być agresywny – powiedziała, szeroko otwierając oczy. – Ale potrafi również być najsłodszy na świecie.

Louise ani przez chwilę w to nie wątpiła. Zastanowiła się, jak często lał Clary. Mężczyźni o takiej psychice zazwyczaj bili.

– Aha. Nie opowiedziała nam pani, dokąd poszedł?

– Zszedł tam, do pralni. Więcej nic nie wiem, ale nie wrócił tak od razu, więc...

Kobieta zacisnęła usta.

– Nie? Co pani zrobiła?

– Nic.

– Gdzie pani była, robiąc to „nic"?

Clary uciekła spojrzeniem.

– W samochodzie.

– Przez cały czas siedziała więc pani w samochodzie?

Cisza.

– Nie przyszło pani do głowy, żeby pójść i zobaczyć, co się stało?

Clary Roos głęboko nabrała powietrza.

– No.

Znowu zapadła cisza.

– Dokąd wtedy pani poszła?

– Na podwórze. Wtedy zobaczyłam, jak Pelle wychodzi po schodach z piwnicy, i... wyglądał naprawdę dziko, więc...

Nastała jedna z tych chwil, w której dałoby się usłyszeć, jak spada igła.

– Więc zrozumiałam, że coś się wydarzyło, a ponieważ nikogo nie było u Rity, Pelle wszedł do warsztatu, umył młotek i zawiesił go z powrotem. Gdy tylko to zrobił, wróciła Rita. Nigdy nie spytałam, gdzie wtedy była. Sądzę, że na zewnątrz, na ulicy.

W dniu, kiedy skatowano Doris, Rita nie miała jednak samochodu – pomyślała Louise. Poinformowała policję, że był wtedy w warsztacie i właściciel warsztatu to potwierdził. Musiała siedzieć w toalecie lub rozmawiała przez telefon, albo też odwiedziła któregoś z sąsiadów.

– Skąd Pelle wiedział, co gdzie jest w warsztacie? – zapytała Louise.

– Pani to wie, sprawdziliście to. Rita Olsson jest jego przyrodnią siostrą. Mają wspólnego ojca.

Sieć powiązań w małym mieście – pomyślała Louise.

– Czy Per powiedział pani, co zrobił?

– Uderzył ją.

– Nic więcej?
– Nie.
– Podobno brakuje portfela. Wie pani coś na ten temat?
– Okej. Zabrał go, ale to były właściwie nasze pieniądze. Właśnie zwinęła kaskę mojemu ojcu.
Clary Roos sprawiała już wrażenie skrajnie wyczerpanej. Może poczuła też ulgę.
– A więc wie pani, że to był młotek?
– Tak mi powiedział.
– Widziała go pani?
Clary zamilkła, zastanawiając się, jaka odpowiedź będzie najlepsza.
– Nie, nie widziałam.
– Jaka jest w tym wszystkim rola Viktorii?
– To wina Pellego, nie chciałam w to wszystko wplątywać dzieciaka.
– Jak to? Niech pani opowie.
– Zwinęliśmy się do domu, gdzie się pokłóciliśmy, bo Pelle był przerażony. Możliwe, że zdawał sobie sprawę, jak okropnie mocno uderzył...
– Co wydarzyło się później?
– Piliśmy... i... następnego dnia powiedział, że może mnie zatrzymać policja, ponieważ dzieciak mnie widział.
– Co mu pani na to odpowiedziała?
– Strasznie się przeraziłam, bo zaczął mnie dręczyć, ciągle marudził o dziewczynce, że mogłaby mnie rozpoznać, i nie wiedziałam już, co mamy robić. Zrobiło się nieprzyjemnie, kiedy zobaczyliśmy w gazetach, że Doris nie tylko straciła przytomność, ale potem umarła – pisano o morderstwie i... Pelle wciąż tylko nawijał o dziewczynce, ja także zaczęłam się bać, ale przecież nawet nie wiedziałam, kim była.
Oblizała spękane wargi. Kolor jej oczu był na pograniczu zieleni i brązu.
– Jak się tego dowiedzieliście?

– Pomyśleliśmy, że moglibyśmy wypytać o to ostrożnie Ritę, ale nie było takiej potrzeby. Bo kiedy Pelle tam pojechał... on to zrobił po kilku dniach, kiedy po podwórzu przestało się już kręcić tylu policjantów. Wtedy zorientował się, że Rita zapisała sobie adres dziewczynki w notatniku przy telefonie. Zobaczył to, kiedy poszedł do toalety. Notatnik leżał na wierzchu, kiedy Pelle był u Rity na kawie. Może Rita podejrzewała, że Pelle był w to zamieszany, ale nigdy nie posunęłaby się do tego, aby na niego donieść. To nie ten typ. Tak więc pojechaliśmy pod ten adres, sprawdzaliśmy go kilkakrotnie i pewnego dnia dopisało nam szczęście. Podwiozła ją tam Rita, wysadziła z samochodu i odjechała, tak więc można by powiedzieć, że dostaliśmy dziewczynkę jak na tacy.

Krzywy uśmiech odsłonił jej kiepskie uzębienie. Za dużo papierosów i czerwonego wina. W przeciwnym wypadku Clary Roos była jeszcze wystarczająco młoda, aby móc na tym coś zbudować, gdyby tylko zdobyła się na odwyk. Ludzie z nałogiem potrafią człowieka zmęczyć – pomyślała Louise.

– Niech pani kontynuuje. Zabraliście więc Viktorię. Jak do tego doszło?

– Łatwo ją było zwabić. Nikt nas przy tym nie widział, więc pomyśleliśmy, że rozwiązaliśmy problem...

Louise nieznacznie przytaknęła.

– Jednocześnie było to okropne, bo nie wiedzieliśmy, co z nią potem zrobić – kontynuowała Clary Roos. – Ani jak się jej pozbyć. Nie przygotowaliśmy się, do tej pory głównie rozmawialiśmy o tym, żeby ją znaleźć. Pelle wkurzył się na mnie, jakbym to ja miała rozwiązać sprawę, ponieważ jestem dziewczyną. Tak więc wyjechaliśmy na wieś, trochę tak na czuja. Pelle kojarzył ten dom, już wcześniej miał go na oku i wiedział, że stoi pusty i gdzie można znaleźć klucz. Wisiał na gwoździu w garażu, proste. Tak więc wtachaliśmy ją tylko na górę... okropne, bo dzieciak był śmiertelnie przerażony. Nie mogłam tego wytrzymać, więc wyszłam. Pelle jeździł tam więc potem sam i próbował ją nakarmić. Nie jest wcale takim twardym typem, więc myślę, że był załamany, kiedy odmawiała jedzenia. Jakby położyła się, aby umrzeć. Nie chcieliśmy tego, więc Pelle musiał ją zmuszać do jedzenia.

Louise spojrzała na zegarek.

– Na dzisiaj wystarczy – stwierdziła, wyłączając magnetofon.

13

Poniedziałek, 29 kwietnia

Louise Jasinski słuchała samochodowego radia, czekając na głos kolegi z pracy, Lenniego Ludvigsona. Nie miał on jednak opowiadać o zniknięciu Viktorii czy też o aresztowaniu dwójki podejrzanych: mężczyzny za zamordowanie Doris Västlund, kobiety za pomaganie mu w tej zbrodni. Obie te sprawy już przebrzmiały. Dziewięć dni minęło od aresztowania Clary Roos i Pera Olssona.

Słońce wlewało się do samochodu, oświetlając zakurzoną tablicę rozdzielczą. Louise miała blisko – jechała tylko do domu Claessona. Kiedy odwiedziła go ostatnim razem, niespełna dwa tygodnie temu, wiodła zupełnie inną egzystencję. Jadąc uświadomiła sobie, jak bardzo życie może się odmienić. Wtedy nie mogła nawet pomarzyć o wewnętrznym spokoju i stabilizacji, które ją teraz wypełniały. To właśnie różnica stanowiła esencję – że raz było gorzej, a raz lepiej. Najfajniej jest oczywiście wtedy, kiedy jest dobrze.

Bezsprzecznie odwaliła kawał roboty. Prawie zakończyła długi związek, co – choć brzmiało sucho i poprawnie – właśnie tym było, przynajmniej na jednej płaszczyźnie. Poza tym sprzedała dom i przeprowadziła się. Nie były to błahostki, ale też nie było to przesadnie trudne – nie teraz, kiedy wiedziała, do czego zmierza, kiedy wyznaczyła sobie własny kierunek.

Jej niespodziewana zaradność zupełnie zaskoczyła Janosa. Chciał się z nią spotkać, pogadać „o różnych sprawach", ale ona nie widziała w tym sensu. Zapewne chciał sobie ulżyć w poczuciu winy, ale w tej kwestii sam musiał dać sobie radę.

Zmrużyła oczy, podkręcając głośność w radio. Zapowiedziano wylewnym smalandzkim krótki wywiad z inspektorem policji Lenniem Ludvigsonem, w związku z kursem dla tutejszej policji dotyczącym taktycznych metod postępowania. Louise słuchała, jak Ludvigson wyjaśnia cel kursu:

– Policjantom coraz częściej przydarzają się groźne sytuacje, dlatego ważne jest, aby odpowiednio reagowali dla zwiększenia bezpieczeństwa własnego i otoczenia – powiedział. – Na przykład, kiedyś do napadów na banki z bronią w ręku dochodziło przeważnie w dużych miastach, podczas gdy teraz występują równie często w mniejszych miejscowościach, w których, jak sądzą złodzieje, jest mniej policji.

Louise słuchała uważnie, zastanawiając się, czy dziennikarz przypomni kwestię zeszłotygodniowej dramatycznej strzelaniny, czy też ją sobie odpuści. Jasne, że jej nie pominie – nawiązanie do niej było nieuniknione. Ludvigson podjął natychmiast temat, mówiąc, że ta nieszczęśliwa, tragiczna wymiana ognia jest najlepszym przykładem na to, że policjanci są obecnie bardziej narażeni na niebezpieczeństwo.

– Łapanie przestępców nadal przynosi nam jednak satysfakcję – przedstawił drugą stronę medalu. – Wszyscy to lubią. Praca policjanta to bardzo dobra praca, trzeba tylko bardziej uważać.

Claesson czekał na nią w ogrodzie, w osłoniętym od wiatru zakątku przy ścianie domu. Siedział i czytał gazetę na ogrodowej ławce, która wyglądała tak, jakby przydało jej się malowanie. Pod jabłonką stała spacerówka z postawionym daszkiem, spod którego wystawały czerwone dziecięce botki spoczywające na kosmatej skórze z owcy.

Claesson przyłożył palec do ust.

– Mam szeptać? – zapytała.

– Możemy cicho rozmawiać. Właśnie zasnęła.

– Sypia w ogrodzie?

– Tak, a czemu nie? Lubi spać w wózku. Trzeba ją tylko odpowiednio ubrać. Wystawialiśmy ją na dwór nawet w zimie.

Louise spojrzała na niego sceptycznie, myśląc, do czego to są zdolni rodzice, aby mieć trochę świętego spokoju.

Otworzyła torbę i wyjęła wydruk z wstępnego, dość krótkiego przesłuchania Viktorii. Dziewczynka szybko wróciła do siebie – była silna, choć ciągle skarżyła się na lekkie zmęczenie. Rozpoczęła regularne wizyty u psychologa, które miały trochę potrwać.

Louise liczyła na pomoc Claessona, na dyskusję z nim, która miałaby zastąpić samotną analizę zdarzeń. Dziewczynka padła ofiarą niezwykłej przemocy. Wprawdzie Louise specjalizowała się w prowadzeniu przesłuchań dzieci, było to jednak trudne. Dopiero rozpoczęła rozmowy z Viktorią, dziewczynka wiedziała więc, że się jeszcze spotkają. Nawiązały kontakt.

– Czy się przyznali?

– Częściowo – odpowiedziała Louise.

– Zgadzają się ich zeznania?

– W większości. Właścicielką warsztatu meblowego jest siostra Pera Olssona. Nazywają go Pelle. Jest jej bratem przyrodnim, osobno dorastali. Ciągną się za nim jakieś obciążenia rodzinne z okresu dorastania: trudności socjalne, samotna matka ze skłonnością do wiązania się z agresywnymi mężczyznami... w każdym razie Olsson wszedł do warsztatu siostry i zabrał stamtąd młotek. Nie miała siły go zatrzymać, więc wolała wyjść z warsztatu. Widziała, jak Clary przechodzi przez brukowany dziedziniec. Wydarzenia biegły dość szybko. Nie wiemy jeszcze, dokąd poszła wtedy Rita. Brat w każdym razie zbiegł do pralni, stracił panowanie nad sobą, zatłukł Doris młotkiem i zabrał jej portfel, w którym było dwa tysiące koron. Doris okazała się, można powiedzieć, niesamowicie skuteczna w zdobywaniu pieniędzy. Per zachował na tyle przytomności umysłu, że umył młotek u siostry, po czym odwiesił go na miejsce. Muszę przyznać, że Benny Grahn okazał się świetny – od początku podejrzewał taki bieg wydarzeń. Zauważył, że młotek nie był pokryty kurzem. Smutne, że siostra, Rita Olsson, która do tej pory nie miała do czynienia z policją, spanikowała i wyczyściła zlew oraz sama wyszorowała jeszcze raz młotek, żeby nie pozostało żadnych śladów. Z pewnością coś za to dostanie.

Louise zaczerpnęła tchu. Wiatr zawiał jej włosy na twarz, odsunęła je więc za uszy.

– Minęło trochę czasu, zanim Viktoria wróciła do warsztatu. Ludzie zagadywali ją, gdy chodziła po domu, sprzedając majowe kwiatki, ktoś ją zaprosił na ciastka.

– Nie powinni porywać dziewczynki – stwierdził Claesson.

– Nie, zwłaszcza że nie wierzę, aby Viktoria była zdolna rozpoznać Clary. Sam jednak wiesz, jak to jest: ludzie się denerwują, narasta w nich mania prześladowcza, panikują. Postanowili sprawdzić dziewczynkę przez Ritę. Na ich obronę mogę stwierdzić, że mieli ogromne problemy z podjęciem decyzji, co zrobić z Viktorią. W każdym razie nie byli w stanie jej zabić, nie bezpośrednio. Dziewczynka głodowała, odmawiając przyjmowania jedzenia.

Claes Claesson i Louise Jasinski oddali się nader ogólnikowym rozważaniom na temat niebezpieczeństwa, jakie niosły ze sobą nadużycia i złe dorastanie, cokolwiek to było. W dzisiejszym świecie szczęśliwe dzieciństwo nie było dobrem ogólnodostępnym.

– I jeszcze Viktoria – odezwała się Louise, podnosząc kartki. – Spotykam się z nią za dwie godziny. Coś z nią jest nie tak. Pytanie tylko, jak daleko mogę się posunąć.

■

– Poniedziałek, dwudziestego dziewiątego kwietnia, godzina piętnasta zero trzy – dyktuje policjantka.

Jest ubrana po cywilnemu: bez munduru, w zwykłym ubraniu, takim jak mama. Trochę szkoda – uważa Viktoria.

Dziewczynka wie, że kamera nagrywa również głos policjantki, podobnie jak całą jej postać. Viktoria siedzi w tym samym fotelu, co na poprzednim przesłuchaniu. Kamera wideo stoi kawałek dalej – łatwo zapomnieć o jej istnieniu.

Dziewczynka wolałaby zostać po szkole u Liny, tak jak wczoraj. Mama i tata przyjaciółki nic się nie zmienili – zachowywali się jak zwykle. Viktoria uważała to za cudowne.

W szkole też wszystko wróciło do normy: zarówno zachowanie nauczycielki, jak i większości klasy, choć wielu uczniów traktowało ją jednak milej. Nie chciała się zwierzać z okresu, kiedy była więziona. Nie musisz tego robić – powiedział psycholog. Była tym wszystkim zmęczona. Matka stała się nie do zniesienia – co chwila dzwoniła do niej na komórkę, sprawdzając, gdzie jest. I Gunnar, który się nie zmienił, niezmiennie chciał się nią zajmować.

Okropne!

Nie podobała jej się ta lawina pytań, czuła się nimi zmęczona. Kręciło jej się w głowie, mieszało, a w domu musiała jeszcze uważać na Gunnara, który robił się coraz gorszy. Wkrótce znów się do nich wprowadzi – mama z Gunnarem tak zadecydowali. Będzie dobrze – stwierdziła matka, która cieszyła się, że przyjaciel pomoże jej dbać o córkę. Bo mama zupełnie załamała się z rozpaczy, kiedy Viktoria zaginęła, więc potrzebowała kogoś, na kim mogłaby się oprzeć. A – jak wyszło na jaw – Johansson nie był ojcem dziewczynki. Właściwie szkoda – pomyślała Viktoria, bo jest o wiele fajniejszy od Gunnara.

Cisnęli ją tymi pytaniami. Czasami zastanawiała się, czy sądzą, że kłamie, że wszystko zmyśliła. W przeciwnym wypadku nie wałkowaliby chyba w kółko tego samego?

– Wróciłaś już do szkoły?

– Tak.

– Fajnie jest?

– Tak.

– Co dziś robiłaś?

– Nic specjalnego. W stołówce dawali klopsiki. Poszłyśmy do Liny, w jej domu jest fajnie. Potem przyjechał po mnie Gunnar i tu przywiózł.

Sympatyczna policjantka o imieniu Louise potakuje.

– Ale Gunnar nie jest moim ojcem. I dobrze.

Louise milczy. Czeka na dalszy ciąg.

– Bo nie jest dobry... choć ma samochód.

Louise czuje się rozbita, ale postanawia nie dać tego po sobie poznać. Intuicja podpowiada jej, że może do tej pory była ślepa, zadając dziewczynce pytania ograniczające się do spraw związanych z porwaniem.

– Ach tak – podejmuje ostrożnie. – Mówisz, że Gunnar nie jest dobry?

Viktoria przygląda się jej badawczo, oceniając, ile policjantka jest w stanie znieść. Czy można jej zaufać?

– Nie jest – odpowiada, spuszczając oczy.

Kamera dalej nagrywa. Jakiś przedmiot upadł z głuchym łoskotem w głębi komisariatu.

– On tak sapie – mamrocze. – Nie mogę go zatrzymać, jakby... nie zważa na mnie... tylko nie przestaje.

Viktoria ponownie mierzy Louise spojrzeniem.

– Rozumiem, że źle cię traktuje – odpowiada Louise, bacznie uważając, aby nie odwrócić wzroku.

– Czasami jest miły – mówi dziewczynka. – Podwiózł mnie tutaj. Mama nie ma samochodu.

– Ale może czasem nie jest dla ciebie miły?

Viktoria kuli się w sobie na fotelu, oglądając pogryzione paznokcie. Potem podnosi znów wzrok. Po raz pierwszy od czasu, kiedy zaczęły się przesłuchania, z jej oczu tryskają łzy. W milczeniu potrząsa przecząco głową.